The Hybrid Textbooks of Civil Law Vol. 5
The Law of Family &
Succession

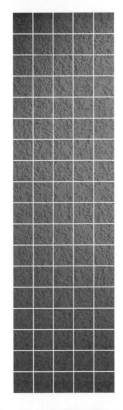

新ハイブリッド民法

家族法［第2版］

青竹美佳・渡邉泰彦・鹿野菜穂子
西 希代子・冷水登紀代・宮本誠子❖著

法律文化社

ハイブリッド民法シリーズの刊行にあたって

　2004年4月にわが国で初めて法科大学院が開設されました。この法科大学院は，周知のようにアメリカのロースクールに倣って法曹資格者のための専門大学院として発足したものですが，学生の質もかなり高く，ハイレベルな授業が要求されます。2006年6月には，法科大学院卒業者の受験する初めての司法試験が実施されました。法科大学院では，法曹実務教育を大幅にとりいれた実践的な教育が行われますが，それに対応するためには，学生が学部教育，法科大学院1〜2年生の時期の教育において民法学の基礎的な制度，ルールを十分に理解して，応用能力を備えていることが前提となります。

　それと並んで，20世紀の末から現在までの間に，民法典およびそれに関連する法律について数多くの手直しがなされ，また幾つもの民事特別法が制定されました。ごく新しいものだけを例にとっても，1999年の民法典中の成年後見制度の改正，2004年の民法典現代語化法（口語化法），2006年の公益法人制度の改正（2007年より施行）をはじめとして，1998年のNPO法，債権譲渡特例法（2004年動産，債権譲渡特例法），民事再生法，1999年の任意後見法，住宅品質確保促進法の制定と定期借家権の導入，2000年の消費者契約法，特定商取引法，電子署名法，金融商品販売法，2001年の中間法人法，電子（消費者）契約法，2003年の人事訴訟法，2004年の新不動産登記法，新破産法，2005年の会社法，仲裁法，2006年のADR促進法，預金者保護法，金融商品取引法，新信託法，法の適用に関する通則法，2007年の労働契約法などがそれで，それらにおいてもその後手直しが行われまたはそれが予定されています。また近い将来においても，担保物権法，債権法，家族法といった民事法分野における法改正が予定または計画されています。

　このようにわが国の法学教育，わけても民法学の教育は，現在大きな転換点を迎えており，従来使われてきた民法学の教科書，参考書を見直して，新たな時代に対処するための新しい民法教科書作りに本格的に取り組まねばならない時期に差しかかっています。そこでこのような新しい時代に対応するために，

法科大学院時代の学部とロースクール両方での民法教育をにらんだ，いわばハイブリッドなテキストというコンセプトで，新しい民法教科書シリーズを企画しました。

　この新しい民法教科書シリーズは，従来の総則，物権・担保物権法，債権総論，債権各論，家族法という5本の柱からなる枠組みを崩すものではありませんが，新しい現代語化民法，その他の新しく制定，改正されたばかりの数多くの民事特別法に依拠するとともに，法学部学生および法科大学院学生の両者に対応できるように，基礎的な民法制度を祖述する一方で，最新の判例・学説および新しい争点をもとりいれ，基礎から応用にいたるまでの多面的かつアクセントをつけたきめ細やかな記述を旨としています。民法典およびそれを取り巻く数多くの法令が形式的だけでなく，内容的にも新しいものとなり，かつ急テンポに新しい問題が次々と生起する現在にあって，このような新機軸の民法教科書を上梓することは，必ずや数多くの利用者を見出し，学界の共有財産となるであろうことを信ずるものです。

　　2006年9月

『ハイブリッド民法』シリーズ編集委員

小野　秀誠
本田　純一
松尾　　弘
滝沢　昌彦
半田　吉信

第 2 版はしがき

　本書の初版が2021（令和 3）年11月に刊行されて以来，家族法をめぐる状況が大きく変化した。変化の第 1 は，2022年12月に親子法制を見直す民法等の一部を改正する法律が成立したことである。同法律は，2024年 4 月 1 日に全面的に施行される。これにより，主に嫡出推定制度，認知制度について重要な変更が生じることとなった。本書は，第 5 章親子の部分について，法改正に内容を対応させるために大幅な改訂を加えている。第 2 に，民事裁判その他の手続におけるデジタル化の要請を受けて，いわゆる民事関係手続デジタル化法が2023年 6 月に成立し公布された（公布から原則として 5 年以内に施行。公正証書の手続のデジタル化に関する規定は 2 年半以内に施行）。同法に関しては，特に関連する公正証書遺言の方式について，第11章遺言の部分で記述を加えている。第 3 に，離婚後の親権に関する制度を見直す法改正の検討が進められ，2024年 2 月には民法改正の要綱が採択され，民法改正案が国会に提出される見込みである。現行法によると，父母が離婚すると，例外なくどちらか一方を未成年子の親権者と定める必要がある。要綱では，父母の話合いにより，一方または双方を親権者と定めることができ，話合いにより決定できないときは，家庭裁判所が親権者を定めることとされている。家族の多様化により，子の福祉に沿った離婚後の親権のあり方も多様であるとの考えに基づいているが，DV や虐待のために子の福祉に沿った親権の定めがされる必要があり，課題が残されている。民法改正の要綱に関連する第 3 章離婚，第 6 章親権では，現行法をもとにした記述を維持しながら，要綱について，重要な点にしぼって本文または**Topic** で簡潔な解説を加えた。

　家族法の変化を本書に取り込むのは簡単ではなく，法律文化社の野田三納子さんに，初版に続き多大なご尽力をいただいた。心よりお礼を申し上げたい。

　2024年 2 月

執筆者一同

はしがき

　本書は，家族法を初めて学ぶ人から，法科大学院等でより深く学ぶ人まで幅広い読者の皆様に活用していただけるよう，わかりやすさと詳しさの両方を追求している。具体例（**Case**）を用いて，複雑な家族関係，財産関係に基づく法的問題についても，具体的かつ簡潔に説明し，抽象的な説明を避けるようにしている。他方で，平板な記述にならないよう，制度の趣旨や目的，背景などにもできるだけ触れ，制度の深い理解につながるようにし，条文の解釈について判例や学説で争いのある問題では，単なる制度の解説にとどまらず，やや詳しい解釈論に踏み込んで，立場の対立の意義や背景にある考え方を示すようにしている。

　本書では，家族法を学ぶ上で重要かつ興味深いと思われるテーマを扱っているが，同時に，司法試験をはじめとする各種の試験や大学の期末試験等で出題されやすい問題は何かということを意識して取り上げる内容を選別しているところが多い。そして，家族法だけの理解にとどまらず，財産法を含めた民法全体のより深い学習につながるよう，財産法との接合を意識した発展性のある内容になるように工夫している。

　また，本書は2018年の相続法改正，2019年の特別養子縁組制度の改正等に完全に対応し，その他，最新の法改正の動向についての記述も充実させている。所有者不明土地問題への対策として，2021（令和3）年4月28日に公布された「民法等の一部を改正する法律」（令和3年法24号。原則として公布後2年以内に施行）は，相続財産の管理等について遺産共有や遺産分割の原則に関わる多数の重要な新設の条文，改正条文を含む。本書では相続法に関する改正条文の意義を明快にかつ全体像を把握できるように解説している。その他，法制審議会民法（親子法制）部会が2021年2月に公表した中間試案，2021年3月に始まった父母の離婚に伴う子の養育のあり方についての法改正を検討する法制審議会家族法制部会の審議の内容は，親子法，離婚法の問題点と今後の展開を学ぶ上で有意義なところが多いので，必要な範囲で要点を示している。

　なお，家族法を学ぶ上では，実際の家事事件がどのような手続に従って解決されるかということは無視し得ないため，家事事件の手続についての記述を充実させている。家事事件の手続については，第1章親族法総説のところでまとまった解説をしている他（➡18頁以下），各章において手続がどのようになっているかが重要になるところでは，実際の家事事件についてイメージをつかむことができるように，その都度手続についての記述を加えている。

　本書の完成まで，共著者相互で原稿を読み合って意見を交換し，家族法の奥深さ，面白さを再認識することになった。読者の皆様にとっても，本書が家族法の理解を深め，さらに発展的に学習するきっかけとなるようであれば幸いである。

　なお，本書の作成にあたっては，法律文化社の野田三納子さんに，多くの有意義なご提案をいただき，最後まで忍耐強く執筆を支えていただいた。心よりのお礼を申し上げる。

　2021年10月

執筆者一同

目　次

凡　　例

　本書は，2023（令和5）年6月6日成立，同月14日公布の「民事関係手続等における情報通信技術の活用等の推進を図るための関係法律の整備に関する法律」（いわゆる「民事関係手続デジタル化法」。令和5年法53号。公布から5年以内に施行。公正証書の手続のデジタル化に関する規定は2年半以内に施行）による法改正までを反映させている。本文中に「改正〇条」とあるのは，特に断りがない限りこの法律によって改正される条名を指す。

【1】　判例の略語（主要なもの）

大　判……大審院判決　　　　　　　　　最大判……最高裁判所大法廷判決
大連判……大審院民事連合部判決　　　　高　判……高等裁判所判決
最　判……最高裁判所小法廷判決　　　　地　判……地方裁判所判決

民　録……大審院民事判決録　　　　　　裁　時……裁判所時報
民　集……大審院（最高裁判所）民事判例集　　家　判……家庭の法と裁判
刑　集……大審院（最高裁判所）刑事判例集　　判　時……判例時報
新　聞……法律新聞　　　　　　　　　　判　タ……判例タイムズ
家　月……家庭裁判月報　　　　　　　　金　判……金融・商事判例
下民集……下級裁判所民事裁判例集　　　金　法……旬刊金融法務事情
高民集……高等裁判所民事判例集　　　　LEX/DB……TKC法律情報データベース

百選Ⅰ・Ⅱ・Ⅲ……民法判例百選Ⅰ・Ⅱ〔第9版〕，Ⅲ〔第3版〕（別冊ジュリスト）

【2】　法令名の略記

　本文カッコ内での法令条名（および項数・号数）の引用に際して，民法典については，条名のみをかかげ，その他の法令で引用頻度の高いものは，その法令名を，通例慣用されている方法により略記した。

❖ 著者紹介

青竹　美佳 （あおたけ　みか）　　　　　　　　序，第6章，第11章～第13章 執筆

略歴　京都大学大学院法学研究科博士課程単位取得退学。博士（法学）
現在，大阪大学大学院高等司法研究科教授

主要業績
『NBS 家族法〔第4版〕』（日本評論社，2023年，共著）
『逐条ガイド相続法』（日本加除出版，2022年，共著）
『遺留分制度の機能と基礎原理』（法律文化社，2021年）

渡邉　泰彦 （わたなべ　やすひこ）　　　　　　　　　　　第1章 執筆

略歴　同志社大学大学院法学研究科私法学専攻博士後期課程修了。博士（法学）
現在，京都産業大学法学部教授

主要業績
「個人の尊厳とセクシュアリティの多様性」『現代家族法講座第1巻　個人，国家と家族』（日本評論社，2020年）
「同性の両親と子―ドイツ，オーストリア，スイスの状況（その1）～（その8・未完）」産大法学47巻3・4号合併号（2014年）～57巻3・4号合併号（2024年）
「子と母の女性パートナーとの母子関係の成立―オランダにおける子とデュオマザーの親子関係」産大法学50巻3・4号（2017年）

鹿野菜穂子 （かの　なおこ）　　　　　　　　　　　第2章～第4章 執筆

略歴　九州大学大学院法学研究科修士課程修了，同博士後期課程単位取得退学
現在，慶應義塾大学大学院法務研究科教授

主要業績
『基本講義消費者法〔第5版〕』（日本評論社，2023年，共編著）
『新プリメール民法1　民法入門・総則〔第3版〕』（共法律文化社，2022年，共著）
『改正債権法コンメンタール』（法律文化社，2020年，共編著）
『消費者法の現代化と集団的権利保護』（日本評論社，2016年，共編著）

西　希代子 (にし　きよこ)　　　　　　　　　　　　第5章 執筆

略歴
東京大学法学部卒。博士（法学）
現在，慶應義塾大学大学院法務研究科教授

主要業績
「『高齢者法』の試み（1）～（3）」戸籍1023号・1025号・1027号（2023年）
『解説 民法・不動産登記法（所有者不明土地関係）改正のポイント』（有斐閣，2023年，共著）

冷水登紀代 (しみず　ときよ)　　　　　　　　　　第7章，第8章 執筆

略歴
大阪大学大学院法学研究科博士前期課程修了
現在，中央大学法学部教授

主要業績
『新注釈民法(19)相続(1)〔第2版〕』（有斐閣，2023年，共著）
『新・コンメンタール民法（家族法）』（日本評論社，2021年，共著）

宮本　誠子 (みやもと　さきこ)　　　　　　　　　第9章，第10章 執筆

略歴
大阪大学大学院法学研究科博士後期課程修了
現在，金沢大学人間社会研究域法学系教授

主要業績
『詳解 改正民法・改正不登法・相続土地国庫帰属法』（商事法務，2023年，共著）
『逐条ガイド相続法—民法882条～1050条』（日本加除出版，2022年，共著）
『相続法制の比較研究』（商事法務，2020年，共著）
『判例にみるフランス民法の軌跡』（法律文化社，2012年，共著）

序　家族法を学ぶにあたって

　(1)　**財産法との比較における家族法**　　家族法は，家族関係と相続関係について の法である。民法典では第4編親族と第5編相続の部分に該当する。家族 法は，民法の他の領域である財産法（民法典では総則，物権，債権）と異なる原 則に基づいているところも少なくなく，比較しながら学ぶことをお勧めした い。例えば，財産法では，契約は特別の方式を必要とせず，当事者の意思表示 の合致によって成立するのが原則である（▶522条）。これに対して，家族法で は，婚姻や離婚などでは，当事者の意思表示の合致だけでは成立せず，届出を 必要とする（▶739条・764条）。また，財産法では，不動産の物権変動を第三者 に対抗するには登記を備える必要がある（▶177条）。これに対して，家族法で は，相続による不動産の物権変動は，第三者に対抗するために，相続した者の 法定相続分を超える部分についてのみ，登記を備える必要があることとされて いる（▶899条の2第1項）。また，権利行使の期間制限についても，民法総則の 時効や除斥期間とは異なり，家族法には特別に短い期間制限が設けられている ことが多い。詐欺による婚姻の取消しは3か月（▶747条2項），嫡出子につい て推定された親子関係を否定する嫡出否認権は3年（▶777条），相続の放棄は 3か月（▶915条1項），侵害された相続権の回復を求める相続回復請求権は5 年（▶884条），それぞれの起算点から経過すると，権利行使できなくなる。

　このように，家族法では，財産法とは異なる原則が多く設けられている。そ の理由を財産法と比較しながら考える，というのが家族法を学ぶ醍醐味の1つ である。例えば，婚姻や離婚は，財産法上の契約とは異なり家族関係を変化さ せるという点で当事者にとっても第三者にとっても重大な行為であるから特別 に明確性が求められ，届出が必須の要件とされているのではないか，相続法の

対抗要件について特別の規定が設けられているのは，法定相続分に応じた権利承継は，第三者との関係でも尊重すべきであると捉えられているからではないか，家族関係や相続関係は特に早期に確定させる必要があるという考え方が，権利行使の短い期間制限の背景にあるのではないか，などというように考えていくのである。

　(2)　**身分行為の特徴**　　ところで，婚姻や離婚などの家族法上の行為は，一般的に身分行為と呼ばれている。身分行為と呼ばれる行為には，婚姻や離婚のほか，養子縁組，認知などがあり，いずれも家族関係を設定したり解消したりする行為である。身分行為の特質をおさえることが，家族法の特徴をつかむことにつながる。

　身分行為の特質の1つは，本人の意思決定が特に尊重され，意思決定を他人に任せることはできないことである。財産法上の契約等とは異なり，身分行為は，家族関係を設定したり解消したりする行為であり，そこでは本人の意思が不可欠とならざるを得ないからである。例えば，婚姻については，行為能力を制限された成年被後見人であっても，後見人の代理によるのではなく，自ら婚姻をすることができ，逆に後見人の代理により婚姻することはできない（▶738条）。婚姻以外の身分行為についても同様である（▶764条・780条・799条・812条）。このように，身分行為の特質から，制限行為能力についての民法総則の原則（9条によると成年被後見人の法律行為は取り消すことができる）を修正する特別の規定が設けられている。

　身分行為の他の特質として，家族関係を設定したり解消したりすることは，当事者だけではなく第三者にとって重大な意味をもっているため，明確性が求められていることがある。明確性の要請に基づいて，上述のように，婚姻や離婚などの身分行為では当事者の意思表示の合致だけではなく届出が成立の要件となっている（▶739条・764条）。また，詐欺による婚姻の取消しは，相手方に対する意思表示ではなく，家庭裁判所に請求することとされている（▶747条）。ここでも，身分行為の特質により，民法総則の取消しの原則（123条によると相手方に対する意思表示による）が修正されている。

　(3)　**財産法上の制度における家族法上の行為の特別な扱い**　　また，家族法上の行為や制度は，財産法上の制度において特別な扱いを受けるか，という視

点で家族法を学ぶことが，財産法を含めた民法全体の制度の考察につながり有意義である。例えば，権限外の行為の表見代理（▶110条）において，夫婦相互の無権代理には，夫婦各自の財産的独立性を図るという法定財産制（別産制）の趣旨から，特別に扱われている。判例では，夫婦は相互に一定の範囲の代理権を有するとしても，110条は直接適用されず，同条の趣旨の類推適用も非常に制限された形でしか認められず，原則として夫婦の一方は，他方の無権代理による責任を同条によっては負わされないと解されている（➡55頁）。また，詐害行為取消権との関係では，離婚に伴う財産分与（➡87頁），遺産分割協議（➡311頁），相続放棄（➡245頁）等が取消しの対象になるかが判例・学説において問題とされている。これらの行為を家族法上の特別な意義を有する行為とみて，「財産権を目的としない行為」（▶424条2項）にあたるとみてよいか否か，詐害行為取消権との関係で特別に扱うべきか否かが検討されている。また，債権者代位権との関係では，相続法上の遺留分侵害額請求権は，権利を行使するか否かを決定する遺留分権利者本人の意思を尊重するべきとの立場から，一身専属権にあたるとして（▶423条1項ただし書），原則として代位行使を認めない立場が先例となっている（➡371頁）。

　(4)　**家族法上の制度の理解**　　家族法を学ぶ上では，多くの制度の理解が求められる。中にはかなり詳しい規定が設けられている制度もある。例えば，成年後見制度について（7条以下と838条以下に分けて規定されている。➡180頁以下），後見，保佐，補助の3種の制度に関して，本人が自らできる行為と保護者がすべき行為が詳細に定められている。これらの詳しい規定の意味を理解するには，保護を受ける本人の事理弁識能力の程度が高くなるのに応じて，本人の自己決定をより尊重しようとする制度の趣旨をおさえる必要がある。また，法律上の親子関係を設定するための特別養子縁組の制度では，縁組を成立させる要件について，養子は成立時に未成年でなくてはならず，養親は夫婦であって一方が25歳以上，他方が20歳以上でなくてはならない等，様々な厳しい要件が詳細に定められている（▶817条の2以下。➡144頁以下）。これらの条文をただ暗記するのではなく，制度の趣旨や目的を理解するのが有意義である。子の福祉のために安定した実親子同様の養育環境を保障するという，特別養子縁組の趣旨や目的をおさえれば（➡143頁以下），縁組の様々な厳しい要件の意味がよく

わかるようになるであろう。家族法を学ぶには，常に制度の趣旨や目的の理解に努めるのが望ましい。

　(5)　本書の対象　　親族および相続について規律する広い意味での家族の法には，民法典の他，戸籍法，児童福祉法，生活保護法，人身保護法，児童虐待の防止に関する法律，配偶者からの暴力の防止及び被害者の保護等に関する法律，任意後見契約に関する法律，不動産登記法，家事事件手続法，人事訴訟法等が含まれる。本書は，主に民法典の親族編および相続編という狭い意味での家族法を扱っているが，それ以外の家族の法についても必要に応じて触れている。

　本書の内容は，2022（令和4）年12月10日に成立した，民法の嫡出推定制度の見直し等を内容とする民法等の一部を改正する法律（令和4年法102号。親権に関する規定は2022年12月16日施行。その他の規定は2024年4月1日に施行）に対応している。同法により，嫡出否認制度については（➡114頁），①婚姻の解消の日から300日以内に子が出生した場合であっても，母が前夫以外の男性と再婚した後に出生した子は，再婚した夫の子と推定され，②嫡出否認権者を子，母および母の前夫に拡張し，③嫡出否認の訴えの期間制限を1年から3年に伸長した。これに伴い，④女性の再婚禁止期間の規定（▶改正前733条）は削除された（➡39頁）。認知制度については⑤認知無効の訴えを提起できるのは，子，認知をした者および子の母であり，期間制限は所定の起算点から7年以内とされた。さらに，懲戒権に関する規定（▶改正前822条）は，児童虐待の正当化につながりかねないとして削除された（➡159頁）。

　また，2023（令和5）年6月6日に成立した，いわゆる「民事関係手続デジタル化法」（令和5年法53号。公布日の令和5年6月14日から5年以内に施行。公正証書の手続のデジタル化に関する規定は2年半以内に施行）にも本書は対応し，特に公正証書遺言の方式については規定する法律が民法から公証人法に変更されているので，その旨を該当箇所（➡330頁）で明示した。

　なお，本書は，現在導入が進められている離婚後の子の親権等に関する新たな制度について，概要を紹介し，今後の家族法改正の動きを把握できるようにしている（➡157頁）。

第1章　親族法総説

1　家族法の基礎

親族法の対象　民法第4編親族は，民法725条から881条までである。おもに婚姻と親子について定めており，「家族編」と呼ぶ方がわかりやすいかもしれない。明治時代から1945（昭和20）年まで適用されていた明治民法には家制度との関係で家族を定義する規定があったが（▶旧732条），現在の民法典に「家族」という用語はない。

　もっとも，「家族」という用語を用いる法律もある。憲法24条2項は「婚姻及び家族に関するその他の事項」と定め，婚姻と家族という概念が並べて示されている。ここでは，夫婦だけを婚姻，そして親子関係を含むものを家族と捉えている。それに対して，個人と個人の関係を定めている民法では，家族も夫と妻，親と子という個人間の関係に分解して考えている。

　親族法は，夫婦と子の伝統的な家族のみを対象としているのではない。離婚して父母の一方と子が生活する家族も，また両親が婚姻していない子の親子関係も，親族法の対象である。

　また，親族法に定められている関係の他にも，家族は存在する。婚姻届を提出せずに共同生活をするカップルもあれば，血縁も縁組もないが親子として暮らしている家族もある。このようなカップル（内縁・事実婚），家族（事実上の養子）についても，判例により一定の範囲で保護が与えられている。

家族法の歴史的変遷　**(1)　家族法の沿革**　日本では，明治時代に近代法典の編纂が始まった。親族をも対象とする民法典も明治3（1870）年に開始し，フランス民法典をもとにした明治4年「民法決議」，明治5年「皇国民法仮規則」，明治6年「民法仮規則」，さらに日本の慣習法・習俗法も取り入れた「左院民法草案」が作られた。そして，明治9年か

ら民法典編纂作業が再開し，明治11年に「民法草案」が出されたが，法律には
ならなかった。明治12年に，フランス人ボアソナードに命じて民法典の編纂作
業が改めて開始された。財産法はフランス法を基礎とする方針がとられたが，
親族・相続法に相当する部分については日本人委員に起草が委ねられた。明治
18年に家族法に該当する部分を除く財産法について草案が完成し，親族・相続
法にあたる部分は明治21年に草案（第一草案）が完成した。このいわゆる旧民
法典は，明治23年に公布され，明治26年1月から施行されることになっていた
が，法典論争の結果，廃案となった。明治26年に，梅謙次郎，穂積陳重，富井
政章を起草委員とする法典調査会が設置され，当時起草中であったドイツ民法
典草案にならって総則，物権法，債権法，親族法，相続法に分類するパンデク
テン方式の編別構成をとった民法草案が起草された。明治29年に財産編が，明
治31年6月に親族編・相続編が公布され，同年7月に施行された（明治民法）。

　明治民法の親族編・相続編の中心的な概念は，家制度と家督相続である。戸
籍に記載される家の構成員の範囲は夫婦と子に限らず広い範囲に及び，家族の
長である戸主が家族の婚姻への同意権，居所指定権など強い権利を有していた。

　1945（昭和20）年8月に太平洋戦争が終わり，ポツダム宣言の受諾に伴う法
整備として憲法改正とともに，親族法・相続法も改正の対象となった。日本国
憲法が1946年11月3日に公布，翌1947年5月23日に施行された後，1948年1月
1日から新しい親族法・相続法が施行された。家制度・家督相続は廃止され，
日本国憲法の理念に合わせて，個人主義，平等主義が徹底された（相続法につ
いて，➡216頁）。例えば，夫婦財産制について，ヨーロッパ諸国では夫による
財産管理を定めていたのに対して，法定財産制として夫婦別産制（➡57頁）を
導入するというように，当時においては先進的な内容をもっていた。

　(2)　近時の改正　　親族法では，1976年に離婚による婚氏続称，1987年に特
別養子制度が新設された。

　平成に入り，1996（平成8）年には①選択的夫婦別氏の導入，②再婚禁止期
間の180日から100日への短縮，③5年の別居による離婚の導入，④嫡出子と嫡
出でない子の相続分の均等などを含む「民法の一部を改正する法律案要綱」が
法制審議会で決定された。この法律案要綱に基づく民法の改正は行われなかっ
たが，その一部は，20年以上の時を経て判例によって実現されていく。

　1999（平成11）年にはそれまでの禁治産制度に代えて成年後見制度と任意後見契約が新設された。その後は，2003年の人事訴訟法，2011年の家事事件手続法と手続法が刷新された。

　2010年代からは，2011年に親権停止制度などの導入，2016年に成年後見円滑化法，再婚禁止期間を100日に短縮する改正，そして2020（令和２）年に特別養子の改正，2021年に生殖補助医療による親子関係に関する民法特例法が施行された（➡149頁）。

　2018年の相続法改正（➡217頁）では，配偶者居住権（➡304頁）のように法律婚配偶者を保護する規定が設けられた。また，配偶者の特別受益の持戻し免除の意思表示の推定（➡294頁）では，財産形成への配偶者の長年にわたる貢献などが考慮に入れられている。

　2022年４月１日から成年年齢が18歳となったことに伴い，婚姻適齢（➡37頁）が18歳になった（▶731条）。そして，未成年の婚姻に関する規定（▶旧737条），婚姻による成年擬制の規定（▶旧753条）が削除された。

　2021年に成立した「民法などの一部を改正する法律」，「相続等により取得した土地所有権の国家帰属に関する法律（相続土地国庫帰属法）」では，所有者不明土地の問題を解消するために，10年の経過による具体的相続分によらない遺産分割（2023年施行），相続登記の申請の義務化（2024年４月１日施行），相続などにより取得した土地の所有権を相続人が国庫に帰属させる制度（2023年施行）が導入された。

　2022年に成立した「民法（親子法制）等の改正に関する法律」では，懲戒権の規定（▶旧822条）の削除（2022年施行），嫡出推定の見直し，それに伴う再婚禁止期間（▶旧733条）の廃止，嫡出否認権の拡大，認知無効の制限などが行われた（2024年４月１日施行）。

　2023年には戸籍に氏名の振り仮名（カタカナ）の記載などを含む戸籍法改正（➡14頁）が成立し，公布日（2023年６月９日）から２年を超えない日に施行される。

　法制審議会家族法制部会（2021年に設置）は，離婚後の親権，子の監護に関する事項，未成年養子縁組など幅広い見直しを検討し，2024年２月に「家族法制の見直しに関する要綱」を決定し，民法改正案が国会に提出される見込みである。

憲法との関係　　(1)　**家族法と憲法**　　第2次世界大戦後に日本国憲法が制定された。憲法は最高法規であり，その条規に反する法律は，効力を有しない（▶憲98条1項）。そのため，1946（昭和21）年の大改正で家族法の規定は，憲法の内容に合わせて大きく変化した。現在においても，家族法の規定が憲法に適合しているかが問題となっている。そして，再婚禁止期間，嫡出でない子の相続分のように最高裁による違憲判断が，法律改正のきっかけとなった。

憲法の中で，次の規定が家族法に関係する。

まず，憲法24条は，婚姻と家族について直接に定めている規定である。憲法24条1項では，婚姻が合意のみに基づいて成立し，夫婦が同等の権利を有することなどを定める。同条2項は，婚姻および家族に関する事項に関して，法律は，「個人の尊厳と両性の本質的平等に立脚して，制定されなければならない」とする。「個人の尊厳と両性の本質的平等」は，民法2条の解釈基準ともなっている。

さらに，法の下の平等を定める憲法14条1項が，夫と妻，父と母という性別と結びついた概念において（再婚禁止期間について，★最大判平成27・12・16民集69巻8号2427頁：百選Ⅲ-5），嫡出子と嫡出でない子の間の平等扱いにおいて（★最大決平成25・9・4民集67巻6号1320頁：百選Ⅲ-59），性的指向において（★札幌地判令和3・3・17判時2487号3頁，名古屋地判令和5・5・30裁判所ウェブサイト）家族法と関係する。

憲法13条では，家族構成員個人の人格権が幸福追求権より導き出される。家族の形成・維持（ライフスタイル）の自己決定権，リプロダクションの自己決定権など家族法に関連する問題が含まれる。また，性別変更における生殖腺除去手術（▶性同一性障害者特例法3条1項4号）との関連において，「自己の意思に反して身体への侵襲を受けない自由」が保障される（★最大決令和5・10・25裁判所ウェブサイト）。

その他に，子の養育との関係では，憲法26条2項が教育を受けさせる義務を定めている。

(2)　**憲法24条1項**　　最高裁判例では，夫婦同氏の規定（▶750条）の憲法適合性が争われた訴訟において，憲法24条1項は，「婚姻をするかどうか，いつ

誰と婚姻をするかについては，当事者間の自由かつ平等な意思決定に委ねられるべきであるという趣旨を明らかにしたもの」とされる（★最大判平成27・12・16民集69巻8号2586頁：百選Ⅲ-6。➡43頁）。

　下級審裁判例では，同条1項の婚姻は異性婚を意味し，同性間の婚姻は含まれないとしている（「結婚の自由をすべての人に」訴訟，前掲★札幌地判令和3・3・17，大阪地判令和4・6・20判時2537号40頁，東京地判令和4・11・30判時2547号45頁，前掲名古屋地判令和5・5・30，福岡地判令和5・6・8裁判所ウェブサイト）。同性間の婚姻を禁止する趣旨でもないとする。

　(3)　**憲法24条2項**　　憲法24条2項は，両性の本質的平等から，例えば夫と妻の間で夫または妻であるという理由から不平等に扱うことを禁止している。夫婦について，憲法24条は，「婚姻関係における夫と妻とが実質上同等の権利を享有することを期待した趣旨の規定」であるとされる（★最大判昭和36・9・6民集15巻8号2047頁：百選Ⅲ-10）。もっとも，「個々具体の法律関係において，常に必ず同一の権利を有すべきものである」という要請までを含むものではないとする。

　夫婦同氏に関する判決において，憲法24条2項は，「具体的な制度の構築を第一次的には国会の合理的な立法裁量に委ねるとともに，その立法に当たっては，同条1項も前提としつつ，個人の尊厳と両性の本質的平等に立脚すべきであるとする要請，指針を示すことによって，その裁量の限界を画したもの」とされる（前掲★最大判平成27・12・16）。

　「結婚の自由をすべての人に」訴訟では，5つの判決のうち3つで現行の民法・戸籍法の規定が憲法24条2項に違反する，または違反の疑いがあると判断した。「パートナーと家族になるための法制度」が存在しないことから憲法24条2項に違反する疑いがあるとする（前掲★東京地判令和4・11・30）。また，「両当事者の関係が国の制度により公証され，その関係を保護するのにふさわしい効果の付与を受けるための枠組みが与えられるという利益は，憲法24条2項により尊重されるべき重要な人格的利益である」（前掲★名古屋地判令和5・5・30），「同性カップルに婚姻制度の利用によって得られる利益を一切認めず，自らの選んだ相手と法的に家族になる手段を与えていない」ことが「個人の尊厳に立脚すべきものとする憲法24条2項に違反する状態にある」（前掲★福

岡地判令和 5・6・8）としている。

　(4)　**憲法13条，14条 1 項と24条**　　両性の本質的平等を定める憲法24条は，法の下の平等を定める憲法14条 1 項と類似する。そして，憲法13条からは，人格権が導き出され，憲法24条 2 項は「個人の尊厳」を定めている。

　憲法13条，14条と24条の関係について，前掲最大判平成27・12・16は，夫婦同氏を定める民法750条の憲法適合性との関係で次のように述べている。

　「婚姻及び家族に関する法制度を定めた法律の規定が憲法13条，14条 1 項に違反しない場合に，更に憲法24条にも適合するものとして是認されるか否かは，当該法制度の趣旨や同制度を採用することにより生ずる影響につき検討し，当該規定が個人の尊厳と両性の本質的平等の要請に照らして合理性を欠き，国会の立法裁量の範囲を超えるものとみざるを得ないような場合に当たるか否かという観点から判断すべきもの」とされる。

　具体的にみると，「氏の変更を強制されない自由」は，憲法13条 1 項の人格権の一内容ではないとしても，同24条で人格的利益の問題となる。さらに，民法750条に形式的不平等が存在せず憲法14条 1 項に反していないとしても，同24条において実質的平等の問題として立法裁量の範囲で検討された（前掲★最大判平成27・12・16，結論は合憲。最大決令和 3・6・23裁時1770号 3 頁も同様の判断を示す）。

　強行法規性　　親族法の条文の多くは**強行法規**であり，当事者がそれと異なる合意をしても効力を有さない場合がある。例えば，夫婦が夫婦同氏の規定（▶750条）に反して，結婚時にそれぞれが婚姻前の氏を称し続けることで合意しても，合意は無効であり，そのような内容の婚姻届は受理されない。また，婚姻成立後には当事者の意思にかかわらず婚姻の法律効果を受ける。

　身 分 行 為　　(1)　**身分行為とは**　　法律行為の中で，婚姻，養子縁組，認知など身分関係（Status）を形成，変更，解消させる行為を**身分行為**という。財産法（民法総則，物権法，債権法）と区別した身分法（親族法，相続法）の独自性を強調した中川善之助博士は，身分法における法律行為を身分行為とした。身分行為という概念は，中川博士の構想では身分法全体にわたるものであったが，現在ではその一部である形成的身分行為のみを指すことが

多い。

　身分行為として，例えば婚姻締結では夫婦となる当事者の合意だけではなく，婚姻届の作成と提出，受理という一連の過程を経て初めて効力が発生する点に財産法の法律行為との違いがある。財産法での契約，とりわけ諾成契約が様式を必要とせずに合意の時点に成立することに比べると，身分行為では合意から効果の発生まで時間の経過が伴う。そのため，協議離婚届を作成してから提出までの間に夫婦の一方が離婚する意思を失い，他方が離婚届を提出した時には離婚の合意が存在していないという事態も生じる。

　(2)　**身分行為意思**　　身分行為に関しては，婚姻する意思，離婚する意思など**身分行為意思**とは何かが問題となる。判例によると，**婚姻意思**は，「真に社会観念上夫婦であると認められる関係の設定を欲する効果意思」（★最判昭和44・10・31民集23巻10号1894頁：百選Ⅲ-1）である実質的意思である（➡36頁。縁組意思も同様，➡134頁）。これに対して，**離婚意思**は，「法律上の婚姻関係を解消する意思」（★最判昭和57・3・26判時1041号66頁：百選Ⅲ-12）である法的意思説に立つとされる（➡69頁。離縁意思も同様）。

　次に，身分行為意思は，届書の作成時のみではなく，届出時にも必要である。つまり，合意して離婚届を作成したが，届出時に離婚する意思がないときには，離婚意思は存在しないことになる（➡69頁。婚姻意思について，➡35頁）。

　(3)　**身分行為の成立，無効，不成立**　　また，身分行為は，合意の時点ではなく，届出の時点で成立し（★最判昭和45・4・21判時596号43頁：百選Ⅲ-2），効力が生じる（▶739条・764条・799条・812条。➡37頁）。もっとも，認知は，出生時に遡って効力を生じる（▶784条）。

　身分行為意思がない身分行為は，無効となる（▶742条1号）。例えば当事者の一方のみが作成した婚姻届による婚姻は無効である（不受理申出制度について，➡37頁，67頁）。この無効な婚姻を他方が追認することもできる（★最判昭和47・7・25民集26巻6号1263頁：百選Ⅲ-3）。追認には遡及効があり（▶116条類推適用），婚姻は届出の受理の時から成立していることとなる（➡62頁）。

　さらに，合意のみで届出がない身分行為は成立していない（▶742条2号）。もっとも，戸籍上の届出を欠く内縁や事実上の養子縁組には，判例によって一定の保護が与えられている（➡99頁）。

2　氏　　名

氏と名の意義　人名は，氏と名から構成され，氏名と呼ばれる。氏名を正確に呼称される権利について，最判昭和63・2・16（民集42巻2号27頁。NHK日本語読み訴訟上告審）は，「氏名は，社会的にみれば，個人を他人から識別し特定する機能を有するものであるが，同時に，その個人からみれば，人が個人として尊重される基礎であり，その個人の人格の象徴であって，人格権の一内容を構成する」と述べる。

　姓または名字と一般に呼ばれることもあるが，法律上は氏（うじ）である。氏が個人の属する家の表示であるという考え方が社会にあるが，民法では氏を同じくする集団という概念はない。親族の概念でも氏は何の役割も果たしていない。夫婦とこれと氏を同じくする子で戸籍が編製されるが（▶戸6条），氏を家の呼称とするのではない。

　氏と名は，併せて個人を指すものであるが，その取得，変更について違いがある。

　法律上の氏名のほかに，**通称**が用いられることもある。通称は，戸籍に記載された氏名ではないが，世間一般に通用しているものである。芸名，ペンネームのほか，婚姻により戸籍上では氏を改めた者が社会的には婚姻前の氏を称している場合も通称という。

氏の取得と変動　**(1)　氏の取得と変動・変更**　人は，出生によって氏を取得する。その氏は，氏の変動と氏の変更によって変わることがある。**氏の変動**とは，婚姻，婚姻の取消し，離婚，縁組，縁組の取消し，離縁などの身分変動によって氏が変わることである。婚姻の場合には配偶者の氏（▶750条）というように（➡42頁），変動により称する氏は定められている。

　これに対して，意思表示をすることで氏を変えることを**氏の変更**という。氏の変更には，2つの類型がある。

　1つは，婚氏続称（▶767条2項。➡81頁），縁氏続称（▶816条2項）などを理由に届出により氏を変更する場合であり，変更後の氏は定まっている。

　2つは，やむを得ない事情によって氏の変更をしようとするときであり，原則として家庭裁判所の許可を得て，変更を届け出る（▶戸107条）。やむを得ない事由として，珍奇・難解な氏により社会生活が著しく困難となっている場合，離婚後に婚氏を続称していた者が婚姻前の氏に変更する場合，在日外国人と婚姻している者がその日本風の通称の氏に変更する場合などがある。

　(2)　子の氏　　(a)　氏の取得　　嫡出である子は父母の氏を称する（▶790条1項）。嫡出子の出生前に父母が離婚したときは，離婚の際における父母の氏を称する（▶同項ただし書）。嫡出でない子は母の氏を称する（▶同条2項）。

　棄児は父と母が不明であるため，市町村長が氏名をつける（▶戸57条2項）。

　(b)　父母の離婚と子の氏　　未成年の子の父母が離婚し，復氏した父母の一方がその親権者となる場合であっても，子の氏は親の離婚によって変わらない。この場合に，家庭裁判所の許可を得て，子は，氏を異にする父または母の氏に変更することができる（▶791条1項）。改氏した未成年の子が成年に達した時から1年以内であれば復氏することもできる（▶同条4項）。

　(c)　子の氏の変動・変更　　子の氏は，縁組の場合には養親の氏となる（▶810条）。縁組の取消し，離縁の場合には縁組前の氏（▶767条1項・816条1項）に変動する。離縁後も届出により養親の氏を称することができる（縁氏続称，▶816条2項）。

　父または母が氏を改めたことによって子が父母と氏を異にする場合（例えば嫡出でない子の母が，子の父と婚姻し父の氏を婚姻の氏に定めた場合）は，父母の婚姻中に限り，家庭裁判所の許可を要せずに，届出のみで子の氏を父母の氏に変更することができる（▶791条2項。➡131頁）。

　(3)　夫婦の氏　　(a)　夫婦同氏　　婚姻すると，夫婦は，夫または妻の氏を称する（▶750条）。これは，婚姻締結の時に夫婦で決めた氏（**婚氏**）を婚姻届に記載して，届け出る（▶戸74条1号）。カップルは婚姻によってのみ戸籍において同じ氏を称することができる。反対に，夫婦それぞれが婚姻前の氏を婚姻後も称すること（夫婦別氏）は，認められていない。2022年には94.7%の夫婦が夫の氏を選択し，妻がその氏を変えていた（内閣府男女共同参画ウェブサイト）。

　カップルの双方が婚姻前の氏を称するために，婚姻せずに事実婚にとどまることがある。婚姻した場合であっても，氏を変更した者が通称として婚姻前の

氏を称することもある。

　(b)　婚姻解消後の氏　　婚姻によって氏を改めた夫婦の一方は，離婚により，婚姻前の氏に復する（離婚復氏，▶767条1項・771条。➡81頁）。夫婦同氏は婚姻の効果であるから，婚姻が解消すると終了する。

　離婚後も復氏せずに婚氏を称することを望む場合には，離婚の日から3か月以内に届け出ることで，離婚時の氏を称することができる（婚氏続称，▶767条2項，戸籍77条の2）。

　これに対して，夫婦の一方の死亡により婚姻が解消した場合には，婚姻により氏を改めた生存配偶者は，原則として婚氏を称し続ける。また，いつでも婚姻前の氏に復することができる（▶751条1項。➡43頁）。

名の取得と変更　　名は，出生届に記載される。戸籍法は出生届の届出義務者について定めているが（▶戸52条・56条），命名権者は定めていない（➡159頁）。子の名には常用平易な文字を用いなければならず（▶戸50条1項），常用漢字，カタカナ，ひらがなのほか，戸籍法規則別表二に定める漢字（人名用漢字）である（▶戸則60条）。

　使用可能な漢字を用いても，その組み合わせにより不適当となる名として，悪魔と命名した事件がある（「悪魔ちゃん事件」★東京家八王子支審平成6・1・31判時1486号56頁：百選Ⅲ-44）。「社会通念に照らして明白に不適当な名や一般の常識から著しく逸脱したと思われる名は，戸籍法上使用を許されない」とし，「悪魔」の命名は命名権の濫用と判断された。

　2023（令和5）年6月9日に成立した改正法（同日から2年を超えない日に施行）により，戸籍には，氏および名の振り仮名が記載される（これまで戸籍に登録されている者についても振り仮名が記載される。▶新戸籍法13条1項2号）。振り仮名には片仮名が用いられる。氏および名に用いられる文字の読み方は一般に認められるものでなければならない（▶同条2項）。「一般に認められる」の基準として，法制審議会戸籍法部会の資料では，「幅広い名乗り訓等を許容してきた我が国の命名文化を踏まえて，柔軟に受け入れることが求められる」とする（名乗り訓とは，「頼朝」の朝のように名でしか使われない訓読み）。しかし，「①漢字の持つ意味とは反対の意味による読み方，②読み違い（書き違い）かどうか判然としない読み方，③漢字の意味や読み方との関連性をおよそ（または全く）

認めることができない読み方など，社会を混乱させるもの」などは，一般に認められている読み方として許容されないとする。詳細については，法務省の通達で示される。

戸籍に記載された名は，家庭裁判所の許可を得て，届け出ることで，変更できる（▶戸107条の2）。変更が許可される正当な理由として，通称として永年使用していた名への変更，奇妙な名，難しくて正確に読まれない名からの変更などがある。性別不合の当事者が自認する性別に合った名に変更する場合も，戸籍法の名の変更手続による。

3 戸 籍

戸籍と住民票

(1) 戸 籍 **戸籍制度**は，日本国民について編製され，人の出生から死亡までの身分関係（夫婦，親子など）を登録し，日本国籍をも公証する唯一の制度である。戸籍は，その身分関係を記録した公正証書である。

身分行為は，戸籍法による届出と結びついている。しかし，身分関係は民法に従って形成されるのであって，それを記録する戸籍が身分関係を形成するのではない。

明治時代に創設された戸籍制度は，明治民法の家制度と結びついて，戸主とその家に属する者が1つの戸籍に記載されていた。しかし，家制度が廃止され，1947（昭和22）年の民法改正に合わせて現在の戸籍法は，夫婦とこれと氏を同じくする子ごとに戸籍を編製する（▶戸6条）。個人単位ではなく，複数人の集団単位での登録を基本とする戸籍制度は，世界的にみて珍しい制度である。

戸籍に関する事務は市町村長が管掌し（▶戸1条1項），実際には市町村の役所の戸籍の担当者が行っている。以前の戸籍は戸籍用紙に記載した正本と副本を作成していたが（▶戸8条），現在は磁気ディスクに記録して作成される（▶戸118条以下）。紙媒体による戸籍についても，磁気ディスクへ画像が保管されている。

(2) 住民票 **住民票**は，個人単位で作成され，世帯ごとに編成されて，住民基本台帳法により市町村が設ける**住民基本台帳**を構成する（▶住民台帳6条1

図表 1-1　全部事項証明書

```
                                (1の1) [全部事項証明]
┌──────┬────────────────────────┐
│本　　籍│○○市○○町○丁目○番地○○        │
│氏　　名│堀川　憲一                       │
├──────┼────────────────────────┤
│戸籍事項 │【編製日】令和3年9月3日            │
│戸籍編製 │                               │
├──────┼────────────────────────┤
│戸籍に記録│【名】憲一          【配偶者区分】夫 │
│されている者│【生年月日】平成8年4月15日         │
│      │【父】堀川学                     │
│      │【母】堀川いずみ                  │
│      │【続柄】長男                     │
├──────┼────────────────────────┤
│身分事項 │【出生日】平成8年4月15日          │
│出　　生│【出生地】東京都文京区             │
│      │【届出日】平成8年4月20日          │
│      │【届出人】父                     │
├──────┼────────────────────────┤
│婚　　姻│【婚姻日】令和3年9月3日           │
│      │【配偶者氏名】堀川法子             │
│      │【従前戸籍】京都市北区紫野宮東町×× 堀川学│
├──────┼────────────────────────┤
│戸籍に記録│【名】法子          【配偶者区分】妻 │
│されている者│【生年月日】平成8年10月29日       │
│      │【父】北山茂                     │
│      │【母】北山千賀                   │
│      │【続柄】長女                     │
├──────┼────────────────────────┤
│身分事項 │【出生日】平成8年10月29日         │
│出　　生│【出生地】京都市左京区             │
│      │【届出日】平成8年10月30日         │
│      │【届出人】父                     │
├──────┼────────────────────────┤
│婚　　姻│【婚姻日】令和3年9月3日           │
│      │【配偶者氏名】堀川憲一             │
│      │【従前戸籍】京都市左京区修学院泉殿町×× 北山茂│
│      │                       以下余白 │
└──────┴────────────────────────┘
発行番号　00000
これは，戸籍に記載されている事項の全部を証明した書面である。
令和3年10月15日
                     ○○市長　○○○○　[印]
```

※2023年戸籍法改正により，今後は氏と名に振り仮名が記載される。

項）。世帯とは，住居・生計をともにする者の集まり，または独立した単身者（単独世帯）を指す。

　住民基本台帳は，住民の居住関係の公証，選挙人名簿の登録その他の住民に関する事務の処理の基礎とし，あわせて住民に関する記録の適正な管理を図ることを目的とする（▶住民台帳 1 条）。対象となるのは，日本国籍を有する者のほか，中長期在留者など（▶住民台帳30条の45・39条）である。

　住民票には，氏名，出生の年月日，男女の別，世帯主である旨または世帯主との続柄，戸籍の表示，住民となった年月日，住所，住所を定めた年月日，個人番号（マイナンバー）などが記載される（▶住民台帳 7 条）。戸籍とは異なり，住所の世帯単位で記載する住民票では，婚姻していないカップル（内縁〔事実婚〕。➡96頁）でも世帯主との続柄に同居人，夫（未届）または妻（未届）と記載することができる。

　住民票の写し（個人番号，住民票コードは省略），または記載事項を選択した住民票記載事項証明書の交付を請求することができる（▶住民台帳12条）。性別表記のない住民票記載証明書の交付も可能である。住民票も個人情報であるので，本人または同一の世帯に属する者以外の者が交付を請求することは制限されている（▶住民台帳12条の 3 ）。

戸籍の編製　戸籍は，氏の同一性（同氏同戸籍の原則・復氏復籍の原則）と家族単位を基本原理として，「市町村の区域内に本籍を定める一の夫婦及びこれと氏を同じくする子ごとに」編製される（▶戸 6 条）。

　同氏同戸籍の原則とは，同じ戸籍にある者は「氏を同じくする」者であることを指す。夫婦は，夫または妻の氏を称する（▶750条）ことから氏は同じである。**復氏復籍の原則**は，婚姻により配偶者の氏を称していた夫婦の一方が離婚し，婚姻前の氏に戻る（復氏）場合に（▶767条1項），婚姻により編製された戸籍から婚姻前の戸籍に戻ることを指す。これらのことは，**夫婦同籍の原則**，**親子同氏同戸籍の原則**として表される。

━━━━━━━━━━━ ✎ **Topic 1-1** ━━━━━━━━

戸籍と性別

　戸籍に性別欄はなく，続柄に長男，長女など記載されることで性別が表されている。この性別は，出生証明書に記載される生物学的な性別に基づく。

　しかし，生物学的には男性または女性であっても，自分は他の性別であると確信する性別不合の当事者もいる。2004（平成16）年に施行された「性同一性障害者の性別の取り扱いの特例に関する法律」（以下，特例法とする）では，性同一性障害の診断を受けた者が家庭裁判所の審判により戸籍上の性別を変更することができる。特例法では，性別変更のために5つの要件を定めており（▶特例法3条1項），18歳以上（1号）という要件を除く，次の4つの要件について，その憲法適合性が問題となった。婚姻していないことの要件（2号）について最決令和2・3・11（裁判所ウェブサイト）が，未成年の子がいないことの要件（3号）について最決令和3・11・30判タ1495号79頁が合憲であると判断した。しかし，生殖機能を永続的に欠く状態という要件（4号）について，最大決令和5・10・25（裁判所ウェブサイト）は身体への侵襲を受けない自由を過剰に制約し憲法13条に違反すると判断した。同決定は，他の性別の外観の要件（5号）について判断しなかったが，違憲と評価した3人の裁判官による反対意見がある。

　世界的には，上記のような要件が削除される傾向にある。さらに，裁判所での手続なしに，熟慮した上での届出による性別変更を認める立法が欧米では進められている。

　性別変更の審判を受けた者は，他の性別に変わったものとみなされる（▶特例法4条1項）。女性から男性に性別を変更した者は，女性と婚姻することができる。性別を男性に変更した者は，その妻が非配偶者間人工授精により子を出産したときは，嫡出推定の規定（▶772条）により子の父と推定される（★最決平成25・12・10民集67巻9号1847頁：百選Ⅲ-37。➡151頁）。

　これに対して，出生時の性別が不明である性分化疾患の子が出生したときは，出生届の時点で空欄として，後に性別を決定した後に追完することが認められている。例えば長女と記載されたが後に男性であることが判明した場合には，家庭裁判所の許可を得て戸籍の記載を訂正するという手続（▶戸114条）がとられる。

　その他に，男性・女性の他に第三の性別を認める国もあるが（オーストラリア，ドイツ，オーストリアなど），日本では認められていない。

　戸籍は，個人別ではなく，夫婦とこれと氏を同じくする子という家族の単位で編製される。したがって，祖父母と孫など直接の親子関係がない者が同一の戸籍に記載されることはない（三世代同一戸籍禁止の原則）。成人した子が，親の戸籍から分かれて新しい戸籍を作り，戸籍筆頭者となることもできる（分籍，▶戸100条）。

　これらの原則から，夫婦の一方が氏を変えたくない場合には，婚姻せずに別の戸籍に記載されることで，夫婦同籍の原則と同氏同戸籍の原則が適用されないようにする。彼らの子が生まれた場合に，嫡出でない子は母の氏を称することから（▶790条2項），母の戸籍に記載される（▶戸18条2項，親子同氏同戸籍の原則）。父が認知し，父の氏に変更した場合（▶791条1項）には，氏が同じ父の戸籍に入籍する（▶戸98条1項）。

　また，未成年の子がある夫婦が離婚し，婚姻により氏を改めたのが母である場合において，母が復氏するとともに，子の親権者となる場合に，母は，婚姻前の戸籍に入る（復氏復籍の原則）。子の氏は，父母の婚姻中の氏である父の氏であるから，離婚後も父の戸籍に記載される（親権者は母と身分事項欄に記載）。母と子が同戸籍となるには，子の氏の変更が必要である（親子同氏同戸籍の原則）。母が婚姻前の親の戸籍に復籍していた場合（復氏復籍の原則）には，母と子の戸籍を新たに編製する（▶戸17条，三世代同一戸籍禁止の原則）。

戸籍の記載　　戸籍には，本籍，氏名，出生の年月日，戸籍に入った原因および年月日，実父母（養親）の氏名および実父母（養親）との続柄，夫婦については夫または妻である旨，他の戸籍から入った者についてはその戸籍の表示，その他法務省令で定める事項が記載される（▶戸13条）。

　戸籍は，**全部事項証明書**（図表1-1）の最上段にある本籍・氏名（**戸籍筆頭者**）で表示する（▶戸9条）。本籍により示される場所（本籍地）は，住所でなくてもよい。

　「戸籍に記載されている者」は，夫婦が夫の氏を称するときは夫，妻の氏を称するときは妻から始まり，次に配偶者が，子は出生順で記載される（▶戸14条）。夫または妻である旨が配偶者区分に記載されるほか，生年月日，その父母と続柄が記載される。身分事項欄には，出生，婚姻，離婚，死亡のほか，養子縁組（離縁），認知，親権者，入籍，分籍などが記載される。

戸籍の届出　戸籍の届出は，届出事件の本人の本籍地または届出人の所在地で行う（▶戸25条）。届出事件には，創設的届出事件と報告的届出事件がある。

創設的届出事件とは，身分関係の発生，変更，消滅について戸籍法の定めるところに従い届出を行い，それが受理されたときにその効力が生じる事件である。婚姻（▶739条1項），協議離婚（▶764条），認知（▶781条），養子縁組（▶799条），離縁（▶812条），生存配偶者の復氏（▶751条），子の氏の変更（▶791条），入籍，分籍などの届出がこれにあたる。

報告的届出事件とは，既成事実や判決・審判・調停によって身分関係が発生，変更，消滅したことを報告的に届け出る事件である。出生，死亡，調停・審判・判決による離婚，離縁もしくは認知，または後見の開始が含まれる。これらの届出は義務づけられており，正当な理由なく期間内に届出をしない者は過料に処される（▶戸137条。無戸籍者の問題について，**➡ Topic 5-1**）。

認知準正（▶789条2項）の場合の出生届は，認知の届出の効力を有する嫡出子出生届として（▶戸62条），創設的届出と報告的届出の双方の性質を有する（併有的届出）。

戸籍証明書などの交付　紙による戸籍のすべてを写した謄本，もしくは必要な部分のみを写した抄本，または戸籍に記載された事項の証明書の交付を求めることができる（▶戸10条）。電磁ディスクに情報として記録されている場合は，戸籍に記録されている事項の全部もしくは一部を証明した書面（戸籍証明）の交付を請求する（▶戸120条）。

身分関係を公証する制度であることから，公開が原則となるが，個人情報であるため**戸籍証明書，記録事項証明書**の交付を請求できる者は制限される。戸籍に記載されている者，その配偶者，直系の尊属と卑属（▶戸10条1項），権利行使や国などへの提出という正当な理由がある者，業務遂行に必要な弁護士・司法書士など（▶戸10条の2）に限定されている。これらの者が交付を申請する場合には，運転免許証の提示など本人確認が求められる（▶戸10条の3）。

4　家事紛争と家庭裁判所

家事紛争の特質　離婚，遺産分割のような家族に関する紛争は**家事紛争**として，代金支払請求や契約解除など財産法に関する紛争とは異なる面がある。離婚を例にあげると，離婚に至るまでには様々な事情が背景にあり，経済的な利害関係よりも感情的な面を当事者は重視する場合も多く，またそのような面が離婚を認めるかの判断でも重要となる。離婚した夫婦は他人とはいえ，未成年の子がいるならば，父または母として養育費の支払，面会交流などで互いに協力する場面も生じる。自ら決定したことに納得して責任を負うならば，離婚後の親子関係も円滑になる。

　そのため，たとえ自らが求めた結果が得られない場合でも，できる限り当事者が納得できるように解決していく手続が家事紛争の解決では求められる。当事者の合意をベースにしながらも，その合意がきちんと形成されていくために裁判所が適切に介入して手助けすることが必要となる。

　家事紛争のためには，財産法上の紛争とは異なる紛争解決の機関である**家庭裁判所**が全国50か所設けられ，そのほかに支部と出張所がある。地方裁判所と同じ建物に入っている県が多いが，それぞれ別の裁判所である。家庭裁判所では，家事紛争のほかに少年事件も扱われる。

家事事件手続概説　家庭裁判所では，家事事件手続法による**調停**と**審判**などの手続と人事訴訟法による**人事訴訟**の手続が行われる。そのほかに，**家事手続案内**では，家庭内・親族間の問題解決に家庭裁判所の手続を利用できるのか，その申立方法を説明・案内している。

　家事事件とは，狭義では家事審判・家事調停に関する事件であり（▶家事1条），広義では人事訴訟も含む家庭裁判所で扱う事件を意味する。家事事件（以下では，狭義の家事事件を指す）の特徴として，「職権探知主義」と「非公開」がある。

　まず，事件の背後にある人間関係や環境を考慮した解決が求められる家事事件では，裁判所が後見的な見地から関与することから，**職権探知主義**がとられている（▶家事56条1項）。職権探知主義では，民事訴訟の弁論主義とは異な

図表 1 - 2　家事事件の手続図

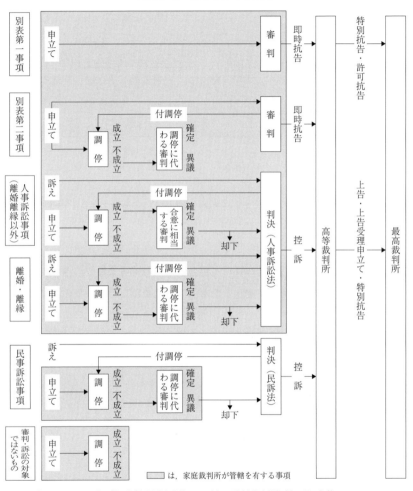

は，家庭裁判所が管轄を有する事項

出典：『新プリメール民法 5〔第 3 版〕』（法律文化社，2023年）15頁（床谷文雄作成）の図に加筆

り，当事者の主張による拘束を受けることなく，裁判所自らが審判・判決の基礎となる資料を職権によって積極的に収集する。その際に，父母や夫婦などの紛争当事者や紛争の中にある子どもに面接して意見を聴くなどして，問題の原因や背景を調査するのが家庭裁判所調査官（▶家事58条，家裁調査官と略されることもある）である。

　家事事件手続においては，家庭裁判所が**家裁調査官**や裁判所技官（▶家事60条，医師である）に事実の調査を行わせ，家裁調査官などがその結果を報告する。例えば，離婚後に子と同居していない親の一方が子との面会交流を求める事件で，申立人である親の一方と相手方である親の他方による主張のみから判断が下されるとは限らない。家裁調査官は，子の意見，子が面会交流に消極的な態度をとる場合に子が本心から拒否しているのか，監護する親に気兼ねしているのかという子の言動の背景，面会交流が子や監護親に与える影響などを調査する。

　家事事件手続は，家族という個人のプライバシーに関わる問題を扱うことから非公開で行われる（▶家事33条）。

　家事事件手続法による手続が行われる事件は，同法の別表第一と別表第二に列挙されている。

　別表第一の事件とは，公益に関するもので，家庭裁判所が国家の後見的な立場から関与する事件である。一般に当事者が対立して争う性質の事件ではないことから，当事者間が調停で合意して解決することはなく，審判のみによる。氏や名の変更の許可（▶別表一-122），相続放棄（▶別表一-95），成年後見の開始（▶別表一-1）など136の事項が列挙されている。

　別表第二の事件とは，当事者間に争いのある事件であり，まずは当事者間の話合いによる自主的な解決が期待され，通常は最初に調停として申し立てられ，調停が成立しなかった場合に審判手続に移行する。離婚後の子の監護に関する処分（▶別表二-3），財産分与（▶別表二-4），親権者の指定または変更（▶別表二-8），遺産分割（▶別表二-12）など17の事項がある。

未成年の子の意見　家事事件には，未成年の子に大きな影響を与えるものが多くある。その手続において，争いの中で父母がその対立にとらわれて，未成年の子の利益を十分に考慮しない，子の意見を重視しないということも生じうる。このような事態を避けるために，未成年の子の意見や立場を尊重することが求められる。

　子が影響を受ける家事審判の手続において，家庭裁判所は，子の陳述の聴取，家庭裁判所調査官による調査その他の適切な方法により，**子の意思**を把握するように努めなければならない。審判をするにあたり，子の年齢および発達

の程度に応じて，その意思を考慮しなければならない（▶家事65条）。

　子の引渡し（➡169頁），監護者の決定（➡89頁）などの子の監護に関する処分（▶766条）の事件では，15歳以上の未成年の子の陳述を聴くことが家庭裁判所に義務づけられている（▶家事152条2項，人訴32条4項）。意思能力を有する子は，手続行為能力があるとして，利害関係参加（▶家事42条）や即時抗告により手続に関わることができる（▶家事151条2号・118条）。親権喪失など，未成年後見人選任などの手続でも，同様である（▶家事168条・169条1項・177条・178条1項1号）。

　もっとも，未成年の子に手続行為能力が認められるとしても，実際に手続行為を行うことができるのかは別問題である。そこで，裁判長は，必要があると認めるときは，申立てにより，弁護士を**子どもの手続代理人**に選任することができる（▶家事23条）。

調　停　調停とは，申立人と相手方の当事者双方が話し合って合意することによって紛争を解決する方法である（財産法上の事件には民事調停法による調停がある）。

　調停には，別表第二調停（別表第二の事件），人訴法の事件について特殊調停（調停前置主義，▶家事257条），その他家庭に関する事件について一般調停（▶家事244条）がある。

　調停事件では，1人の裁判官と通常男女1名ずつ2人以上の調停委員で構成される調停委員会（▶家事248条1項）が，当事者の事情や意見を聴いて，双方が合意して解決できるように助言やあっせんを行う。調停委員は，弁護士，医師，大学教授など社会生活上の豊富な知識経験や専門的な知識をもつ人の中から選ばれる。裁判官ではなく，5年以上の職務経験をもつ弁護士から最高裁が任命した家事調停官が調停事件を取り扱うこともある（▶家事250条）。

　当事者が合意した場合には，その合意内容が**調停調書**に記載される。2023（令和5）年6月の「民事関係手続デジタル化法」により，将来的には，電子調書が作成される。別表第二調停では，記載された内容は，確定した審判と同一の効力を有する（▶家事268条1項）。合意が成立する見込みがない場合には調停不成立となるが，家事調停申立時に家事審判の申立てがあったものとして審判手続に移行する（▶家事272条4項）。

　特別調停と一般調停では，調停調書に記載された内容は，確定した判決と同一の効力がある（▶家事268条1項）。合意の見込みがないときは，調停不成立として，家事事件調停事件は終了する（▶家事272条1項）。人事訴訟事件は家庭裁判所に，その他の家庭事件は通常の裁判所に改めて訴えを提起する。

審　判　(1)　**審判の流れ**　審判事件では，当事者が提出した書類，家裁調査官が行った調査結果（▶家事56条）に基づいて，裁判官が参与員の意見を聴いて（▶家事40条1項）判断を下す。参与員は，家庭裁判所が選任した人望があり社会人としての健全な良識のある人の中から個別の事件ごとに指定される。

　まず，申立人が家事審判申立書に「申立ての趣旨」と「申立ての理由」などを記載して，必要な添付書類とともに家庭裁判所に提出する。

　審判手続は，前述のように，**職権探知主義**がとられ（▶家事56条1項），原則として非公開である（▶家事33条）。判例によると，実体的権利が存在することを前提として，その内容を定める処分である審判は，公開の法廷における対審および判決（▶憲法82条1項）によってなすことを要しない（★最大決昭和40・6・30民集19巻4号1089頁：百選Ⅲ-7。➡45頁）。

　審判における証拠調べには，民事訴訟法の証拠の規定（▶民訴第2編第4章第1〜6節）が準用されるが，裁判上の自白（▶民訴179条），集中証拠調べ（▶民訴182条），当事者尋問への不出頭等の効果（▶民訴208条）などの規定は準用されない（詳しくは，▶家事64条1項を参照）。別表第二事件においては，家庭裁判所は，当事者の陳述を聴かなければならない（▶家事68条）。

　別表第二の家事審判事件が係属している場合に，裁判所は，当事者の意見を聴いて，いつでも職権で事件を家事調停に付すことができる（▶家事274条1項）。

　家庭裁判所は，家事審判事件が裁判をするのに熟したときは，審判をする（▶家事73条1項）。

　審判に対して不服があるときは，審判の告知を受けた日から2週間以内に審判をした家庭裁判所（原裁判所）に**即時抗告**の申立てをしなければならない（▶家事86条・87条1項）。即時抗告について裁判する抗告裁判所は，高等裁判所である（▶裁判所16条2号）。即時抗告については，決定で裁判をする（▶家事91条1項）。

即時抗告の決定に対しては，憲法違反があることを理由とする特別抗告（▶家事94条以下），最高裁判例（これがない場合には高裁判例）と相反することを理由とする許可抗告（▶家事97条以下）をすることができる。

(2)　**審判の効力**　審判の効力には，既判力はない。例えば，遺産分割の審判により分割の処分が行われた場合であっても，当事者の1人が相続権を有しているのかなど審判の前提となる権利関係の確定について別に民事訴訟を提起することは許される。そして，判決によって前提たる権利の存在が否定されれば，審判もその限度においてその効力を失う（★最大決昭和41・3・2民集20巻3号360頁）。

金銭の支払，物の引渡し，登記義務の履行その他の給付を命ずる審判は，執行力のある債務名義と同一の効力を有する（▶家事75条）。

(3)　**特別審判**　(a)　合意に相当する審判　離婚と離縁を除く人事訴訟法の事件（婚姻無効，嫡出否認，認知の訴えなど）の調停では，当事者が合意するだけではなく，家庭裁判所が，必要な事実を調査した上で，**合意に相当する審判**（▶家事277条）を行う。これらの事件において調停で合意が成立している場合について，人事訴訟に代わる簡易な手続として設けられている。2週間以内に異議の申立てがないとき，または異議の申立てを却下する審判が確定したときは，合意に相当する審判は，確定判決と同一の効力を有する（▶家事281条）。

(b)　調停に代わる審判　調停が成立しない場合でも，家庭裁判所は，相当と認めるときは，当事者双方のために衡平に考慮し，一切の事情を考慮して，職権で，**調停に代わる審判**をすることができる（▶家事284条1項）。

細かな点でのみ意見が相違して合意が成立しない，当事者の一方がさしたる理由もなく合意をかたくなに拒否している，または当事者の一部が出頭しないため調停が成立しない場合などに行われる。

調停に代わる審判は，別表第二事件については審判と同一の効力を，その他の事件については確定判決と同一の効力を有する（▶家事287条）。

審判の告知を受けた日から2週間以内に家庭裁判所に適法な異議の申立てがあったときは（▶家事286条・279条），調停に代わる審判は，その効力を失う（▶家事286条5項）。このように調停に代わる審判は簡単に効力を失うことから，あまり利用されていない。例えば，離婚で調停不成立の場合には直接に離

婚訴訟に進むことが多く，審判離婚が占める割合は2019年で0.6％にすぎない（国立社会保障・人口問題研究所「人口統計資料（2021）」）。

人事訴訟　　**人事訴訟**とは，婚姻もしくは協議離婚の無効・取消し，離婚，婚姻関係の存否，嫡出否認，裁判認知，認知の無効・取消し，実親子関係存否または養子縁組もしくは協議離縁の無効・取消し，離縁，養親子関係の存否など身分関係の形成または存否を目的とする訴えを指す（▶人訴2条）。人事訴訟は民事訴訟に属するが，管轄は家庭裁判所が有する（▶人訴4条）。

人事訴訟を提起しようとする者は，まず家庭裁判所に家事調停の申立てをしなければならないない（**調停前置主義**，▶家事257条1項）。

訴訟であるため原則として公開されるが（▶憲82条1項），裁判所が公開停止を決定することができる（▶人訴22条）。

人事訴訟事件では，**職権探知主義**が採用される（▶人訴20条）。弁論主義が制限され，当事者の自白には裁判上の自白の規定（▶民訴179条）は準用されず拘束力がなく，擬制自白（▶民訴159条1項）も準用されない（▶人訴19条1項）。時宜に遅れた攻撃防御方法を却下する規定（▶民訴157条1項）も準用されない（▶人訴19条1項）。

家庭裁判所が必要があると認めるときは，参与員を立ち会わせて，意見を聴くことができる（▶人訴9条1項）。

さらに，離婚訴訟では，人事訴訟法による離婚だけではなく，家事事件手続法の別表第二事件である財産分与に関する処分（▶768条），子の監護者の指定，養育費・面会交流という子の監護に関する処分（▶766条），親権者の指定（▶819条1項），年金分割（▶厚年78条の2第2項）の処分を当事者が同時に申し立てることがある。この場合には，申立てにより，別表第二の審判事件を離婚認容判決において裁判しなければならない（**附帯処分**，▶人訴32条）。

人事訴訟の判決は**対世効**を有しており，当事者だけではなく，第三者に対してもその効力を有する（▶人訴24条）。例えば，離婚判決は，元夫婦という当事者でのみ効力を有するのではなく，誰に対しても効力を有する。

離婚についてのみ，民事訴訟法の和解，請求の放棄，認諾に関する規定（▶民訴266条・267条）を準用する（▶人訴37条1項）。

| 履行の確保 | 相手方が調停や審判の内容を守らない場合には，**履行勧告**，**強制執行**を行うことができる。 |

履行勧告では，権利者が家庭裁判所に申し出ると，調停・審判で定められた義務の履行状況を家庭裁判所が調査し，義務者にその義務の履行を勧告することができる（▶家事289条1項）。義務者が勧告に応じない場合に，履行を強制することはできない。

審判で定められた金銭の支払その他財産上の給付を目的とする義務については，家庭裁判所は，相当と認める場合に，権利者の申立てにより，義務者に対し，相当の期限を定めてその義務の履行をすべきことを命ずる審判をすることができる（義務履行命令。▶家事290条1項）。義務者が正当な理由なく命令に従わない場合には，過料に処される（▶同条5項）。

さらに，民事執行法による強制執行を申し立てることにより，裁判所が強制的に義務内容を実現することができる。

直接強制では，金銭債権であれば地方裁判所が義務者の財産を差し押さえて，そこから満足を得る。養育費や扶養料については，毎月申し立てることは不便であることから，将来の分についても差し押さえることができる（▶民執151条の2）。子の引渡しでは，間接強制を原則とするが，一定の要件を満たすと，執行官が債務者による子の監護を解くことによって実施する強制執行も可能である（▶民執174条1項1号・2項）。

間接強制は，履行しない義務者に対し，一定の期間内に履行しないときには，その債務とは別に一定額の金銭（間接強制金）を支払うことを命じる方法である（▶民執172条）。これにより義務者に心理的圧迫を加えて，自発的な支払を促すものである。例えば，間接強制金の支払を命じて，養育費を支払わない義務者に支払うようにさせることもできる。また，子を引き渡さない親に自発的に子を引き渡させるために間接強制金を命じるという方法もとられる（▶民執174条1項2号）。

| 審判前の保全処分・調停前処分 | 審判までの期間が経過するうちに，例えば財産分与の義務者が対象となる不動産を勝手に処分してしま |

うなど，当事者の財産や生活の状況が変化し，審判で認められる権利の実現が困難となることがある。このような場合に，民事保全法により義務者の財産を

一時的に処分できないようにすることができる。

　さらに，家事事件手続法では，審判の申立ての時点から，仮差押え，仮処分，財産の管理者の選任その他の必要な保全処分を命ずる審判（**審判前の保全処分**）をすることができる（▶家事105条1項）。処分内容により強制執行が可能である（▶家事109条3項）。

　家事調停事件が係属している間は，調停のために必要であると認める処分（**調停前処分**）を命ずることができる（▶家事266条）。調停前の処分では，正当な理由なしに従わない場合に過料に処されるが，強制執行はできない。

5　親　　族

　親族の種類　　民法第4編の最初の条文である725条は，6親等内の血族（▶1号），配偶者（▶2号），3親等内の姻族（▶3号）と**親族**の範囲を定めている。

　(1)　**血　　族**　　血族とは，法的親子関係によって繋がった親族である。「血」族となっているが，血の繋がり（遺伝的繋がり）が必要なのではない。血族は，自然血族と法定血族に分類される。

　自然血族とは，実子の規定（▶772条以下）によって生じる**法的親子関係**による関係である。遺伝的血縁関係のない父子であっても，第三者の精子を用いた人工授精により生まれた嫡出子の場合（➡151頁），または嫡出親子関係を嫡出否認（▶774条）によって解消できない場合（➡114頁）は，血族である。他方で，遺伝的血縁関係のある父子であっても，認知前の嫡出でない子と父の間に法的親子関係はなく，血族ではない。

　法定血族とは，養子（➡131頁）の規定（▶792条以下）に従って養子縁組により生じる血族関係である。縁組では法の擬制により親子関係が創設される。もっとも，縁組による血族関係は，一方で養子，他方で養親とその血族との間で生じる（▶727条）。例えば，養親の実子と養子は血族であるが，養子の実親と養親の間に血族関係は生じない。縁組により血族となった後に養子が子をもうけた場合には，この子と養親との間に血族関係が生じる。

　(2)　**配偶者**　　配偶者は，婚姻当事者相互間の関係である。

(3)　**姻　族**　　**姻族**は，婚姻によって生じ，誰の婚姻を媒介するかによって2種類ある。

1つは，「自分」と「自分の配偶者の血族」の間のように自らの婚姻を媒介とする関係である。例えば自分と，自分の妻の妹との関係である。もう1つは，「自分」と「自分の血族の配偶者」の間のように血族の婚姻を媒介とする関係である。例えば，自分と自分の兄弟の配偶者との関係である。

これに対して，「自分」と「その兄弟の配偶者の父母」の間のような血族の配偶者の血族，または「自分の配偶者」と「自分の兄弟の配偶者」の間のように配偶者と血族の配偶者は，姻族ではない。

親　系　　血族と姻族には，それぞれ直系と傍系の2種類がある。**直系**とは，直接的な祖先と子孫の関係であり，親と子，祖父母と孫の関係などがこれにあたる。**傍系**とは，共通の祖先から枝分かれした関係であり，自分と兄弟姉妹，いとこ，叔父叔母などとの関係である。姻族関係でも，配偶者の親は直系姻族であり，配偶者の兄弟姉妹は傍系姻族である。

尊属と卑属という区別もある。**尊属**とは，自分よりも上の世代（親，叔父・叔母，祖父母など）を指す。**卑属**は，自分よりも下の世代（子，甥・姪，孫など）を指す。自分と同じ世代である兄弟姉妹やいとこは，尊属でも卑属でもない。また，年齢ではなく，世代で区別することから，年下の尊属，年上の卑属も存在する。

親　等　　**親等**とは，親族関係の近さを表す尺度である。親族間の世数を数えて，1世代（1つの親子関係）を1親等として計算し，親等を定める。自分と相手方の間の共通の祖先まで遡り，相手方の世代まで降りていき，その間の親等を数える。例えば，自分と弟の間であれば，自分から共通の祖先である親まで1親等，この親から弟まで1親等，合わせて2親等となる。自分と叔母の間であれば，自分から共通の祖先である祖父母（母の親）まで2親等，祖父母から叔母に1親等，合わせて3親等となる。

婚姻当事者の間に親等はないことには，注意が必要である。つまり，夫婦間は0親等である。これにより，自分と親の間は1親等の血族関係，自分と妻の親との間は1親等の姻族関係と，血族と姻族の親等が対応する。

725条の定める親族の範囲，とりわけ6親等の血族が非常に広い範囲である

図表1-3 親族・親等図

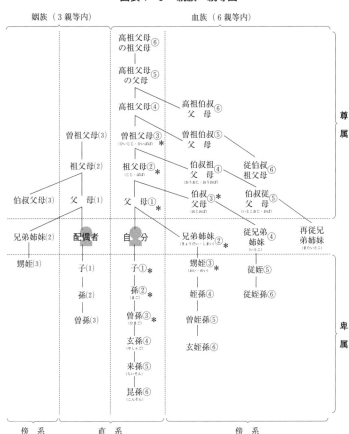

*印の者の配偶者も,「自分」からみて姻族である。○は血族の親等,( )は姻族の親等を表す。

ことは,**図表1-3**から明らかである。対象となる親族の範囲が個別の規定で定められている(例,近親婚の範囲。▶734条以下)。

> **親族関係の効果**　民法その他の法律において親族が一定の法律上の効果と結びついていることがある。もっとも,725条の定める6親等の血族のような遠い親等の間の権利,義務が対象となることはない。

　民法730条は「直系血族及び同居の親族は,互いに扶け合わなければならない」と定める。具体的な法律上の義務は扶養義務(▶877条)に定められており

（➡201頁），730条は適用されない。

　扶養の他に親族が関係する場面として，民法では例えば法定相続人（▶887条以下），近親婚の範囲（▶734条以下），婚姻取消しの申立て（▶744条），親権の喪失または停止の申立て（▶834条以下），成年後見（補佐・補助）開始および取消しの審判の申立て（▶7条以下），未成年後見人選任の申立て（▶840条），特別寄与者（▶1050条），日用品供給の先取特権（▶310条）がある。

　血族が関係する場面として，例えば特別養子の効果（▶817条の9），後見人・後見監督人の欠格事由（▶847条・850条），遺言の証人および立会人の欠格事由（▶974条）がある。

　民法以外に，刑法では例えば窃盗および不動産侵奪（▶刑244条），詐欺および恐喝（▶刑251条），横領（▶刑255条），盗品譲受等（▶刑257条）では一定範囲の親族については刑が免除される，または親告罪となる。訴訟法では，裁判官・裁判所書記官の除斥・忌避を求める権利（▶民訴23条・24条・27条，刑訴20条・21条・26条），証言拒絶権（▶民訴196条，刑訴147条）が与えられる。その他の法令でも，親族であることに基づいて一定の法律効果を定めている。

親族関係の終了　　親族関係は，本人の死亡（失踪宣告〔▶31条〕）により当然に終了する。

　養子縁組によって成立した法定血族関係（▶727条）は，死亡のほかに，離縁（➡141頁），縁組取消し（➡138頁）によって終了する（▶729条）。

　特別養子縁組の審判により，養子となる子と実方（実父母とその血族）の間の血族関係が終了する（▶817条の9。➡147頁）。特別養子縁組の当事者が離縁すると，実方との血族関係が回復する（▶817条の11。➡148頁）。

　配偶者との親族関係は，死亡または離婚によって終了する。

　姻族関係は，離婚によって終了する（▶728条1項）。ただし，死亡により婚姻が解消した場合には，姻族関係は継続する。生存配偶者が姻族関係を終了させる届出をすると終了する（▶728条2項，戸96条）。

　親族関係が終了した後であっても，近親婚の禁止の規定が適用されることに注意が必要である（▶734条2項・735条・736条。➡40頁）。

第2章　婚　　姻

1　総　　説

1　婚姻制度の歴史

**多様な婚姻制度
と一夫一婦制**　　　男女の性的結合関係とそれに関する規範は，それぞれの
時代や社会に応じて変化してきた。男女の関係につき，
歴史的には原始雑交，群婚，一夫多妻，一妻多夫などが存在したことが指摘さ
れているし，現在でも一夫多妻を認めている国もあるが，少なくとも今日，多
くの国が採用しているのは，**一夫一婦制**である。

宗教との関係　　　国の法律が婚姻制度を規律するようになったのも，人類の
長い歴史の中では，それほど古いことではない。ヨーロッ
パでは，中世以降，教会が婚姻に関する立法権を全面的に掌握し，宗教婚主義
が広くヨーロッパ社会を支配していた。婚姻が宗教的統制から解放され，近代
的法律婚が成立するのは，1789年のフランス革命を契機とする。そこでは，婚
姻は，近代市民社会の理念に基づき，自由な意思に基づく平等な主体間の契約
として捉えられ，婚姻契約の自由，婚姻関係における夫婦の地位の平等，夫婦
による相互の人格の排他的・独占的・全人格的結合が，近代的婚姻の特徴とさ
れた。もっとも，ヨーロッパ諸国の婚姻法には，現在でも，キリスト教的な婚
姻観の影響が残っているところがある。

家制度とその廃止　　　日本は，明治期に，財産法についてはヨーロッパの近
代市民法の理念とそれに基づく制度を大幅に導入し
た。しかし，婚姻については，ヨーロッパの近代的法律婚とその理念を導入せ
ず，婚姻は**家制度**の下に位置づけられた。すなわち，明治民法において，婚姻
は，夫婦となる者の一方が，実家を去って婚家に入ることを意味した。家を継
続させるために，入夫婚や婿養子の制度も存在した。婚姻は，個人の自由意思

に基づく契約ではなく，あくまでも家と家との関係として捉えられていたのである。また，夫婦の地位の平等という考え方からも遠い制度であった。つまり，女性は，結婚すれば「無能力者（行為無能力者）」となり（妻の無能力制度），夫に依存し夫権の支配に服する存在となることが，制度上予定されていたのである。以下のとおり，戦後にこの制度は廃止された。

2　現代日本の婚姻法の特色

　戦後の日本国憲法とその理念に基づく民法改正により，婚姻は家制度から解放され，近代的婚姻制度が導入された。現代日本の婚姻法の特徴は，以下の3つに集約される。

当事者の自由意思に基づくこと　特色の第1は，婚姻が，当事者の自由意思に基づく契約として位置づけられていることである。憲法24条1項は，「婚姻は，両性の合意のみに基いて成立」することを基本とする旨を規定し，民法の婚姻に関する各規定も，婚姻が当事者の自由な意思に基づく契約であることを前提としている。そこには，家制度による拘束はない。

夫婦の平等　特色の第2は，夫婦の平等が保障されていることである。憲法24条は，婚姻は「夫婦が同等の権利を有することを基本として，相互の協力により，維持されなければならない」とし（▶憲24条1項），婚姻等の事項に関しては，「法律は，個人の尊厳と両性の本質的平等に立脚して，制定されなければならない」とする（▶同条2項）。そして，民法は，明治民法において存在した妻の無能力制度を廃止するとともに，夫婦の同居協力扶助義務（▶752条）をはじめとする各規定において，夫婦が平等の立場で，相互の協力により共同生活を維持するものとしている。2018年改正（2022年4月1日施行）では，従来存在した男女の婚姻適齢の差も廃止された（▶731条。➡37頁）。

　もっとも，夫婦同氏制度（▶750条）の下で現実に氏を変更するのはほとんどの場合女性であること，社会には伝統的な性別役割分業の考え方が残り，それが女性の社会進出を妨げていること等，なお検討すべき課題は残されている。

一夫一婦制　第3の特色は，一夫一婦制がとられていることであり，これも，近代的婚姻制度の本質的特徴の1つである。明治民法に

おいても，制度的には，一夫一婦制がとられていたのであるが，現在では，先の2つの点とあいまって，一夫一婦制の下での婚姻は，平等な男女が自由意思に基づき，相互に排他的・独占的結合を約束するという意味をもつものとなった（なお，同性婚が認められないのかという問題については，第4章で扱う）。

2　婚姻の要件

婚姻の要件には，**形式的要件**と**実質的要件**がある。形式的要件は，届出がされたことであり，実質的要件は，婚姻意思があることと，民法731条以下の婚姻障害事由が存在しないことである。このうち，形式的要件である届出が欠けている場合には，そもそも法律上の婚姻は成立しない。これに対し，届出はされたが実質的要件である婚姻意思を欠くという場合には，婚姻は無効となる。一方，民法は，婚姻適齢に達しない者の婚姻（▶731条），重婚（▶732条），一定の近親者間での婚姻（▶734条〜736条）を禁止しており，これらの婚姻障害事由に該当することが明らかな場合は，届出は受理されないが，届出が受理されたが婚姻障害事由が存在していた場合は，婚姻は取り消しうるものとなる。以下，これを順にみていく。

1　婚姻の成立要件：届出

届出が成立要件であること　婚姻は，戸籍法の定めるところにより届け出ることによって成立する（▶739条1項）。当事者に婚姻意思がいくらあっても，**届出**がない限り，法律上の婚姻は成立しない。

届出の手続　届出は，当事者双方および成年の証人2人以上から，口頭または署名した書面によってなすこととされている（▶同条2項）。書面による場合，所定の事項（▶戸29条・74条，戸則56条）を記入し，当事者と証人2人が署名した届書を，当事者の本籍地または所在地の市役所または町村役場に提出することによって行う（▶戸25条）。ここにいう所在地には，単なる居所や一時滞在地も含まれると解されている。口頭による場合は，当事者双方および証人2人以上が，本籍地または所在地の市役所または町村役場に出頭し，届書に記載すべき事項を陳述することによって行う（▶戸37条）。

婚 姻 届

婚姻届

令和 2 年 9 月 3 日届出

××× 長 殿

夫になる人	妻になる人
氏 名　堀 川 憲 一	北 山 法 子
生 年 月 日　平成 8 年 4 月 15 日	平成 8 年 10 月 29 日
住 所　京都市北区上賀茂 岩ヶ垣内町××	京都市左京区修学院 泉殿町××
本 籍　京都市北区紫野 宮東町××	京都市左京区修学院 泉殿町××

父 堀 川 学　母 いずみ　続き柄 長男
父 北 山 茂　母 千 賀　続き柄 長女

婚姻後の夫婦の氏・新しい本籍　京都市北区上賀茂岩ヶ垣内町××

同居を始めたとき　令和 2 年　9 月

届出人署名　夫 堀 川 憲 一　妻 北 山 法 子

証 人	
署 名　嵯 峨 治	松 尾 政 美
生 年 月 日　平成 8 年 8 月 27 日	平成 8 年 12 月 21 日
住 所　京都市右京区太秦 上ノ段町××	京都市西京区 桂御所町××
本 籍　京都市右京区太秦 上ノ段町××	京都市西京区 桂御所町××

届出受理の形式審査　届出があれば，婚姻障害事由に該当しないこと，証人要件が満たされていることその他法令に違反しないことが確認された後，受理される（▶740条）。もっとも，戸籍吏には，**形式審査権**しかないから，実質的要件を欠く届出も，それが外形から明らかではない場合には受理されてしまい，その場合は**婚姻の無効・取消し**の問題として処理される。ただし，本人の自署によらない場合その他739条2項の方式を欠くだけの場合は，受理によってその**瑕疵が治癒され**，婚姻の効力には影響しない（▶742条2号ただし書）。なお，婚姻は，受理によって成立するので，たとえ戸籍簿に記載されなくてもその効力は妨げられない（★大判昭和16・7・29民集20巻1019頁）。

2　婚姻の有効要件：婚姻意思

婚姻の実質的要件として，まず，両当事者の婚姻についての合意（婚姻意思）が必要である。民法は，婚姻意思が必要であることについて正面から定める規定を置いてはいないが，742条1号で，「人違いその他の事由によって当事者間

に婚姻をする意思がないとき」を無効原因とすることによって，裏からこれを規定している。

> ■ **Case 2-1**　X男とY女は，婚姻することなく交際を続け，両者の間に婚外子Aが生まれ，Xが認知した。その後，Xは，別の女性との婚姻を決意し，Yにその旨を伝えたところ，Yから，Aに嫡出子たる地位を与えるために（▶789条1項参照），いったんX・Yの婚姻届を出してすぐに離婚届を出すという方法をとらせて欲しいと懇願され，Xはこれを了承してYとの婚姻届を出した。ところが，Yは，当初の約束に反して離婚届の提出に応じない。そこで，Xは，婚姻の無効を主張しているが，これは認められるか。

婚姻意思の意味　　婚姻意思とは何を意味するのであろうか。**Case 2-1**のような場合にも，婚姻意思があったといえるのだろうか。学説は，身分行為意思の捉え方につき，社会通念上の身分関係を設定する意思と捉える立場（**実質的意思説**）と，届出をする意思と捉える立場（**形式的意思説**）とに分かれる。**Case 2-1**の場合，実質的意思説によれば，婚姻意思を欠いていたことになろうし，逆に形式的意思説によれば，婚姻意思はあったといえそうである。判例の身分行為意思の捉え方は，身分行為の類型によっても異なるが，最高裁は，**Case 2-1**のような事件において，婚姻意思とは「当事者間に真に社会観念上夫婦であると認められる関係の設定を欲する効果意思」だとして，婚姻意思につき実質的意思を要求する立場（実質的意思説）に立つことを明らかにし，婚姻届出が，単に子に嫡出子の地位を得させるための「**便法として仮託されたものにすぎない**」ときは，婚姻は効力を生じないとして，Xによる婚姻無効の主張を認めた（★最判昭和44・10・31民集23巻10号1894頁：百選Ⅲ-1）。

> ■ **Case 2-2**　AとYは約20年にわたり内縁関係にあったが，Aが病気で入院している間に，両者は合意に基づいて婚姻届書を作成し，友人Cに依頼してその届出を済ませた。ところが，
> (1)　届書作成後，Aが翻意して，届出をやめるようCに伝えたにもかかわらず，届出がされたものであった場合，Aは婚姻の無効を主張できるか。
> (2)　(1)と異なり，届書作成後，Cによる届出がなされるまでの間に，Aが昏睡状態に陥り，その後意識を回復しないまま届出後に死亡した場合において，Aの弟Xが，A・Y間の婚姻の無効を主張しているが，これは認められるか。

婚姻意思の基準時　**Case 2-2**では，婚姻意思がいつの時点で存在しなければならないのかが問題となる。学説の中には，婚姻は合意によって成立し，届出によって効力が生ずるとする見解（**届出効力要件説**）もあり，これによると，婚姻意思は届出時には必要ないということになる。しかし，通説は，婚姻は届出によって成立すると解した上で（**届出成立要件説**），届出の時点に婚姻意思があることを要するとし，したがって，**Case 2-2**(1)のように，届書作成後，届出までの間に翻意した場合には，婚姻は無効になるとする。

判例も，離婚に関する事例で，届出を意思の表示とみるべきであるとして，届出時にその意思の存在が必要だとしたものがある（★最判昭和34・8・7民集13巻10号1251頁：百選Ⅲ-13）。婚姻についてもこの考え方によるなら，**Case 2-2**(1)の場合は，届出は婚姻意思に基づかないので婚姻は無効となろう。

それでは，**Case 2-2**(2)のような場合はどうであろうか。判例は，これと類似の事案において，作成時に婚姻意思があれば，その後の届出受理当時に一方が意識を失っていたとしても，翻意などの特段の事情のない限り，婚姻は有効に成立するとしている（★最判昭和44・4・3民集23巻4号709頁，最判昭和45・4・21判時596号43頁：百選Ⅲ-2）。

不受理申出制度　実際には，一旦届出が受理されてしまえば，それが婚姻意思に基づくものでなかったことの立証は必ずしも容易ではないので，婚姻意思に基づかない届出を事前に阻止することが重要となる。これにつき，今日では，不受理申出制度（▶戸27条の2第3項・4項）があり，予め当事者の一方が，他方の届出を受理しないよう申し出ることにより，意思に反する届出を防止することもできることとされている。

3　婚姻障害事由(1)：婚姻適齢

日本民法は，婚姻は18歳にならなければすることができないとしている（▶731条）。このように，未成熟な者の婚姻を禁ずることは，ほとんどの国が行っている。ただし，具体的に何歳を適齢とするかは国によって異なる。

改正前民法731条（2022年4月1日に改正法が施行される前まで）は，男18歳，女16歳を婚姻適齢としていた。しかし，女性の高学歴化と社会進出の向上とい

う社会の変化に鑑みると，女性にのみ16歳で婚姻を認める社会的必要性は存在せず，むしろ，男女平等および女性の自立という観点からはこの区別は問題だとする批判が多かった。

　このような議論も踏まえて，改正法では，男女とも18歳として婚姻適齢を男女で統一したのである。

4　婚姻障害事由(2)：重婚の禁止

一夫一婦制と重婚の禁止　　一夫一婦制を本質とする婚姻制度において，「配偶者のある者は，重ねて婚姻をすることができない」（▶732条）として重婚が禁止されるのは当然である。戸籍吏は，戸籍謄・抄本により，重婚でないことを確認して婚姻の届出を受理する（▶740条）ので，この確認が行われている限り，通常は，重婚は発生しない。

> **▪️ Case 2-3**　Aが失踪して7年以上経つので，Aの妻Bの請求により，Aにつき失踪宣告がなされた。Bは，その後Cと再婚したが，さらにその後，Aが生還し失踪宣告が取り消された。この場合における当事者の婚姻関係はどうなるのか。

重婚が発生する例外的な場合　　例外的に，重婚状態が生じることがある。例えば，①離婚後再婚したところ，離婚が無効であったまたは取り消された場合，②認定死亡を受けた者が，その配偶者が再婚した後に生還した場合，あるいは，③ **Case 2-3** のように，**失踪宣告**を受けた者の配偶者が再婚した後に失踪宣告が取り消された場合等には，重婚が生じうる。

　このうち，③の場合（**Case 2-3**）については，議論がある。民法32条1項後段は，失踪宣告の取消しは「宣告後その取消し前に善意でした行為の効力に影響を及ぼさない」と規定している。実務および伝統的通説は，財産行為だけでなく婚姻にも同規定を適用し，後婚の両当事者が失踪者の生存の事実につき善意であったときには，前婚は復活しないが，逆に，当事者の一方または双方が悪意であった場合には，前婚が復活し，重婚状態が生ずると解してきた。しかし，今日の学説では，32条1項後段は身分関係には適用されるべきではないとする見解，つまり，身分関係については現在の事実状態である後婚を優先すべきであり，前婚は復活しないとする見解も有力である。

重婚が生じた場合の
法的取扱い

重婚が発生した場合,「[前婚および後婚の] 当事者,その親族又は検察官」(▶32条1項),または前婚および後婚の当事者の「配偶者」(▶同条2項) は, **後婚の取消し**を家庭裁判所に請求することができる。ただし,後婚が離婚によって解消したときは,特段の事情のない限り,重婚を理由とする後婚の取消しを請求することは許されない (★最判昭和57・9・28民集36巻8号1642頁:百選Ⅲ-4)。婚姻取消しの効果は離婚の効果に準ずるので (▶748条・749条),離婚後の取消請求には通常,法律上の利益がないからである。

✐ **Topic 2-1**

女性の再婚禁止期間の廃止

2022年の民法改正(令和4年法102号)により,婚姻障害事由であった女性の再婚禁止期間に関する規定 (▶改正前民法733条)は,廃止された。

廃止の経緯　従来の女性の再婚禁止期間の規定は,嫡出推定の重複を回避し,父性の混乱による紛争を未然に防止するという趣旨で規定され,しかも,その期間は,2016年改正前までは6か月とされていた。しかし,仮にその趣旨を前提としても,6か月は長すぎるとの批判があり,2015年最高裁大法廷判決は,100日を超える部分は憲法違反だと判断した (★最大判平成27・12・16民集69巻8号2427頁:百選Ⅲ-5)。この判決を受けて,2016年の民法改正で,再婚禁止期間は100日に短縮された。

しかし,再婚禁止期間が100日と短縮された後も,そもそも再婚禁止期間の規定は不要で廃止すべきだとの議論が重ねられてきた。法律上の離婚の前には事実上の離婚期間がある場合も多いこと,後婚当事者の事実婚の先行を阻止することはできないこと,今日では父子関係を別の方法によって確認することも可能であること等に鑑みると,再婚禁止期間を設ける必要性自体が疑わしく,男女平等の理念にも沿わないという議論である (2016年改正時にも,3年をめどに再検討するとされていた)。

このような経緯で,2022年の改正により,再婚禁止期間の廃止が実現された (2024年4月1日施行)。

嫡出推定規定の見直し　上記の議論とも関連する問題として,2022年改正では,嫡出推定の規定も一部改められた (▶772条)。つまり,婚姻解消の日から300日以内に生まれた子は,前夫の子と推定するという規定は維持しながら (▶同条2項),母が前夫以外の男性と再婚した後に生まれた子は,再婚後の夫の子と推定する旨の規定が設けられたのである (▶同条3項)。この点の詳細については,第5章 (➡114頁) を参照されたい。

5　婚姻障害事由(3)：近親婚の禁止

<u>近親婚禁止の趣旨</u>　民法は，734条以下の3か条において近親婚の禁止を規定している。**近親婚の禁止**は，遺伝的な危険を回避するという優生学上の理由のほか，倫理的な理由，社会的な理由等に基づき，多くの国でみられるところである。もっとも，禁止の具体的な範囲については国によって違いがある。

<u>禁止される近親婚</u>　民法では，以下の4つの場合を，近親婚として禁止している。

(1)　**直系血族間の婚姻**　直系血族間の婚姻は，自然血族であれ法定血族（養親族）であれ，禁止されている（▶734条1項）。法定血族については，優生学上は問題ないが，社会的・倫理的理由から同様に禁止されている（「血族」概念については，➡28頁）。

(2)　**3親等内の傍系血族間の婚姻**　**3親等内の傍系血族**，つまり兄弟姉妹間や，おじ・おばと甥・姪との間の婚姻も原則として禁止されている（▶同条1項。親等については，➡29頁）。ただし，例外的に，法定血族の場合は，養子と養方の傍系血族との間の婚姻は禁止されない（▶同項ただし書）。

この例外規定により，養子と養父母の実子とは2親等の傍系血族（兄弟姉妹）ではあるが，その間の婚姻は認められるのである。これは，わが国に，養子と実子との婚姻（いわゆる「婚養子」をとること）によって家を承継させる慣習があったことから，例外的に認めることにしたといわれている。

なお，特別養子縁組によって，養子となった者とその実方の父母およびその血族との親族関係が終了（▶817条の9）した後でも，もと直系血族（(1)の場合）または3親等内の傍系血族関係にあった者（734条1項ただし書を除く）（(2)の場合）との間での婚姻はなお禁止される（▶734条2項）。

(3)　**直系姻族間の婚姻**　直系姻族間の婚姻も禁止される（▶735条）。この禁止は，離婚（▶728条1項），夫婦の一方の死亡後の他方の意思表示（▶同条2項），特別養子縁組の成立（▶817条の9）による姻族関係の終了の後でも適用される（▶735条後段）。この規定は，社会倫理観に基づくものとされるが，立法論としては，姻族関係終了後にまで倫理観を強制して姻族間の婚姻を禁止すべきでないと批判し，735条の728条に係る部分を削除すべきだとの主張もある。

(4) **離縁による法定親族関係の終了後** 法定親族についてはさらに，**離縁による親族関係終了後**でも，「養子若しくはその配偶者又は養子の直系卑属若しくはその配偶者と養親又はその直系尊属との間」では，婚姻が禁止されている（▶736条）。なお，婚姻の取消しにより姻族関係が終了した場合や縁組の取消しにより法定親族関係が終了した場合に，それぞれ735条後段，736条が類推適用されるかについては議論があるが，婚姻できる範囲はなるべく広く認めるべきであり，条文の文言以上に規制する実質的理由がないとして，類推適用を否定する見解が多い。

6 制限行為能力者の婚姻と意思能力

Case 2-4 Aが成年後見開始の審判を受け，Aの叔父XがAの成年後見人になった。Aは，入院中に知り合ったY女と懇意になり，A・Yの婚姻届書を作成して提出した。この場合，Xは，A・Y間の婚姻を取り消すことができるか。

法定代理人等の同意は不要 婚姻は，当事者の自由な意思に基づくべきものであるから，**代理**によって行うことはできない。**制限行為能力者**の法定代理人の代理権も，財産行為に限定されており（▶824条・859条参照），法定代理人が本人に代わって婚姻の意思表示をすることはできないのである。

婚姻をなすには，本人に**意思能力**があれば足りる。したがって，**Case 2-4**におけるAのような**成年被後見人**も，意思能力がある限り，自らの意思で完全に有効な婚姻をすることができ，成年後見人の同意も必要ない（▶738条）。成年後見人は9条に基づいて成年被後見人の婚姻を取り消すこともできない。もっとも，およそ意思能力のない状態で婚姻届書が作成・提出された場合には，婚姻意思を欠くので無効である（▶742条1号）。この場合には，Xによる無効主張が認められる（▶人訴14条参照）。

未成年者の婚姻 従来は，**未成年者**が婚姻をするには，父母の同意を得なければならないとされていた（▶旧737条）。それは，改正前民法では，成年年齢を20歳とし，婚姻適齢を男性18歳，女性16歳とする規定があったことを前提とするものであった。しかし，2018年改正により（2022年4月1日施行），一方で成年年齢が18歳に引き下げられ（▶4条），他方で婚姻適齢が男女とも

に18歳とされた（▶731条）ことから，未成年者の婚姻が認められる余地はなくなった。これにより，旧737条は削除され，父母の同意を要件とする婚姻もなくなった。

3　婚姻の効果(1)—氏・夫婦間の権利義務・子との関係

　婚姻の効果は，夫婦や子の身分関係上の効果と財産上の効果との2つに大きく分けることができる。

　身分関係上の効果としては，夫婦同氏（同姓），夫婦の同居・協力・扶助義務，夫婦の貞操義務，子の嫡出化，夫婦間の契約取消権等があげられる。このほか，従来は婚姻による成年擬制の規定が設けられていたが（▶旧753条），一方で成年年齢を18歳に引き下げ（▶4条），他方で婚姻適齢を男女ともに18歳とする（▶731条）改正が行われたことから，成年擬制の規定は必要性がなくなり，削除された（2022年4月1日施行）。

　財産上の効果としては，夫婦財産制，相続権の発生，日常家事債務の連帯責任をあげることができる。

1　夫婦の氏

　夫婦同氏制度
　（▶750条）
　夫婦は，婚姻の際に自分たちで定めたところにより，夫または妻の氏を称するものとされている（▶750条）。夫と妻のいずれでもない第3の氏や結合氏を称することは，日本では認められていない。このように夫婦同氏（同姓）の制度がとられた理由は，明治民法以来，夫婦同氏が日本社会の一般的慣行となっていたこと，対外的に夫婦であることが示されるので生活上便利であること，夫婦の間に生まれた子も同じ氏を称することになり家族の一体感が生ずること，戸籍法では氏が戸籍編製の基準となっていること等にあるといわれてきた。

　選択的夫婦別氏
　をめぐる立法論
　しかし，条文上は，夫または妻のいずれかの氏を選べばよいこととなっているとはいえ，現実には，日本の夫婦の大多数が夫の氏を夫婦の氏としている。このような実情も踏まえ，夫婦同氏（同姓）制度に対しては，従来から多くの批判が加えられてきた。批判の主な内容は，①女性の社会進出に伴い，氏の変更が社会・経済生活にもたらす不都

合が増大していること，②国民の価値観・人生観が多様化している今日において，多様な価値観を許容する制度が望まれること，③個人の氏に対する人格的利益は法制度上保護されるべきであること，④諸外国では既に夫婦別氏（別姓）制度が実現しており，夫婦同氏が家族関係の本質からの当然の帰結ではないことは明らかであること等である。

　こうして，1996年に公表された改正案要綱でも，夫婦が望む場合には別の氏を称することができる**選択的夫婦別氏（別姓）**制度の提案が盛り込まれている。夫婦が別氏を選択した場合に子どもの氏をどうするかは，さらに検討すべき困難な問題であるが，改正案要綱は，別氏を選択する夫婦は，婚姻の際に子の氏を父または母のいずれにするかを定めることとしている。

　夫婦同氏を定める民法750条の憲法適合性が争われた訴訟において，最高裁大法廷は，夫婦同氏がわが国の社会に定着していること，婚姻後も婚姻前の氏の通称使用が広まっていること等から同条は憲法24条にも違反しないとした（★最大判平成27・12・16民集69巻8号2586頁：百選Ⅲ-6〔ただし，5名の裁判官が憲法24条違反である旨の意見を表明していた〕。最大決令和3・6・23裁時1770号3頁も同様の立場を示す。いずれも，立法政策として国会で論ぜられるべき問題だとする）。

配偶者死亡の場合の復氏（▶751条）　夫婦の一方が死亡した場合において，生存配偶者が婚姻によって氏を変えていた場合には，その生存配偶者は，婚姻前の氏に復する（**復氏**）ことができる（▶751条1項）。あくまでも，生存配偶者の選択によるのであり，配偶者の死亡によって当然に復氏が生ずるわけではない。

2　夫婦間の権利義務等

✚ Case 2-5　Aが，死刑判決を受けて収監されたBとの間で婚姻の合意をして婚姻届を出した場合，この婚姻は有効か。

同居義務　(1)　**概　要**　民法は，夫婦は同居しなければならないと規定する（▶752条）。婚姻が夫婦の精神的・肉体的・経済的結合であることから，この同居義務は婚姻の本質的義務であると解されてきた。もっとも，**同居義務**の内容については，さらに検討を要する。

　(2)　「同居」概念　　同居とは，同じ家に住むことを本来は意味する。それでは，例えば夫と妻の仕事の都合で別居する場合，あるいは本人または家族の入院加療のために別居する場合は，**同居義務の不履行**になるのであろうか。そうではない。学説は，同居義務は夫婦生活の維持向上という目的から弾力的に解すべきであるという基本的視点に立った上で，①夫婦が場所的に隔たっていても婚姻生活が維持されていれば同居は成立するとして「同居」概念を拡大解釈することにより，あるいは，②752条は正当な理由がある場合の別居を許さないものではないとして同居義務の射程を限定することにより，上記のような場合には同居義務の不履行はないと解してきた。

　(3)　**同居しない前提での婚姻**　　それでは，仕事等の理由によるのではなく，主義として夫婦が同居しない旨の合意をして婚姻届出をした場合，あるいは，**Case 2-5**のように，収監されている死刑囚のようにそもそも同居の可能性のない相手との婚姻の届出をした場合に，その婚姻の効力は認められるのであろうか。

　同居義務を厳格に解すれば，無期限に別居する旨の合意は一切無効であり，また，同居の可能性のない婚姻は認められないことになるかもしれない。しかし，このような解釈は厳格すぎる。国民の価値観・人生観が多様化した今日，物理的な結合よりも精神的な結合を重視した婚姻も認められてよいであろう。752条の解釈としても，同居義務を形式的に判断するべきではない。**Case 2-5**の場合にも，一方で，無期限の別居合意を752条違反として一切無効とするのではなく，しかし他方で，別居合意が財産上の合意と同様の拘束力を有すると解するのでもなく，夫婦関係，現在の家庭の事情，問題となっている夫婦の合意内容とそれに至った経緯等を総合的に考慮して，当該夫婦の同居義務の有無および内容が判断されるべきであろう。

　同居をめぐる紛争　　夫婦の同居をめぐる紛争は，夫婦間の協力扶助に関する処分の問題の1つとして，家庭裁判所の審判事項とされている（▶家事別表二-1，家事150条1号）。そこで，同居を求める当事者は，家庭裁判所に調停または審判の申立てをすることになる。調停を申し立てた場合も，調停が不調に終われば審判に移行する。同居審判は，同居義務の具体的内容等を定める形成処分と解されており（★最大決昭和40・6・30民集19巻4

号1089頁：百選Ⅲ-7），家庭裁判所は，婚姻の破綻状況，離婚意思の有無や強弱，同居を命じた場合の履行可能性，その他，夫婦および子どもの共同生活に関する一切の事情を考慮して，同居すべき場所，時期，態様等を決定する。

　上述のとおり同居をめぐる紛争は家庭裁判所の審判事項とされているが，審判では非公開，非対審の手続が採用されていることから，裁判を受ける権利を定めた憲法32条や裁判の公開を定めた憲法82条に反するのではないかが問題となる。この点が争われた事件において，最高裁は，同居義務の存否自体は訴訟で争うことができるのであり，同居審判は，同居義務の存在を前提として，その具体的内容等を定める形成処分にすぎないという理由から，これを非公開かつ非対審の手続で行っても違憲ではないとした（前掲★最大決昭和40・6・30）。

同居を命ずる審判の効果　同居を命ずる審判については，直接強制はもとより間接強制も認められない（★大決昭和5・9・30民集9巻926頁）。性質上，間接強制にも馴染まないからである。もっとも，同居を命ずる審判に反して別居を継続した場合には，「悪意の遺棄」があったとして離婚原因が認められることがあろう（▶770条1項2号）。

協力義務　夫婦は，互いに協力し扶助しなければならない（▶752条）。婚姻は，夫婦の協力により維持されるべきものであって，**協力義務**は，夫婦関係の円満な維持のために不可欠な要素である。もっとも，協力の具体的な内容や態様は，夫婦によって異なりうるのであり，協力義務の履行として，ある特定の行為を請求することは現実的ではない。そのような意味では，この義務は，理念的な色彩の強い義務ということができる。ただし，全体を観察して協力義務の重大な違反があり，それによって夫婦関係を破綻させたと認められるような場合には，離婚原因の1つである「**婚姻を継続し難い重大な事由**」（▶770条1項5号）に該当すると認められうる。下級審の裁判例には，宗教活動により夫婦の協力義務に違反したことが，この離婚原因に該当すると認めたものがある（★名古屋地豊橋支判昭和50・10・31判タ334号333頁）。

扶助義務　夫婦の**扶助義務**は，夫婦の生活における財産的側面での協力義務を意味する。従来の通説によれば，その内容は，親の未成熟子に対する扶養と同様，相手方に自己と同一程度の生活を保障する**生活保持義務**であって，一般親族間において生活に困窮する親族の最低限度の生活を

自己に経済的余力がある限りで援助することを内容とする**生活扶助義務**とは異なると解されてきた（ただし，両者の差は程度の差にすぎないとする批判もある）。

Case 2-6 Aは，妻Bと子Cがいたが，D女と性的関係をもち家庭を顧みなくなった。
(1) この場合，妻Bおよび子Cは，Dに対して，不貞行為を理由として慰謝料を請求することはできるか。
(2) AとBの関係は悪化し，約5年後に，AとBは離婚するに至った。Bは，Dに対して，離婚に伴う慰謝料を請求することはできるか。
(3) AとDが上記の関係に入ったのが，A・B間の婚姻関係が事実上破綻した後であった場合はどうか。

貞操義務　夫婦は互いに**貞操義務**を負う。民法には，これを直接定めた明文規定はないが，770条1項1号で，不貞行為を離婚原因とすることにより，間接的に貞操義務を定めているものと解されている（不貞行為となるのは性行為をした場合に限られる。➡74頁）。それでは，夫婦の一方が貞操義務に違反した場合の効果はどうなるのであろうか。離婚との関係については，第3章で扱うこととして，ここでは損害賠償についてみてみよう。

　(1) 不貞行為の相手方に対する不貞慰謝料請求の可否　夫婦の一方に**貞操義務違反**があった場合，その配偶者は**不貞行為の相手方**（第三者）に対して慰謝料請求をすることができるか。大審院はこれを認め，最高裁昭和54年判決（★最判昭和54・3・30民集33巻2号303頁）も，これを踏襲し，不貞行為の相手方は，「他方の配偶者の夫又は妻としての権利を侵害し」たものであり，「故意又は過失がある限り，右配偶者を誘惑するなどして肉体関係を持つに至らせたかどうか，両名の関係が自然の愛情によって生じたかどうかにかかわらず」，その行為は違法性を帯び，他方配偶者に慰謝料支払義務を負うものとした。もっとも，同判決は，**子からの慰謝料請求**については，「父親がその未成年の子に対し愛情を注ぎ，監護，教育を行うことは，他の女性と同棲するかどうかにかかわりなく，父親自らの意思によって行うことができる」とし，相手方の行為と損害との間に相当因果関係がないことを理由に請求を認めなかった。これによれば，**Case 2-6**(1)では，Bの請求のみ認められることになろう。

　しかし，学説ではこの問題につき見解が分かれる。すなわち，学説の中に

は，一方で，他方配偶者との関係のみならず，子との関係でも不法行為の成立
を認めるべき（損害との間に因果関係はある）とする見解もあるが，他方で，不
貞行為およびそれによる婚姻関係の破壊は，直接的には不貞行為をした配偶者
の意思決定によるものであるから，その不貞行為の相手方（第三者）は他方配
偶者に対して原則として不法行為責任を負わず（相当因果関係はない），例外的
に，相手方が暴力や詐欺・強迫などの違法な手段によって不貞行為を実行させ
た場合，あるいは少なくとも相手方に故意がある場合にのみ不法行為責任が認
められると解する見解も有力に主張されてきた。

　後者の議論が説得力をもつように思われる。配偶者が自由意思で不貞行為を
行った場合において，不貞行為の相手方に不法行為責任を負わせることは，配
偶者の浮気の責任を第三者に転嫁することを意味することになり妥当ではな
い。また，不貞行為による侵害の対象を，夫婦の一方が配偶者に対して有する
貞操権（貞操義務の履行を請求しうる権利）であると捉え，あるいはより広く，
婚姻共同生活の円満な維持を請求する権利であると捉えた場合，不貞行為は一
種の債権侵害ということになるが，一般の債権侵害の場合には，債務者の自由
意思が介在しているときは，第三者に故意がない限り不法行為責任は成立しな
いと解されてきたのであり，それとのバランスを考えても，相手方の態様に関
係なく不法行為責任を肯定するべきでないと考えられるからである。

　(2)　**離婚慰謝料請求の可否**　　それでは，不貞行為に及んだ第三者に対し
て，離婚に伴う慰謝料（離婚慰謝料）を請求することはできるであろうか
（**Case 2-6**(2)）。不貞行為自体を理由とする慰謝料（不貞慰謝料）の短期消滅時効
（▶724条1号）は，夫婦の一方が他方と第三者との不貞行為を知った時から進
行すると解されているのに対し（★最判平成6・1・20家月47巻1号122頁），離婚
慰謝料の短期消滅時効の起算点は離婚時であると解されていること（★最判昭
和46・7・23民集25巻5号805頁：百選Ⅲ-18）などから，当事者は，不貞慰謝料で
はなく離婚慰謝料を請求することもある。学説では，(1)で掲げた理由のほか，
離婚に至る原因は多様であることなどから，離婚慰謝料について第三者の責任
を無条件に肯定する見解は近時ではあまりみられなくなっていた。

　この点につき，近時の最高裁判決（★最判平成31・2・19民集73巻2号187頁）
は，次のような判断をした。離婚するに至るまでの経緯は当該夫婦の諸事情に

応じて一様ではないが，協議離婚と裁判離婚のいずれでも，離婚による婚姻の解消は，本来，当該夫婦の間で決められるべき事柄である。したがって，「夫婦の一方と不貞行為に及んだ第三者は，これにより当該夫婦の婚姻関係が破綻して離婚するに至ったとしても，当該夫婦の他方に対し，不貞行為を理由とする不法行為責任を負うべき場合があることはともかくとして，直ちに，当該夫婦を離婚させたことを理由とする不法行為責任を負うことはない」。第三者が離婚慰謝料の賠償責任を負うのは，「当該第三者が，単に夫婦の一方との間で不貞行為に及ぶにとどまらず，当該夫婦を離婚させることを意図してその婚姻関係に対する不当な干渉をするなどして当該夫婦を離婚のやむなきに至らしめたものと評価すべき特段の事情があるときに限られる」。これによれば，**Case 2-6**(2)では，BのDに対する離婚慰謝料の請求は，このような特段の事情がない限り認められないことになろう。

(3)　**婚姻関係破綻後に関係をもった場合**　　学説においては以前から，少なくとも**Case 2-6**(3)のように婚姻外の第三者との関係をもったのが**婚姻関係破綻後**であった場合には，不法行為責任は成立しないとする見解が有力に主張されていたが，最高裁も，その後の判決において，一方の配偶者と第三者が肉体関係をもった当時，婚姻関係が既に破綻していたときは，特段の事情のない限り第三者は他方配偶者に対して不法行為責任を負わないとした（★最判平成8・3・26民集50巻4号993頁：百選Ⅲ-11）。その際，最高裁は，その理由として，そもそも不貞行為が配偶者との関係で不法行為になるのは，それが「婚姻共同生活の平和の維持という権利又は法的保護に値する利益を侵害する行為」に該当するからであるが，婚姻関係が破綻した後はそのような利益はもはや存在しないからだとしている。

🔲 **Case 2-7**　X・Y夫婦は，結婚後10年が経った頃から関係が悪化し別居するに至った。Yがその所有する不動産をXに贈与することとし，その旨の契約書を作成・交付して，いったんは関係の回復を図ったが，再び争いが絶えなくなった。そのような中で，XがYに対して，贈与契約に基づく当該不動産の所有権移転登記手続を求めたところ，Yは，離婚訴訟を提起するとともに，民法754条に基づき贈与契約を取り消すと主張しているが，この取消しは認められるか。

**夫婦間の
契約取消権**

(1)　**契約取消権の内容**　　夫婦は，婚姻中に締結した夫婦間の契約を，婚姻中はいつでも，一方的に（何の理由もなく）取り消すことができると定められている（▶754条本文）。契約が取り消されれば当初に遡って**無効**となるが（▶121条），第三者に不測の損害を及ぼすことを避けるため，754条ただし書は，第三者の権利を害することができないとして，取消し前に利害関係を生じた**第三者の保護**を図っている（★大判大正3・12・25民録20輯1178頁）。**Case 2-7**では，第三者との関係は問題となっていないので，Yは，754条本文の規定により取消権を行使し，Xに対して取消しの効力を主張できそうにもみえる。

(2)　**754条の趣旨**　　しかし，そもそもなぜ754条は，契約の拘束力に対する重大な例外を，夫婦間の契約につき認めたのであろうか。本条は，明治民法の規定（▶旧792条）をそのまま受けついだものであるが，その立法趣旨は，婚姻中の契約は，愛情におぼれまたは一方の威圧により，自由意思に基づかないで締結されやすいこと，および，夫婦間の契約に法的拘束力を認めて裁判上その履行を強制することは家庭の平和を害して望ましくないことにあった。

(3)　**立法論的批判と改正議論**　　ところが，今日の学説は，いずれの理由も合理性がなく，かえって本条による弊害が大きいとして，本条に対する立法論的批判を展開している。すなわち，夫婦の独立と平等を原則とする現行法の下で，夫婦間の契約に自由意思を確保することは難しいという前提をとることは適切でない。また，家庭に法が介入すべきではないというのであれば，夫婦間の訴えを一般に規制しなければ首尾一貫しない。また，現実に本条に関する法的紛争が生じるのは，夫婦関係が破綻した状態で，離婚を前提としまたは生活保障のためになされた贈与契約等につき契約取消権が行使される場合であるが，この場合に本条による取消しを認めることは，相手方に不測の損害をもたらし妥当性を欠くからである。そこで，1996年に公表された改正案要綱でも，本条の削除が提案されていたが，2024年に公表された「家族法制の見直しに関する要綱」でも，削除することとされている。

(4)　**解釈による754条の適用限定**　　学説は，解釈上も，特に**夫婦関係が破綻した場合**における不都合な結果を防ぐために，本条に基づいて**契約取消権**を行使できる場合を制限すべきだと主張してきた。

判例は，かつては，夫婦間の贈与が離婚を条件とするものであった場合でも本条に基づく契約の取消しを有効としたが（★大判昭和7・10・13法学2巻703頁），その後，夫婦関係が実質的に破綻しているときに行われた贈与につき本条に基づく取消しを否定した（★最判昭和33・3・6民集12巻3号414頁）。そしてさらに，**Case 2-7**のように，破綻前に行われた贈与につき破綻後の離婚訴訟継続中に取消権が行使されたという事案においても，754条の「婚姻中」とは実質的にも婚姻関係が継続していることをいうとして，婚姻が実質的に破綻した場合には本条による取消しはできないとしている（★最判昭和42・2・2民集21巻1号88頁）。この解釈によれば，**Case 2-7**において，Yは取消権を行使することはできず，Xの登記請求が認められることになろう。

3　子に関する効果

嫡出子の身分の取得　法律上の婚姻関係にある男女の間に生まれた子は，嫡出子の身分を取得する（▶772条参照）。また，婚姻外に生まれ父から認知された子も，父母の婚姻によって嫡出子の身分を取得する（準正）（▶789条）。これも，婚姻の重要な効果であるが，詳しくは第5章で扱う（➡131頁）。

子をもつ親が婚姻した場合　子をもつ親が，その子の親以外の者と婚姻したときは（子連れの再婚が典型だが，再婚とは限らない），その婚姻した相手方と子との間に，親子関係が当然に生ずるわけではない。親子関係を生じさせるためには，その相手方と子との間で養子縁組をする必要がある（➡第5章**3**）。

子をもつ親が婚姻をすることによって氏を変更する場合（子が養子にならない場合）には，子の氏まで当然に変更しなければならないわけではないが，子は，家庭裁判所の許可を得て戸籍法の定めるところにより届出をすることによって，その父または母の氏を称することができる（▶791条1項）。

4　婚姻の効果(2)—夫婦財産制等

1　総　説

夫婦は，自分たちの財産関係につき，一定の手続に従って契約（夫婦財産契約）で定めることができるが，この契約がない場合には，財産関係につき民法

の定める規律（法定財産制）が適用される。このように，建て前の上では，**夫婦財産契約**の自由が認められ，法定財産制は，当事者の契約がない場合に補充的に適用されることが予定されているにすぎないが，後述のように，夫婦財産契約には制約が多いため，日本で実際に夫婦財産契約が利用されることは少なく，その結果，ほとんどの夫婦に法定財産制が適用されている。

　なお，法律上の婚姻関係にある夫婦の一方が死亡した場合には，他方は**相続人**となる（▶890条）。この点が，法律婚と事実婚ないし内縁のカップルとの最大の違いともいうことができるが，配偶者の相続権の根拠および相続をめぐる具体的な法律関係については，第8章で扱う。

　以下では，相続以外の財産関係を中心にみていく。

2　夫婦財産契約

夫婦財産契約とは　婚姻をしようとする者は，婚姻後の夫婦の財産関係について，その意思に基づき，法定財産制（➡次頁）とは異なる契約をすることができる（▶755条）。もっとも，夫婦財産契約については，以下のとおりその締結時期等が限定されており，また，具体的な内容の指針も示されず，その契約の利点がわかりにくいことから，ほとんど利用されていない（年間数件といわれる）。制度上の問題も指摘されているところである。

夫婦財産契約の要件等　民法によれば，①夫婦財産契約の時期に関し，この契約は婚姻の届出前にしなければならないとされ（▶755条），婚姻中に締結することは認められていない。また，②婚姻の届出前に契約をした場合でも，その夫婦財産契約の登記を婚姻の届出までにしなければ，これを夫婦の承継人および第三者に対抗することができない（▶756条）。

　このうち，①の要件については，婚姻中の契約には夫婦間の契約取消権（▶754条）の適用があるからだといわれる。もっとも，この要件が，夫婦財産契約の利用を制限することになっているのは事実であり，立法論としては，754条とあわせて疑問が提起されている（754条につき，➡49頁参照）。

　②の対抗要件は，登記によって夫婦財産契約の存在や内容を明らかにすることにより，取引の安全を図るとともに，夫婦の一方が死亡した場合における相続人間の無用な紛争を防止することを目的としたものである。

夫婦財産関係の変更　夫婦の財産関係は，婚姻届出の後は，原則として変更することができない（▶758条1項）。その理由は，婚姻後の変更を認めると第三者に不測の損害を与えるおそれがあること，夫婦の一方が他方による濫用的な影響を受けやすいことにあるとされている。しかし，学説には，変更について登記を対抗要件とすれば，第三者の不測の損害を特に問題とする必要はなく，また濫用的影響についても，そのような影響を受けて変更したと認められる場合にのみその効力を否定すれば足りるとして同条の規律を批判し，立法論として婚姻中の変更を認めるべきだとする見解が主張されている。

　なお，現行法においても，例外的に**夫婦財産関係の変更**が認められる場合がある。それは，夫婦財産契約によって夫婦の一方に財産の管理が委ねられている場合において，その者が管理の失当により財産を危うくしたときである。この場合には，他の一方は，自分でその管理をすることを家庭裁判所に請求することができ（▶758条2項，家事39条，別表一-58），さらにそれが共有財産に関わるときには共有持分を保全するために共有財産の分割を家庭裁判所に請求することができる（▶758条3項）。これによる管理者の変更や共有財産の分割は，その登記をしなければ夫婦の承継人および第三者に対抗することができない（▶759条）。

3　法定財産制

　民法は，760条〜762条の3か条において，法定財産制につき規定している。先述のとおり，日本では夫婦財産契約が利用されることは非常にまれであるため，事実上ほとんどの場合が法定財産制の規律によっている。

婚姻費用の分担　**(1)　概　要**　民法760条は，「夫婦は，その資産，収入その他一切の事情を考慮して，婚姻から生ずる費用を分担する」と定める。戦前の民法（旧法）においては，婚姻すれば妻は無能力となり，妻の財産は夫の管理下に置かれ，婚姻費用はすべて夫が負担することとされていたので，**婚姻費用の分担**は問題とならなかったが，現行民法は，夫婦平等の原則に基づき，**妻の無能力制度を廃止する**とともに，夫婦が婚姻費用を分担することとしたのである。もっとも，その分担の形は，金銭の出資に限らない。夫婦の一方が生活費を負担し，他方が家事労働を負担することも，婚姻

費用の分担の1つの方法である。

　(2)　**婚姻費用とは**　　「婚姻費用」とは，夫婦が家庭生活を営む上で必要な一切の費用をいう。衣食住の費用，教養娯楽費，子の養育費・監護費などがこれに含まれるが，どこまでが必要な費用かは，夫婦の資産・収入・職業・社会的地位等に応じて異なりうる。

　(3)　**別居中の夫婦における婚姻費用の分担請求**　　婚姻費用の分担請求が具体的に問題となるのは，特に夫婦が別居状態にある場合や離婚訴訟をしている場合である。

　通説および実務は，夫婦が婚姻関係にある限り原則として互いに婚姻費用の分担義務を負うと解し，しかも夫婦は，互いに自己と同程度の生活を保障するという内容の**生活保持義務**を負っており（▶752条），婚姻費用の分担（▶760条）はそれを費用面から定めたものと解している。これによれば，別居中でも，同居していたときと同程度の費用分担義務があることになりそうでもある。

　しかし，別居生活は同居の場合に比べ費用が二重にかかるのに，同程度の金銭的負担を一方に負わせることは酷な場合もある。また，別居の場合には，他方による「分担」も行われていない場合が多いので，一方に対する分担請求を認めることが不公平な結果をもたらすこともある。そこで，別居中の夫婦の一方から他方に対する婚姻費用分担請求事件の裁判例の中には，請求者側が正当な理由なく同居を拒んでいることを理由に，当該請求を権利の濫用として認めず（★東京高決昭和58・12・16家月37巻3号69頁：百選Ⅲ-8），あるいは，相手方の協力がないことを理由に分担額を減額することなどにより（★浦和地判昭和57・2・19家月35巻5号117頁），このような不都合を回避するものがある。さらに，離婚訴訟提起後については，生活扶助義務を基準とした分担で十分だとする裁判例もある（★札幌高決平成3・2・25家月43巻12号65頁）。

　(4)　**離婚と婚姻費用の清算**　　判例によれば，離婚訴訟において財産分与の額および方法を定めるにあたっては，婚姻費用の清算のための給付をも含めることができるとされ（★最判昭和53・11・14民集32巻8号1529頁：百選Ⅲ-17），また，離婚訴訟において裁判所は離婚の請求を認容するに際し，当事者の申立てにより，別居後離婚までの期間における子の監護費用の支払を命ずることができるとされている（★最判平成9・4・10民集51巻4号1972頁）。

> **Case 2-8**　AはⅠ，夫Yに無断で，Xから10万円のオーブンレンジを購入した。Aが支払をしないので，XがYに請求したところ，Yは，自分は全く関知しておらず支払の責任はないと主張している。Xの請求は認められるか。

日常家事債務の連帯責任　(1) **概　要**　761条は，夫婦の一方が，**日常の家事**に関して第三者と法律行為をしたときは，他の一方は，第三者に対し責任を負わない旨を予告した場合でない限り，その法律行為によって生じた債務について連帯してその責任を負う旨を規定している。

(2) **761条の経緯と趣旨**　本条は，婚姻生活は夫婦の共同によって営まれるのであるから，それに伴って生ずる債務も共同の責任とすべきこと，また相手方としても，日常家事に関する取引については夫婦双方を相手と考えてその取引を行うことが普通だから，その第三者の信頼の保護が図られるべきことから規定されたものである。

本条の前身である明治民法の規定（▶旧804条）は，「日常の家事については妻は夫の代理人とみなす」と定めていた。これは，妻は行為無能力とされ，妻の財産に対して夫が管理権をもち，婚姻費用も夫の負担であることを前提に，妻の家政処理から生じた債務について夫に責任を負わせる規定であった。

現行法は，夫婦平等の原則に基づいて，妻の無能力や夫の管理権を廃止し，一方で内部関係につき婚姻費用の分担を定めるとともに（▶760条），他方で対外関係につき**日常家事に関する債務の連帯責任**を定めたのである（▶761条）。

(3) **日常の家事の範囲の判断基準**　それでは，**Case 2-8**の場合，Aの行為は日常家事の範囲に含まれるのだろうか。先述のように，**日常家事債務**とは，夫婦が日常の家庭生活を営む上で必要な経費の負担をいい，衣食住の費用や，光熱費，医療費，教育費，交際費，娯楽費等がこれに含まれる。

日常家事債務の範囲内か否かの判断においては，第1に，夫婦の社会的地位，職業，資産，収入などの内部的事情が考慮される。しかし，そのような内部的な事情だけを基準にすると，取引の安全を害することになるので，通説・判例は，第2に，法律行為の種類や性質などの客観的事情も充分に考慮して判断すべきだとする（★最判昭和44・12・18民集23巻12号2476頁：百選Ⅲ-9）。より

具体的には，夫婦の一方が，他方の名義の不動産や有価証券等を勝手に処分することは，法律行為の性質からみて日常家事に入らない。夫婦の一方が他方の名義で行った借金は，金額が多額であれば日常性を欠くのでこれに入らない。もっとも，判例は，その金額の多寡とともに，借主が借り入れのときに説明した使用目的や現実の使途も考慮して判断している。**Case 2-8**の場合，A・Y夫婦の具体的事情によっても異なりうるが，問題となっているオーブンレンジ購入は，日常家事の範囲に含まれると認められる可能性が高いといえよう。

761条と夫婦相互の代理権 　761条が，連帯責任を定める前提として，**夫婦相互の代理権**まで認めた規定と解されるかについては議論があった。この議論は，日常家事の範囲を超えた行為について，表見代理の規定（特に▶110条）の適用可能性があるかという問題とも関わる（➡ **Case 2-9**）。

　学説の多数説は，本条はその前提として夫婦相互に代理権があることを認めた規定と解しているが（**代理権肯定説**），この説の中でも，通常の代理と異なり顕名がなくても責任が生ずること，夫婦が連帯責任を負うことをどう説明するかについては，さらに見解が分かれる。一方，このような代理との違いや規定の文言を重視し，本条は代理権を認めたものではなく法定効果を定めた規定と解する見解も主張されていた（**法定効果説**）。

　判例は，761条は，その明文上は効果，特にその責任のみについて規定しているにすぎないが，「その実質においては，さらに，右のような効果の生じる前提として，夫婦は相互に日常の家事に関する法律行為につき他方を代理する権限を有することをも規定している」として，代理権肯定説に立つことを明らかにしている（前掲★最判昭和44・12・18）。

> **■ Case 2-9**　Aは，自らの経営する商店の倒産に際し，妻Xが婚姻前から所有していた甲不動産を，Xに無断で，Xの代理人と称して債権者Yに売却し，移転登記も済ませた。Xは，売買契約は無効だと主張してYに対し抹消登記手続を請求しているが，これは認められるか。

761条を基礎とした表見代理の成立可能性 　この **Case 2-9**におけるように配偶者名義の不動産を勝手に処分することは，その行為の性質上一般に，日常家事の範囲に入らない。それでは，夫婦の一方が

行った行為が日常家事の範囲を超えていると判断される場合には，他方は責任を負わされる余地はないのであろうか。先に触れたように，761条がその前提として夫婦相互の代理権を認めた規定と解するかについては議論があるが，これを肯定する立場によると，761条で認められた法定代理権を**基本代理権**として，**110条の表見代理**の成立が認められうるのではないかが，さらに問題となる。判例は，**Case 2-9**のような事案において，761条は日常家事に関する夫婦相互の代理権を規定したものとしたが，表見代理の成立については一般の代理の場合より厳格な基準を示した（前掲★最判昭和44・12・18）。すなわち，同判決は，「夫婦の一方が右のような日常の家事に関する代理権の範囲を越えて第三者と法律行為をした場合においては，その代理権の存在を基礎として広く一般的に民法110条所定の表見代理の成立を肯定することは，夫婦の財産的独立をそこなうおそれがあって，相当でないから，夫婦の一方が他の一方に対しその他の何らかの代理権を授与していない以上，当該越権行為の相手方である第三者においてその行為が当該夫婦の日常の家事に関する法律行為の範囲内に属すると信ずるにつき正当の理由のあるときにかぎり，**民法110条の趣旨を類推適用**して，その第三者の保護をはかれば足りるものと解するのが相当である」（圏点は筆者による）とし，当該事件においては，かかる意味における正当な理由はないとして，表見代理の成立を否定した。

　ここでは，夫婦の財産的独立と第三者の信頼保護の調整が図られている。この事件で問題となったような不動産の処分については，日常家事の範囲に属すると信ずる正当な理由は通常認められないから，110条の類推適用はない。たとえその際，夫が妻の実印等を用い，取引相手が代理権の存在を信じたとしても，その信頼は，761条を基礎とした110条の類推適用によっては保護されないのである（もっとも，夫婦の一方が他方に対して何らかの代理権を授与していた場合は，それを基礎とした110条の適用の可能性があるし，また，実印や委任状等を妻が自ら夫に渡していた場合には，109条の代理権授与表示による表見代理が成立する余地もあろう）。一方，例えばある家具の購入が日常家事に入るか否かの判断は，その家具の価格のほか，夫婦の収入や社会的地位等の内部的事情によっても左右されうるであろうし，仮にそれが当該夫婦の日常家事債務に含まれないと判断されたとしても，日常家事の範囲内と信ずるにつき正当な理由があったとし

て，第三者の保護が，110条の類推適用によって図られる可能性もある。

> **Case 2-10** A女は，B男と結婚したのを機に，従来の仕事をやめ，以後，家事と育児に専念してきた（夫婦財産契約は締結していなかった）。Bは，婚姻中その旅館経営による収入で甲不動産を購入し，Aに話してA名義で登記をしていたが，その後A・B間の関係が破綻した。Bは甲不動産の所有権を主張できるか。

財産の帰属　**(1) 夫婦別産制**　夫婦の財産関係として特に問題となるのは，財産の帰属である。これにつき，民法762条1項は，「夫婦の一方が婚姻前から有する財産及び婚姻中自己の名で得た財産は，その**特有財産**（夫婦の一方が単独で有する財産をいう。）とする」と規定し，続いて同条2項は，「夫婦のいずれに属するか明らかでない財産は，その**共有**に属するものと推定する」と規定する。

この規定を文字どおりに捉えれば，同条1項は，夫婦でも財産につき個人主義的に別帰属・別管理とする**夫婦別産制**の原則を採用する旨を明らかにした規定であり，2項は，この別産制を前提とした上で，夫婦が共同生活を営む中では夫婦のいずれに属するかが明らかでない財産も生じうることから，このような財産を共有と推定した規定だと解することになろう。通説は，この立場（**別産制説**）に立ち，個人で取得した財産であることが証明される限り，2項による共有の推定は覆され，個人に帰属する財産と認められると解してきた。

(2) 夫婦別産制と家事労働者の保護　このような解釈によれば，確かに，夫婦間の財産的独立は保障される。しかし，夫婦が婚姻共同生活を維持していくための協力のありかたとしては，共に職業に就いて家事も分担するという方法のほか，**Case 2-10**のように一方が職業に就いて収入を得，他方が家事・子育てを主に担当して前者の収入を側面から支えるという方法も考えられるし，実際，日本では従来，夫が職業に就き妻が専業主婦というケース（主婦婚），あるいは，夫が主な収入を得，妻は子育てや家事の支障にならない範囲で副次的収入を得るというケースが比較的多かった。ところが，別産制説によると，この場合の妻の家事労働は，財産の帰属に関してはほとんど評価されないことになってしまう。この点の不都合は，離婚の際の**財産分与制度**や**配偶者相続権**によってある程度は調整されるとしても，それは必ずしも十分とはいえない。そ

こで，より直接的に財産の帰属面において家事労働による協力を評価する解釈論が展開されてきた。

別産制説に対する批判を最も徹底した立場が，**共有制説**（顕在的共有制説）である。この説は，夫婦の協力によって取得した財産（例えば夫の給料）は，取得の時から夫婦の共有となるのであり，これを明らかにしたのが民法768条の財産分与請求権であると解する。しかし，婚姻解消の際の財産分与請求権から，婚姻継続中の財産の帰属を直接導き出すことには無理があり，また，762条の説明にも困難をきたす。したがって，立法論としてはともかく，解釈論として共有制説をとることは難しい。

(3)　**共有財産拡大説**　そこで，762条の解釈を通して，一定範囲の財産につき共有を認めようとする見解（**共有財産拡大説**）が従来から様々な形で主張されてきた。

その代表的な見解が，種類別帰属説である。すなわち，この説によれば，夫婦の財産には3つの種類があり，第1は，婚姻前からの所有財産，婚姻中に一方が第三者から贈与により得た財産，一方の専用品など，「名実ともに一方の所有する財産」であり，762条1項はこれを指す。第2は，名実ともに夫婦の共有に属する財産で，共同生活に必要な家財や家具などがこれに該当する。第3は，名義は一方に属するが，実質的には共有に属する財産であり，これは，対外的には特有財産として扱われるが，内部的には共有になる。

この見解によれば，婚姻中に取得した財産は，名義が一方にあることだけではなく，対価も実質的に一方により支払われたことが証明できなければ，762条2項により共有の推定が働いて共有と扱われるのであり，しかも対価の実質的な負担の判断においては，妻の家事労働も評価されるので，婚姻中に得た財産の多くが共有とされることになる。このほか，婚姻費用として拠出された財産は夫婦の共有財産になるとする見解なども主張されている。

(4)　**判例の立場**（夫婦別産制）　判例は，通説と同様，762条は**夫婦別産制**を定めたものと解している。そして，夫の所得を妻の協力があって得られたものであるからとして折半して確定申告しようとした者が，税務署で認められなかったため，762条1項およびそれに基づく課税は憲法24条に反するとして争った事件において，最高裁は，婚姻中の夫の所得は762条1項の夫の特有財

産であるとし，民法上，財産分与請求権，相続権，扶養請求権を行使することにより，夫婦間に実質的不平等が生じないよう立法上の配慮がなされているので，違憲ではないとした（★最大判昭和36・9・6民集15巻 8 号2047頁：百選Ⅲ-10）。

また，**Case 2-10**のように，夫名義の旅館経営からの収益により夫が購入し，登記名義を妻としていた不動産の帰属が問題となった事件につき，最高裁は，762条 1 項は，夫婦の合意の上で登記簿上の所有者を妻としただけでその不動産を妻の特有財産とする趣旨ではなく，いずれが不動産の取得にあたり対価を支出したかによってその帰属が決まるとした（★最判昭和34・7・14民集13巻 7 号1023頁）。しかし，下級審の裁判例には，学説の共有財産拡大説に近い考え方をとり，婚姻中に取得した財産を共有財産と認めるものも少なくない。特に，妻にも収入があった場合や，やりくり上手による余剰金があった場合には，預金や株券を準共有とするものが多くみられる。

5　婚姻の無効と取消し

　婚姻も，当事者の意思に基づく法律行為である以上，意思の不存在や瑕疵ある意思表示という問題が生ずるし，また，法律が届出の方式や婚姻障害事由を定めていることから，これらの要件を欠くのに受理された婚姻の効力の問題も生ずる。しかし，婚姻の効力を否定することは，当事者および第三者に重大な影響を与えることになる。そこで民法は，以下のとおり，婚姻が無効となる場合につき特別の規定を置き，取消しも特別の要件の下で家庭裁判所に請求できるにとどめ，さらに，取消しの効果は遡及しないものとした。

1　婚姻の無効

無効原因　民法は，婚姻の無効原因として，2 つを規定している。1 つは，「人違いその他の事由によって当事者間に婚姻をする意思がないとき」（▶742条 1 号）であり，もう 1 つは，「当事者が婚姻の届出をしないとき」（▶同条 2 号）である。もっとも，既に本章**2**で述べたように，婚姻の届出がなされなければ，そもそも婚姻は不成立であるから，本来の意味での無効原因は，第 1 のものだけである。

　なお，届出が，739条2項に定める方式，つまり「当事者双方及び成年の証
人2人以上から，口頭又は署名した書面で」行われるという要件を欠いていて
も，婚姻届が受理されてしまえば，婚姻の効力に影響しない（▶742条2号ただ
し書）。したがって，例えば，証人が成年でない場合や，届出人の署名が代書
によってなされたが代書事由についての記載（▶戸則62条2項）を欠いている場
合でも，受理されれば有効になる。

婚姻意思を欠く場合　婚姻届が出されても，婚姻の実質的要件である**婚姻意思**が欠
けていた場合は，その婚姻は無効である。必要とされる婚姻
意思の内容および基準時期については既に上述した（➡35頁以下）。婚姻の**実質
的意思**がない場合のほか，**届出意思を欠く場合**（例えば，同棲関係にあるが，届出
をして法律上の婚姻関係に入る意思はない）も，婚姻意思を欠く場合の1つにあたる。

民法総則規定の適用排除　民法742条は，婚姻の無効を2つの場合に限定しているこ
とから，民法総則の無効の規定は婚姻には直ちには適用さ
れないと解されている。例えば，当事者の通謀により**仮装の婚姻届**が出された
場合にも，94条が適用されるのではなく，742条1号の婚姻意思を欠くことに
よる婚姻無効の問題とされるのである（したがって，善意の第三者保護に関する94
条2項の適用もない）。**人違い**の場合には，婚姻は無効である。95条の錯誤によ
る取消しによるのでなく，そもそも当該相手と婚姻をする意思を欠くから
（▶742条1号）無効なのである。一方，相手方の財産状態，職業，健康状態，
生殖能力等，婚姻するに至った動機に錯誤があっても，通常，その婚姻は無効
とは認められない。それは，当該動機が相手方に表示されていた場合も同様で
ある。なぜなら，通常は婚姻の動機の一部に錯誤があっても婚姻意思を欠くと
までは認められないし，また，いったん婚姻関係に入った以上，遡及的に婚姻
の効力を失わせるより，むしろ離婚を認めるべきかどうかの問題として処理し
た方が望ましいと考えられるからである。

条件・期限をつけた婚姻の効力　婚姻意思は，**無条件・無期限**であることが法律上当
然の前提になっており，条件や期限をつけることは
公序良俗に反する（▶90条）。したがって，例えば，「婚姻するけれども2年内
に子どもができなければ別れよう」，「1年間だけ婚姻しよう」というように，
婚姻に条件や期限をつけた場合には，その条件や期限は無効であり，無条件・

無期限の婚姻になる。

婚姻無効の性質　婚姻の無効については，**当然無効**と解する見解と，訴えによって無効になると解する見解との対立がある。後者は，外形上婚姻届がなされている以上，婚姻の無効は判決・審判によって画一的に導かれるべきだと主張するものであり，この立場によれば，**婚姻無効の訴え**（▶人訴2条1号）は**形成の訴え**と解される。しかし，通説は，婚姻の取消しについては訴えによるべき旨の明文規定があるのに対し（▶744条以下），無効にはそのような規定がないことから，一般の法則に従って**当然無効**と解する。この立場によれば，無効は訴訟外でも主張できるし，婚姻無効の訴えは**確認の訴え**の性質を有することになる。判例も，この立場に立ち，婚姻無効確認の訴えは，訴えの利益がある限り第三者でも提起できるとする（★最判昭和34・7・3民集13巻7号905頁）。

婚姻無効の効果　婚姻無効の性質に関するいずれの立場でも，無効の場合には，婚姻に伴う効力は初めから生じないとされる。外国には，善意の当事者や子との関係で無効の効果を制限するものもあるが，日本民法の婚姻無効に関する規定にはそのような制限がない。したがって，例えば，無効な婚姻の当事者間に子が生まれていても，その子は**嫡出子**とはならない。

　なお，判決で婚姻無効が確定した場合には，訴えを提起した者は，その確定した日から1か月以内に判決の謄本を添付して戸籍の訂正を申請しなければならない（▶戸116条）。婚姻無効判決には**対世効**が認められている（▶人訴24条）。

■ Case 2-11　X男とY女は，事実上の夫婦として生活していたが，ある時，YはXに無断で婚姻届書を作成し提出した。Xは，これを知った後も異議を唱えることなく共同生活を続け，住民税の申告書にYを妻と記載して提出したり，Yが妻と記載された健康保険証をYに利用させたりしていた。その数年後，X・Yの関係が悪化し，Xは婚姻無効の確認を求めて訴えを提起した。Xの請求は認められるか。

無効な婚姻の追認　婚姻は，届出という方式によって成立するのであるから，婚姻意思は，届出の時に存在しなければならないのが原則である。しかし，学説は，たとえ届出の時点で婚姻意思が欠けているため無効な婚姻であっても，当事者に婚姻の実体が存在する場合には**遡及的追**

認が認められると解してきた。そして判例も，**Case 2-11**のような事案につき，「事実上の夫婦の一方が他方の意思に基づかないで婚姻届を作成提出した場合においても，当時右両名に夫婦としての実質的生活関係が存在しており，後に右他方の配偶者が右届出の事実を知ってこれを追認したときは，右婚姻は追認によりその届出の当初に遡って有効となる」として追認を認め，Xの請求を棄却した（★最判昭和47・7・25民集26巻6号1263頁：百選Ⅲ-3）。その理由として，無効な身分行為の追認を認めた判例（★最判昭和27・10・3民集6巻9号753頁）の趣旨，取消事由のある婚姻についての追認規定（▶745条2項・747条2項）の存在や，116条類推適用事例との類似性などがあげられている。

2　婚姻の取消し

婚姻の取消原因　　民法は，婚姻の取消原因として，2つの類型を規定している。1つは，民法731条から736条までの**婚姻障害事由の規定に違反して婚姻をした場合**であり（▶744条：不適法な婚姻の取消し），具体的には，不適齢者の婚姻（▶731条。ただし，後述▶745条），重婚（▶732条），近親者間の婚姻（▶734条〜736条）である。もう1つの類型は，**詐欺または強迫によって婚姻をした場合**である（▶747条）。婚姻の取消しは，これら2つの類型に限られている（▶743条）。

取消しを請求しうる者　　婚姻障害規定違反を理由とする取消しは，**公益的観点から**の取消しであるから，当事者のほか，その親族および検察官も取消しを請求できる（▶744条1項）。ただし，検察官は，当事者の一方が死亡したときは，もはや取消しを請求することはできない（▶同項ただし書）。重婚禁止規定（▶732条）に違反した婚姻については，これらの者のほか，前婚の配偶者も，取消しを請求できる（▶744条2項）。一方，詐欺・強迫を理由とする取消しは，**私益的観点からの取消し**であるから，取消しを請求できるのは，詐欺または強迫を受けて婚姻をした本人のみとされている（▶747条1項）。

取消権の行使方法　　婚姻の取消しは，**家庭裁判所に請求しなければならない**（▶744条1項・747条1項）。財産行為の取消しと異なり，裁判外で取消権を行使するという方法は認められていないのである（なお，婚姻取消しの訴えについては，➡26頁）。

婚姻取消しの効果(1)：
離婚規定の準用　　婚姻の取消しには，遡及効がなく，取消しの判決・審判が確定した時から，将来にむかってのみ婚姻の効力は失われる（▶748条1項）。つまり，取消しがなされるまでの婚姻は有効な婚姻として扱われるので，夫婦の同居・協力・扶助義務や婚姻費用の分担義務は遡って失われることはないし，子も嫡出たる地位を維持する。この点で婚姻無効とは異なる（➡61頁）。

　婚姻の取消しは，将来にむかって婚姻関係を解消するという点で，離婚と類似している。そこで，民法は，取消しの効果につき，**離婚の効果に関する規定**の一部を準用している（▶749条）。準用されるのは，まず，子の監護に関する事項の決定（▶766条），婚姻によって氏を改めた者の復氏（▶767条），財産分与（▶768条），復氏の際の祭祀に関する権利の承継（▶769条）に関する規定である。さらに，姻族関係の終了（▶728条1項），子の氏の決定（▶790条1項ただし書），子の親権者の決定（▶819条）に関する規定も，2003年改正の際，従来からとられていた解釈を確認する趣旨で，準用規定として明文化された。

婚姻取消しの効果(2)：
財産の清算　　他方，民法748条2項・3項は，取消しの財産上の効果につき，一般の**不当利得**（▶703条・704条）に**準ずる規定**を置いている。すなわち，婚姻時において取消原因の存在を知らなかった当事者（善意の当事者）は，婚姻によって得た財産につき，現存利益の限度で返還義務を負うにすぎないが（▶748条2項），取消原因を知っていた当事者（悪意の当事者）は，婚姻によって得た利益全部の返還義務を負い，さらに善意の相手方に対しては損害賠償責任も負うとされている（▶同条3項）。

　この規定と，離婚における財産分与の規定が準用されていること（▶749条・768条）との関係をどのように捉えるかについては議論があるが，婚姻の取消しは実質的に離婚に近いことに鑑みると，婚姻取消しにおける財産の清算については，一般不当利得の規律に従うより，財産分与に準じて処理するのが妥当であり，財産分与の規律を優先適用すべきであろう。学説では，さらに立法論として748条2項・3項の削除論も主張されている。

取消権の消滅　　婚姻の取消しを請求しうる権利は，障害とされた原因が消滅すること等により消滅する。

　第1に，731条の規定に違反した**不適齢者の婚姻**の場合，不適齢者が適齢に

達したときには，本人以外の者の取消権は消滅する（▶745条1項）。適齢に達すれば，もはや要件違反は治癒されて反社会性は存在しないし，当事者は改めて婚姻をすることができるから，他の者による取消しを認めても実益が乏しいからである。もっとも，不適齢者自身は，適齢に達した後に追認をしない限り，適齢に達した後3か月間は取消しを請求することができる（▶同条2項）。

　第2に，**重婚**の場合，後婚が離婚により解消されると，後婚の取消しの訴えは，特段の事情のない限り認められない（★最判昭和57・9・28民集36巻8号1642頁：百選Ⅲ-4）。効果の上でも離婚の際の財産分与の規定が準用されているので（▶749条・768条），改めて取消しをする法律上の利益がないからである。

　第3に，**近親婚**については，障害事由が消滅することはないから，取消権は消滅しない。

　第4に，**詐欺・強迫による取消し**については，当事者が詐欺を発見し，もしくは強迫を免れた後3か月を経過し，または当事者が追認をしたときは，取消権は消滅する（▶747条2項）。取消権の行使期間が，財産行為の詐欺・強迫による取消しの場合（▶126条）に比べてはるかに短いのは，婚姻の安定性に対する配慮からである。

第3章 離　　婚

1　総　　説

1　離婚制度の歴史

　離婚制度は，その社会における婚姻観や宗教観によって異なり，歴史的にも大きな変遷があった。ヨーロッパでは，キリスト教の影響の下で，法律上の離婚は認められない時代が長く続いたが，近世に入り，啓蒙主義思想の下で，法律上の離婚の可能性が一部認められ，20世紀に入って，ようやく，婚姻関係の破綻を理由とする離婚が認められるようになる。それも，当初は，相手の生死不明や精神病などの事由がある場合に限定されていたが，その後，より一般的に婚姻関係が破綻した場合に離婚を認める方向で，離婚原因が拡大されてきた。

　もっとも，今日においても，世界的には，日本のように裁判所の関与なく自由な協議離婚を認めるのではなく，離婚について，より厳格な要件や方式を要求する国が少なくない。

2　現代日本の離婚法の特色

　日本では，歴史的に，離婚を禁止する方向での宗教的影響はほとんど存在しなかった。それ故，第1に，現在の日本における離婚法は，**協議離婚の自由**が認められ，法制度上は極めて容易に離婚ができるという特色を有する。

　そして第2に，当事者の協議が調わない場合における裁判離婚について，相手方の有責性を要件としない離婚原因があげられており，**破綻主義**を採用している点も，その特色としてあげられる。もっとも，どこまで広く離婚を認めるかについては，基本的な考え方の対立があり，具体的な離婚原因の解釈については，判例にも変遷がある。

　第3の特色としてあげられるのは，離婚に係る訴訟は**家庭裁判所の管轄**とされ，通常の民事訴訟とは異なる手続が用意されているという点である。これによって，離婚における当事者の生活の保護や子の監護の問題まで含め，きめ細かな配慮が可能となるようにされているのである。

2　離婚の成立と効力

1　離婚の種類

　日本には，離婚の方法として，①協議離婚，②調停離婚，③審判離婚，④裁判離婚，⑤和解離婚・認諾離婚がある。

　このうち，民法が直接定めているのは，**協議離婚**と**裁判離婚**の2つであるが，さらに，1947（昭和22）年に民法（第4編・第5編）改正に伴って成立した家事審判法（後に家事事件手続法）により，**調停離婚**と**審判離婚**という2つの種類の離婚が設けられた。これらに加えて，2003（平成15）年に成立した人事訴訟法では，さらに**和解離婚・認諾離婚**が設けられた。以下では，それぞれの離婚について，より詳しくみていこう。

2　協 議 離 婚

日本における協議離婚　　民法763条は，「夫婦は，その協議で，離婚をすることができる」と定める。これを**協議離婚**という。最も簡易な離婚方法であり，離婚全体に占める協議離婚の割合は，約9割に上る。

　しかし，このように，当事者間での合意があり，これを届け出さえすれば離婚が成立するという簡易な離婚方法を認める法制度は，比較法的には珍しい。ヨーロッパでは，離婚につき厳格な制度をとっている国が多かった。離婚の要件が緩和された今日でも，一定期間の別居等の客観的要件を課したり，裁判官による意思確認の手続を設けたりするなど，なお日本より実体要件あるいは手続において厳格なところがある。

　日本において，協議離婚制度は，既に戦前の旧法で採用されていたものであるが，その認められた理由は，当事者間の「合意を尊重」すべきこと，および家内の不体裁を裁判沙汰にせず家内で解消しうるようにするのが望ましいとい

うことにあった。しかし，協議離婚制度は，当事者の離婚後の生活等について
の取決めを欠く不公平な離婚をもたらすこともあると指摘されている。

　協議離婚が成立するためには，形式的要件としての**届出**と，実質的要件とし
ての**離婚意思**が必要である。

協議離婚の要件(1)：
離婚の届出

(1)　届出が離婚の成立要件　　協議離婚は，戸籍法
の定めるところにより届け出ることによって，成立
する（▶764条・739条）。当事者間に離婚の合意があっても，**届出**がない限り，
法律上は，協議離婚は成立しない。

　(2)　届出の手続　　離婚の届出は，婚姻の場合と同様，当事者双方および成
年の証人2人以上から，口頭または署名した書面によって（▶764条・739条2
項），当事者の本籍地または所在地で行う（▶戸25条）。

　離婚の届出の受理は，当事者双方および成年の証人2人以上から口頭または
署名した書面によってなされていること（▶764条・739条2項），未成年の子が
いる場合は親権者が定められていること（▶819条1項），その他の法令に違反
しないことを認めた後でなければ，することができない（▶765条1項）。

　これに加え，法改正に向けては，養育費や面会交流の定めも受理の要件とす
るべきだとの議論がある。

　(3)　受理の形式審査と実質要件を欠く場合の扱い　　戸籍吏には，**形式審査
権**しかない。そのため，実質的要件を欠く届出も，それが外形から明らかでは
ない場合には受理されてしまう。そして，受理により離婚は一応成立するの
で，実質的要件を欠くことは，離婚の無効・取消しの問題として処理されるこ
とになる。

　(4)　不受理申出制度　　当事者が自らの意思に反する届出がされるのを防止
するために，戸籍事務の取扱い上，戸籍事務管掌者に当該届出の不受理処分を
申し出ること（**不受理申出制度**）が認められてきた。そして，今日では不受理申
出制度は戸籍法に明記されている（▶戸27条の2第3項）。離婚についての不受
理申出の件数は，年間2〜3万件に上ると報告されている。そして，不受理の
申出に基づき届出が受理されなければ，そもそも離婚が成立しないので，その
場合には，無効・取消しを問題とするまでもないことになる。

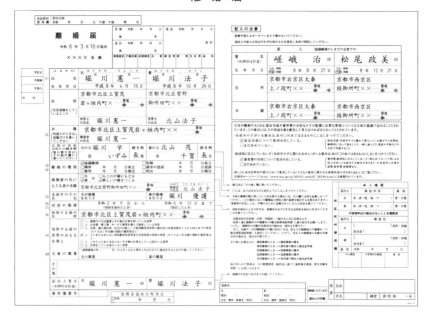

■■ Case 3-1 法律上の夫婦であったA・Bは，Bが癌に罹患して加療を要し生活が苦しくなったため，実質的には婚姻関係を解消する意思がないのに，生活保護を受ける目的で，離婚届書を作成し提出した。Bの死亡後，Aは離婚無効の確認を求めて訴えを提起したが，Aの請求は認められるか。

協議離婚の要件(2)：離婚意思　　**(1) 離婚の合意とそれに必要な能力**　当事者間に，離婚についての意思の合致があることが，協議離婚が有効とされるための要件である。意思能力のある限り，例えば成年被後見人であっても（▶764条・738条），単独で有効な協議離婚をすることができる。

　(2) 離婚意思の内容　離婚意思の内容については，婚姻意思の場合（➡35頁）と同様，対立がある。具体的には，当事者が，婚姻の実体を解消する意思はないが，離婚の法的効果を利用して何らかの目的を達しようと考え，その便法として離婚の届出をする場合に，そのような**仮装離婚**を有効と認めるかが問題となる。

　実質的な婚姻関係を解消する意思を離婚意思とみる**実質的意思説**によれば，

仮装離婚は無効と解される。しかし，逆に，離婚の届出をすることにむけられた意思を離婚意思とみる**形式的意思説**によれば，仮装離婚であっても届出意思の一致があれば離婚は有効と解されることになる。また，その届出をすることによって生じる法的効果を欲する意思（法的意思）があればよいとする**法的意思説**によれば，法律上の婚姻関係解消の効果が意図されている限り仮装離婚も有効であり，ただ，脱法的利用に対して社会的妥当性の観点からチェックがかけられるべきだとされる。

　判例は，婚姻意思については，実質的意思説に立って婚姻を無効としたものがあるが（★最判昭和44・10・31民集23巻10号1894頁：百選Ⅲ-1），離婚意思については，法律上の婚姻関係を解消する意思と捉えて法的意思説に立っている。すなわち，判例は，夫婦が，事実上の婚姻関係は維持しつつ，債権者からの追及を逃れる目的で（★大判昭和16・2・3民集20巻70頁），あるいは夫に戸主の地位を与えるための方便として（★最判昭和38・11・28民集17巻11号1469頁），協議離婚の届出をした場合でも，離婚意思がないとはいえず，離婚は有効としている。

　さらに **Case 3-1** のような事案において，生活保護を受けるための方便として届出がされた協議離婚についても，両者が真に法律上の婚姻関係を解消する意思の合致に基づいて届出をしたものであるときは，これを無効とはいえないとしてAの請求を棄却している（★最判昭和57・3・26判時1041号66頁：百選Ⅲ-12）。判例では，婚姻と離婚とで，必要な意思の内容（実質的意思の要否）に違いがみられるが，それは，婚姻関係の創設か解消かという違いにも関係するといえよう（法的様式だけ備えた婚姻を有効とすると，当事者が欲していなかった種々の法的効果まで生じさせることになってしまう。離婚の場合，少なくとも法的な婚姻関係の終了につき合意がある限り，婚姻に結びついた種々の法的効果が消滅することを当事者が了解していたといいやすい）。

　(3)　**離婚意思の基準時**　　**離婚意思の基準時**についても，議論があるが，婚姻意思の基準時（➡37頁）について述べたのと同様の理由から，離婚意思も届出の時点に存在していなければならないと解される。したがって，離婚届書を作成した時点では離婚意思があったが，その後届出までの間に**翻意した場合**には，届出が受理されても離婚は無効である（★最判昭和34・8・7民集13巻10号1251頁：百選Ⅲ-13）。

　もっとも，今日では，**不受理申出制度**が整備されているので（➡67頁参照），当事者は，意に反する離婚届出がされそうなときは（翻意の場合も含み），受理自体を阻止することもできる。

　(4)　**届書作成後の意思能力の喪失や死亡**　　離婚届書作成後，当事者の一方が**意思能力を喪失**した後に届書が受理された場合は，離婚の効力は否定されるのであろうか。判例は，婚姻に関しては先述のとおり（➡37頁），婚姻届書作成後，届出前に意思能力を喪失した場合に関して，翻意など婚姻意思を失う特段の事情のない限り有効として，いわゆる臨終婚の有効性を認めた（★最判昭和44・4・3民集23巻4号709頁）。この考え方を離婚の場合にもあてはめると，離婚届書作成当時に離婚意思を有していれば，届出受理時に意思能力を失っていたとしても，受理以前に翻意するなど離婚意思を失う特段の事情のない限り，その受理によって離婚は有効に成立することになる。

　それでは，受理以前に当事者が死亡した場合はどうであろうか。身分行為は，当事者の生存を当然の前提としているので，離婚届書作成後，受理の前に当事者が**死亡した場合**には，離婚は原則として無効である。もっとも，郵送による届出の場合には例外が認められており，届出人の生存中に離婚届書が発送された場合は，その死亡後であっても受理されなければならず，その場合，死亡時に届出があったものとみなされる（▶戸47条）。

> ■ **Case 3-2**　X女とY男は，法律上の夫婦であり同居を続けてきたが，Yは，Z女と親しくなりZと結婚しようと考えるに至った。そこで，Yは，Xに対し，「現在自分は仕事のことで大きな借金を負って債権者に追われており，家族を危険にさらすことになるので，当分の間離婚したことにして別居しよう。1年程すれば立ち直り，籍を元に戻すから」と虚偽の事実を告げ，Xの同意を得て協議離婚届書を作成して提出し，その後Zと婚姻した。これを知ったXは，X・Y間の離婚の無効を主張し，または取消しを請求することができるか。

協議離婚の
無効と取消し　　(1)　**特別規定の適用**　　民法総則における意思表示の無効・取消しに関する規定は，身分行為である離婚には原則として適用されず（★大判明治36・12・24民録9輯1482頁），離婚に関する規定またはその解釈によって処理される。

　(2)　**離婚意思が欠けていた場合**　　離婚届が受理されても，当事者に**離婚意**

思がないときには，その離婚は無効である。民法は，婚姻の場合（▶742条）のようにこれを明確に定める規定を離婚については置いていないが，742条1号の類推により，離婚意思がない離婚は当然に無効と解されている。例えば，離婚届書を作成した後，届出前に当事者が翻意していた場合，届出前（郵送の場合は発送前）に当事者が死亡した場合，当事者の一方または双方の知らない間に離婚の届出が行われた場合などがこれにあたる。

(3) **詐欺または強迫による協議離婚の取消し** 詐欺または強迫によって**離婚**をした者は，その離婚の取消しを家庭裁判所に請求することができる（▶764条・747条）。これが問題となるのは，法律上の離婚をする旨の意思表示が一応はあったが，その意思決定が他人の詐欺・強迫という不当な干渉によって行われた場合である。

裁判例には，**Case 3-2**のような事案において，Ⅹの家庭裁判所に対する離婚取消請求を認めたものがある（★長野地判昭和46・2・26家月24巻11号76頁）。この取消権は，当事者が詐欺を発見しもしくは強迫を免れた後3か月を経過したとき，または追認をしたときには，消滅する（▶764条・747条2項）。

764条は748条を準用していないので，離婚の取消しの効果は，婚姻の取消しの場合と異なり，遡及すると解されている。したがって，離婚の取消しがなされた場合には，当初から離婚には効力がなく，婚姻は継続していたものとして取り扱われる。その結果，**Case 3-2**のような場合には，重婚状態が生じるので，Ⅹ，ＹまたはＺは，後婚（Ｙ・Ｚ間の婚姻）の取消しを家庭裁判所に請求することができる（▶732条・744条）。

> **✂ Case 3-3** Ⅹ・Ⅹは法律上の夫婦であったが，ＹはⅩと別れたいと思うに至り，Ⅹとの合意に基づかず，勝手に協議離婚届書を作成して提出した。その後，Ⅹはこれを知った上で，離婚に基づく慰謝料をＹから受け取ることに合意する等，協議離婚の存在を前提とした行動をとっていた。この場合において，Ⅹは改めて離婚の無効を主張することはできるか。

無効な協議離婚の追認 **Case 3-3**では，合意に基づかず届出がされた**無効な協議離婚**の追認は認められるのか，Ⅹは協議離婚を追認したものとして，もはや離婚無効を主張できなくなるのかが問題となる。

　判例には，類似の事案において，協議離婚の追認があったとして，離婚無効の主張を斥けたものがある（★最判昭和42・12・8家月20巻3号55頁）。学説の多数も，身分行為の追認を一般的には認めている。もっとも，無効な協議離婚の追認については，これを安易に認めると追い出し離婚の容認につながるおそれがあるとして，追認の意思を厳格に解すべきだという主張も有力である。また，協議離婚の「遡及的」追認を認めると，財産分与の請求権を，その期間制限（▶768条2項）により失わせる結果になるおそれがあり，子の監護に関する取決めをしていない場合もありうるという理由で，これを安易に認めるべきではないという主張もある。

3　調停離婚と審判離婚

調 停 離 婚　離婚事件については**調停前置主義**がとられているので，離婚の訴えを提起しようとする者は，まず家庭裁判所に調停の申立てをしなければならない（▶家事257条1項）。当事者が調停の申立てをせずに訴えを提起した場合でも，裁判所によって調停に付される（▶同条2項。ただし，調停に付すことが不相当と裁判所が判断した場合は，この限りでない）。

　調停では，家庭裁判所調査官による事実調査や調停委員による合意のあっせんが行われるが，これらにより当事者間に離婚の合意が成立したときには，これが調書に記載され，その記載されたときに離婚が成立し，その記載は確定判決と同じ効力を生ずる（▶改正家事268条）。

審 判 離 婚　離婚調停において，当事者の合意の成立には至らなかったが，離婚を認めるのが相当と判断される場合がある。例えば，婚姻を解消すること自体については当事者にほぼ異論はないが，金銭給付に関するわずかな金額の対立のために調停が成立しないような場合である。そこで，家庭裁判所は，調停が成立しない場合において相当と認めるときには，調停委員の意見を聴き，当事者双方のために衡平に考慮し，一切の事情をみて，職権で，当事者の申立ての趣旨に反しない限度で，**調停に代わる審判**をすることができるとされている（▶家事284条）。これによる離婚を**審判離婚**という。

　この審判は，当事者が異議を申し立てず，または異議申立てが却下されれば，確定判決と同じ効力を生ずるが，2週間以内に適法な異議の申立てがあっ

たときは，審判は効力を失うとされている（▶家事286条5項・287条）。審判離婚は，このように弱い効力しか認められていないので，実際にはあまり利用されていない（➡25頁参照）。

　調停が成立せず，かつ，家庭裁判所が審判を行わずまたは行われた審判が当事者の異議申立てによって効力を失った場合において，当事者がその旨の通知を受けた日から2週間以内に訴えを提起すれば，調停の申立ての時に，その訴えの提起があったものとみなされる（▶家事272条3項・286条6項）。当然に訴訟に移行するのではなく，訴訟への移行には，改めて当事者による訴えの提起が必要である。

4　裁判離婚

　裁判所が関与する離婚のうち，裁判所の判決による離婚を，一般に**裁判離婚**という。

離婚訴訟の手続　離婚事件について，調停前置主義がとられていることは前述のとおりであるが（▶家事257条），調停離婚や審判離婚が成立せず，当事者の訴えによって訴訟に移行した場合にも，その手続は，民事訴訟法の特例等を定める人事訴訟法の手続に服する（▶人訴2条1号）。

　人事訴訟法は，2003（平成15）年に人事訴訟手続法が廃止されて制定された法律である（2004年4月1日施行）。同法によれば，まず，人事訴訟事件の訴えは，家庭裁判所の管轄に専属する（▶人訴4条）。そこでは，弁論主義が制限され，**職権探知主義**が採用されている（▶人訴20条）。

　当事者が，離婚訴訟に附帯して，財産分与，子の親権者の指定，子の監護に関する処分などについて申し立てた場合には，これらについても家庭裁判所が裁判を行うことになり（▶人訴32条），家庭裁判所調査官による事実調査を利用することも可能である（▶人訴33条・34条）。人事訴訟に係る請求の原因である事実によって生じた損害賠償請求も，1つにまとめて家庭裁判所で裁判をすることができるとされている（▶人訴17条・8条）。

離婚原因に関する有責主義と破綻主義　裁判離婚は，離婚について当事者の合意がないにもかかわらず，一方の請求に基づいて判決で離婚を成立させるものであるから，それを正当化しうる理由が必要とされる。これを**離**

婚原因という。

　離婚原因に関する立法には，**有責主義**と**破綻主義**とがある。有責主義は，相手方に不貞行為や遺棄などの有責な原因がある場合にのみ離婚を認めるものであり，破綻主義は，婚姻関係の破綻の事実があれば，相手の有責行為がなくても離婚を認めるものである。この破綻主義はさらに，破綻していても有責配偶者からの離婚請求は認めない**消極的破綻主義**と，これを認める**積極的破綻主義**とに分かれる。

　日本では，明治民法は有責主義を採用していたが，現行民法は，一部に有責主義的色彩を残しながらも，破綻主義の原則を採用したものと解されている。すなわち，民法770条は，①不貞行為，②悪意の遺棄，③3年以上の生死不明，④回復の見込みのない強度の精神病，⑤その他婚姻を継続し難い重大な事由，という5つの離婚原因をあげている（▶770条1項1号～5号）が，このうち，③～⑤は，相手方の有責行為がなくても離婚請求が認められうることを意味しているのである。①から④までの離婚原因については，これらの事由があるときでも，裁判所は，一切の事情を考慮して婚姻の継続を相当と認めるときは，離婚の請求を棄却することができる（**裁量棄却**。▶770条2項。**➡ Further Lesson 3-1**）。

　以下では，各離婚原因についてさらに検討しよう。

**離婚原因1
（不貞行為）**　(1)　**離婚原因としての「不貞行為」**　離婚原因の第1は，「配偶者に不貞な行為があったとき」である（▶770条1項1号）。

　(2)　**「不貞行為」の意味**　「不貞行為」が何を意味するのかについては，議論の余地があるが，一般には，実際に性行為（性交）をした場合に限定する解釈がとられてきた。性行為を伴わない親密な関係までこれに含めるとすると，それだけで離婚を正当化する具体的離婚原因としては外延が曖昧になりすぎるし，むしろこのような親密な関係は，その他の事情を併せ考慮して，5号を用いて離婚の可否を決する方が適切な解決が図られうるからである。

　不貞行為は，当該配偶者の意思に基づくものであれば足り，その相手方の任意性は問われない。1号の離婚原因が，配偶者の貞操義務違反にあるとすれば，相手方が任意であったか否かは問題ではないからである。判例も，夫が第三者を強姦した場合において，妻が夫の不貞行為を理由に離婚を請求した事件

で, 不貞行為とは, 「配偶者ある者が, 自由な意思にもとづいて, 配偶者以外の者と性的関係を結ぶことをいうのであって, この場合, 相手方の自由な意思にもとづくものであるか否かは問わない」として請求を認めた (★最判昭和48・11・15民集27巻10号1323頁)。

離婚原因2
(悪意の遺棄)　(1)　**離婚原因としての「悪意の遺棄」**　配偶者から「悪意で遺棄」されたときには, 他方は, 訴訟で離婚を求めることができる (▶770条1項2号)。

(2)　**「遺棄」とは**　770条1項2号にいう「**遺棄**」とは, 婚姻の本質的効果である夫婦間の同居・協力・扶助義務 (▶752条), あるいは婚姻費用分担義務 (▶760条) に違反する行為である。職業上の理由や病気療養等の正当な理由による別居は, 遺棄には該当しない。しかし, 最初は正当な理由による別居だった場合でも, 生活費の送金を止めるなど, 扶助義務違反ないし婚姻費用分担義務違反が加わると, 遺棄と認められうる。

(3)　**「悪意」とは**　ここに「**悪意**」とは, 単にある事実を知っているということではなく, 各義務の不履行によって婚姻関係が破綻するに至ることを知り, かつ容認することをいうと解されている (★新潟地判昭和36・4・24下民12巻4号857頁参照)。

Further Lesson 3-1
▶▶▶▶▶ 離婚における裁量棄却

　本文で述べたように, 民法770条2項では, 770条1項1〜4号に掲げられた離婚原因については, それらの存在が認められても, 裁判所はその裁量により離婚の請求を棄却することができるという裁量棄却の制度がとられている。そこで, これらの4つの離婚原因は, それが存在すれば当然に離婚が認められるわけではないという意味で, 相対的離婚原因といわれることもある。

　しかし, このような裁量棄却の制度に対しては, 批判もある。すなわち, 2項は裁判官の主観や倫理観に左右されるおそれがあるのでその適用は慎重であるべきだとして, これを解釈上制限すべきだという見解が有力に主張されてきた。そして, 立法論としても, 1996年に公表された改正案要綱では, 「離婚が配偶者又は子に著しい生活の困窮又は耐え難い苦痛をもたらすときは, 離婚の請求を棄却することができるものとする」として, 裁量の幅を制限するとともに, 同項を離婚弱者を保護するための規定とすることが提案されている。

　なお，判例には，妻が婚姻関係の破綻について主たる責めを負うとき，夫が扶助しないとしても悪意の遺棄にあたらないとしたものがある（★最判昭和39・9・17民集18巻7号1461頁）。

> ■ **Case 3-4**　ＡとＢは法律上の夫婦であるが，ある日，Ｂが突然姿を消し，以後，Ｂの生死が不明なまま8年が経過した。その間に，Ａは，Ｃと懇意になったため，Ｂとの婚姻を解消してＣと婚姻したいと考えているが，Ａはいかなる法的手段をとればよいか。

離婚原因3
（3年以上の生死不明）

　(1)　**離婚原因としての生死不明**　　配偶者の生死が3年以上明らかでないときには，その者の過失を問わず，他方は訴訟で離婚を求めることができる（▶770条1項3号）。生死不明の状態が続くことにより，婚姻関係の破綻が認められるからである。また，一方が不在の場合には，協議離婚や調停・審判離婚は利用できないので，その点でも，これを離婚原因とする意味がある。所在不明でも，住所を秘しているだけで生存が明らかである場合は，これには該当しない。**Case 3-4**では，Ｂの生死不明の状態が3年以上続いているのであるから，Ａは裁判離婚を請求することができる。

　(2)　**失踪宣告制度との関係**　　民法によれば，配偶者に生死不明の状態が続いた場合において，**失踪宣告**の要件が満たされていれば，その配偶者について失踪宣告を得て，婚姻関係を解消することもできる。通常失踪の場合は，生死不明の状態が7年以上続いたことが要求されるが（▶30条1項），**Case 3-4**では，この要件も満たされている。

　Ａは，いずれを選択することも可能であるが，その選択においては，両者の効果の違いを踏まえる必要があろう。すなわち，まず，失踪宣告の場合には，失踪者が死亡したものとみなされるので，相続が問題となるが，770条3号による離婚判決の場合には，相続は問題とならない。また，失踪宣告の場合，後に失踪者が生存することが判明して失踪宣告が取り消されれば，失踪宣告の効力が失われ，前婚が復活することがあるが（ただし，前述〔➡38頁〕のとおり，この点については議論がある），770条3号による離婚判決の場合には，配偶者の生存が判明しても婚姻解消の効果は覆らず，身分関係は安定する。

**離婚原因4
（回復の見込みのない
強度の精神病）**

(1) **離婚原因としての配偶者の精神病**　配偶者が強度の精神病にかかり，回復の見込みがないときには，訴訟で離婚を請求することができる（▶770条1項4号）。これも，配偶者の有責行為を要件としない離婚原因の1つであり，配偶者がこのような精神病に罹患し婚姻関係が破綻した場合に，その婚姻に他方の配偶者を強制的に拘束させることは妥当でないという考えに基づく。

　もっとも，同項4号については，精神的な障害を有する者に対する差別的な規定であること，同号の事由については同項5号の婚姻を継続し難い重大な事由の一事情として考慮すればよいこと等から削除が検討され，2024年に公表された「家族法制の見直しに関する要綱」でも削除することとされている。

(2) **精神病を理由とする離婚訴訟に関する判例**　従来の判例には，770条1項4号に基づく離婚訴訟において，当該事案の事情を考慮し，同条2項（裁量棄却）を適用することによって，精神病になった相手方配偶者に過酷な結果をもたらす離婚請求を棄却するものがあった。すなわち，最高裁は，昭和33年判決において，妻の精神病を理由とする夫からの離婚請求訴訟において，「単に夫婦の一方が不治の精神病にかかった一事をもって直ちに離婚訴訟を理由ありとするものと解すべきではなく，たとえかかる場合においても，諸般の事情を考慮し，病者の今後の療養，生活等についてできる限りの具体的方途を講じ，ある程度において，前途にその方途の見込のついた上でなければ」離婚の請求を許さないことが同条2項の法意であるとして，離婚を認めた原判決を破棄し差し戻した（★最判昭和33・7・25民集12巻12号1823頁）。

　その後の判例には，この昭和33年判決を踏まえながら，事案の違いを考慮して，離婚請求を認めるものもある。すなわち，昭和45年の最高裁判決では，同じく妻の精神病を理由とする夫からの離婚請求訴訟において，一方で妻の実家は療養費に事欠くような資産状態ではないこと，他方で原告である夫は，過去の療養費を既に支払，将来の療養費についても可能な範囲の支払をする意思を表明していること等を考慮し，770条2項により離婚の請求を棄却すべき場合にはあたらないとして，離婚請求を認容した（★最判昭和45・11・24民集24巻12号1943頁：百選Ⅲ-14）。昭和45年判決は，33年判決が示した「具体的方途論」に立った上で，離婚請求を認容したものであるが，33年判決の命題を実質的に緩

和したものと捉える学説もある。また，そもそも，33年判決の示した具体的方途論に対しては，本来，財産分与制度や社会保障制度によって解決すべき課題なのではないかという指摘もある。

現行法の下でも，相手方の精神疾患につき770条1項5号該当性が争われる事件があり，その中で33年判決の示した具体的方途論を考慮しているとみられるものがある（★東京高判昭和57・8・31判時1056号179頁，東京高判昭和63・12・22判時1301号97頁など）。家族法改正が実現され，770条1項4号が削除された場合でも，具体的方途論の影響とそれをめぐる議論は残ると考えられる。

離婚原因5（その他婚姻を継続し難い重大な事由）

⑴　**770条1項5号の規定**　民法770条1項は，上記のような4つの具体的離婚原因をあげた後，5号で「その他婚姻を継続し難い重大な事由」を離婚原因として規定している。これは，立法の経緯からも，破綻主義をとることを明らかにした規定と解されている。

⑵　**婚姻を継続し難い重大な事由とは**　770条1項5号にいう「婚姻を継続し難い重大な事由」とは，婚姻関係が真に破綻し，婚姻の本質に応じた共同生活の回復の見込みがない場合をいう。その判断にあたっては，当事者の婚姻継続意思，婚姻中における両当事者の行動や態度，別居の有無および期間，子の有無やその成熟度，夫婦双方の年齢，性格，健康状態，職業，収入，資産状態など一切の事情が考慮される。

⑶　**有責性は不要**　本号の離婚原因は，相手方配偶者の有責性と直接の関わりはなく，夫婦のいずれにも責任のない場合や双方に責任がある場合などもこれに包含されるが，実際に判例において5号に該当すると認められた事例には，相手に何らかの落ち度あるいは責任があるものが多い。具体的には，相手による暴行・虐待，重大な侮辱，相手の不労あるいは浪費癖，犯罪行為，疾病，親族との不和，性格の不一致，性的異常などがある。

Case 3-5　X男とY女は法律上の夫婦であるが，結婚から7年経過した頃から，Xは，A女と親密な関係になり，一方的にYのもとを去って，Aとの生活を開始し，その状態が15年余り続いた。その間に，X・Y間の子Bは，成人に達した。Yは離婚に応じてくれない。Xは，訴訟により離婚を請求することができるか。

有責配偶者から
の離婚請求　　自らの行為により婚姻関係の破綻を招いた者からの離婚
請求は認められるのだろうか。

(1)　かつての判例（否定的立場）　　判例は，かつて，**Case 3-5**のように，
他に情婦をもつことによって妻との婚姻関係の継続を自ら困難にさせた夫が，
離婚請求をしたという事案において，「もしかかる請求が是認されるならば，
妻は全く俗にいう踏んだり蹴ったり」であり，「法はかくのごとき不徳義勝手
気儘を許すものではない」として，請求を斥けた（★最判昭和27・2・19民集6巻
2号110頁：踏んだり蹴ったり判決。さらに，★最判昭和38・10・15家月16巻2号31
頁）。この判決は，民法は離婚請求につき相手に有責行為のあることを要件と
はしていないと認識しながら，有責配偶者自らが離婚を請求することは認めな
いという**消極的破綻主義**に立つことを明らかにしたものであった。

これに対し，学説には，形骸化した婚姻に当事者を拘束させるより，むしろ
実際に破綻している場合には婚姻を解消させ，それによる相手の不利益を別の
形で補うことの方が望ましいのではないかという主張がしだいに強くなってき
ていた。

(2)　判例の変更（肯定される場合）　　このような中で，最高裁は，昭和62年
大法廷判決（★最大判昭和62・9・2民集41巻6号1423頁：百選Ⅲ-15）で従来の判例
を変更し，有責配偶者からの請求であるという一事をもって離婚請求が許され
ないものではなく，「信義則上容認されうるものである」限り，770条1項5号
により離婚請求が認められるとした。

さらに同判決は，信義則上容認されうるための具体的要件ないし考慮要素と
して，①夫婦の**別居**が両当事者の年齢および同居期間との対比において相当の
長期間に及ぶこと，②夫婦の間に**未成熟の子**が存在しないこと，③相手方配偶
者が離婚により精神的・社会的・経済的に極めて**苛酷な状態**に置かれる等，離
婚請求を容認することが著しく社会正義に反するといえるような特段の事情が
ないこと（苛酷条項），という3つを掲げた。

(3)　3つの考慮要素の柔軟化　　昭和62年判決の事案は，別居期間が36年に
及び，夫婦間に未成熟子もいない事案であった。しかし，その後の判決では，
①から③のそれぞれの点について，より柔軟な解釈がみられる。すなわち，①
については，別居期間8年で離婚請求を認めた判決（★最判平成2・11・8家月43

巻3号72頁）が現れ，下級審レベルでは，6年，4年等の短い別居期間で離婚請求を認めるものもある。②についても，未成熟子がいるとの一事をもって請求を排斥すべきものではないとして，高校3年の子がいる場合の離婚請求を認めた判決がある（★最判平成6・2・8家月46巻9号59頁）。③については，有責配偶者である原告が，相手方に対し，十分な財産分与や慰謝料の支払を行ったこと，家賃や住居購入の補助をしたこと等，経済的な誠意が尽くされているときには，離婚請求を認める下級審裁判例が多くみられる。

　(4)　Case 3-5 について　　このような最近の判例による解釈を前提とすれば，**Case 3-5**でも，①および②は満たされているので，XがYに対して十分な財産分与や慰謝料の支払を行う場合には，他に信義則に反するような事情のない限り，有責配偶者Xからの離婚請求が認められうるであろう。

　1996年に公表された改正案要綱では，1項の離婚原因の4番目として，「夫婦が5年以上継続して婚姻の本旨に反する別居をしているとき」を規定し，2項で，1項の場合であっても，離婚が配偶者または子に著しい生活の困窮または耐え難い苦痛をもたらすときは，離婚の請求を棄却できること（**苛酷条項**），請求が信義に反すると認められるときも同様とすること（**信義則条項**）などの規定を置くことが提案されている。

5　和解離婚・認諾離婚

　2003（平成15）年に制定された人事訴訟法の37条により新たに規定されたのが，訴訟上の和解による離婚（**和解離婚**）と相手方の認諾による離婚（**認諾離婚**）である。すなわち，人事訴訟法37条は，離婚訴訟における和解や認諾については，（後記の留保付ではあるが）民事訴訟法266条・267条を適用すると定める。したがって，離婚訴訟を家庭裁判所に提起した後に，当事者間で離婚の和解が成立しまたは相手が認諾して，調書に記載されたときには，その記載は確定判決と同一の効力を有することになる（▶民訴267条）。これを，和解離婚・認諾離婚という。

　かつては，離婚訴訟において和解等が成立しても，協議離婚の取扱いがされるにすぎなかったので，離婚届が出されなければ結局は離婚が成立しないという不安定さを抱えていた。そこで，この規定により，調書への記載で離婚が成

立することとされたのである。

　ただし，和解離婚は，当事者が出頭することが前提とされており，民事訴訟法におけるような，和解条項案を書面によって受諾することによる和解（▶民訴264条）や，裁判所が作成した和解条項に従うことを予め両当事者が申し立てることによる和解（▶民訴265条）は，離婚訴訟ではすることができない（▶人訴37条2項）。

　また，離婚に係る請求の認諾については，附帯処分についての裁判や親権者の指定についての裁判を要しない場合に限って，これによる離婚の成立が認められる（▶同条1項ただし書）。

3　離婚の効果

　離婚の効果としては，離婚当事者の人的関係に関する効果，子に関する効果，および財産上の効果（財産分与請求権）が問題となる。

1　離婚当事者に関する人的効果

　離婚により，婚姻関係は解消されるので，婚姻の効果としての同居・協力義務は消滅する。また，各当事者は，再婚することが可能となる（なお，女性の再婚禁止期間（▶旧733条）は廃止された。➡ **Topic 2-1**）。

　さらに，婚姻によって氏を改めた夫または妻は，離婚により，原則として婚姻前の氏に復する（**離婚復氏**，▶767条1項・771条）。もっとも，婚姻前の氏に復した夫または妻は，離婚の日から3か月以内に戸籍法の定めに従って届出をすれば，離婚の際に称していた氏を称することができる（**婚氏続称**，▶767条2項・771条）。これは，婚姻によって氏を変えていた者が婚氏を用いて仕事上の信用や交友関係などを築いてきた場合に，復氏によって影響が生ずること，同居する親子間で氏が異なる事態が生ずること等の不都合を避けるために，1976（昭和51）年改正で認められたものである。

　婚姻によって氏を改めた夫または妻が，897条1項の規定する祭祀財産に関する権利を承継した後に協議離婚をしたときは，祭祀財産に関する権利を承継すべき者を定めなければならない（▶769条。協議または審判による）。この規定

は，裁判離婚（▶771条）および婚姻の取消し（▶749条）の場合に準用されている。

2　離婚当事者に関する財産的効果（財産分与）

財産分与請求権　民法768条は，協議離婚の財産上の効果として，「協議上の離婚をした者の一方は，相手方に対して財産の分与を請求することができる」と規定する（▶768条1項）。財産分与について，協議が調えばそれにより，協議が調わずまたはできないときは，離婚の時から2年間は協議に代わる処分を家庭裁判所に請求できる（▶同条2項）。この規定は，裁判上の離婚にも準用されている（▶771条。➡85頁も参照）。

　ここに規定された財産分与請求権に含まれる要素としては，①清算的要素，②扶養的要素，③損害賠償的要素の3つをあげることができる。

財産分与における清算的要素　**(1)　清算的要素を含む意味（潜在的持分の清算）**　日本民法では，夫婦の財産につき，別産・別管理制をとっているので（▶762条1項），特にいわゆる専業主婦など，対外的収入のない者が家事労働によって財産の形成・維持に寄与しても，それは財産の名義という形では顕在化しにくい。しかし，婚姻継続中に一方の名（多くは夫の名）で取得した財産について，他方は，**潜在的持分**を有すると考えることができ，この潜在的持分が，離婚の際に清算されるべきこととなる。

　(2)　財産分与の中核としての清算　民法768条3項は，家庭裁判所が財産分与をさせるべきかどうかならびにその額および方法を定めるときは，「当事者双方がその協力によって得た財産の額その他一切の事情を考慮」すべき旨を規定しているが，これは，財産分与が清算を中心的要素とすることを前提とした規定と理解できよう。

　もっとも，夫婦の財産の帰属につき共有制説をとる立場（➡58頁）においては，より直接的に，「共有持分」の清算を問題としうることになる。共有制説は，まさに離婚の際の財産の清算につきその理論的根拠を与える理論として，実践的な意味を有していたのである。

　(3)　財産分与の対象となる財産　財産分与の対象となる財産には，婚姻中に取得した動産，不動産，預金等のほか，退職金（将来支給されるべきものもあわせて）も含まれる。年金については，2004（平成16）年の年金法改正により，

離婚時の年金分割制度が導入され，離婚した場合に，期限内に所定の手続での請求により，婚姻期間中の保険料納付額に対応する厚生年金を分割して，それぞれ自分の年金とすることができるようになった。

　清算の方法としては，不動産を例にとると，不動産を金銭に評価して対応する金額を支払う方法，不動産自体を譲渡して差額があれば金銭で清算する方法，財産を共有とする方法などがある。

財産分与における扶養的要素 通説・判例は，財産分与には**扶養的要素**も含まれると解する。本来，扶養義務は婚姻の効果なのに，なぜ離婚後の他方の生活についてまで扶養料を支払わなければならないのか。

　学説には，離婚によって一方が生活に窮する場合において，国家による保障が十分でないので，次善の策として，元の配偶者による私的扶養が要請されるという見解，離婚後も扶養の効果は婚姻の事後的効果として存続するという見解などがあるが，もとの配偶者が扶養義務を負わされる根拠としては必ずしも十分ではない。最近では，婚姻中の役割分担に起因した所得能力の低下（所得の機会の喪失）を回復し自立を支援するための給付として捉える見解（補償給付説）が有力に主張されている。

> **⚑ Case 3-6**　ＸとＹは法律上の夫婦であったが，ＸはＹの暴言や暴力に耐えかね，ＹからＸに30万円の財産分与がされることとして協議離婚を行い，その届出を行った。その後，Ｘは改めてＹに対し，慰謝料の請求をなしうるか。

財産分与と損害賠償 **(1)　慰謝料請求と財産分与の関係**　夫婦の一方の有責行為により離婚に至った場合には，他方は，精神的苦痛につき損害賠償の請求（慰謝料請求）をすることができる。この**慰謝料請求と財産分与との関係**をどう捉えるかについては，見解が分かれる。多数説は，慰謝料も財産分与に含まれると解する（**包括説**）が，これに対し，損害賠償は財産分与とは別でありこれに含まれないとする見解（**限定説**）も有力に主張されている。

　実際には，**Case 3-6**のような事案において，早く離婚を成立させたい等の事情から，慰謝料を十分に含めることなく，少額の財産分与に甘んじた場合において，後に改めて損害賠償の請求をすることができるかということがしばしば問題となる。

　判例は，財産分与請求権と相手方の有責行為に対する慰謝料請求権とは，その性質を必ずしも同じくするものではなく，財産分与がされたからといって，別途慰謝料の請求をすることは一般的には妨げられないが，当事者が，損害賠償のための給付を含めて財産分与の額および方法を定めることはできるとする。そして，慰謝料を含めて財産分与の額や方法が定められた場合には，重ねて慰謝料を請求することはできないが，財産分与がいったんなされても，そこに慰謝料が含まれておらず，あるいは十分には含まれていなかった場合には，後に改めて不法行為に基づき損害賠償を請求することができるとしている（★最判昭和46・7・23民集25巻5号805頁：百選Ⅲ-18）。この判例は，上記両説の折衷的立場に立つものと捉えることができよう（折衷説）。

　この判例の考え方によれば，**Case 3-6**でも，X・Y間の財産分与が慰謝料分を含めた趣旨と解されないか，精神的苦痛を慰謝するに足りないと認められるものであるときは，Xは，別途Yに対して不法行為を理由として慰謝料の請求をすることができる。

　(2)　**手続との関係**　　判例は，慰謝料的要素を，財産分与の中で請求することも，別個に請求することも認める。ただし，**財産分与**は，家庭裁判所の審判に付される家事事件であるのに対し（▶家事150条5号，別表二-4），損害賠償請求は，通常裁判所で扱われる訴訟事件であるから，当事者が，財産分与とは別に慰謝料を損害賠償として請求する場合には，それぞれ別の手続に服することになる。もっとも，人事訴訟法では，一方で，離婚訴訟に附帯して財産分与に関する処分を申し立てることを認め（▶人訴32条。➡73頁），他方で，人事訴訟の請求原因である事実によって生じた損害の賠償を求める訴訟を，家庭裁判所で人事訴訟に係る請求（離婚請求等）と合わせて1つの訴えですることができ，また，既に当該人事訴訟の係属する家庭裁判所にも提起できるとする（▶人訴17条）。また，かかる損害賠償請求訴訟が係属する第一審裁判所は，相当と認めるときは，申立てにより，当該訴訟を家庭裁判所に移送することができ，その場合は家庭裁判所において両事件の口頭弁論が併合されるので（▶人訴8条），その限りでは，離婚慰謝料を財産分与と別に請求しても，両者は同一の手続に服することとなりうる。

財産分与額の決定 (1) **協議による財産分与額の決定** 財産分与につい
て，当事者間の協議が調えば，それに従って財産分与
が行われる（▶768条1項）。協議で決定された財産分与の義務を相手が履行し
ない場合には，通常の契約の場合と同様，通常の裁判手続によって，その履行
を請求することができる。

(2) **協議離婚で家庭裁判所に申し立てる場合と請求期間** 協議離婚におい
て，財産分与につき当事者間に協議が調わないとき，または協議することがで
きないときは，当事者は，家庭裁判所に対して，財産分与の協議に代わる処分
を請求することができる（▶同条2項）。ただし，財産分与の請求は，**離婚の時
から2年**を経過したときは行うことができない（▶768条2項ただし書）。この2
年の期間は，除斥期間と解されている。2024年に公表された「家族法制の見直
しに関する要綱」では，同期間を5年に改めることとされている。

　当事者からまず調停の申立てがあることが通常であるが，当事者から家事審
判の申立てがあったときでも，家庭裁判所は，これを調停の手続に付すことが
できる（▶改正家事274条）。調停が成立すれば，それは確定した審判と同一の効
力をもつ（▶家事268条1項）。調停が成立しないときは，家庭裁判所が審判に
よって決する（▶家事39条，別表二-4，272条4項）。

(3) **離婚訴訟を提起した場合** 協議離婚が成立せず，当事者が家庭裁判所
に離婚訴訟を提起する場合（裁判離婚を求める場合）には，それに附帯して財産
分与を申し立てることが認められている（▶人訴32条1項）。財産分与は，本来
審判事項であり，必ずしも婚姻関係解消の効果の発生と同時に形成される必要
はないが，婚姻関係解消に付随する重大な財産的効果であり，対象となる事項
も，離婚原因と密接な関係があるから，当事者の便宜および訴訟経済から，附
帯申立てが認められているのである。

(4) **財産分与額決定における考慮要素** 家庭裁判所は，当事者双方がその
協力によって得た財産の額その他一切の事情を考慮して，分与させるべきかど
うか，ならびにその額および方法を定める（▶768条3項・771条）。別居以来7
年間夫が婚姻費用を一切負担しなかったという事案において，最高裁は，婚姻
継続中における過去の婚姻費用の分担の態様も，考慮すべき事情の1つにほか
ならないから，裁判所は，当事者の一方が過当に負担した婚姻費用の清算のた

めの給付をも含めて財産分与の額および方法を定めることができるとしている（★最判昭和53・11・14民集32巻8号1529頁：百選Ⅲ-17）。

(5)　具体的な分与額・割合　夫または妻の「協力」（▶768条3項）の程度その他の事情を適切に評価し、それに基づく潜在的持分の割合を決定することは容易ではない。現在では、原則として2分の1の権利があるという解釈が支持されている。裁判所における財産分与の手続でも、具体的事情に基づいて異なる余地があるものの、近時は、財産形成に半分またはそれに近い寄与度があったと認めるものが多くなっている。

1996年に公表された改正案要綱では、「当事者双方がその協力により財産を取得し、又は維持するについての各当事者の寄与の程度は、その異なることが明らかでないときは、相等しいものとする」としていた。2024年に公表された「家族法制の見直しに関する要綱」でも、同趣旨の規定を導入することとされている。

> **Case 3-7**　AとBは離婚した。Aは、Bに対する財産分与請求権を保全するために、Bが第三者Cに対して有する期限の到来した金銭債権につき債権者代位権を行使することができるか。

財産分与請求権と債権者代位権　財産分与請求権を被保全債権として債権者代位権（▶423条）を行使することが認められるかは、**財産分与請求権の権利性**をどのように捉えるかとも関連して問題となる。学説は、財産分与請求権は、①離婚という事実によって当然に発生し、協議または協議に代わる処分等はその内容を確認するものだとする**確認説**、②協議または協議に代わる処分等によって初めて形成されるとする**形成説**、③抽象的な財産分与請求権は離婚の事実によって発生するが、具体的な財産分与請求権は、協議または協議に代わる処分等によって形成されるとする**折衷説**に分かれる。

判例は、③の立場に立ち、財産分与請求権は、協議またはこれに代わる処分等によって具体的な内容が形成されるまでは、その範囲・内容が不確定・不明確であるから、債権者代位権の被保全債権にはならないとした（★最判昭和55・7・11民集34巻4号628頁）。これによれば、**Case 3-7**でも、A・B間の協議または協議に代わる処分等により具体的内容が形成される前であれば、Aは財

産分与請求権を被保全債権として債権者代位権を行使することはできないことになろう。

これに対し、学説では、財産分与の実効性確保を強調し、少なくとも保存行為（時効の完成猶予等）については、財産分与請求権の具体化の前であっても、これを被保全債権とした債権者代位権の行使が423条2項ただし書の趣旨により肯定されるべきだとする見解が主張されている。

⚎ Case 3-8　Aは、債務超過の状態にありながら、ほぼ唯一の財産である甲不動産を、財産分与として配偶者Bに譲渡した。Aの債権者Cは、この財産分与は詐害行為であるとして、424条による取消しを裁判所に請求することができるか。

財産分与と詐害行為取消し　財産分与に関する協議（財産分与契約）は、詐害行為取消請求（▶424条）の対象となるのであろうか。この問題は、**財産分与の法的性質**をいかに捉えるか（424条2項の「財産権を目的としない行為」に該当するか）と関連し、その捉え方に応じて学説は分かれる。

判例は、「分与者が既に債務超過の状態にあって当該財産分与によって一般債権者に対する共同担保を減少させる結果になるとしても、それが民法768条3項の規定の趣旨に反して不相当に過大であり、**財産分与に仮託してされた財産処分**であると認められるような特段の事情のない限り、詐害行為として、債権者による取消の対象となりえない」という基本的考えを明らかにした（★最判昭和58・12・19民集37巻10号1532頁）。その上で、同判決は、当該事実関係の下では特段の事情は認められないとして詐害行為取消請求を棄却した。

その後、判例は、離婚に伴う財産分与として金銭給付の合意がされた場合において、詐害行為が成立するときの取消しの範囲は過大な部分のみであることを明確にするとともに、特に慰謝料部分に関して、有責配偶者が負担すべき額を超える**慰謝料**支払の合意をした場合には、その超える部分は、「慰謝料支払の名を借りた金銭の贈与契約ないし対価を欠いた新たな債務負担行為」であるとし、その限度において詐害行為として取り消されるべきだとした（★最判平成12・3・9民集54巻3号1013頁：百選Ⅲ-19）。本判決は、財産分与に関する合意を、扶養に係る部分と慰謝料に係る部分とに区別し、扶養に係る部分については、前述の昭和58年最判の枠組みを踏襲し、原則として詐害行為取消しの対象

とならず，例外として，不相当に過大で財産分与に仮託した財産処分と認められるような特段の事情があるときのみ，その過大な限度において取消しの対象になるとする。これに対して，慰謝料については，昭和58年最判の枠組みをとらず，むしろ通常の賠償義務の履行の場合に準じ，本来負担すべき範囲の慰謝料を支払う旨の合意は，新たに創設的に債務を負担するものではない（責任財産の減少をもたらすものではない）ので詐害行為とはならないが，賠償義務の範囲を超えた部分は，新たな債務負担行為であり詐害行為取消しの対象となりうるとしたものである。

> **⊞ Case 3-9**　離婚当事者の一方であるXは，財産分与者に課税されることを知らないまま，自己の特有財産のほぼすべてを相手Yに財産分与として譲渡する旨合意したが，その後，数億円にも上る多額の譲渡所得税がXに課されることが判明した。この場合，Xは，財産分与契約の錯誤による取消しを主張することができるか。

財産分与契約と錯誤　財産分与に関する離婚当事者の合意も，財産の給付に関する法律行為であり，瑕疵ある意思表示に関する民法総則の規定の適用可能性が問題となる。**Case 3-9**では，民法95条の錯誤規定の適用（95条1項2号の基礎事情錯誤）が問題となっている。

　財産分与に際して，分与者には，譲渡所得税が課される。少なくとも潜在的共有財産の清算の部分については，分与者への課税には学説の批判も多いが，分与者に課税するのが実務の取扱いであり，判例もこれを認めている（★最判昭和50・5・27民集29巻5号641頁）。その上で，最高裁は，**Case 3-9**に類似の事案において，原告である分与者は，財産分与に伴って自己に課税されないことを当然の前提とし，かつ，その旨を黙示的に表示してそれが意思表示の内容をなしていたとして，錯誤無効の可能性を認め（2017年改正前95条は錯誤の効果を「無効」と規定していた），原判決を破棄し差し戻した（★最判平成元・9・14家月41巻11号75頁）。そして，同事件の差戻審では，錯誤の主張が認められた（★東京高判平成3・3・14判時1387号62頁）。

財産分与請求権の相続性　財産分与請求権の相続は認められるのであろうか。この点は，財産分与請求権の性質の捉え方にも関わる。**形成説**によれば，離婚の事実だけでは未だ財産分与請求権は発生していないので相

続は問題とならないことになろう。これに対し，**確認説**および**折衷説**によれば，権利は発生しているので，それが相続されるかがさらに問題となる。学説の一部には，財産分与請求権のうち扶養に該当する部分については，扶養請求権の一身専属性を理由に相続性を否定する見解もある。しかし，通説は，清算と慰謝料と扶養の３つの要素は相互に関連しあっていることから，全体について相続性を認めている。裁判例でも一般的に**相続性が肯定**されている。

3　子に関する効果

親権者の決定　未成年の子の父母が離婚をする場合には，その一方を親権者と定めなければならない（▶819条）。つまり，**共同親権**から**単独親権**になるのである（➡156頁。改正の議論につき，➡90頁，157頁も参照）。

　協議離婚の場合には，協議で親権者を定めるが（▶819条１項），協議が調わず，またはできない場合には，家庭裁判所は，父または母の申立てによって，協議に代わる審判をすることができる（▶同条５項，家事39条，別表二-８）。裁判離婚の場合には，裁判所が，父母の一方を親権者と定めることとされている（▶819条２項，人訴32条１項。なお，この場合における親権者からの子の引渡請求については，➡169頁以下）。

　子の出生前に父母が離婚した場合には，母が原則として親権を行うが，子の出生後に父母の協議で父を親権者と定めることもできる（▶819条３項）。この協議が調わずまたは協議が不可能な場合にも，家庭裁判所は，父または母の請求によって，協議に代わる審判を行うことができる（▶同条５項）。

　親権者（および監護者）を決定する際には，監護能力，過去から現在までの監護の実績，子の意思（特に，子が15歳以上の場合は子の陳述を聴かなければならない。▶家事152条２項，人訴32条４項），母性の優先（特に子が乳幼児の場合），面会交流に対する寛容性等が考慮される。かつて，家制度的な考え方が強かった時代には，父を親権者と定める場合も多かったが（例えば，1950年段階で約５割），現在では，母を親権者と定める割合が約８割に上る。

監護者の決定　通常は，親権者となった者が，**子の監護・教育**（▶820条）も**財産管理**（▶824条）も行うが，離婚の際に，身上監護権を親権から分離させ，親権者と異なる者を**監護者**と定めることもできる

（▶766条。➡169頁参照）。例えば，父を親権者と定めた上で，子が幼少であること等から母を監護者と定める場合などもある。この場合には，父の親権は，監護権のない財産管理権に限定される。

　もっとも，最近では，母が親権者でありかつ監護者とされることが多く，その場合に，親権も監護権もない父に，子の養育についての責任の自覚が薄くなるという問題も指摘されていた。2024年に公表された「家族法制の見直しに関する要綱」では，離婚後も父母が共に子の養育に対して責任をもつ仕組みが必要であるという考えに基づき，離婚後も父母の双方で親権を行使する「共同親権」の可能性を開くこととされている（➡155頁参照）。

監護に関する事項の決定　父母が協議離婚をする場合には，監護者のみならず，その他の監護に関する事項も，協議で定める（▶766条1項）。協議が調わずまたはできない場合には，家庭裁判所は，当事者の申立てによって，審判によりこれを定める（▶同条2項，家事39条，別表二-3）。なお，監護者を定める審判を申し立てることができるのは，父母に限られ，父母以外の第三者は（たとえ事実上子を監護してきた祖父母でも）申し立てることはできない（★最決令和3・3・29民集75巻3号952頁：百選III-46）。裁判離婚の場合（▶771条）には，家庭裁判所が，申立てにより，離婚請求を認容する判決においてこれを定める（▶人訴32条1項）。監護に関する事項には，監護の程度，方法，費用，報酬，面会交流等があるが，特に重要なのは，養育費（**監護費用**）と**面会交流**である。

養育費（監護費用）　父母は，離婚後も，親権の有無にかかわらず，未成熟子に対して**生活保持義務**を負う（▶877条1項）。子自身が親に対して扶養を請求することもできるが，監護者が，766条による「子の監護に関する処分」事件の申立人となって，非監護者である親に対して監護費用を請求することもできる。

　なお，裁判所は，申立てにより，離婚の訴えに係る請求を認容する判決において，離婚後に必要な養育費の支払を命ずることができ，さらに，別居後離婚までの期間における子の監護費用の支払も命ずることができる（★最判平成19・3・30判時1972号86頁）。附帯処分としての財産上の給付の裁判については，今日では，人事訴訟法に規定されており（▶人訴32条2項・36条），養育費算定

の基礎となる事情についても家裁調査官に調査させることができるとされている（▶人訴33条・34条）。

✐ Topic 3-1
離婚した場合の養育費等の支払確保と民事執行法

　本文で述べたとおり，離婚しても，子の養育は親の義務である。しかし，現実には，たとえ離婚に際して養育費の支払の取決めを行い，あるいは，定期的に一定額の扶養料を支払うべきものとする審判が確定しても，それが支払われないケースが従来多かった。そこで，養育費の履行確保のための法改正が行われてきた。

　かつては，養育費等の債権に基づいて給与等につき差押えをしようとする場合，一般則の範囲での差押禁止（▶民執152条1項・2項：4分の3）が適用されていた。また，強制執行の手続をとることができるのは支払期限が到来した分だけであるという一般則により（▶民執30条1項参照），養育費についても不払のつど強制執行の手続を繰り返すことになるが，その負担を考えて事実上あきらめざるを得なくなるという問題があった。そこで，2003（平成15）年の民事執行法の改正（平成16年4月1日施行）では，養育費等に係る債権に基づく強制執行について，差押禁止とする範囲が縮減されるとともに（▶民執152条3項：2分の1とする），養育費等に関する定期金債権の簡易かつ実効的な強制執行手続の必要性という観点から，養育費等の履行期前の差押えについての特例が設けられた（▶民執151条の2）。特例の対象とされているのは，離婚の場合における子の監護養育費（▶同条1項3号）のほか，夫婦間の協力扶助義務（▶同1号），夫婦の婚姻費用分担義務（▶同2号），一定の親族間における扶養義務（▶同4号）に係る債権である。

　さらに，2019（令和元）年の民事執行法の改正（2020年4月1日施行）では，養育費の履行確保等の観点から，債務者の財産に関する情報を第三者から取得する制度が新設された（▶民執204条～211条）。これにより，養育費等の債権者は，裁判所に対する申立てにより，登記所から不動産情報を，銀行等から預貯金債権等に関する情報を，市町村等から給与債権に関する情報を取得することが可能となった。また，財産情報を債務者自身に陳述させる財産開示手続（▶民執196条以下）についても，債務者の不出頭や虚偽陳述に対する罰則の強化（▶民執213条1項6号）により，実効性が図られた。

　さらに養育費の支払を促進する新たな制度の導入も検討されている。

面 会 交 流
（親子交流）　離婚後に非監護者である親が子と**面会交流**をすることの法的性質については議論がある（➡172頁）。

　面会交流は，子の監護に関する事項の１つであるから，協議離婚の場合にはこれを協議で定めることができる（▶766条１項前段）。この場合に子の利益を最優先すべきことも併せて規定されている（▶同項後段）。協議で定めなかった場合または裁判離婚の場合には，家庭裁判所が，子の監護に関する事項の一内容として，面会交流について定めることができる（▶766条２項・３項，家事別表二-３）。

第4章　婚外関係の法的保護
婚約・内縁（事実婚）・同性カップル

1　総　説

　既に第2章でみたように，法律上の婚姻は，法定の手続に従って婚姻の届出をして初めて成立する（届出主義）。成立した婚姻に関しては，様々な権利義務に関する規定があり，法的保護が図られている。しかし，法律上の婚姻に該当しない当事者の関係でも，その法的保護が問題となることがある。

　まず，未だ婚姻には至っていないものの，婚姻を約束した当事者の一方がその約束を不当に破棄した場合における相手方の保護が問題となる（婚約当事者の法的保護）。

　また，社会的には婚姻と同様の実質を有する事実上の夫婦でも，届出を欠くため，法律上は婚姻と認められないものがある。特に後述のとおり，歴史的には，かつての家制度の下で，たとえ結婚式をあげ夫婦として同居しても，後継ぎを産むなど嫁としてふさわしいと判断されるまでは，嫁ぎ先の「家」から届出を承認してもらえないという場合もあった。法的な理解が普及していない時代には，届出の必要性が十分に認識されていないこともあった。戦後は，家制度が廃止され，また教育の普及などにより，これらの理由によって届出がされない事例は減少したが，一方で，新たな経済構造および意識変革の下で，両当事者とも氏を変更したくないなどの理由からあえて婚姻届出をしないカップルも存在する。このような事実上の夫婦の法的保護のあり方が問題となる（内縁〔事実婚〕の保護）。

　さらに，同性カップルの法的保護も問題となる。日本では，婚姻は男女間でのみ認められており，同性カップルには法律上の婚姻による保護は認められていない。しかし，同性カップルの法的保護の問題は今や世界的に多くの国で取り上げられ，同性カップルに婚姻を認めまたはそれに準じた保護を認める国も

みられる。

　本章では，このように法律上の婚姻関係にないカップルの法的保護の問題のうち，特に婚約，内縁（事実婚），同性カップルの問題を取り上げる。

2 婚 約

1 婚約の成立と効力

婚 約 と は　婚約とは，将来婚姻することの約束をいう。当事者間で，将来婚姻することについての**合意**がなされれば，婚約は成立する。日本ではしばしば，婚約の際に結納や婚約披露，婚約指輪の交換などが行われているが，これらの儀式や物の引渡しは，婚約の成立要件ではない（★最判昭和38・9・5民集17巻8号942頁：百選Ⅲ-22参照）。もっとも，これらは，婚約の成立を証明する客観的事実とはなりうる。

婚姻障害事由の
ある婚約の効力　婚姻障害事由が存する場合にも，婚約は成立するのであろうか。これは，それぞれの婚姻障害の性質による。すなわち，婚姻の時までに解消される可能性のある障害については，その障害が婚約の時点で存在しても，婚約の成立および効力は妨げられない。例えば，婚姻適齢に達していない場合でも，当事者が将来婚姻することを合意すれば，婚約は有効である。これに対し，将来的にも解消される可能性のない障害事由がある場合には，婚約としての効力は認められない。例えば，近親婚の禁止に違反する婚約は無効である。

　法律上の配偶者のいる者との間で，将来離婚が成立したときに婚姻しようと約束する婚約の効力については，議論がある。かつて大審院は，このような婚約は一方の離婚を前提とするものであるから公序良俗に反し無効だとした（★大判大正9・5・28民録26輯773頁）。しかし，今日の判例は，**重婚的内縁**については，法律婚が事実上の離婚状態にあった場合にはその保護を認めている（➡ **Topic 4-1**）。そこで，今日の多数説は，配偶者がいる者との婚約についても，少なくとも法律婚が事実上の離婚状態にあるときに行われた場合には，有効と解すべきだとする。

2　婚約の破棄

Case 4-1　XとYとの間で婚約がなされ，結納まで交わされたが，その後，Yが，性格の不一致を理由に，Xに婚約の破棄を告げた。この場合，XはYに対して損害賠償を請求できるか。

婚約の不当破棄に対する法的保護　婚約当事者の一方が正当な理由なく履行しない場合でも，相手方が婚姻の届出を強制することは，その性質上できない。しかし，**正当な理由のない婚約破棄**に対して，**損害賠償**を請求することはできる。その法的根拠につき，判例には，婚約者の地位の侵害による不法行為責任と構成するものと（前掲★最判昭和38・9・5），債務不履行責任と構成するものがある（★最判昭和38・12・20民集17巻12号1708頁）。

正当な理由のない破棄　問題は，いかなる場合に正当な理由がない破棄（不当破棄）と認められるかである。従来の判例には，性格の不一致，容姿に対する不満，親の反対などでは，いまだ正当な理由があるとは認められないとして，婚約破棄における正当な理由を厳格に解する傾向がみられた。この考え方によれば，**Case 4-1**の場合には，正当な理由のない婚約の破棄（不当破棄）ということになろう。

しかし，最近の学説は，婚姻準備過程でかかった費用や交付された金品の清算の問題と慰謝料等の損害賠償責任の問題は区別されるべきことを前提に，婚約は内縁とは異なり夫婦生活の実質を備えるまでに至っていない関係であること，婚約後に価値観や人生観の違いが明確になることもあり，婚姻の自由が保障されるべきであることなどから，婚約破棄者が相手方の精神的苦痛に対する損害賠償責任を負わされるのは，婚約解消の動機や方法などが公序良俗に反し著しく不当性を帯びている場合に限られるべきだと主張する。そして，近年は下級審裁判例の中にも，費用の**清算以外の損害賠償義務**の発生が認められるのは，婚約解消の動機や方法等が公序良俗に反し，著しく不当性を帯びている場合に限られるとするものがある（★東京地判平成5・3・31判タ857号248頁）。この考え方によれば，**Case 4-1**では，Xの請求は否定されよう。

第三者による婚約の履行妨害　第三者が，婚約の履行を不当に妨害して，婚約の解消をもたらした場合には，その第三者も損害賠償責任を負うこ

とがある。この場合, 婚約当事者の一方の不当破棄を不法行為と構成すると, 第三者は共同不法行為者ということになろうが (★徳島地判昭和57・6・21判時1065号170頁), 当事者の不当な破棄を債務不履行と構成しても, 婚約の履行を妨害した第三者の責任は不法行為責任と構成することとなろう。ただし, 第三者が婚約当事者に対して婚約の解消を決断させた場合においても, その第三者が不法行為による損害賠償責任を負うのは, その動機や方法等が公序良俗に反し, 著しく不当性を帯びている場合に限られるといえよう (前掲★東京地判平成5・3・31)。

3 結納の法的取扱い

日本では, 婚約が調ったときに結納が交わされることが多い。その法的性質につき, 判例は, 「婚約の成立を確証し, あわせて, 婚姻が成立した場合に当事者ないし当事者両家間の情誼を厚くする目的で授受される一種の贈与」だとする (★最判昭和39・9・4民集18巻7号1394頁)。このように解すると, **Case 4-1**のように婚姻が成立しなかった場合には, 当該贈与は**目的不到達**により効力を失い, 贈与をした者は**不当利得**としてその返還を請求しうることになる。もっとも, たとえ婚姻の届出がなされず法律上の婚姻に至らなくとも, 社会的な意味での婚姻が成立すれば, そのことにより贈与の目的は到達したといえるので, 結納の返還を求めることはできない (★大判昭和3・11・24新聞2938号9頁)。なお, 婚姻不成立における結納返還の問題は, 一応不法行為の問題と切り離して考えることができるが, 自ら婚約解消について責任のある者は, 信義則上, 結納金の返還を請求することはできないとして, 返還請求が否定されることがある (★東京高判昭和57・4・27判時1047号84頁)。

3 内 縁 (事実婚)

1 内縁とは

内縁の意味と背景 社会的には夫婦としての実質を備えながら, 婚姻の届出を欠くために, 法律上の婚姻とは認められない男女の関係を, **内縁**という。戦前の日本の家制度の下では, 婚姻には戸主の同意を要するとされており, しかも, 嫁が家風に合うと認められるまで, あるいは跡

継ぎの子を産むまでは婚姻届を出すことを認めてもらえない場合があるなど，法律上の婚姻を生じさせることに多くの障害が存在していたため，内縁関係が広く存在した。また，法的な知識がないために，届出の必要性が認識されず届出がされない事例も古くはあった。今日では，このような外部的な障害などは少なくなってきたが，むしろ，当事者が，互いに別姓を通したい，婚姻制度という枠組にとらわれたくないなどの理由から，自分たちの意思に基づいて婚姻届を出さない場合が増えている。これも，夫婦の実質はあるが届出を欠く場合なので内縁であるが，従来の内縁と区別して，**事実婚**と呼ばれることもある。

内縁の法的位置づけ
（婚姻予約論と準婚理論）　内縁は，法律上の婚姻ではないため，婚姻費用の分担義務その他，法律上の婚姻についての規定は直接には適用されない。また，離婚原因がなくても，一方的に解消されることがありうる。しかし，従来は特に，女性が内縁の夫に生計を依存していることが多かったため，内縁の解消等によって困るのは，多くの場合女性であった。そこで，この不利益をいかにして救済するかが議論されてきた。

判例は，かつて，内縁を**婚姻予約**と捉え，これを一方的に解消した者は，婚姻予約の不履行による損害賠償責任を負うとした（★大連判大正4・1・26民録21輯49頁）。しかし，学説においては，婚姻予約という構成には限界があることが指摘され，内縁を婚姻に準じた関係と捉えた上でその保護を図るべきだと主張されてきた（**準婚理論**）。その後，判例にも，内縁を不当に破棄された者は，（債務不履行を理由として損害賠償を請求できるとともに）不法行為を理由として損害賠償を請求することもできるとし，さらに内縁は婚姻に準ずる関係であるから760条（婚姻費用の分担）の規定は内縁にも準用されるとして，別居中の内縁の妻の病気療養費を内縁の夫は分担すべきだとする判決が現れた（★最判昭和33・4・11民集12巻5号789頁：百選Ⅲ-23）。

もっとも，判例がもはや婚姻予約理論を捨てたというわけではなく，その後も，例えば，男性から結婚の申込みを受けて約9年間交際を続け，その間に妊娠中絶も繰り返したが，その後に男性側から関係が破棄された事案（★最判昭和38・9・5民集17巻8号942頁：百選Ⅲ-22），双方の両親の黙認の下，大学生の男性が帰省するたびに女性宅で生活をして性的関係を継続したが，その後関係が破棄された事案（★最判昭和38・12・20民集17巻12号1708頁など）など，事案によっ

て，婚姻予約の不履行を理由に女性からの慰謝料請求を認めたものがある。そして，学説にも，判例の柔軟な態度を積極的に評価するものもある。

2　内縁の成立要件

内縁の一般的成立要件　内縁を準婚関係として捉え，婚姻に準じた法的保護を認めるとすると，そのような効果が認められる内縁はいかなる要件を備えている必要があるかが問題となる。

　内縁の成立要件としては，第1に，当事者に夫婦としての共同生活を営むという意味での**婚姻意思**があること，第2に，**夫婦共同生活の実体**があることが必要であり，これを欠く関係は，内縁とは認められない。単なる同棲は，「婚姻意思」ないし「夫婦共同生活の実体」を欠くので，内縁とは区別され，法律婚に準じた効果は認められないのである。

婚姻障害事由がある場合　それでは，**婚姻障害事由**が存在している場合には，内縁としての保護は認められないのであろうか。特に，近親婚的内縁や重婚的内縁にも婚姻に準じた保護が与えられるべきかが，従来から議論されてきた。判例は，近親婚的内縁についても（★最判平成19・3・8民集61巻2号518頁：百選Ⅲ-26：3親等の傍系血族関係にあった場合），反倫理性，反公益性が著しく低い場合には，厚生年金法所定の内縁配偶者に該当し，遺族厚生年金の受給が認められるとした。また，法律上の配偶者がいる場合の**重婚的内縁**についても，一定の要件の下で，内縁配偶者の保護を認めている（➡Topic 4-1参照）。

3　内縁の効果

　社会保障法を中心とした社会法の領域には，既に明文上，その適用対象である「配偶者」に「事実婚（内縁）」の配偶者も含む旨の規定がみられる（▶国年5条7項，厚年3条2項，健保3条7項1号，労災11条1項・16条の2第1項等）。これに対して，民法の婚姻に関する諸規定は，法律婚を前提としているが，その一部は，内縁に類推適用される。

> ▓ **Case 4-2**　AとBは，婚姻届は出していないものの，事実上の夫婦として長年生活してきた。この場合，両者間に，婚姻と同様の効果がどこまで認められるのか。

類推適用が一般に承認されているもの　夫婦共同生活の存在から認められている婚姻の効果に関する規定は，基本的に内縁にも類推適用される。具体的には，同居協力扶助義務（▶752条），貞操義務（▶770条 1 項 1 号参照），婚姻費用分担義務（▶760条），日常家事債務の連帯責任（▶761条），帰属不明財産の共有推定（▶762条 2 項）などの規定がこれにあたる。また，内縁関係が解消された場合には，離婚の際の財産分与に関する規定（▶768条）の類推適用が認められる（★東京家審昭和31・7・25家月 9 巻10号38頁）（ただし，死亡による解消の場合については，➡102頁）。

✐ Topic 4-1

重婚的内縁をめぐる問題

　法律上の配偶者のある者が，他の者と事実上の夫婦共同生活（内縁）を営む場合を，重婚的内縁という。これにつき，法的保護を与えるべきか否かおよびその要件が問題となる。民法が，法律婚主義をとり，しかも重婚を禁止していることからすると，法律婚の保護を優先させるべきであって，通常の場合における内縁と同様の保護を重婚的内縁に認めることはできないとも考えられる。戦前の判例は，重婚的内縁は一夫一婦制を破壊するものであって公序良俗に反するとしてその保護を否定していた。しかし，重婚的内縁における事情は様々である。法律婚が既に実体を失い，事実上の離婚状態にある場合にまで，法律婚を重視して，事実上の婚姻共同生活に対する保護を一切否定することは，形式的にすぎる。そこで，現在の判例は，①法律婚の実体の喪失，および②婚姻外の男女の事実上の婚姻状態の存在という要件の下で，重婚的内縁にも一定の保護を認めようとする。例えば，下級審裁判例には，重婚的内縁が終了した場合における財産分与請求の可否が争われた事件において，この 2 つの要件の下で，通常の内縁と同様の保護が認められるとしたものがある（★東京高決昭和54・4・24家月32巻 2 号81頁）。また，社会保障の受給資格についても，法律婚が実体を喪失しており，かつ，他の者との間で事実上の婚姻状態が継続している場合には，戸籍上の配偶者には受給資格は認められず，内縁配偶者に受給資格を認めるのが実務の取扱いであり，判例もある（★最判昭和58・4・14民集37巻 3 号270頁：百選Ⅱ-25。さらに，法律婚が形骸化していた場合に，重婚的内縁配偶者を遺族共済年金の受給権者とした判決として，★最判平成17・4・21判時1895号50頁）。学説も，この判例の考え方を基本的に支持するものが多いが，問題となっている効果との関係で，相対的に判断すべきだとする見解（相対的効果説）も有力に主張されている。

**類推適用が否定
されるもの**　しかし，法律上の婚姻の身分関係に基づく効果として予定されている規定は，内縁には類推適用されない。例えば，夫婦同氏（▶750条），姻族関係の発生（▶725条 3 号），配偶者相続権（▶890条）は認められず，また，内縁夫婦に生まれた子は，嫡出子にはならない。

内縁夫婦の子　内縁夫婦の子は，**嫡出でない子**である。母親との法的親子関係は，母の認知がなくても，分娩の事実により当然発生するが（★最判昭和37・4・27民集16巻 7 号1247頁：百選Ⅲ-32），父親との法的親子関係が生ずるためには，**認知**が必要とされる（▶779条。詳しくは，➡122頁以下）。内縁成立日から200日以後，内縁解消の日から300日以内に内縁関係の一方の女性が子を産んだ場合には，その内縁配偶者である男性の子である蓋然性が高いので，772条の類推により，父性の**事実上の推定**が働くが，それにより認知が不要となるわけではない（★最判昭和29・1・21民集 8 巻 1 号87頁）。学説では，嫡出推定に関する772条の類推適用により，認知の訴えを提起する子は，母親と当該男性が内縁関係にあったことを証明すれば，男性の方で自分の子でないことを証明しない限り，訴えが認められると解する見解が有力である。

　なお，嫡出子か否かにかかわらず，法律上の親子関係が生じた以上，扶養義務や相続権が認められる（➡126頁）。相続について，かつては嫡出でない子の法定相続分を嫡出子の 2 分の 1 とする規定が存在したが（▶旧900条 4 号ただし書），これを憲法14条違反とする最高裁決定（★最大決平成25・9・4民集67巻 6 号1320頁：百選Ⅲ-59）を受けて，2013年改正によりこの規定は撤廃され平等となった（詳しくは，➡278頁）。

4　生存中の内縁解消とその法的取扱い

> **◪ Case 4-3**　X女とY男は，事実上の夫婦として15年間にわたり共同生活を続けてきたが，Yは，他の女性Zと性的関係をもち，Zが妊娠したことを理由にXに別れを告げ，一方的にXとの関係を終わらせた。Xは，Yに対していかなる請求をすることができるか。

合意による解消　当事者が，合意によって内縁関係を解消する場合には，協議離婚の場合に準じ，**民法768条の類推適用**により，

財産分与を請求することができる（学説および審判実務。後述の★最判平成12・3・10民集54巻3号1040頁：百選Ⅲ-24も，傍論としてこれを認めている）。合意による解消の場合，財産分与についても，まずは当事者の協議によることになろうが，協議が調わないときは，家庭裁判所の調停を利用することができる。

一方的破棄による解消　内縁は，届出を基準としないから，合意がなくても，一方の当事者がその関係から離脱すれば，内縁関係は解消される（離婚訴訟に準じたものは問題とならない）。問題は，**Case 4-3**のように，内縁関係が一方当事者により不当に破棄された場合に，その相手方にいかなる法的保護が認められるかである。

(1)　**損害賠償請求**　内縁関係を不当に破棄した当事者は，その相手方に対して，損害賠償責任を負う。先に触れたように（➡97頁），判例は，当初，内縁を婚姻予約と構成し，内縁を不当に破棄した当事者は債務不履行による損害賠償責任を負うとしていたが，前掲最高裁判決（★最判昭和33・4・11）は，内縁を婚姻に準ずる関係と捉え，その正当な理由のない（不当な）破棄は不法行為を構成するとした。その後の裁判例も，この最高裁の判断枠組みに従って，不当破棄者に不法行為による損害賠償責任を認めるものが多い。

内縁の解消に第三者が関与した場合に，当該第三者も不法行為責任を負うことがある。具体的には，内縁配偶者と不貞関係をもった第三者（★東京地判昭和33・12・25家月11巻4号107頁）や，内縁の妻の追い出しに主導的役割を演じた父親（★最判昭和38・2・1民集17巻1号160頁）の不法行為責任を認めた例がある。

(2)　**財産分与請求**　一方，内縁が婚姻に準ずるということから，**Case 4-3**のような内縁の一方的破棄による解消の場合も，離婚の場合に準じ，768条の類推適用による財産分与請求が認められうる。前述のとおり，破棄が「不当」であった場合には，損害賠償の請求も併せて問題となるが，実際には，一方が有責とはいえないようなケースもあろうし，また仮に不当であったとしてもその立証が難しいこともある。これに対し，財産分与の請求では，婚姻解消が相手方の不当な破棄によるものであったか否かを問わず，婚姻共同生活において築いた財産を清算させることができる。

(3)　**内縁でない関係の場合**　なお，婚姻に準ずるものとまではいえない親密な男女関係の解消の場合に，その一方が他方に対して慰謝料を請求しうるか

が争われた事件で，最高裁において，当該当事者による請求は認められないとしたものがある（★最判平成16・11・18判時1881号83頁：百選Ⅲ-27。ただし，事例判決）。

5　内縁当事者の死亡における法的取扱い

　内縁当事者の一方が死亡した場合，いかなる効果が生ずるのであろうか。

相続権の否定　先に触れたように，配偶者相続権は，あくまでも法律上の婚姻関係にある配偶者につき認められており（▶890条），内縁配偶者には認められていない。なお，死亡した内縁配偶者が，生存内縁配偶者に財産を贈与する旨の遺言（遺贈）を行い，または死因贈与の契約を締結していた場合は，その意思表示の効果として，財産を承継できる。

> **Case 4-4**　Aは，前妻との間に子Yがいたが，前妻と離婚した後，Xと事実上の夫婦として長い年月にわたり暮らしてきた。しかし，A・Xの婚姻届は出されないまま，Aは病気により死亡した。A名義の2000万円の銀行預金があったが，これはA・Xの共同生活中に蓄積されたものであった。Xは，Aの財産を相続したYに対して，768条の類推適用により財産分与の請求ができるか。

死亡の場合における768条類推適用の可否　内縁関係が，当事者の生存中の離別により解消された場合には，前述のとおり，768条の類推適用により，財産分与請求権が認められうると解されている。それでは，**Case 4-4**のように，内縁当事者の一方の死亡により内縁関係が解消された場合には，相続人を相手に，相続財産についての財産分与を請求することは認められないのであろうか。

　(1)　**類推適用肯定説**　学説では，768条の類推適用を肯定する見解が，今日でも有力に主張されている。つまり，そもそも財産分与は，日本民法における夫婦別産制の下で，財産形成に対する夫婦の協力が財産の帰属に反映しないことの不都合を解消し，潜在的な共有持分を清算するという意味を有するし，病気その他の理由により財産形成に寄与がない場合には，扶養という意味ももつ。それ故に，夫婦共同生活体としての実質をもつ内縁関係が離別により解消される場合には，財産分与の規定が類推適用されるべきだと解されてきた。そ

うであれば，死亡による解消の場合にも，清算・扶養を内容とする請求は否定
されるべきではないと主張するのである。そして，実質的にも，途中までしか
協力関係のない生前解消であれば財産分与規定の類推適用により内縁配偶者に
一定の財産が保障されるのに，終生協力関係にあった内縁配偶者の死亡による
内縁解消の場合には保障が否定されるというのは，公平を欠くとする。

　(2)　**類推適用否定説（判例）**　　かつての審判例には，類推適用を肯定する
ものもあった（★大阪家審昭和58・3・23家月36巻 6 号51頁）。しかし，最高裁は，
平成12年決定でこれを否定した（前掲★最判平成12・3・10）。その理由は，死亡
による解消の場合に「相続の開始した遺産につき財産分与の法理による遺産清
算の道を開くことは，相続による財産承継の構造の中に異質の契機を持ち込む
もので，法の予定していないところ」だということにある。相続の場合には，
被相続人の債権者等の利益にも関わるので，民法は，被相続人の財産は基本的
に相続人の間で機械的画一的に配分されることを予定していること，民法第 5
編「相続」では，相続人の範囲および相続分に関する規定のほか，特別縁故者
の規定や遺言による財産処分の規定など，相続人以外の者に被相続人の財産が
承継される場合に関する規定が置かれていること等に鑑みると，民法は相続が
開始した場合の財産の承継に関してはもっぱら同編が規定する規律によること
を予定していると考えられたからであろう（ただし，上述の学説のとおり，実質的
な公平という観点からは問題が残っている）。

**内縁配偶者の
貢献の考慮**　　2018年相続法改正により，相続人以外の者による貢献を考
慮する制度として，特別寄与者による寄与料の支払請求制
度が導入された（▶1050条 1 項）。もっとも，特別寄与者にあたりうる者は，被
相続人の親族に限られているので，親族ではない内縁配偶者は，同規定による
請求は認められない。ただし，事案によっては，一般の財産法理により，契約
上の報酬請求権，事務管理者の費用償還請求権（▶702条 1 項），不当利得返還
請求権（▶703条・704条）などが認められることがあろう。また，例えば内縁当
事者の間の子がいる場合に，被相続人の財産の維持・増加に特別の寄与をした
内縁配偶者を，相続人である子の補助者として構成して，その相続人の寄与分
（▶904条の 2 ）の中で考慮するという可能性は，同改正後も残されている（特別
寄与者制度の内容および補助者構成については，➡第13章）。なお，被相続人に法定

相続人がいないときは，内縁配偶者は，**特別縁故者**として，相続財産の分与を家庭裁判所に申し立てることができる（▶958条の2）。

> **✖ Case 4-5** AとBは事実上の夫婦として甲建物で共同生活を営んできたが，Aが死亡し，Aの弟であるCが相続人となった。次の各場合において，Bは甲建物に居住を続けることはできるか。また，相続人がいなかった場合はどうか。
> (1) 甲建物は借家であり，家主DからAが借りていたものであった場合。
> (2) 甲建物がAの単独所有であった場合。
> (3) 甲建物がAとBの共同所有であった場合。

生存内縁配偶者 の居住権 ▶ **Case 4-5**では，生存内縁配偶者の居住権の保護が問題となっている。**特別縁故者**に対する相続財産の分与の規定（▶958条の2）は，内縁配偶者にも適用されうるが，同条が適用されるのは**相続人不存在**の場合にすぎない（詳しくは，➡257頁）。2018年相続法改正により，配偶者居住権（▶1028条以下）および配偶者短期居住権（▶1037条以下）の規定が新設されたが（➡304頁，275頁），これらは，あくまでも相続権のある法律婚の配偶者を前提とした規定であり，内縁配偶者には適用されない。内縁配偶者については，以下のとおり，従来の取扱いが維持されるものと思われる。

(1) **借家権について** まず，**Case 4-5**(1)のように内縁夫婦が借家で生活をしていた場合において，借家人である内縁配偶者が死亡した場合には，残された内縁配偶者の居住権はどうなるのであろうか。内縁配偶者には，相続権がないので，Bは借家権を相続によって取得することはできない。しかし，Bは，家主Dあるいは借家権を相続した相続人Cからの明渡しに応じなければならないとすると，生活の基盤が失われてしまうことになる。

そこで，判例は，①生存内縁配偶者は，家主からの明渡請求に対しては，相続人が相続した借家権を援用してこれを拒むことができるとしている（★最判昭和42・2・21民集21巻1号155頁）。一方，②借家権を相続したと主張する相続人からの明渡請求に対しても，具体的な事情にもよるが，権利濫用の主張によってこれを拒むことができることがある（後述(2)の判例参照）。

なお，相続人が不存在の場合については，内縁配偶者に借家権を承継させることができる旨の規定が置かれている（▶借地借家36条）。

(2) **建物を単独所有する内縁配偶者の死亡** **Case 4-5**(2)のように，内縁

夫婦が居住してきた不動産の所有者である内縁配偶者が死亡した場合に，その相続人が所有権に基づいて生存内縁配偶者に明渡しを請求した場合はどうであろうか。判例には，当該事件の具体的な事情の下ではあるが，このような相続人の明渡請求を，権利濫用として否定したものがある（★最判昭和39・10・13民集18巻8号1578頁）。

(3)　**内縁夫婦の共有建物について**　それでは，**Case 4-5**(3)のように，内縁夫婦が，その共有する不動産に居住していたが，一方が死亡し，その相続人が共有持分を相続した場合はどうか。判例には，内縁夫婦がその共有不動産で共同事業を営んでいたがその一方が死亡し，その相続人が，生存内縁配偶者に対し，賃料相当額の支払を不当利得として返還請求した事件において，この相続人の請求を斥けたものがある（★最判平成10・2・26民集52巻1号255頁）。同判決は，その理由として，このような場合，相続人との共有関係が解消されるまでは，残された内縁配偶者に共有不動産を単独で使用させる旨の合意が，内縁当事者間で成立していたものと推認されるからだとする。

Further Lesson 4-1
▶▶▶▶▶　内縁の保護の限界と夫婦同氏制度の問題

　以上のように，内縁に関しても，解釈および一部の規定により一定の保護は認められてきたが，それには限界があり，とりわけ内縁当事者の一方が死亡した場合における取扱いは，法律婚と内縁とでは大きく異なる。

　しかし，既に言及したとおり，近年の内縁カップルの中には，夫婦同氏制度の下で，内縁を余儀なくされているものも少なからずみられる。つまり，日本では，夫婦同氏制度をとっているため（▶750条），現行法上，婚姻をするには，いずれかの当事者が氏を変更しなければならない。いずれの当事者も従来の氏を維持することを欲する場合には，婚姻届は受理されず，法律婚は成立しない。このような理由で，不本意に法律婚としての届出が認められない場合があるのに，そのことによって，内縁当事者には婚姻に伴う法的保護が制限される結果になるのである。

　氏名に関する権利は，1つの人格的権利である（★最判昭和63・2・16民集42巻2号27頁）。それにもかかわらず，氏の変更を欲しない当事者に，このような不利益を課すことが果たして妥当なのか。このような点からも，夫婦同氏しか認めない日本民法の規定の問題が，改めて問われるといえよう。

加害者に対する損害賠償請求権　内縁夫婦の一方の死亡が，第三者の不法行為に基づくものであった場合には，残された内縁配偶者は，加害者に対して，損害賠償を請求することができる（▶709条）。その場合，財産的損害としては，内縁当事者間には扶助義務の規定が類推適用されることから，扶養請求権の侵害による損害が認められうるであろう。また，慰謝料についても，内縁配偶者は法律上の配偶者に準ずる者として，711条の類推適用により請求が認められるものと解されよう。

4　同性カップルの法的取扱い

歴史的変遷と世界の状況　従来，婚姻は，男女の結合であることが，世界的にも当然の前提とされてきた。消極的に同性カップルの婚姻を認めないというだけでなく，同性愛は，社会的な偏見や蔑視の対象とされてきたのである。

今日でも，宗教観や一定の道徳観念を理由に，同性カップルの社会的承認に批判的な見方がなくなったわけではない。しかし，近年は，同性愛に対する偏見が和らぎ，制度上も，同性カップルの婚姻を認め，あるいは婚姻に準じた保護を認める国が増えてきている。

まず，1989年にデンマークで，登録パートナーシップ制度が導入され，その後，同様の制度が北欧諸国からヨーロッパに広がった。さらにその後，その多くの国は，同性婚の承認に踏み切った。例えば，オランダでは，同性カップルに通常の婚姻と同じような年金上，相続上の保護を与える制度が1998年に制度化されたが，さらに2001年からは，「同性婚」が認められている。同性婚の導入によって，登録パートナーシップ制度を廃止した国もみられるが（ドイツなど），婚姻とは異なる制度としてこれを維持する国もある（例えば，フランスでは，同性カップルだけでなく，異性カップルの利用も認める形で登録パートナーシップ制度が維持されている）。

今日（2023年時点）では，同性婚は，既に西ヨーロッパ，アメリカ大陸，オセアニアを中心に36の国・地域で導入されている（アジアでも，台湾やネパールで導入されている）。

日本民法は，当事者が異性であることを婚姻の要件と
日本における状況　して正面から明確に定めているわけではないが，男女
間の婚姻を当然の前提として予定しており（▶憲法24条，民法750条以下における
「両性」・「夫婦」という用語および戸籍法の規定を参照），同性カップルによる婚姻
届出は認められていない。日本でも，同性カップルに婚姻に準じた法的保護を
認めるような特別法（国の法律）の制定に向けて，諸外国の立法動向も踏まえ
た立法運動がみられ，下級審裁判例には，同性婚を認めない民法・戸籍法の諸
規定は合理的根拠を欠く差別的取扱いにあたり，憲法14条 1 項に違反すると判
断したものがある（★札幌地判令和 3・3・17 判時2487号 3 頁）。しかし，現時点で
は立法は実現していない。

　このように，日本では，同性婚は認められていないので，同性カップルに
は，民法の婚姻に関する規定の直接の適用はない。もっとも，下級審裁判例に
は，「同性のカップルであっても，その実態を見て内縁関係と同視できる生活関
係にあると認められるものについては，それぞれに内縁関係に準じた法的保護
に値する利益が認められ（る）」として，同性カップルの関係をいわば「準」準
婚と捉えた上で，この関係を不当に破綻させた者に対する損害賠償請求を認め
たものがある（★東京高判令和 2・3・4 判時2473号47頁：百選Ⅲ-28）。この考え方に
よれば，婚姻に関する規定の類推適用の余地はあるといえよう。

　しかし，相続の局面においては，法律上の婚姻でない以上，同性カップルの
一方が死亡した場合，他方には相続権は認められない（遺贈や死因贈与などが存
在する場合は，その内容による）。少なくとも前述の内縁に関する判例（前掲★最
判平成12・3・10）の考え方によれば，死亡の場合には財産分与規定の類推適用
などによる保護も難しい。また，前述のとおり，2018年相続法改正によって新
設された，相続人以外の者による**特別の寄与**の規定（▶1050条）も，対象が
「親族」に限られていることから，対象とはならない（特別縁故者に対する相続
財産の分与の規定〔▶958条の 2 〕は，相続人不存在の場合に適用されうるにすぎな
い）。

　もっとも，内縁で触れたとおり，事案によっては，財産法の規定により，契
約に基づく報酬請求権，事務管理による費用償還請求権（▶702条 1 項），不当
利得返還請求権（▶703条・704条）などが認められることはあろう（➡103頁）。

　また，被相続人の財産の維持・増加に特別の寄与をした同性パートナーを，相続人の補助者として構成して，相続人の寄与分の中で考慮するという可能性も，解釈論としては残っている。

　同性カップルの当事者が，法律上の関係を形成するために，養子縁組の手段を用いる実例がある（このような同性愛養子縁組の有効性については，➡135頁）。

地方自治体における同性パートナーシップ制度　一方で，地方自治体においては，新たな動きがある。2015年に，東京都の渋谷区においてパートナーシップ証明書の制度（条例に基づく）が，また世田谷区において同性パートナーシップ宣誓制度（自治体内部の取扱規則である要綱に基づく）が発足し，その後，徐々に同種の対応をとる自治体も増えてきた。2023年現在で，300を超える地方自治体で導入されている（同性カップルのみを対象とするものと，異性カップルも利用可能なものがある）。

　同制度は，婚姻のような法的効果や拘束力を直ちにもたらすものではなく，したがって諸外国における制度と同列に位置づけることはできない。しかし，同性カップルに対する社会的認知を促す動きとみることはできよう。しかも，このような動きを受けて，企業の中には，家族割引，保険や住宅における取扱い，家族手当等において同性カップルを家族と同様に扱うものも増加している。

婚姻制度の本質と今後の課題　婚姻の制度的意味が，男女がその生殖機能により子を産み，社会の生産力を増大させることにあった時代には，同性カップルは，その本質的機能を果たし得ないのであるから保護に値しないと考えられたとしても不思議ではない。しかし，社会が一定の経済発展を遂げた今日において，婚姻の意義が，相互の愛情と協力による共同生活の維持・安定にこそあると捉えられるなら，同性カップルに対して婚姻と同等の保護が与えられてよいということにもなろう。

　同性カップルの法的保護は，婚姻の本質論とも関連して，今後議論されるべき課題として残されている。

☑ *Exam*

以下の［事実］を前提として，下記の問いに答えなさい。

［事実］　Ａ・Ｂは法律婚の夫婦であったが，20年間の婚姻共同生活の後，ＡのＢに対する暴力を原因として協議離婚した。Ａは，婚姻前から600万円の預金債権を有していたが，婚姻中に会社員として得た給与により，甲不動産（時価2000万円）を購入してＡ名義の登記をし，2000万円の預金債権も取得した。Ｂは，婚姻前には教師として勤務し，200万円の預金債権を有していたが，婚姻後は家事に専念し，婚姻中に稼いだ自己名義の財産はゼロであった。もっとも，Ｂは婚姻中に父Ｃを相続したことにより，300万円の預金債権と乙絵画（時価250万円）を取得した。Ａ・Ｂは夫婦財産契約を結んでいなかった。

　問１　離婚による財産分与としてＢはＡにどのような請求をすることができるか検討しなさい。検討の際には，事例中の各財産がＡ・Ｂの婚姻中には誰に帰属するか，財産分与がどのような意義をもつかを明らかにすること。
　問２　Ａ・Ｂが内縁の夫婦であったときは違いがあるか。また，死亡による離別の場合には，Ｂは財産についての権利を主張することはできるか。

▶ 解答への道すじ ▷

［問１］　民法762条１項は，夫婦別産制をとっており，まず，ＡとＢがそれぞれ婚姻前から有する財産（Ａの600万円の預金債権，Ｂの200万円の預金債権）は，その特有財産（各自が単独で有する財産）となる。また，婚姻中にＢが相続により得た財産（300万円の預金債権と乙絵画）は，同条の「婚姻中自己の名で得た財産」に該当し，Ｂの特有財産となる。さらに，婚姻中に夫Ａの収入で得た財産（Ａ名義の甲不動産および2000万円の預金債権）も，同条の文言に忠実な実務の取扱いによる限り，夫に帰属することになる。

　　このような解釈を前提とすると，妻の家事労働は，多くの場合夫の収入を支えてきたものであるにもかかわらず，財産の帰属に反映しないことになる。しかし，これでは，実質的な夫婦の平等を達成することはできない。そこで，妻の家事労働を法的にどのように評価するかが論じられてきた。

　　学説には，例えば762条２項の柔軟な解釈などによって，より積極的に妻の家事労働を財産関係に反映させるべきだとするなど，様々な解釈も展開されている（➡58頁）。これに対し，判例（★最大判昭和36・9・6民集15巻8号2047頁：百選Ⅲ-10）は，財産の帰属については上記の解釈を維持した上で，夫婦相互の協力・寄与については，財産分与請求権，相続権ないし扶養請求権などの規定により，立法上の配慮がされているとする。そして実際，民法768条に定める財産分与は，扶養的要素をも含むが，夫婦が婚姻中に得た財産の実質的な清算という要素を主とするものであり，実務でも今日では，婚姻中に得た財産については原則として２分の１の財産分与が認められており，この限りでは公平は確保できているともいえる。

［問2］　内縁においては，婚姻届出は欠くものの，夫婦としての実体は存在するのであるから，現実の夫婦共同生活に関連する効果（同居協力扶助義務，貞操義務，婚姻費用分担義務，日常家事債務の連帯責任，帰属不分明の財産の共有推定など）は，それぞれの規定の類推適用によって認められる。

　　本問で問題となっているのは，内縁の解消における財産の清算である。財産分与を定めた768条の規定は，夫婦共同生活の実質に関わるものであるから，内縁にも類推適用が認められている（学説および審判実務）。この限りでは，内縁当事者の生前の離別については，法律婚の夫婦のみならず内縁の夫婦についても，実質的な平等が一応図られているといえそうである。

　　しかし，死亡による離別においては，法律婚と内縁とで大きな違いが生ずる。つまり，法律婚の場合は他方に配偶者相続権が認められているが，内縁配偶者には配偶者相続権は認められていない（▶890条）。そこで，内縁当事者の一方が死亡した場合に，他方が財産分与規定の類推適用によって相続財産に対する権利を主張できるかが問題となるが，判例（前掲★最判平成12・3・10〔➡103頁〕）は，「相続による財産承継の構造の中に異質の契機を持ち込むもの」だとして，これを否定している。しかし，これに対しては，内縁の生前解消であれば財産分与の類推適用により一定範囲で財産の保障がされるのに，終生協力関係にあった死亡解消の場合には適用がなく保護が図れないということでは不公平であるとして批判し，この場合にも財産分与請求を認めるべきだとの主張や，そもそも財産の帰属において夫婦の平等を図るべきだとする主張もある。これらの点を踏まえて，この問題を検討する必要がある。

第5章 親　　子

1　親子法総説—法律上の「親子」

　本章では，親子関係の「成立」について学ぶ。民法は，大きく分けて，「実子」と「養子」という2種類の親子関係を予定している（**図表5-1参照**）。養子は，意思に基づく親子関係といわれ，血縁関係の有無によらず，当事者の合意（普通養子）または家庭裁判所の審判（特別養子）によって，**法的親子関係（法律上の親子関係）**が「成立」する。これに対して実子は，一般に，血縁に基づく親子関係といわれるが，法律上は，血縁関係があれば当然に実子として扱われるわけではない。例えば，未婚の女性が出産した子は，血縁上の父が明らかであっても，その認知がない場合には法的親子関係は存在せず，法律上は父がいない子となる（明治民法下では「私生子」と呼ばれた）。また，婚姻中に妻の不貞行為によって生まれた子は，妻の夫との間に血縁関係はないが，法律上は，原則として，実子として扱われる。血縁上の親子と法律上の親子とは必ずしも一致するものではないからこそ，法的親子関係の「成立」について学ぶ意義がある。なお，実親による養育が困難な子を都道府県知事等から委託を受けて養育する里親と里子との間には，法的親子関係はない（近年は，要保護児童の20％程度が児童養護施設等ではなく里親に委託されており，社会的養護としての里親制度の重要性は高まっている）。

　親子関係の効果は，相互の扶養義務（▶877条1項）・相続権（▶887条1項・889条1項1号），親権（▶818条・819条），血族・親族関係の発生（▶727条等），氏の承継（▶790条・810条）等，多岐にわたる。血縁的親子関係があっても，法的親子関係がない限り，これらの効果を享受することはできない。未認知の子が血縁上の父に扶養料等を請求できないのはそのためである。反対に，法的親子関係があれば，血縁的親子関係がなくとも，これらの効果を享受することになる。

2　実　　子

　実子は，嫡出子（嫡出である子，婚内子）と嫡出でない子（非嫡出子，婚外子）
に分けられる（図表5−1参照）。嫡出子は婚姻している女性（妻）が出産した
子，嫡出でない子は婚姻してない女性が出産した子をいう。「婚姻」は法律上
の婚姻を意味し，内縁（事実婚）夫婦から生まれた子は嫡出でない子である。

1　嫡出親子関係

母子関係　　（1）　**出産による自動的成立**　　民法上，嫡出母子関係（嫡出
子の母子関係）に関する規定はない。子を出産した妻が母であ
ることは自明であったからである。しかし，生殖補助医療技術が進歩した現在
では，卵子提供，代理出産等によって女性が自己の卵子に由来しない子を妊
娠・出産するという事態が生じている（➡149頁）。近年，最高裁は，既婚の代
理母が依頼者の卵子を用いて代理出産した事案において，「民法は，懐胎し出
産した女性が出生した子の母であり，母子関係は懐胎，出産という客観的な事
実により当然に成立することを前提とした規定を設けている（民法772条1項参
照）」と判示し，血縁関係の有無を問わず，**嫡出母子関係**は出産によって成立
することを明確にした（★最決平成19・3・23民集61巻2号619頁：百選Ⅲ-36）。

　（2）　**親子関係存否確認の訴え**　　戸籍上夫婦の子とされている子が，実は妻
が出産した子ではない場合には，親子（母子）関係不存在確認の訴えによって
母子関係を覆すことができる。反対に，妻が出産した子が戸籍上夫婦の子とさ
れていない場合には，親子（母子）関係存在確認の訴えによって母子関係を成
立させることができる。いずれの訴えも，出訴期間や原告に制限がない実親子
関係存否確認の訴え（▶人訴2条2号。調停前置主義。➡26頁）の一類型である。

父子関係　　（1）　**嫡出推定―推定を受ける嫡出子**　　DNA鑑定等が存在
しなかった時代，出産という明白な事象がある母子関係とは
異なり，父子関係の存否は明らかではなかった。そこで，古代ローマ法に淵源
をもつ772条は，婚姻中，妻は夫のみと性的関係をもつという経験則に基づ
き，婚姻中に妻が懐胎した子を夫の子と推定し（▶772条1項前段。父性の推

図表 5-1　法律上の「親子」の分類

定），さらに，「婚姻中」に懐胎したか否かも容易に知り得ないため，婚姻成立の日（婚姻届出日）から200日経過後または婚姻解消もしくは取消しの日から300日以内に生まれた子を婚姻中に懐胎したものと推定する（▶同条2項。嫡出性の推定）。これを嫡出推定制度という。

　772条2項によると，婚姻成立の日から200日以内に生まれた子は，婚姻前に懐胎したものと推定される。起草者は，婚姻成立の日から200日以内に生まれた子は嫡出でない子であると考えていたが（準正〔➡131頁〕により嫡出子となることは可能），実際には，早産や婚姻前から内縁関係にあった場合等，夫の子であることが多い。そのため，判例（★大連判昭和15・1・23民集19巻54頁）および実務（昭和15・4・8民事甲432号通牒）により，婚姻成立の日から200日以内に生まれた子は，嫡出子出生届（出生届の「父母との続き柄」欄の「嫡出子」と「嫡出でない子」のうち，「嫡出子」にチェックを入れたもの）の提出が可能とされた（「嫡出でない子」にチェックを入れた非嫡出子出生届の提出も可能）。ただし，2022年親子法改正前は，「推定を受けない嫡出子（推定されない嫡出子）」と呼んで区別し，その父子関係を争う場合には，民法典が772条の推定を覆すために用意している要件が厳しい嫡出否認の訴え（後述）によらず，要件が緩やかな親子関係不存在確認の訴え（後述）によることを認めていた。

　懐胎を機に婚姻するカップルも増える中，2022年親子法改正では，「婚姻前に懐胎した子であって，婚姻が成立した後に生まれたもの」も，婚姻中に懐胎した子と同様，当該婚姻における夫の子と推定することとした（▶772条1項後段）。これにより，婚姻成立の日から200日経過後か否かを問わず，婚姻成立後に生まれた子は当該婚姻の夫の子と推定されることになった。「推定を受けない嫡出子」という概念は消滅し，婚姻成立の日から200日以内に生まれた子についても，その父子関係を争う場合には嫡出否認の訴えによることになる。また，母が離婚後に再婚して離婚の日から300日以内に出産した場合等，前婚の

夫の子との推定（▶同条2項・1項前段）と後婚の夫の子との推定（▶同条1項後段）が重なってしまう。そこで，2022年親子法改正では，女性が子を懐胎した時から子の出生の時までの間に2回以上婚姻していたときは，重複する父性の推定のうち後者を優先させ，出生の直近の婚姻における夫の子とする規定が新設された（▶同条3項。ただし，嫡出否認の訴えにより直近の婚姻における夫の子であることが否認された場合には，その婚姻を除く直近の婚姻における夫の子と推定される〔▶同条4項〕）。これにより，父性推定の重複が原因で父が定まらないという問題は発生しなくなるため，再婚禁止期間を設ける必要性・合理性も失われ，再婚禁止期間は撤廃された（➡39頁）。

　(2)　**嫡出否認の訴え**　　(a)　特徴と2022年親子法改正の背景　　772条はあくまでも「推定」規定であるため，妻が婚姻中に懐胎した子であっても夫の血縁上の子ではない子については，反証によって覆すことができる。それが嫡出否認の訴えである（▶774条，人訴2条2号。調停前置主義。確認訴訟ではなく形成訴訟と解されている）。2022年親子法改正前，嫡出否認の訴えの要件は厳しく，原則として出訴権者は夫（戸籍上の父）のみとされ（ただし，夫が成年被後見人である場合は成年後見人による提訴が可能であるほか〔▶人訴14条〕，夫が子の出生前に死亡した場合または出訴期間内に提訴せずに死亡した場合には，その子のために相続権を侵害される者その他夫の3親等内の血族に原告適格が認められる〔▶人訴41条1項〕），出訴期間も夫が子の出生を知った時から1年以内とされていた。しかも，夫は，子の出生後に子の嫡出性を「承認」した場合は（出生届出や命名は「承認」に当たらないと解されている），嫡出否認権を失う（▶776条）。出訴期間徒過等の事情により，法的親子関係と血縁的親子関係との間に乖離が生じる可能性があるが，民法典は，嫡出推定制度に父子関係の早期かつ安定的な確立という意義を認め，このような乖離を容認してきた。

　しかし，（前）夫以外の者との間の子を出産した女性が，戸籍上その子が（前）夫の子と記載されるのを避けるために出生届を提出しないことによる無戸籍者の増加が社会問題化する中で，嫡出否認の要件の厳しさがその一因として認識されるようになった（➡ **Topic 5-1**）。そのため，2022年親子法改正では，DNA鑑定等による親子関係の存否の確認が容易になった今日においても，前述のような意義を有する嫡出推定制度の重要性に変化はないことを前提

としつつも，比較法的にみると子や妻に否認権を認める立法例が多いことも踏
まえて，子の法的地位の安定の要請と父子関係の適切な確定を可能にする等の
要請との調和を図る方策として，嫡出否認の要件が一部緩和された。

　(b)　出訴権者　　第 1 に，出訴権者が，夫のみから（前述の人訴14条・41条に
ついては変更ない），子（▶774条 1 項。親権を行う母，養親または未成年後見人が，法
定代理人として子に代わって提訴することも可能〔▶同条 2 項〕），母（▶同条 3 項前
段。親権を有しない母も含む）および母の前夫（母が子を懐胎した時から出生の時ま
での間に婚姻・離婚を繰り返し，2 回以上婚姻をしていた場合において，後婚における
夫の子と推定された子について，前婚における夫が父であると主張する場合等。▶同条
4 項前段）に拡大された。ただし，父または母は，子の出生後においてその嫡
出であることを承認したときは，それぞれその否認権を失う（▶776条）。ま
た，母および母の前夫は，その否認権の行使が子の利益を害することが明らか
なときは（母については，例えば，自ら子を養育する意思や能力がなく，父を失うこ
とで子が困窮するような状況となるにもかかわらず，父子関係を断絶させる目的で行使
する場合等），否認権を行使することができない（▶同条 3 項後段・4 項後段）。

　(c)　出訴期間　　第 2 に，出訴期間も伸長され，父および母の前夫は子の出
生を知った時から 3 年以内（▶777条 1 号・4 号），母は子の出生の時から 3 年以
内とされた（▶同条 3 号）。ただし，母の前夫は，子が成年に達した後は提訴す
ることができない（▶778条の 2 第 4 項）。母や子が否認権を行使せずに長期間が
経過している場合において，母の前夫が否認権を行使することは家庭の平穏を
過度に害するだけでなく，前夫の一方的な意思により，既に親による養育を強
く必要とする未成年者ではなくなっている子との間に父子関係を成立させるこ
とは妥当ではないからである。他方，子の出訴期間は，原則として出生の時か
ら 3 年以内であるが（▶777条 2 号。出訴期間満了前 6 か月以内の間に親権を行う
母，養親または未成年後見人がないときは，それらが存在するようになった時から 6 か
月を経過するまでの間は提訴可能〔▶778条の 2 第 1 項〕），例外的に，父との同居期
間が 3 年を下回る場合には，その否認権行使が父による養育の状況に照らして
父の利益を著しく害するときを除き，21歳に達するまで提訴が可能である
（▶778条の 2 第 2 項。親権を行う母，養親または未成年後見人が子に代わって提訴する
場合は適用外〔▶同条 3 項〕）。子が自らの判断によって否認権を行使する機会を

出 生 届

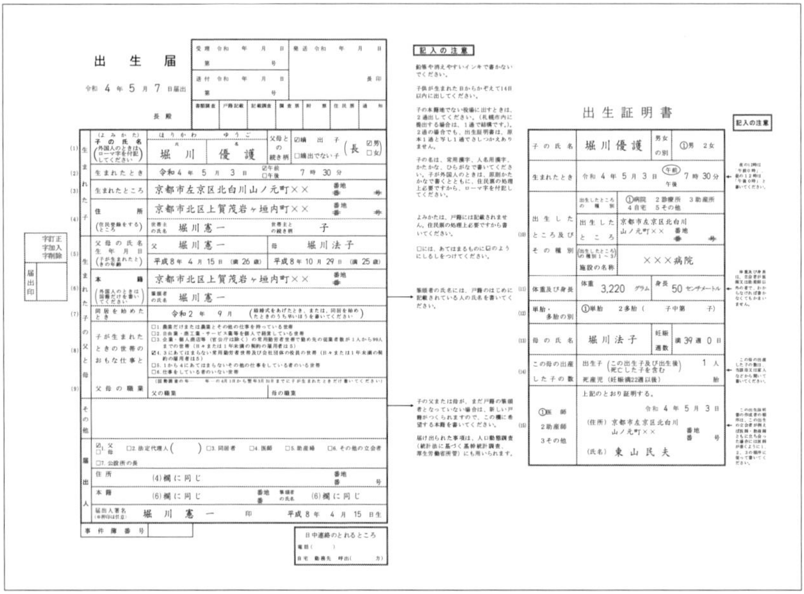

出 生 届
令和 4 年 5 月 7 日届出
長 殿
受理 令和 年 月 日 第 号
送付 令和 年 月 日 第 号
発送 令和 年 月 日
長印
書類調査 戸籍記載 記載調査 調査票 附票 住民票 通知

(1) 子の氏名（よみかた）：ほりかわ ゆうご　氏 堀川　名 優護
父母との続き柄：☑嫡出子　□嫡出でない子（長 ☑男 □女）
(2) 生まれたとき：令和4年5月3日 ☑午前 □午後 7時30分
(3) 生まれたところ：京都市左京区北白川山ノ元町××番地
(4) 住所（住民登録をするところ）：京都市北区上賀茂岩ヶ垣内町××番地
世帯主の氏名 堀川憲一　世帯主との続き柄 子
(5) 父母の氏名・生年月日（子が生まれたときの年齢）：父 堀川憲一 平成8年4月15日（満26歳）　母 堀川法子 平成8年10月29日（満25歳）
(6) 本籍（外国人のときは国籍だけを書いてください）：京都市北区上賀茂岩ヶ垣内町××番地　筆頭者の氏名 堀川憲一
(7) 同居を始めたとき：令和2年9月（結婚式をあげたとき，または，同居を始めたときのうち早いほうを書いてください）
(8) 子が生まれたときの世帯のおもな仕事と
□1. 農業だけまたは農業とその他の仕事を持っている世帯
□2. 自由業・商工業・サービス業等を個人で経営している世帯
□3. 企業・個人商店等（官公庁は除く）の常用勤労者世帯で勤め先の従業者数が1人から99人までの世帯（日々または1年未満の契約の雇用者は5）
☑4. 3にあてはまらない常用勤労者世帯及び会社団体の役員の世帯（日々または1年未満の契約の雇用者は5）
□5. 1から4にあてはまらないその他の仕事をしている者のいる世帯
□6. 仕事をしている者のいない世帯
(9) 父母の職業：父の職業　母の職業
その他
届出人：☑1. 父 □母　□2. 法定代理人（　）□3. 同居者　□4. 医師　□5. 助産婦　□6. その他の立会者　□7. 公設所の長
住所 (4)欄に同じ
本籍 (6)欄に同じ　筆頭者の氏名 (6)欄に同じ
届出人署名 堀川憲一 印　平成8年4月15日生
事件簿番号
日中連絡のとれるところ　電話（　）　自宅 勤務先 呼出（　方）

記入の注意

出 生 証 明 書
子の氏名：堀川優護　男女の別：①男 2女
生まれたとき：令和4年5月3日 午前 7時30分
(10) 出生したところ及びその種別：出生したところの種別 ①病院 2診療所 3助産所 4自宅 5その他　出生したところ 京都市左京区北白川山ノ元町××番地　施設の名称 ×××病院
(11) 体重及び身長：体重 3,220グラム　身長 50センチメートル
(12) 単胎・多胎の別：①単胎 2多胎（　子中第　子）
(13) 母の氏名：堀川法子　妊娠週数 満39週0日
(14) この母の出産した子の数：出生子（この出生子及び出生後死亡した子を含む）1人　死産児（妊娠満22週以後）　胎
(15) ①医師 2助産師 3その他
上記のとおり証明する。令和4年5月3日
（住所）京都市左京区北白川山ノ元町××番地
（氏名）東山民夫

確保するためである。

なお，母が子を懐胎した時から子の出生の時までの間に2回以上婚姻をしていた場合において，その出生の直近の婚姻における夫の子と推定された子（▶772条3項）について嫡出否認がなされ，新たにその婚姻を除く直近の婚姻における夫の子と推定されたときは（▶同条4項），その新たに父と定められた者，子，母および前夫の出訴期間は，嫡出否認の裁判が確定したことを知った時から1年以内に限定される（▶778条）。

(d)　被　告　　2022年親子法改正では，嫡出否認の訴えの当事者を明確にする規定も設けられた。すなわち，父は子または親権を行う母に対して（▶775条1項1号），子または母は父に対して（▶同項2号・3号），母の前夫は父および子または親権を行う母に対して否認権を行使する（▶同項4号）。親権を行う母がいないときは，家庭裁判所が特別代理人を選任する（▶同条2項）。

Case 5-1　(1)　X男・A女は10年前に婚姻したが，Xは，8年前に放火の罪で懲役刑を受け，収監された。Aは5年前にYを出産し，父の名前を伏せて子の誕生

をXに伝えるとともに，Xの嫡出子として出生届出を行った。昨日出所したXは，AからYの本当の父がBであることを知らされた。Xは，X・Y間の父子関係を否定することができるか。
(2)　(1)において，Xが犯罪による服役ではなく，単身赴任のためにAが住む自宅を離れ，月に2〜3回帰宅していた場合はどうか。

(3)　**推定の及ばない子**　(a)　意　義　772条によれば夫の嫡出子として推定されるものの，実際には，夫による懐胎の可能性がない子も存在する。**Case 5-1**(1)がその典型例である。Yは，X・Aの婚姻成立から200日経過後に誕生しており，Xの嫡出子として出生届出が行われているが，Aが懐胎した時期にXは服役中であり，YはXの子ではありえない。それにもかかわらず父子関係の否定は嫡出否認の訴え（▶774条）によらなければならないとすると，Xは出訴期間の徒過により（▶777条参照。➡115頁），もはやX・Y間の父子関係を争うことはできない。しかし，そもそも服役中のXとAが性的関係をもつ余地はなく，嫡出推定の基礎を欠く。そこで判例は，形式的には772条の要件を満たすが夫婦間の性的関係の不存在が明らかであるために，実質的に772条の推定が排除される「推定の及ばない子」（判例等では，しばしば，「推定を受けない嫡出子」という表現が用いられる）という概念ないし類型を生み出し，その父子関係を，772条の推定を覆すための嫡出否認の訴えによらずに，親子関係不存在確認の訴えにより（または，血縁上の父に対する認知の訴え等，他の訴訟中での先決問題として），争うことも認めるに至った（★最判昭和44・5・29民集23巻6号1064頁）。元来，戸籍訂正の方法である親子関係不存在確認の訴えの要件は，身分関係を公示する戸籍の公益性等から，嫡出否認の訴えとは対照的に極めて緩やかであり，出訴権者（夫，子，妻，血縁上の父等に限らず，利害関係のある夫の親兄弟等も含まれる）や出訴期間等の制限もない。

　したがって**Case 5-1**(1)では，Xは，親子関係不存在確認の訴えによってX・Y間の父子関係を否定することができる。

　(b)　血縁説と外観説　では，**Case 5-1**(2)のYもまた，「推定の及ばない子」にあたるのだろうか。772条の推定が排除されるのは夫婦間での性的関係の不存在が明らかな場合であるが，具体的にどのようにそれを判断するかは見解が分かれる。有力説は，血液型の背馳，夫の生殖能力の欠如，DNA鑑定の

結果等により，客観的・科学的にみて夫の子ではありえない場合は嫡出推定が
排除されて「推定の及ばない子」にあたると解する（血縁説，実質説）。これに
対して，判例・通説は，収監，失踪・行方不明，出征，海外赴任，長期別居等
により夫婦間に性的関係をもつ機会がなかったことが外観上明白である場合に
限り，嫡出推定が排除されて「推定の及ばない子」にあたると解する（外観
説。★最判平成10・8・31家月51巻 4 号33頁等）。

　近時では，夫の単身赴任中に妻が不貞行為により懐胎し，出生子は既に血縁
上の父と同居して親子として生活しており，DNA 鑑定の結果からもその血縁
的親子関係が明らかになっている事案において，夫が単身赴任中も月 2 〜 3 回
は帰宅していたため，夫婦間に性的関係をもつ機会がなかったことが明らかで
ある等の事情はないとして，子の側からの親子関係不存在確認の訴えを却下し
た最高裁決定（★最決平成26・7・17判時2235号14頁②事件：百選Ⅲ-29）が話題に
なった。当該子にとっては，父子関係の否定を認めた上で，認知等により血縁
上の父との間に父子関係を成立させた方が望ましかったようにも思える事案で
あり，5 名中 2 名の裁判官が反対意見を述べていることからも難しい判断で
あったことがうかがえる。しかし，最高裁は，「夫と子との間に生物学上の父
子関係が認められないことが科学的証拠により明らかであり，かつ，子が，現
時点において夫の下で監護されておらず，妻及び生物学上の父の下で順調に成
長しているという事情があっても，子の身分関係の法的安定を保持する必要が
当然になくなるものではない」として，DNA 鑑定結果に基づき，子を推定の
及ばない子とし，父子関係の否定を認めた原審の判断を覆した。

　Case 5-1(2)の Y は，血縁説によれば，DNA 鑑定等により X の子ではあり
得ないことがわかるため，推定の及ばない子にあたり，X は親子関係不存在
確認の訴えによって X・Y 間の父子関係を覆すことができる。他方，外観説に
よれば，X・A に性的関係をもつ機会がなかったことが外観上明白であったと
はいえないから，Y は推定の及ばない子ではなく推定を受ける嫡出子となり，
X は X・Y 間の父子関係を否定するには嫡出否認の訴え（▶774条）によるしか
なく，出訴期間の徒過により（▶777条）もはや父子関係を争うことはできな
い。血縁説が血縁的真実を尊重するのに対して，外観説は，家庭の平和を維持
し，夫婦関係の秘事を公にすることを防ぐとともに，子の法的地位の早期安定

を重視するものといえる。

　(c)　折衷説と実務　　血縁説，外観説の他，折衷的な見解として，当事者（夫，妻および子）の合意があれば772条の推定が排除されるとする**合意説**，血縁説を基礎としつつ客観的・科学的にみて夫の子でない場合のうち夫婦の別居等により家庭が破綻している場合に限り772条の推定を排除できるとする**家庭破綻説**等がある。最高裁は明確に否定しているものの（★最判平成12・3・14家月52巻9号85頁），下級審では家庭破綻説を採用するものもみられる。また，調停の段階では，合意説のような運用がなされており，妻と夫が，子と夫との間の親子関係不存在について争わない場合には，家庭裁判所は合意に相当する審判（▶家事277条1項）により親子関係不存在確認を認めている。

　(4)　**父子関係否定の効力**　　嫡出父子関係が覆された場合，子は出生時に遡って母の嫡出でない子となる（ただし，前述のように，母が子を懐胎した時から子の出生の時までの間に2回以上婚姻をしていた場合において，その出生の直近の婚姻における夫の子と推定された子（▶772条3項）について嫡出否認がなされた時は，その婚姻を除く直近の婚姻における夫の子と推定される（▶同条4項））。そのため，夫がそれまでに支出した監護費用は，法律上の原因を欠くものとして不当利得返還請求の対象となりうるところ（➡103頁），2022年親子法改正では，子は，父であった者が支出した監護費用の償還義務を負わない旨の明文規定が新設された（▶778条の3）。これにより，子が監護費用償還の懸念から否認権の行使をためらう事態を避けることができる。

　また，母の後夫の子と推定された子（▶772条3項）について嫡出否認がなされ，前夫の子と推定された場合（▶同条4項）において，既に前夫の遺産分割等が終了していたとき等は，子は，遺産の再分割請求をすることはできず，価額の支払請求のみをなしうる（▶778条の4）。遺産の再分割により前夫の相続をめぐる法律関係を不安定にすることを防ぐためであり，相続開始後に認知された子の価額支払請求権（▶910条。➡297頁）と同趣旨である。

▓ Case 5-2　A男・B女夫婦は，他の夫婦の子Yを誕生直後にもらい受け，自らの嫡出子として出生届出を行い，以後，A・Bの死亡まで約55年間にわたり実の親

子と同様の関係を継続した。A・Bの死後，A・Bの子Cは，YとA・B間の親子関係不存在確認の訴えを提起した。認められるか。

✎ Topic 5-1

300日問題・無戸籍（者）問題

　夫のDV等が原因で離婚を決意したものの，夫の同意が得られず離婚届が出せない，裁判手続に時間がかかった等の事情で，離婚前あるいは離婚の日から300日以内に，（元）妻が（元）夫以外の男性の子を出産することがある。離婚の日から300日以内に出生した子は，（元）夫の子として推定される（▶772条）。子が推定の及ばない子であればともかく，そうでない限り，推定を受ける嫡出子の父子関係の否定は嫡出否認の訴えによることになる。2022年親子法改正前は，嫡出否認の訴えの出訴権者は夫に限られていたため（➡114頁），（元）夫に連絡を取ることによって所在を知られること等をおそれる（元）妻が，そもそも子の出生届出をしないという選択をすることが少なくなかった。出生届が提出されなければ戸籍が作成されず，住民票にも記載されず，就学，予防接種等の行政サービス，選挙権の行使，パスポートの取得等において困難ないし不利益を被る。マスコミが2007年に，このような数千ともいわれる無戸籍者の声を取り上げて社会問題となった。同年，法務省は，離婚後に懐胎したことが証明される子については，「懐胎時期に関する証明書」を添付することにより，772条の推定が及ばないものとして，母の嫡出でない子または後婚の夫を父とする嫡出子出生届出を可能とした（平成19・5・7民一部1007民事局長通達）。しかし，これによって救済される子は，早産の場合等，ごく一部にとどまっていた。

　2022年親子法改正では，母が懐胎したときから子の出生までの間に2回以上婚姻をしているときは，出生の直近の婚姻における夫の子と推定するものとされたため（▶772条3項。➡119頁），（元）夫と離婚後300日以内に生まれた子であっても，（元）妻の再婚後に生まれた子であれば，後夫の嫡出子と推定されることになった。他方，（元）妻が再婚していない場合には，改正前と同様，離婚後300日以内に生まれた子は（元）夫の子と推定され，その父子関係を覆すには嫡出否認の訴えによらなければならない。もっとも，2022年親子法改正により，子や母も嫡出否認の訴えの出訴権者となったため（▶774条1項・3項），（元）妻が提訴して（元）夫と子との間の父子関係を覆した上で，子とその血縁上の父との間に認知等により父子関係を成立させることが可能となった。これらが，無戸籍（者）問題の一部解消につながることが期待されている。

**親子関係不存在確認
の訴えをめぐる問題**

前述のように，事実上，出訴権者や出訴期間に制限がない親子関係不存在確認の訴えには，子の知る権利の保障に資する反面，いつまでも父子関係が争われうる不安定な地位に子を置くという問題がある。**Case 5-2**のYは，いわゆる「藁の上からの養子」である。日本には，古くから，子に恵まれない夫婦が出生直後の子をもらい受け，自分達の嫡出子として届け出て実子として育てる慣習があった。昔は，産褥に藁が敷かれており，出生後すぐにもらい受けたため，このように呼ばれるようになったが，戸籍上は養子ではなく嫡出子となっている。本来，妻が懐胎・出産していない子を嫡出子として届け出るのは虚偽の嫡出子出生届出であり，**公正証書原本不実記載罪**（▶刑157条）にあたるが，表面化しないことが多い。妻が懐胎した子ではないため，そもそも772条の適用はなく，その父子関係は親子関係不存在確認の訴えによって容易に覆されうる。相続の際に争われることが多く，長年にわたって形成・維持されてきた親子関係およびそれを基礎とする人間関係が突如覆されると，何ら帰責性がない子本人に大きな精神的苦痛と経済的不利益を強いることになるだけでなく，関係者間に形成された社会的秩序が一挙に破壊されることにもなりかねない。

　そこで，一定の場合には，親子関係不存在確認の訴えが**権利濫用**（▶1条3項）にあたり排斥されると解されている。例えば**Case 5-2**類似の事案において，最高裁は，「A・B夫婦とYとの間に実の親子と同様の生活の実体があった期間の長さ，判決をもって実親子関係の不存在を確定することによりY及びその関係者の被る精神的苦痛，経済的不利益，改めて養子縁組の届出をすることによりYがA・B夫婦の嫡出子としての身分を取得する可能性の有無，Xが実親子関係の不存在確認請求をするに至った経緯及び請求をする動機，目的，実親子関係が存在しないことが確定されないとした場合にX以外に著しい不利益を受ける者の有無等の諸般の事情を考慮し，実親子関係の不存在を確定することが著しく不当な結果をもたらすものといえるときには，当該確認請求は権利の濫用に当たり許されないものというべきである」と判示し，Xの請求を退けた（★最判平成18・7・7民集60巻6号2307頁：百選Ⅲ-29）。

父を定める訴え

女性が重婚の禁止（▶732条。➡38頁）に違反して婚姻した場合において，嫡出推定（▶772条）によって父を定め

ることができないときは，裁判所が父を定める（▶773条）。2022年親子法改正前は，773条は再婚禁止期間に違反して再婚した場合に適用される規定であり，重婚の禁止に違反した婚姻に類推適用されていた。しかし，再婚禁止期間が撤廃され，母が子を懐胎したときから子の出生までの間に2回以上婚姻をしていた場合における父性の推定については別途規定が設けられたため（▶772条3項。➡116頁），重婚の禁止に違反した婚姻についてのみ適用される規定となった。

2　非嫡出親子関係

父子関係　嫡出でない子の場合，父母が婚姻関係にないため，嫡出子のように婚姻関係を介した親子関係の決定はできない。そこで，民法は，**非嫡出親子関係**を成立させる方法として，任意認知（▶779条）と強制認知（裁判認知。▶787条）という方法を用意している。2人の実父をもつことは認められていないため，嫡出推定等によって既に父が存在する子については，原則として，既存の実父子関係の否定後に初めて認知が可能となる。ただし，推定の及ばない子の場合には，子が，親子関係不存在確認の訴えを経ずに血縁上の父に対して強制認知を求めることもできる（前掲★最判昭和44・5・29）。

　認知の性格については，血縁的親子関係の存在を前提として親子関係がある事実を確認するという**事実主義的**（**客観主義的**）な理解と，親が自らの意思に基づいて意思表示するという**意思主義的**（**主観主義的**）理解がある。前者が有力であるが，むしろ，いずれの側面もあるというべきであろう。

　(1)　**任意認知**　**任意認知**は，親が子を自らの意思で自分の子として承認することによって父子関係を成立させる制度である。

　(a)　**認知能力と方式**　認知は，個人の意思が特に尊重されるべき身分行為であるため，代理人によることはできず，未成年者，被後見人等の制限行為能力者であっても，意思能力があれば単独で有効に行うことができる（▶780条）。

　認知は**要式行為**であり，市区町村の戸籍窓口に**認知届**を提出することによって認知の効力が生ずる（▶781条1項，戸60条。創設的届出）。認知は，遺言によって行うこともでき（**遺言認知**。▶同条2項），その場合には，遺言執行者（➡

351頁）が認知届出を行うことになるが，認知の効力は遺言の効力発生時（遺言者の死亡時）に生ずる（報告的届出）。認知の届出に際して，血縁的親子関係を証明する書類等の添付は要求されていない。

　例外的に，**虚偽の嫡出子出生届出**に認知の効力が認められることもある。具体的には，既婚男性が，妻ではない女性が出産した子を自分と妻との間に生まれた嫡出子として届け出た事案において，最高裁は，（母などではなく）父自身によって届け出がなされた虚偽の嫡出子出生届には，「父が，戸籍事務管掌者に対し，子の出生を申告することのほかに，出生した子が自己の子であることを父として承認し，その旨申告する意思の表示が含まれて」いるとして，認知の効力を認めている（★最判昭和53・2・24民集32巻 1 号110頁：百選Ⅲ-31）。

　(b)　**任意認知の制限**　任意認知は観念の通知であり，単独行為であるため，本来，他者の承諾は不要である。しかし，母や子の利益を守るため，一定の場合にそれらの者の承諾が要件とされている（方式等は，▶戸38条 1 項）。

　まず，父は，子が成年である場合は，子の承諾がなければ認知することができない（**成年子認知**。▶782条）。遺言認知の場合であっても同様に子の承諾は必要である。子に対する扶養義務等を果たしてこなかった父が，子の意思に反し，老後の扶養・面倒見等を目的として親子関係を成立させるような身勝手を許さない趣旨である。

　死亡した子についても，その直系卑属がいる場合には，認知の対象となる（**死亡子認知**。▶783条 3 項前段）。直系卑属がいる場合には，死亡子を認知することによって，その直系卑属との間に親族関係が生じ，相互に相続権を有するなどの実益があるからである。死亡子認知の場合も，その直系卑属が成年者であれば，その承諾を得なければならない（▶同項後段）。

　また，父は，胎児の段階で認知することもできるが（**胎児認知**。▶戸61条），母の承諾が要件となる（▶783条 1 項）。認知の真実性確保の他，子の出産を公にすることを望まない母の名誉ないし利益を保護するためである。父が胎児認知をした後，子の出生前に死亡した場合であっても，認知の効力は失われない。なお，2022年親子法改正により，女性が婚姻前に懐胎した子であっても婚姻後に生まれた子は夫の子と推定されることとなったため（▶772条 1 項後段。➡113頁），胎児認知された子が夫の子と推定される場合には，その胎児認知は

効力を生じない（▶同条2項）。

　（2）　**強制認知（裁判認知）**　父が認知をしない場合，認知をすることができ
ない場合等には，子の側から認知の訴え（調停前置主義）により父子関係の成
立を求めることができる（▶787条）。

　認知請求権を放棄することはできない（★最判昭和37・4・10民集16巻4号693
頁）。身分上の権利の処分は認められないこと，嫡出でない子の保護の必要性
等がその理由である。例えば，嫡出でない子やその母が，父との間で，金銭給
付と引き換えに認知を求めない旨の約束をした場合であっても，後に認知の訴
えを提起することはでき，その場合でも，給付された金銭を返還する必要はな
い（▶708条）。

　（a）　**当事者**　認知の訴えの原告は，子，その直系卑属（子の死亡後のみ）ま
たはそれらの者の法定代理人（親権者または後見人）である（▶787条）。意思能
力がある未成年者は自ら提訴できるが，法定代理人が代理して提訴してもよい
（★最判昭和43・8・27民集22巻8号1733頁）。胎児による認知の訴えは認められ
ず，母が胎児を代理して訴えることもできない。

　認知の訴えの被告は父である。父の死亡後は検察官が被告となり（▶人訴44
条1項），父の子等は当事者になり得ない（★最判平成元・11・10民集43巻10号1085
頁：百選Ⅲ-33）。しかし，父の子等は，認知の訴えが認められれば共同相続人
が増えて自己の相続分が減る等，大きな利害関係を有するため，補助参加等は
許される（▶人訴28条）。

　（b）　**父子関係の証明**　認知の訴えが認められるためには，被告（父とされ
る者）との間の血縁的親子関係の立証が必要である。立証責任は，原告が負
う。ただし，子の母と被告が内縁関係にあった場合には，772条の趣旨を類推
することによって子は被告の子と推定され（★最判昭和29・1・21民集8巻1号87
頁），立証責任が転換される。

　立証方法，程度等に関する規定はなく，基本的に裁判官の自由心証に委ねら
れる。旧判例は，懐胎時期に母と被告との間に性的関係があったことに加え
て，他の男性とは性的関係がなかったことの証明も求めていたため（悪魔の証
明。★大判明治45・4・5民録18輯343頁等），立証が事実上不可能である事例も多
かった。現在では，懐胎時期に母と被告との間に性的関係があったことを中心

に，血液型，人類学的検査（容姿，身体的特徴等），被告の父としての言動（生活費支払，命名等），交流状況等の間接事実を総合考慮し，父子関係があっても矛盾しないようであれば，被告から反証がなされない限り，認知の訴えは認められる（★最判昭和31・9・13民集10巻9号1135頁）。近年は，DNA鑑定結果を考慮に入れて認知を認める下級審判決も散見される（★広島高判平成7・6・29判タ893号251頁，東京地判平成13・2・20判タ1072号227頁等）。判例は，究極のプライバシー情報であるDNA鑑定結果を親子関係否定のために用いることには消極的であるが（前掲★最決平成26・7・17等。➡118頁），親子関係の成立の場面での態度は必ずしも明らかではない。

(c) 出訴期間の制限　　父の生存中については出訴期間の制限はない。父の死亡後については，父の「死亡の日」から3年に制限されている（**死後認知**。▶787条ただし書）。死後認知は，父が戦死した場合等のために1942年に創設された制度であり，証拠収集可能な期間等に鑑みて期間制限が設けられた。遺骨等を用いたDNA鑑定等により血縁的親子関係の証明が容易になった今日では，期間制限を撤廃すべきという主張もある。判例は，身分関係の法的安定等の観点から期間制限に一定の意義を認めつつ，「死亡の日」からを，「死亡が客観的に明らかになった」時からと解して起算点を後ろにずらすことによって，子の利益保護を図ろうとしている（★最判昭和57・3・19民集36巻3号432頁）。

> **⌗ Case 5-3**　Xは，婚姻関係にない亡A男・B女の間に生まれたが，Bの希望によりC・D夫婦の嫡出子として出生の届出がなされ，約2か月後にBの養子となった。約30年後，真実を知ったXは，C・Dとの間に親子関係が存在しない旨の判決を得た。Xは，Aとの間に父子関係を成立させたいと考えている。Xは，認知の訴えの代わりに親子関係存在確認の訴えを提起することができるか。

(d) 認知の訴えと親子関係存在確認の訴え　　**Case 5-3**のXは，死後認知が可能な期間が過ぎていたため，出訴期間や原告に制限がない親子関係存在確認の訴えによって父子関係を成立させることを望んだのであろう。しかし，判例は，「嫡出でない子と父との間の法律上の親子関係は，認知によってはじめて発生するものであるから，嫡出でない子は，認知によらないで父との間の親子関係の存在確認の訴えを提起することができない」と判示し（★最判平成2・

7・19民集43巻 4 号33頁），**非嫡出父子関係**成立の方法としては認知しか認められ
ないとする立場を明確にした。

(e)　**法的性質**　　認知の訴えは，死後認知制度の創設前は，認知の意思表示
を求める給付の訴えと解されていたが，現在の判例・通説は，裁判により当事
者間に親子関係を創設する形成訴訟と解している（★最判昭和29・4・30民集 8 巻
4 号861頁）。

(3)　**認知の効果**　　認知により，認知者と子との間に子の出生時に遡って非
嫡出父子関係が生じる（認知の遡及効。▶784条）。遺言認知の場合も同様であ
る。扶養義務，相続権等の親子関係の効果（➡111頁）も出生時から発生してい
たことになる。もっとも，嫡出でない子の親権者は原則として母であり，父母
の協議または家庭裁判所の審判により父と定めた場合に限り，父となる
（▶819条 4 項・5 項）。氏も，嫡出でない子は原則として母の氏を称し（▶790条
2 項），家庭裁判所の許可を得た場合に限り，父の氏を称することができる
（▶791条 1 項）。家庭裁判所は，子の福祉等の観点からその可否を実質的に判断
することになるが，子が父の氏を名乗る場合には子は父の戸籍に入るため
（▶戸18条 2 項），父母の同居の有無，父と法律婚家庭との関係，変更を認める
ことによる子の利益と法律婚家庭の不利益等が総合的に考慮される（★大阪高
決平成 9・4・25家月49巻 9 号116頁等参照）。なお，氏と親権とは連動するもので
はない（父の氏を称し親権者は母，または，母の氏を称し親権者は父とすることも可
能）。認知後の子の監護，面会交流，監護費用の分担，その他子の監護に必要
な事項は，父母の協議または家庭裁判所の審判により定める（▶788条・766条）

認知の遡及効により，認知前に子を扶養していた者（多くの場合，母）は父に
対して，その負担ないし分担すべきであった分につき不当利得返還請求
（▶703条）または事務管理費用償還請求（▶702条）により，求償請求をするこ
とができる。求償の対象となる扶養料の始期は子の出生時である（★大阪高決
平成16・5・19家月57巻 8 号86頁）。また，死後認知の場合，認知時に既に父の遺
産分割が終了していることも多い。認知の遡及効には，第三者の既得権を害す
ることはできないという制限が付されており（▶784条ただし書），この遡及効の
制限との関係が問題となりうるが，910条は，相続開始後認知によって相続人
となった者は他の共同相続人に対して相続分相当額につき価額のみによる支払

の請求権を有するものと定め，立法的解決を図っている（➡299頁）。

父子関係の否定　任意認知によって成立した父子関係は，認知の取消し（▶785条）または無効の訴え（▶786条）によって争うことができる。認知の取消しまたは無効が確定した場合は，子の出生時に遡って父子関係がなかったことになる。他方，裁判所の判断を介した強制認知によって成立した父子関係を争うことはできず，認知の判決等に瑕疵がある場合に再審を求めることができるにすぎない（▶民訴338条）。

> **⬛ Case 5-4**　X男は，6年前にA女と婚姻し，約4年前，自分の子ではないことを知りながら，Aの子Y（当時8歳）を認知した。その後X・Aの離婚に際して，XはYに対して認知無効の訴えを提起した。認められるか。

　(1)　**認知の無効**　認知者が認知届作成時に意思能力がなかった場合（作成後，提出前に意識を失った場合は，受理前に翻意したなど特段の事情のない限り有効である〔★最判昭和54・3・30家月31巻7号54頁〕），認知する意思がなかった場合（他人による氏名冒用，認知届の偽造等）等は，たとえ認知者と子との間に血縁的親子関係があったとしても，認知は無効である（★最判昭和52・2・14家月29巻9号78頁）。

　認知者と子との間に血縁的親子関係がない場合には，認知の無効の訴えによってその父子関係を覆すことができる（▶786条）。2022年親子法改正前，その出訴権者は「子その他の利害関係人」とされており，子，子の母等に加えて認知者自身が含まれるのか争いがあった。**Case 5-4**のように，自分の子ではないことを知りながら，その母の歓心を得ることなどを目的として認知を行い（**好意認知，不実認知**），子の母との離婚の際に，認知者自身が認知無効を主張するのが典型例である。父の身勝手な認知とその無効主張により子の法的地位を不安定にすることは，許すべきではないように思われ，実際，旧判例は，認知者自身による無効主張を否定していた（★大判大正11・3・27民集1巻137頁）。しかし，認知の事実主義的理解（➡122頁）等から，認知が血縁的親子関係を前提にする以上，認知者だけ原告から排除するのは不合理であるとして，認知者自身による無効主張を認める見解が有力となる中で，最高裁は，**Case 5-4**の事案において，「血縁上の父子関係がないにもかかわらずされた認知は無効とい

うべきであるところ，……自らの意思で認知したことを重視して認知者自身による無効の主張を一切許さないと解することは相当でない。……認知者が血縁上の父子関係がないことを知りながら認知をした場合においても異なるところはない」と判示し，Xによる無効主張を認めるに至った（★最判平成26・1・14民集68巻1号1頁：百選Ⅲ-34）。これらを踏まえて，2022年親子法改正では，子またはその代理人，認知者および子の母が出訴権者として明示された（▶786条1項。認知者が出訴期間内に認知の無効の訴えを提起しないで死亡した場合には，その子のために相続権を害される者その他父の3親等内の血族に原告適格が認められ〔▶人訴43条1項〕，子が出訴期間内に認知の無効の訴えを提起しないで死亡した場合には，子の直系卑属またはその法定代理人に原告適格が認められる〔▶同条2項〕）。

　従前，出訴期間の制限はなかったが（★最判昭和53・4・14家月39巻10号26頁参照），2022年親子法改正は，子の法的地位の安定の観点から，これを7年以内に限定した。子またはその法定代理人については，子またはその法定代理人が認知を知った時から，認知者については認知の時から，子の母については子の母が認知を知った時から，それぞれ起算される（▶786条1項。胎児認知〔▶783条1項〕の場合には，一律に，子の出生の時から7年）。ただし，子の母は，その認知の無効の主張が子の利益を害することが明らかなときは（例えば，認知者と子との間に社会的な父子関係の実態があるにもかかわらず，母と認知者との紛争に起因して，無効主張が濫用的になされる場合等），提訴できない（▶786条1項ただし書）。他方，子は，例外的に，認知者との継続的な同居期間が3年を下回る場合は，その認知の無効の主張が認知者による養育の状況に照らして認知者の利益を著しく害するときを除き，認知を知ってから7年経過後であっても，21歳に達するまで提訴することができる（▶同条2項。法定代理人が子に代わって提訴する場合は適用外〔▶同条3項〕）。嫡出否認の訴えの場合（▶778条の2第2項。➡115頁）と同様の扱いである。

　認知の無効の訴えの被告は，子が原告の場合は，通常は認知者，認知者の死亡後は検察官である（★最判平成元・4・6民集43巻4号193頁：百選Ⅲ-38）。第三者が原告の場合は，子・認知者双方が被告となる。

　認知が無効とされた場合，出生時に遡って父子関係がなかったことになるため，父とされていた者がそれまでに支出した監護費用の償還等が問題になりう

るところ，2022年親子法改正では，嫡出否認の場合（▶778条の3。➡119頁）と同様，子は，認知者が支出した監護費用の償還義務を負わない旨の明文規定が新設された（▶786条4項）。

(2) **認知の取消し**　785条は，「認知をした父又は母」はその認知を取り消すことができないとする。立法者および旧通説は，「取消し」は通常の法律行為の取消しではなく撤回の意味であると解していたが，現在の多数説は，「取消し」は通常の法律行為の取消しを意味し，785条は，認知の撤回はもちろん，詐欺・強迫による認知であっても取消しを禁止する趣旨であると解している。

> **❖Case 5-5**　未婚のX女は，妻子あるA男の子Yを出産した。Yは，事情により，Xの父母の知り合いであるB・C夫婦の嫡出子として出生の届出がなされたが，Yの養育はXが担ってきた。成人したYは，Xが母であることを否定するようになった。Xは，法律上，Yの母であることを主張することができるか。

母子関係　YをB・C夫婦の嫡出子とする出生届出は虚偽の出生届出であり，YはXの出産した嫡出でない子である。779条が「嫡出でない子は，その父又は母がこれを認知することができる」と規定していることにも示されるように，民法典は，**非嫡出母子関係**は非嫡出父子関係と同様，認知によって成立するものとしている（強制認知について規定する785条も同様）。しかし，最高裁は，**Case 5-5**類似の事案において，傍論ではあるが，「母とその非嫡出子との間の親子関係は，原則として，母の認知を俟たず，分娩の事実により当然発生すると解するのが相当である」と述べて，認知によらず，親子関係存在確認の訴えによって母子関係の存在を確認することを認めた（★最判昭和37・4・27民集16巻7号1247頁：百選Ⅲ-32）。学説上は，非嫡出母子関係の成立には常に認知が必要であるとする見解もあるが，多くは判例を支持している。判例は，「原則として」認知が不要と述べているが，例外的に認知がありうる場合は，棄児等に限られるといわれている。認知届用紙にも，「認知する父」の氏名の記入欄はあるが母のそれはなく，母の認知は想定されていない。

これは，判例によって，779条をはじめ母の認知を予定している諸規定が母子関係については空文化されたことを意味する。例えば，成年子の認知には子

の承諾が必要であり（▶782条），父は子の承諾が得られない限り親子関係を成立させることができないのに対して，母は，**Case 5-5**が示すように，子の意思如何にかかわらず，親子関係存在確認の訴えによってそれが可能である。また，死後認知には期間制限が設けられているが（▶787条ただし書。前掲★最判平成2・7・19），母子関係については，親子関係存在確認の訴えにより，無期限にその存在の確認が可能である。母の死亡後，遺産分割が終了した後に母子関係の存在が明らかになった場合でも，母子関係は既に分娩時に成立していたのであるから第三者の既得権との関係（▶784条ただし書）も問題にならず，父子

Further Lesson 5-1

▶▶▶▶▶　血縁と社会的事実・意思

　法律上の実親子関係は，血縁を基礎にしつつも，常に血縁的親子関係と一致するわけではない。実は，実親子関係をめぐる多くの争点は，この乖離をどのように評価するかに関わる。推定の及ばない子の範囲に関する争点における外観説と血縁説（➡117頁），認知の性格に関する事実主義的理解と意思主義的理解（➡122頁）の対立等にもそれが表れている。一方で，血縁・生物学的事実を重視し，戸籍の正確性の確保および子の出自を知る権利の保障等の観点から，法的親子関係を血縁的親子関係に可能な限り一致させようとする立場がある。他方で，親子としての生活実体等の社会的事実・当事者の意思等を重視し，子の法的地位・生育環境の安定等の観点から，法的親子関係と血縁的親子関係との乖離を必ずしも否定的に捉えず，むしろそれに意義を見いだす立場がある。いずれかが正しいわけではなく，何を子の利益と考えるかに関わる見解の違いともいえる。当該具体的事案の下での子の利益と，一般的な潜在的・総体的子の利益とが常に一致するわけではなく，これらのバランスをどのようにとるかという問題もある。

　男女間での親子関係成立に関する違いについても改めて考える必要があるのかもしれない。生物学的差異に由来する子の誕生への関わり方の違いがあることは事実であるものの，母子関係は分娩の事実によって直ちに当然に生じるものとされ，そこに母の意思が入る余地はないのに対して，非嫡出父子関係については認知制度を通して父の意思が一定程度尊重される等，母子関係と父子関係とでは大きな違いがある。海外では**匿名出産**を法制化している国もあり，日本でも**赤ちゃんポスト**等の存在が知られている中，このような母子関係の自動的成立は妥当であろうか。実子と養子に対する国民の意識も含めて，親子のあり方は，歴史的，社会的，文化的背景の影響を強く受けるものであり，国によっても異なる。起草時に参考にした外国法が日本において同様に機能するとは限らない。誰が親か，あるいは，誰が親であるべきか，という問いこそが，親子法の根幹である。

関係（▶910条）とは異なり，遺産分割のやり直しを求めることができる。さらに，親子関係の否定についても，父子関係のように認知取消しの訴えや認知無効の訴えによるのではなく，親子関係不存在確認の訴えによることになる。

3　準　正

　準正とは，嫡出でない子に嫡出子の身分を付与する制度である（▶789条1項・2項）。子の死亡後にも適用される（▶同条3項）。準正の要件は，父母の婚姻と父の認知である（母子関係については，分娩の事実により当然に生じるため，認知は不要。➡129頁）。準正には2類型あり，母が未婚時に出産して父が子を認知した後に父母が婚姻した場合は**婚姻準正**，母が未婚時に出産して子が未認知のまま父母が婚姻した後に父が子を認知した場合は**認知準正**という。準正は，親子関係成立の効果につき，嫡出子と嫡出でない子との間に差異がある場合に初めて意義が認められる制度である。

　準正により，嫡出でない子は嫡出子たる身分を取得し（準正嫡出子），父母の共同親権（▶818条3項）等の効果が生じる。もっとも，氏については，子がそれまで母の氏を称し（▶790条2項），父母の婚姻の氏が父の氏であったとしても，準正によって当然には父の氏に変更されず，戸籍法の定めるところにより届け出ることが必要である（▶791条2項）。準正には遡及効がなく，子は，婚姻準正の場合は父母の婚姻の時から（▶789条1項），認知準正の場合は認知の時から（▶同条2項），嫡出子の身分を取得する。

3　養　子

1　序　説

　養子制度は，意思に基づいて人為的に親子関係を創設する制度である。養子には，養親となる者と養子となる者とが縁組の合意をして届け出ることによって成立する普通養子（▶792条〜817条）と，若年者のみを養子の対象として，家庭裁判所の審判によって成立する特別養子（▶817条の2〜817条の11）の2類型がある。1987年に特別養子制度が創設された後，従来の養子は，特別養子と区別するために「普通養子」と呼ばれるようになった。今日では，「養子」とい

う表現は，普通養子のみを意味することもあるが，普通養子・特別養子を包含する概念として用いられることが多い。

養子制度の発展は，「家のための養子」，「親のための養子」および「子のための養子」という3段階に分けて説明されることが多い。**「家のための養子」**は，実子がいない場合に養子を迎えたり，男子がいない場合に女子の配偶者を養子にするなど（**婿養子**），家産，家業，家名，祭祀等の承継を目的とする。**「親のための養子」**は，養親の扶養・世話または労働力補塡を目的とする。**「子のための養子」**は，20世紀に入ってから現れたものであり，棄児，孤児，被虐待児等の福祉・利益のために，実親に代わる親を与えることを目的とする。特別養子制度は，まさにこのような思想の下に新設された制度である。

養子縁組の届出件数（1988年以降は特別養子縁組も含む）は，1950年代は年間10万件程度であったが，その後減少し，1965年度は82,176件，1975年度は86,844件，1985年度は91,186件，1995年度は79,381件，2005年度は88,511件，2015年度は82,592件，2020年度は65,105件，2022年度は55,958件となっている（法務省「戸籍統計」）。このうち特別養子縁組は，1988年は758件，1989年は1,223件に達し，制度創設当初は普通養子縁組からの転換も含めて比較的利用されたもののその後減少に転じ，年間300件前後で推移したが，2013年以降は若干増加傾向にあり，2015年は542件，2022年は580件となっている（最高裁判所「司法統計」）。戦争孤児，棄児等の保護等のために養子制度が発達してきた欧州では，成年者を養子とする**成年養子**は少なく，配偶者，その他親族の子以外を養子とする**他児養子**が少なくないのに対して，日本では成年養子が養子縁組の半数以上を占め，他児養子は数％にすぎない。しかし，実親による養育が不可能または困難な子に新しい家庭を与える特別養子制度の機能は，虐待問題等が深刻化している近年，ますます重要になっている。そのため，2019年には，特別養子制度の利用拡大を図る民法改正が行われた（➡144頁）。

2　普 通 養 子

養子縁組の成立　　日本の普通養子縁組の要件は比較法的にみると緩やかであるが，以下で概観するように，形式的要件として届出，実質的要件として縁組意思の存在・合致の他，様々な要件があり（▶792条

〜799条), これらが欠ける場合には縁組の届出は受理されない (▶800条)。

> ■ **Case 5-6**　B・C夫婦の子Yは, X・A夫婦の嫡出子として届け出られ, 誕生直後から同夫婦の子として養育された。XとYは, Aの死亡後, Aから引き継いだ会社の経営等をめぐって対立するようになり, Xが, X・AとYとの間の親子関係不存在確認の訴えを提起したところ, 認められた。その後, Yは, X・A夫婦による虚偽の嫡出子出生届出は養子縁組届出に転換されるべきであると主張した。認められるか。

(1) **縁組の届出**　普通養子縁組は, 当事者の縁組意思の存在・合致を前提として, 市区町村の戸籍窓口への**養子縁組届**の提出 (創設的届出) によって成立する厳格な要式行為である (▶799条・739条)。遺言で行うことはできず, 他の形式によることもできない。**Case 5-6**のYは, 虚偽の嫡出子出生届により, 戸籍上, X・A夫婦の嫡出子となっている藁の上からの養子であり, X・Aとの間の実親子関係は親子関係不存在確認の訴えによって容易に覆される。そこでYは, 虚偽の嫡出子出生届には親としてその子を育てようとする届出人の意思が示されているとして, 養子縁組届への転換 (読み替え) によりAの子としての地位を確保しようとしたのである。虚偽の嫡出子出生届の認知届への転換 (➡123頁) と同様, 養子縁組届への転換も認めるべきであるようにも思われるが, 最高裁は, 養子縁組が法定の届出によって効力を生ずるものであることを理由にYの主張を退けた (★最判昭和50・4・8民集29巻4号401頁：百選Ⅲ-40)。確かに, 虚偽の嫡出子出生届による養子縁組の成立を認めると, 未成年者を養子とする場合の家庭裁判所の許可 (後述) 等, 養子縁組の要件の潜脱を許すことになってしまう。また, 養子縁組は認知者の単独行為である認知とはその要件, 方式を異にするため, 認知届の養子縁組届への転換も認められない (★最判昭和54・11・2判時955号56頁)。

なお, 当事者間に縁組意思の合致および親子としての生活実体はあるものの法定の届出がないために養親子関係が認められない場合であっても, 「**事実上の養子**」関係にある者として一定の法的保護を与えられることがある (▶958条の2, 借地借家36条。★最判昭和37・12・25民集16巻12号2455頁)。

> **⁂ Case 5-7**　Aは，相続税の節税対策として，Aの長男Bの子Y（乳児）を養子
> にすることとし，Yの親権者であるBおよびその妻Cの代諾によりA・Y間の養子縁
> 組がなされた。その後，Aが死亡し，Aの子Xらが，A・Y間の養子縁組は縁組をす
> る意思を欠くものであるとして養子縁組無効確認の訴えを提起した。認められるか。

　(2)　**縁組意思**　　養子縁組には，意思能力があることを前提として（行為能
力は不要），「縁組をする意思」（**縁組意思**）が必要であり，これを欠く場合には
縁組は無効となる（▶802条）。縁組意思の内容については，**実質的意思説**（社
会通念上親子と認められる関係を形成しようとする意思を必要とする説）と**形式的意
思説**（縁組の届出をする意思で足りるとする説）との対立があったが，現在では，
実質的意思説が判例・通説である。もっとも，「親子と認められる関係」がど
のような関係なのかは必ずしも明確ではなく，また，戸籍吏には形式的審査権
しかないため，通常，縁組届出時に縁組意思の有無は問題にならない。多くの
場合，後日，当事者の一方，あるいは，相続に際してより多くの遺産取得を望
む親族等が縁組の無効を主張するという形で問題となる。
　現実には，養子縁組は様々な目的で利用されており，子がいない夫婦が親戚
の子等を養子にしたり，配偶者の連れ子を養子にする（**連れ子養子**）等，子の
養育を目的とする縁組もあるが，家の後継者とするための養子，婿養子，伝統
芸能等の承継者とするための芸養子，婚姻制度の代用的な妾養子，同性愛者間
の養子縁組（**同性愛養子**）等もみられる。**Case 5-7**のように，相続人の数を増
やすことによる節税効果を狙った養子（**節税養子**）も少なくなく，縁組意思に
疑義が示されていたが，最高裁は近年，相続税の節税の動機と縁組をする意思
とは，併存しうるものであり，節税養子の場合であっても直ちに縁組意思がな
いとはいえないとした（★最判平成29・1・31民集71巻1号48頁：百選Ⅲ-39）。他の
相続人の相続分を排することを主たる目的としてなされた孫を養子とする縁組
について，親子としての精神的なつながりをつくる意思が認められる限り無効
ではないとした判例もある（★最判昭和38・12・20家月16巻4号117頁）。芸娼妓に
するための養子縁組等，人身売買の隠れ蓑になりうる養子縁組の縁組意思は否
定されるが（★大判大正11・9・2民集1巻448頁），**妾養子**に関しては，過去に偶
発的な情交関係があった姪を，永年世話になったことへの謝意をこめて遺産

を相続させ死後の供養を託する意思をもって養子とする縁組について，縁組意思を認定した判例もある（★最判昭和46・10・22民集25巻 7 号985頁）。最近では，**同性愛養子**について，縁組意思の有無は，「養子縁組の扶養や相続等に係る法的効果や，同居して生活するとか，精神的に支え合うとか，他方の特定の施設入所や治療実施に当たっての承諾をするとかなどといった社会的な効果のうち，中核的な部分を享受しようとしているときには，これを認めるべき」として，同性愛関係を継続したいという動機・目的の併存を理由に縁組意思を否定するのは相当ではないとした下級審裁判例が注目されている（★東京高決平成31・4・10裁判所ウェブサイトより）。これらが示すように，縁組意思の有無を判断するための一義的な基準はなく，かなり緩やかに解されている。

　縁組意思は縁組届作成時にあれば足り，届出受理時に意識を失っていたとしても，受理前に翻意したなど特段の事情がない限り縁組は有効に成立する（★最判昭和45・11・24民集24巻12号1931頁）。

　(3)　**養親の年齢**　　養親になる者は，20歳以上でなければならない（▶792条）。養子との年齢差は要求されていない。

　(4)　**尊属養子・年長養子の禁止**　　尊属または年長者を養子とすることはできない（▶793条）。社会通念上，親子らしい関係とするためである。年長か否かは誕生日によって判断されるため，1 日でも年長であればよい。叔父・叔母は，3 親等の傍系尊属であるため，養親となる者より年少であったとしても，養子にすることはできない。嫡出でない子を養子とすることもできるが（嫡出でない子の相続分が嫡出子の 2 分の 1 であった時代には大きな実益があった），胎児を養子にすることはできない。

　(5)　**被後見人の養子縁組**　　成年被後見人および15歳以上の未成年被後見人は，意思能力を回復ないし有している場合は，後見人の同意なく単独で有効に縁組を行い，養子または養親になることができる（▶799条・738条）。ただし，後見人が成年被後見人または未成年被後見人を養子とするには，家庭裁判所の許可を得なければならない（▶794条前段）。後見人の任務が終了した後，管理の計算が終わらない間も同様である（▶同条後段）。後見人は被後見人の財産管理権および代理権を有するところ（▶859条），養親子関係の形成によって不適切な財産管理を行い，またはそれを隠蔽するような事態を防ぎ，被後見人を保

護するためである。

(6)　**配偶者のある者の養子縁組**　配偶者のある者が養子または養親になる場合には，原則として，その配偶者の同意を得なければならない（▶796条本文）。配偶者の相続分等に影響を与えるからである。ただし，夫婦共同縁組の場合または配偶者が行方不明，意識不明等により意思を表示することができない場合には，その同意は不要である（▶796条ただし書）。

(7)　**未成年養子**　未成年者を養子とする場合には，子の福祉の観点からさらに要件が加重される。

(a)　**夫婦共同縁組**　配偶者のある者が未成年者を養子とするときは，原則として，配偶者とともにしなければならない（**夫婦共同縁組**。▶795条本文）。家庭の平和を維持するためだけでなく，養子について夫婦双方が親権を有して共同で監護教育にあたることによって，より適切な養育環境を確保するためである。配偶者のない者（単身者）が未成年者を養子にする場合は**単独縁組**でよい。夫婦共同縁組により，養母・養子間と養父・養子間の2つの縁組が併存することになる（★最判昭和48・4・12民集27巻3号500頁参照）。

連れ子養子のうち，配偶者の嫡出子（前婚の子等）を養子とする場合には共同縁組の必要はなく，単独縁組で足りる（▶同条ただし書前段）。他方，配偶者の嫡出でない子（未婚で生んだ子等）を養子とする場合には，共同縁組が求められる。縁組後，養親との間には嫡出親子関係，その配偶者（実親）との間には非嫡出親子関係が存在するというアンバランスを避けるためである。また，配偶者がその意思を表示することができない場合にも，単独縁組が可能である（▶同条ただし書後段）。

(b)　**家庭裁判所の許可**　未成年者を養子とするには，原則として，家庭裁判所の許可が必要である（▶798条本文）。人身売買や労働力搾取の隠れ蓑となる縁組等，子の福祉に合致しない縁組を防止するためである。家庭裁判所は，縁組の動機，実親および養子となる者の家庭の状況等を踏まえて，子の利益になるか否かを判断する（★新潟家審昭和57・8・10家月35巻10号79頁等参照）。この裁判所の許可によって縁組が成立するわけではなく，縁組は許可審判の謄本を付して縁組届を提出した時に成立する。

自己または配偶者の直系卑属（嫡出子に限定されない）を養子とする場合は，

通常，人身売買等の隠れ蓑となるおそれはないため，家庭裁判所の許可は不要である（▶798条ただし書）。連れ子養子や**孫養子**が典型例である。もっとも，再婚相手による虐待等が問題になる例も少なくないため，未成年者を養子とする縁組すべてについて家庭裁判所の許可を要求すべきという主張もある。

　未成年後見人が未成年被後見人を養子とする場合，未成年者を養子とすることに対する家庭裁判所の許可とは別個に，被後見人を養子とすることに対する家庭裁判所の許可（▶794条。➡(5)）も必要である。

　(c)　代諾縁組　　養子となる者が15歳未満の場合，その法定代理人が代わりに縁組の承諾をする（▶797条1項）。これを**代諾縁組**という。15歳未満の子は自己の利益を考えて養子縁組の適否を判断することが困難であると考えられるからである。児童福祉施設等に入所中の児童や里親委託中の児童のうち法定代理人がいない者については，児童福祉施設の長や児童相談所長が都道府県知事の許可を得て承諾することができる（▶児福47条1項・2項）。代諾縁組による場合も，未成年者を養子とするための家庭裁判所の許可（▶798条。➡(b)）は必要である。

　法定代理人は，代諾にあたり，養子となる者の「父母でその監護をすべき者」が他にあるときは，その同意を得なければならない（▶797条2項前段）。「父母でその監護をすべき者」には，父母の離婚後に親権者とは別に監護者が定められている場合の監護（権）者（➡90頁）が含まれる。親権も監護権も有しない親は，代諾権（承諾権）も**同意権**も有しない。これは，離婚後，親権をとれなかった親の知らない間に，子が他人の養子となる可能性があることを意味する。親権停止中の父母（▶834条の2）は，代諾権を有さず，未成年後見人が法定代理人として代諾縁組をすることになるが，同意権は与えられている（▶797条2項）。親権を喪失した父母（▶834条）は，代諾権はもちろんのこと，同意権も有しない。

養子縁組の効果　　養子は，「縁組の日から」養親の嫡出子の身分を取得し（▶809条），親権関係（▶818条2項），氏の承継（▶790条・810条），相互の相続権（▶887条），扶養義務（▶877条）等，親子関係の効果が生じる。養子と養親との間のみならず養子と養親の親族との間にも，「養子縁組の日から」血族間におけるのと同一の親族関係が生じる（▶727条。実親子と区

別して「**法定血族**」と呼ばれることもある）。例えば，養子と養親の実子は2親等の傍系血族となる。縁組後に生まれた養子の子は，養親の2親等の直系卑属となり，養親の相続について代襲相続権も有する（▶887条2項本文）。ただし，縁組の日より前に生まれた養子の子は，養親の直系卑属にはならず（▶727条参照。★大判昭和7・5・11民集11巻1062頁），扶養義務，代襲相続権等もない（▶887条2項ただし書）。これらに対して，養親と養子の血族との間には親族関係は生じない。例えば，養親と養子の兄弟は親族にはならず，他人である。

他方，養子と実親および実方の親族との関係は，縁組の成立によっても変化せず，養子となった者と実親との間の相続権，扶養義務等も存続する。いわば2つの親子・親族関係が併存することになる（伝統的に，離縁せずにさらに縁組を行う**転縁組**〔**転養子**〕も認められており，このような場合には，1つの実親子関係と2つ以上の養親子関係が併存し，それぞれについて相続権，扶養義務等も生じることになる）。もっとも，一部については養親子関係に基づくものが優先する。養子は，養親の戸籍に入り（▶戸18条3項），氏は養親の氏のみを称し（▶810条。ただし，養子の縁組前の氏が婚姻よって改めた氏である場合には，縁組後もそれが維持される），養親の親権に服する（▶818条2項）。養子の扶養義務を第一次的に負うのも養親である（★東京高決令和2・3・4判タ1484号126頁）。

養子縁組の
無効・取消し 要件を満たさない縁組は，養子縁組無効の訴えまたは養子縁組取消しの訴えによって効力を否定される（▶人訴2条3号）。戸籍訂正を伴う身分変動であり，裁判外での主張は認められない。

（1）**無 効** (a) **無効原因** 人違いその他の事由によって当事者間に縁組意思がない場合，または養子縁組届の提出がない場合，縁組は無効である（▶802条）。もっとも，後者については，むしろ不成立というべきである。なお，養子縁組届に当事者や証人の署名・捺印を欠く場合であっても，受理されれば縁組は有効に成立し，無効・取消原因にはならない（▶802条2号ただし書・799条・739条2項）。

夫婦共同縁組の原則（▶795条）に違反した縁組についても，規定はないが，原則として無効と解されている。この点，Aが妻Bに無断でCを養子とする共同縁組の届出をした事例について，縁組意思がないB・C間の縁組は無効であるが，A・C間の縁組については，原則として無効であるものの，A・C間に

単独でも親子関係を成立させることが795条の趣旨にもとるものではないと認められる「特段の事情」がある場合には，単独縁組として有効とした判例がある（前掲★最判昭和48・4・12。A・Bが既に事実上の離婚状態にあったという事案）。

> **▓ Case 5-8**　Y₁はA女の嫡出でない子として出生したが，B・C夫婦の嫡出子として届け出られ，B・Cの代諾によってD・Y₂夫婦の養子となった。その後，D・Y₂は離婚し，Y₂と再婚相手Eとの間にXが生まれた。養子縁組から30年以上後，実の親でないB・Cの代諾によるY₁・Y₂間の養子縁組は無効であるとして，Xが養子縁組無効確認の訴えを提起した。Y₁は養子縁組の有効を主張することができるか。

（b）　表見代諾縁組　　適法な代諾権（▶797条）を欠く者による代諾縁組（**表見代諾縁組**）は無効である。**Case 5-8**のY₁は薬の上からの養子であり，虚偽の嫡出子出生届により戸籍上その親となっているにすぎないB・Cには適法な代諾権がなく，Y₁・Y₂間の養子縁組は無効となり，追認の余地もないのが原則である（★大判昭和13・7・27民集17巻1528頁）。しかし，最高裁は，養子縁組は要式行為ではあるものの，取り消しうる縁組についても追認が認められていること（▶804条ただし書，806条ただし書，807条ただし書等参照）等を理由に，父母による代諾は法定代理に基づくものであり，その代理権の欠缺を一種の無権代理と解し，無権代理行為の追認（▶116条本文）および取り消しうる縁組の追認の趣旨を類推して，養子が単独で有効に縁組可能な15歳に達した後に自ら追認した場合は，養子縁組は届出時に遡って有効になると判示した（★最判昭和27・10・3民集6巻9号753頁）。第三者の権利を害する追認の効力を制限する116条ただし書は取引の安全のための規定であり，養子縁組の追認のような身分行為については類推適用されない（★最判昭和39・9・8民集18巻7号1423頁：百選Ⅲ-41）。

（c）　養子縁組無効（確認）の訴え　　**養子縁組無効確認の訴え**は，当該縁組が無効であることにより自己の身分関係に関する地位に直接影響を受ける者であれば，何人でも原告になりうる（★最判昭和63・3・1民集42巻3号157頁）。他方，例えば，養親の全遺産を包括遺贈され，養子から遺留分侵害額請求を受けた包括受遺者は，養子縁組が無効であっても財産上の権利義務に影響を受けるにすぎないから，直ちに法律上の利益を有するとはいえない（★最判平成31・

3・5判タ1460号39頁）。養子が縁組の無効を主張する場合は，15歳以上でかつ意思能力があれば，未成年であっても単独で有効に提訴でき（▶人訴13条），15歳未満の場合には，縁組無効が確定した場合に法定代理人となるべき者が提訴する（▶815条類推）。被告は養親・養子の双方または一方であり，双方の死亡後は検察官が被告となる。判例は，訴えの性質を確認の訴えと解しており（当然無効説），訴訟の抗弁や別訴の前提問題として縁組無効を主張することもできる（★大判昭和15・12・6民集19巻2182頁，最判昭和38・12・24刑集17巻12号2537頁）。養子縁組の無効が確定した場合，その効力は，原則どおり遡及する。

　（2）　**取消し**　　（a）　取消原因　　**縁組の取消原因**は，804条から808条に列挙されており（▶803条），①養親が20歳未満である場合（▶804条），②養子が尊属または年長である場合（▶805条），③後見人が家庭裁判所の許可なく被後見人を養子とした場合（▶806条），④配偶者の同意を得ないで縁組をした場合（▶806条の2），⑤代諾縁組において，子を監護すべき父母の同意がない場合（▶806条の3），⑥未成年者の養子縁組について家庭裁判所の許可を得ていない場合（▶807条），⑦詐欺または強迫によって縁組をした場合（▶800条1項）である。これらのうち，私益的見地ではなく公益的見地から取消原因とされている②以外は，一定の期間の経過または追認により，取消権が消滅する。実際には，取消原因の有無は縁組届提出時に点検可能なものであり，取消しの対象となる養子縁組が生じることは考えにくい。

　（b）　養子縁組取消しの訴え　　**養子縁組取消しの訴え**（▶人訴2条3号）の原告は，取消原因ごとに定められている。養子に原告適格が認められている場合については，養子縁組無効確認の訴えと同様，15歳以上でかつ意思能力があれば，未成年であっても単独で有効に提訴できる（▶人訴13条）。婚姻の取消し（▶744条1項）とは異なり，検察官は取消権者ではない。被告は養親・養子の双方または一方であり，双方の死亡後は検察官が被告となる。訴えの法的性質は，形成の訴えと解されている。

　縁組取消しの効果は遡及せず，将来に向かってのみその効力を生ずる（▶808条1項・748条1項）。ただし，婚姻の取消しの場合と同様，縁組によって得た財産がある場合には，取消原因があることを知らなかったときは，現に利益を受けている限度で，取消原因があることを知っていたときは，得た利益の

全部を返還する義務を負う（▶808条 1 項・748条 2 項・3 項）。また，祭祀承継者の決定，復氏等，離縁と同様の効果が生じる（▶808条 2 項・769条・816条。➡142頁）。

離　　縁　養子縁組は，離縁によって解消することができる。離縁には，当事者の協議による**協議離縁**（▶811条），家庭裁判所の調停における合意による**調停離縁**（▶家事244条），家庭裁判所の審判による**審判離縁**（▶家事284条），訴えに対する判決による裁判離縁（▶814条，人訴 2 条 3 号）等の方法がある（この他，和解離縁および認諾離縁〔▶人訴44条〕もあるが，例はほとんどない）。

(1)　**協議離縁**　(a)　協議離縁の成立　**協議離縁**は，養親および養子の協議・合意に基づき（▶811条 1 項），戸籍窓口に**養子離縁届**を提出することによって成立する（▶812条・739条）。縁組の場合と同様，養子が15歳未満である場合は，養親と離縁後に養子の法定代理人となる者（通常，養子の実父母）との協議による（**代諾離縁**。▶811条 2 項）。養子の実父母が養子縁組後に離婚している場合は，離縁後に親権者となる者を協議または家庭裁判所の審判によって定める（▶同条 3 項・4 項）。離縁後に養子の法定代理人となる者がいないときは，未成年後見人が選任される（▶同条 5 項）。

養子が15歳以上で意思能力があれば，単独で有効に離縁することができ，成年被後見人も意思能力を回復していれば成年後見人の同意なくして離縁できる（▶812条・738条）。

養子が未成年である場合には，養親夫婦は，その一方が意思を表示することができない場合を除き，共に離縁しなければならない（**共同離縁**。▶811条の 2）。共同縁組後に単独離縁することによる夫婦共同縁組原則の潜脱を防ぐためである。養子が成年に達している場合は，**単独離縁**が可能である。

(b)　協議離縁の無効・取消し　**離縁意思**がない場合，または養子離縁届が提出されていない場合は，離縁は無効である。もっとも，届出が不存在の場合は，無効というより不成立というべきである。詐欺または強迫による離縁も取消原因となる（▶812条・747条）。なお，離縁届に当事者や証人の署名・捺印を欠く場合等，受理要件（▶813条 1 項）に違反する離縁届が誤って受理された場合でも，離縁は有効に成立し，無効・取消原因にはならない（▶813条 2 項）。

　離縁の無効・取消しの主張は裁判外で行うことはできず，**離縁無効の訴え**または**離縁取消しの訴え**（▶人訴2条3号）による。無効または取消しが認められた場合，遡及効により縁組状態が継続していたことになる。

　(2)　**裁判離縁**　裁判離縁は，当事者の離縁意思の合致がない場合でも判決によって強制的に縁組を解消する方法であり，法定の離縁原因がある場合に限って認められる（▶814条1項柱書）。養子が15歳未満である場合の当事者は，協議離縁の場合と同様である（▶815条・811条）。

　離縁原因は，①悪意の遺棄（▶814条1項1号），②3年以上の生死不明（▶同項2号）および③「その他縁組を継続し難い重大な事由」（▶同項3号）があるときである。包括的・抽象的離縁原因である③には，虐待，暴言，交流途絶，家業・金銭をめぐる対立等が含まれる。①・②については，明文上，裁量棄却が認められており（▶814条2項・770条2項），③については，縁組を継続し難い重大な事由があるか否かの判断の中で同じ考慮がなされる。③に関しては，離婚において有責配偶者からの離婚請求の是非が問題になるのと同様，有責当事者からの離縁請求の是非が問題となる。消極的に解した判例があるが（★最判昭和39・8・4民集18巻7号1309頁），有責配偶者からの離婚請求が認められないことを前提とする判旨であり，これを認める判例変更（➡79頁）が行われた今日でも，最高裁が有責当事者からの離縁請求を許さないかは明らかではない。

　(3)　**離縁の効果**　離縁により，養子およびその配偶者ならびに養子の直系卑属およびその配偶者と養親およびその血族との親族関係は終了する（▶729条）。遡及効はない。例えば，縁組後に生まれた養子の子も，離縁によって養親の直系卑属ではなくなり，代襲相続権も失う（▶887条2項ただし書）。

　養子は，共同縁組をした養親の一方のみと離縁した場合を除き，離縁によって縁組前の氏に復する（**離縁復氏**。▶816条1項）。ただし，縁組後に生まれた養子の子の氏は変わらず，復氏した養子と同一の氏を称することを希望する場合には，家庭裁判所の許可を得て氏を変更することになる（▶791条1項）。養子は，離縁後3か月以内に届け出ることによって養親の氏を続称することもできるが（**縁氏続称**），これは縁組の日から7年を経過した後に離縁した場合に限って認められる（▶816条2項）。養子縁組が氏を変更するための便利な手段として用いられることを防ぐためである。養子が復氏した場合は，祭祀等の承継に

ついて協議し，決定する（▶817条・769条）。

| 死後離縁 | 一方当事者が死亡しても当然に養子縁組が解消するわけではなく，**死後離縁**には家庭裁判所の許可が必要である（▶811条 6項）。養親の遺産のみを取得して縁を切るような道義に反する離縁等を防ぐためである。家庭裁判所の許可を得て戸籍窓口に届け出ることによって死後離縁が成立し，上述のような離縁の効果が生ずる。

3　特別養子

| 特別養子制度創設の背景と現状 | 特別養子縁組は，保護者のない子どもや実親による養育が困難な子どもに温かい家庭と法的安定性を与えることによって，子どもの健全な育成を図る制度である。最大の特徴は，普通養子縁組とは異なり，縁組によって実親および実方との親族関係が終了（断絶）する点にある（▶817条の9。**断絶型養子縁組**）。欧米では，特別養子縁組（完全養子縁組）を養子縁組の原則形態としている国が多い。

(1)　**制度創設の背景と意義**　特別養子制度創設の契機となったのは，1973年の**菊田医師事件**（実子斡旋事件）である。産院を営む菊田医師が，経済的事情や未婚等の事情で中絶を希望して来院した女性を説得して出産を勧め，出生子を子に恵まれない夫婦に実子として斡旋し，虚偽の出生証明書の発行も無報酬で行っていることを公表した。公正証書原本不実記載罪（▶刑157条）にあたる行為であるが，望まない子を妊娠した女性と，戸籍に子が養子ではなく実子と記載されること等を希望する夫婦のニーズに応えるものであった。菊田医師は刑事告訴されたが，世論の高まり等を背景として1987年の特別養子制度創設に至った。

　このような背景をもつ特別養子縁組は，養親が唯一の親になる断絶型養子縁組であることに加え，次のような特徴を有する。第1に，普通養子のように当事者間の契約類似の性質を有するものではなく，子の福祉のために家庭裁判所が審判によって成立させる国家宣言型の縁組である。第2に，安定した実子同様の養育環境を保障すべく，親らしい年齢の法律婚夫婦が養親となる夫婦共同縁組を基礎とし，原則として離縁はできない。第3に，戸籍の記載も，実子と同一ではないものの，それに類似するものになっている（後述）。いずれも，

より実子に近い親子関係を創るという思想の下に構想されたものである。

(2)　**現状と2019年改正**　近年，保護者のいない児童，被虐待児等のうち児童養護施設等に入所中の児童は2万5000人を超えており，家庭的な養育環境を与えることが適当であるにもかかわらず，特別養子縁組の年齢要件等が障害となって制度を利用できない児童が少なくなかった。また，実親による縁組への同意の撤回の可能性等，特別養子縁組成立に至るまでの間，実親と対峙することになる養親の負担がかなり重いことが指摘されていた。

そこで，2019年の改正（2020年4月1日施行）では，特別養子の対象年齢を拡大し（▶817条の5。後述），成立要件が緩和された。また，特別養子縁組成立のための家庭裁判所の手続が2段階に分離された。第1段階となる**特別養子適格の確認の審判**では，縁組に対する実親の同意の有無（▶817条の6）および実親による監護が困難または不適当であるか否か（▶817条の7）が判断され，第2段階となる**特別養子縁組の成立の審判**では，養親希望者と養子との適合性が判断される。特別養子適格の確認の審判については，養親希望者のみならず児童相談所長にも審判の申立権を認め（▶児福33条の6の2第1項），児童相談所長が補助人として関与することも認めるとともに（▶児福33条の6の3），特別養子縁組の成立の審判には実親が関与しないものとすることによって，審判が養親希望者と実親との対立構造になることを避け，養親希望者の手続的・心理的負担の軽減が図られた。あわせて，特別養子縁組に対する父母（実親）の同意の撤回に制限が設けられた（▶家事164条の2第5項。後述）。

特別養子縁組の成立　(1)　**家庭裁判所の審判**　特別養子縁組は，養親となる者（夫婦双方）の請求に基づき，家庭裁判所の審判（特別養子縁組の成立の審判）によって成立する（▶817条の2第1項）。養子となる者，実親等が請求することはできない。家庭裁判所は，後見的見地から具体的事情をもとに多面的に縁組の適否を判断するため，普通養子縁組の成立に必要な家庭裁判所の許可（後見人が被後見人を養子とする場合〔▶794条〕または未成年者を養子とする場合〔▶798条〕）は不要である（▶817条の2第2項）。

なお，養子となる子が未だ特別養子適格の確認の審判を受けていない場合には，養親となる者が特別養子縁組の成立の審判と同時に申し立てなければならない（▶家事164条の2第3項）。家庭裁判所は両審判を同時にすることができる

が，厳密には，下記(2)～(7)のうち(5)および(6)は特別養子適格の確認の審判，それ以外は特別養子縁組の成立の審判において審理される。

(2) **夫婦共同縁組** 養親となる者は夫婦でなければならず（▶817条の3第1項），単身者による縁組は認められない。子に実父母に代わる新しい父母と家庭を与え，より安定的かつ確実な養育環境を確保するためである。連れ子の場合等，夫婦の一方が他の一方の嫡出子の養親となる場合には，単独縁組でよいが（▶同条2項），子が嫡出でない子のときは，原則どおり，夫婦共同縁組が必要である。縁組後，養親との間には嫡出親子関係，その配偶者（実親）との間には非嫡出親子関係が存在するというアンバランスを避けるためである。

(3) **養親の年齢** 養親は，原則として，夫婦ともに25歳以上でなければならないが，例外的に，一方が25歳以上，他方が20歳以上であれば足りる（▶817条の4）。子の養育という観点から，普通養子縁組の場合よりも年齢の下限が高く，親子らしい年齢差が求められている。

(4) **養子の年齢と同意** 養子は，原則として，特別養子縁組の成立の審判請求時に15歳未満，縁組成立時に18歳未満でなければならない（▶817条の5第1項）。例外的に，審判請求時の年齢については，養子となる者が15歳に達する前から引き続き養親となる者に監護されている場合において，15歳に達するまでに申立てがなされなかったことについてやむを得ない事由があるときは，15歳以上であってもよい（▶同条2項）。2019年改正前は，年少児の方が親子関係の形成が容易であることから，原則として請求時に6歳未満であることが要件とされていたが，大幅に引き上げられ，利用可能者が拡大した。

養子となる者が15歳以上である場合には，縁組を成立させるにはその者の同意が必要である（▶同条3項）。

Case 5-9 Y₁は，戸籍上，A女・Y₂男夫婦の嫡出子とされているが，実際にはA・X男間に生まれた子であり，XはY₁を認知すべく，Y₁・Y₂間の親子関係不存在確認の訴えを提起した。この訴訟係属中にY₁をC・D夫妻の特別養子とする別の審判が成立した場合，Xの訴えは認められるか。

(5) **父母の同意** 特別養子縁組の成立には，養子となる者の「父母」の同意がなければならない（▶817条の6本文）。縁組の成立によって法律上の親とし

ての地位を失う（▶817条の 9 。➡147頁）父母の利益を保護するためである。た
だし，父母がその意思を表示することができない場合（死亡，行方不明，意識不
明等）または父母による虐待，悪意の遺棄「その他養子となる者の利益を著し
く害する事由がある場合」には，その同意は不要である（▶817条の 6 ただし
書）。虐待等をしている親の同意を必要とすることは子の利益に反するおそれ
があるからである。「その他養子となる者の利益を著しく害する事由がある場
合」とは，虐待，悪意の遺棄に比肩するような事情がある場合，すなわち，父
母の存在自体が子の利益を著しく害する場合を意味する。安定した監護環境を
用意せず，かつ明確な将来計画を示せないというだけで直ちにこれに該当する
わけではない（★東京高決平成14・12・16家月55巻 6 号112頁：百選Ⅲ-42）。

　「父母」には，実父母のみならず養父母も含まれる。親権・監護権の有無を
問わず，法律上の親である者は全員含まれるが，未認知の父は，法律上の親で
はないため（➡111頁）含まれない。**Case 5-9** の X は，Y₁・Y₂間の親子関係不
存在確認の訴えが認められれば Y₁を認知しうるとしても，いずれにせよ，Y₁
を C・D 夫妻の養子とする特別養子縁組の成立により法律上の親としての地位
を失うため，もはや Y₁・Y₂間の親子関係不存在につき確認を求める利益はな
く，裁判所は X の訴えを却下できるようにも思われる。しかし，X は認知に
よって Y₁の法律上の父としての地位を取得すれば，特別養子縁組に対する同
意権に基づいて縁組に同意しないことにより，Y₁と C・D 間の特別養子縁組を
阻止しうる立場にあった。そこで最高裁は，X について「817条の 6 ただし書
に該当する事由が認められるなどの特段の事情のない限り」，特別養子縁組を
成立させる審判の申立てについて審理を担当する審判官が，Y₁・Y₂間の親子
関係不存在確認の訴えの帰趨が定まらないにもかかわらず，Y₁を特別養子と
する審判をすることによって X が主張する権利の実現のみちを閉ざすことは，
著しく手続的正義に反するものであり許されないとして，X の訴えを認めた
（★最判平成 7・7・14民集49巻 7 号2674頁：百選Ⅲ-43）。

　2019年改正前は，父母の同意の方式，撤回等に関する規律がなく，特別養子
縁組の成立の審判確定前であればいつでも撤回が認められ，養親となる者によ
る試験養育（▶817条の 8 。➡(7)）開始後であっても撤回が可能であった。その
ため，試験養育において養子となる子との間に関係形成を進めてきた養親とな

る者の努力が無駄になるおそれがあり，養親となる者が試験養育をためらうことになりかねない等の問題があった。そこで，改正では，父母は，養子となる子の出生日から 2 か月以内に同意がなされた場合を除き，同意をした日から 2 週間経過後は原則として撤回できないものとされた（▶家事164条の 2 第 5 項）。

(6)　**要保護性**　　家庭裁判所は，「父母による養子となる者の監護が著しく困難又は不適当であることその他特別の事情がある場合」であり，かつ，「子の利益のため特に必要があると認めるとき」に限り，特別養子縁組を成立させる（▶817条の 7）。このような**要保護性**が求められるのは，特別養子縁組は実親およびその血族との親族関係を終了させ（▶817条の 9。後述），原則として離縁もできず，いわば後戻りできないためである。一般に，要保護性が認められるのは，被虐待児，親が死亡した子，棄児等である。他方，連れ子については，817条の 3 第 2 項ただし書がそれを予定しているものの，少なくともその子を連れて再婚する実親による監護には問題がないと考えられることから，要保護性に欠けるともいえる。特別養子縁組の成立により他方の実親との法的親子関係を終了させることになることからも，慎重な判断が求められる。

(7)　**試験養育期間**　　家庭裁判所は，特別養子縁組を成立させるには，養親となる者が養子となる者を 6 か月以上の期間監護した状況を考慮しなければならない（▶817条の 8 第 1 項）。養親となる者の監護者としての適格性のみならず，養子との適合性等も確認するためである。家庭裁判所調査官等による両者の生活状況の調査等が行われる。試験養育期間の起算点は，原則として，特別養子縁組の成立の審判申立時であるが，それ以前から養親となる者による監護が行われており，児童相談所の資料等によりその状況が明らかであるときは，その申立前の監護期間を試験養育期間に含めることができる（▶817条の 8 第 2 項）。実際，将来的な養子縁組を前提に児童相談所等を通して里親委託がなされる場合（養子縁組里親）も少なくない。

**特別養子縁組
の効果**　　既述のように，特別養子縁組の成立によって，養子と実父母およびその血族との親族関係が終了する（▶817条の 9。ただし，連れ子養子等，夫婦の一方が他方の嫡出子の養親となる場合は単独縁組が行われるため〔▶817条の 3 第 2 項ただし書〕，養子と実親およびその血族との親族関係は終了しない）。養子となる者が既に他の人の普通養子であった場合は，養親および

その血族との親族関係も含めて既存の法的親子関係はすべて終了する。養親が死亡した場合でも復活しない。実親との間の相互の相続権，扶養義務，親権関係等，法的親子関係の効果はすべて消滅することになるが，血縁的親子関係は消滅しないため，実方との近親婚に関する制限は存続する（▶734条2項・735条）。

　特別養子も養子の一類型であり，特別養子縁組の効果と抵触しない限り，普通養子縁組と同様の効果が生じる（➡137頁）。ただし，養親の戸籍への入籍については，普通養子とは異なり，実親の戸籍から直接養親の戸籍に入籍するのではなく，一度，養子となる子を筆頭者とする単独戸籍を養親の氏で編製し（▶戸20条の3），そこから養親の戸籍に入籍することになる。養親の戸籍には，「民法817条の2」によることは明記されるものの，普通養子とは異なり，「養子」という記載はなされず，実親の氏名等も記載されない。戸籍上，養父母が法律上唯一の親であることを明らかにし，無責任な第三者による養親子関係への介入，養子が不用意に事実を知ること等を予防すると同時に，養子自身が自らの意思で出自をたどる手がかりを残し，その出自を知る権利を保障することを意図している。

離　　縁　特別養子縁組の離縁は原則として認められず，家庭裁判所は，養親による虐待，悪意の遺棄その他養子の利益を著しく害する事由があり，かつ，実父母が相当の監護をすることができる場合において，養子の利益のために特に必要があると認めるときに限って，例外的に離縁させることができる（▶817条の10）。通常，実父母による監護が可能な場合にはそもそも特別養子縁組が認められないため（▶817条の7参照。➡144頁），その実父母が相当の監護ができると判断される事例は極めて稀であろう。養親による虐待等がある場合には，親権喪失（▶834条）または停止（▶834条の2）という選択肢もある。実際，離縁件数は年間0〜数件にとどまる。離縁の請求ができるのは，養子，実父母または検察官のみであり，養親からの請求は認められていない。

　離縁が認められた場合，養子と実父母およびその血族との間において，離縁の日から，特別養子縁組によって終了した親族関係と同一の親族関係を生ずる（▶817条の11）。ただし，養方との近親婚の制限は残る（▶736条）。

なお，死後離縁の制度（➡143頁）はない。また，特別養子縁組は常に家庭裁判所の審判によって成立するものであるため，無効・取消事由はない。

4　生殖補助医療による親子（人工生殖子）

1　序　　説

　生殖補助医療とは，自然の生殖行為によるのではなく，科学技術を利用して子を出生することであり，授精を目的として精液を子宮腔内に注入する**人工授精**，体外で卵子・精子を受精させ受精卵（胚）を子宮内に移植する**体外受精**等の技術が用いられる。生殖補助医療は，夫婦の精子・卵子を用いて第三者に懐胎・出産してもらう代理出産も可能とするなど，多様な親子を生み出す（**図表5-2参照**）。倫理的な問題も多く指摘されているが，現在，子を得るための生殖補助医療の利用に関する法律はない。日本産科婦人科学会は，**図表5-2①**および②を容認する一方，③については消極的，④〜⑨については禁止とするなど一定の指針を医師に示しているが，罰則等はないため，国内においても様々な生殖補助医療が実施されている。生殖補助医療によって生まれた子の親子関係に関する立法も長く存在せず，判例法理に委ねられてきたが，ようやく2020年，一部について，判例法理の明文化が実現した（「**生殖補助医療の提供等及びこれにより出生した子の親子関係に関する民法の特例に関する法律**」（生殖補助医療法）〔令和2年法76号〕）。

2　配偶者の精子・卵子による生殖補助医療

配偶者間人工授精・体外受精　夫婦の精子・卵子を用いて婚姻中に妻が懐胎・出産した場合（**図表5-2①**），夫婦間での性交渉による出生子と同様，血縁的には夫婦の子であり，法的にも推定を受ける嫡出子（➡112頁）になることに争いはない。婚姻中に懐胎された子については，生殖補助医療の利用に際して夫の同意がない場合であっても同様に解すべきであろう（★大阪家審令和元・11・28判例集未登載〔2019WLJPCA11286021〕，最決令和元・6・5判例集未登載等〔いずれも，（元）妻が別居中に（元）夫に無断で夫婦の凍結受精胚を用いて懐胎・分娩した事案において，夫による父子関係否定の主張が排斥された〕参照）。

図表 5-2 生殖補助医療が生み出す親子

	類 型	血縁上の母 （卵子由来者）	生物学的・血縁上の父 （精子由来者）	生物学的母 （懐胎・分娩者）	社会的親 （養育（予定）者）
①	配偶者間人工授精・体外受精	妻	夫	妻	妻・夫
②	精子提供	妻	ドナーM	妻	妻・夫
③	卵子提供	ドナーF	夫	妻	妻・夫
④	胚提供	ドナーF	ドナーM	妻	妻・夫
⑤	借り腹（ホストマザー）	妻	夫	第三者※	妻・夫
⑥	代理母（サロゲートマザー）	ドナーF	夫	ドナーF	妻・夫
⑦	借り腹＋精子提供	妻	ドナーM	第三者※	妻・夫
⑧	借り腹＋卵子提供	ドナーF	夫	第三者※	妻・夫
⑨	借り腹＋胚提供	ドナーF	ドナーM	第三者※	妻・夫

※「第三者」とは，夫，妻，ドナー以外を指す。

Case 5-10 亡Aは生前，妻Xに，Aが死亡した場合でも，その冷凍保存精子を用いて出産して欲しいと話していたため，XはAの死後，Aの冷凍保存精子を用いて妊娠し，Aの死亡後599日目にBを出産した。Bは，婚姻解消の日から300日経過後に生まれた子であるため，Aの嫡出子出生届は受理されなかった。死後認知の訴えによりA・B間に法的親子関係を成立させることはできるか。

死後懐胎子 Case 5-10の事案において，最高裁は，死後懐胎子Bは，Aがその親権者になることがなく，Aから監護，養育，扶養を受けることはあり得ず，Aの相続人にもなり得ない等，基本的な法的親子関係の効果が生ずる余地がないこと等を理由に，「立法がない以上」，A・B間に法的親子関係の形成は認められないとして，認知の訴えを認めなかった（★最判平成18・9・4民集60巻7号2563頁：百選Ⅲ-35）。もし，BがAの死亡後300日以内に生まれていれば，772条によりAの推定を受ける嫡出子になりうるとしても，そうでない限り，血縁的親子関係の存在は明白であっても嫡出・非嫡出父子関係ともに認められず，母の嫡出でない子になる。

3　第三者の精子・卵子による生殖補助医療

精子提供　婚姻中に妻が夫以外の精子を用いて懐胎・出産した場合（図表5-2②），出生子と夫との間に血縁関係はない。しかし，第三者の精子を用いた人工授精（AID）・体外受精は，通常，夫婦としての生活実体がある中で実施される。判例（外観説。➡118頁）によれば，夫婦間に性的関係をもつ機会がなかったことが外観上明白であるとはいえないから，第三者の精子を用いた生殖補助医療に対する夫の同意があれば，推定を受ける嫡出子（推定の及ぶ子）となる（★東京高決平成10・9・16家月51巻3号165頁）。嫡出否認の訴えが提起されたとしても（▶774条。➡114頁），生殖補助医療法10条は，子の法的地位の安定を図るべく，「妻が，夫の同意を得て，夫以外の男性の精子（その精子に由来する胚を含む。）を用いた生殖補助医療により懐胎した子については，夫，子又は妻は，……その子が嫡出であることを否認することができない」と定めているため，親子関係の否定は認められない。他方，夫の同意がない場合については，夫による嫡出否認の訴えが認められる余地がある（★大阪地判平成10・12・18家月51巻9号71頁参照）。

> **◼ Case 5-11**　性同一性障害者であるX_1は，女性として生まれたが，性同一性障害者の性別の取扱いの特例に関する法律3条（➡17頁参照）に基づき男性へ性別変更をした後，生来の女性X_2と婚姻した。X_2がX_1の同意を得て行った第三者の精子を用いた人工授精により生まれた子Aは，X_1の嫡出子となるか。

性別変更者による利用　Case 5-11の事案において，高裁は，戸籍の記載上（性別変更の事実は戸籍に記載される），血縁関係が存在しないことが明らかな場合には772条適用の前提を欠き，AはX_1の嫡出子ではないとした。これに対して最高裁は，「性別の取扱いの変更の審判を受けた者については，妻との性的関係によって子をもうけることはおよそ想定できないものの，一方でそのような者に婚姻することを認めながら，他方で，その主要な効果である同条による嫡出の推定についての規定の適用を，妻との性的関係の結果もうけた子であり得ないことを理由に認めないとすることは相当でない」とし，AがX_1の嫡出子であるとした（★最決平成25・12・10民集67巻9号1847頁：百選Ⅲ-37）。厳格な外観説を堅持する最高裁の立場から素直に導かれる結論である。

卵子提供 　第三者の卵子を用いた体外受精（図表5‐2③）の実施例も少なくないが，分娩者を母とする判例法理により（➡112頁），血縁関係がないことが明らかであっても出産した者が母となるため，紛争は生じにくい。生殖補助医療法9条は，「女性が自己以外の女性の卵子（その卵子に由来する胚を含む。）を用いた生殖補助医療により子を懐胎し，出産したときは，その出産をした女性をその子の母とする」と定め，子の法的地位をより安定的なものとしている。

4　代理出産（懐胎）

> **■Case 5-12**　病気のために子宮を摘出したX₁とその夫X₂は，代理出産が合法化されている米国ネバダ州において代理出産を依頼し，X₂の精子とX₁の卵子を用いた受精卵を代理母Aの子宮内に移植した。州裁判所は生まれてくる子について，X₁・X₂が血縁上および法律上の実父母であることを確認するとともに，病院および関係機関にX₁・X₂を父母とする出生証明書の発行等を命じた。AがB・Cを出産し，X₁・X₂がX₁を母とする出生証明書を添付してY区に嫡出子出生届を提出したところ，X₁による出産の事実がなく，X₁・X₂とB・Cとの間には嫡出親子関係が認められないとして受理されなかったため，X₁・X₂はY区長に対して受理を命ずるよう申し立てた。認められるか。

　代理出産には複数の類型（図表5‐2⑤〜⑨）があるが，今日では，**Case 5-12**のように，夫婦の精子・卵子による受精卵を代理母の胎内に移植するホストマザー（Gestational Surrogacy. 図表5‐2⑤）が多い。代理出産が合法化され，依頼者夫婦が法律上の親とされる国で代理出産を行った場合，そこで発行された出生証明書を添付して嫡出子出生届出を行い，表面化しないことが多いが，**Case 5-12**では，当事者が代理出産の事実を公にしていたため嫡出子出生届出が拒否された。

　最高裁は，代理出産の是非自体については特定の立場を前提とせず，「実親子関係が公益及び子の福祉に深くかかわるものであり，一義的に明確な基準によって一律に決せられるべきであることにかんがみると，現行民法の解釈としては，出生した子を懐胎し出産した女性をその子の母と解さざるを得ず，その子を懐胎，出産していない女性との間には，その女性が卵子を提供した場合で

✐ Topic 5-2
生殖補助医療をめぐる現状と法整備の行方

　日本では，1949年に非配偶者間人工授精児（AID 児）が初めて誕生して以来，第三者の精子を用いた出生児は 1 万5000人を超え，2 ～ 3 万人に達しているともいわれている。体外受精技術の進歩も目覚ましく，1983年に初の夫婦間体外受精児が誕生し，現在では年間総出生児の約 8 ％が生殖補助医療による出生児である。国内での代理出産の公表数は10件に満たないが，代理出産や卵子提供を受けるために渡航する夫婦は後を絶たない。

　他方，法整備は遅れている。厚生労働省厚生科学審議会生殖補助医療部会が，第三者の精子・卵子を用いた体外受精等を容認し，15歳以上の子に**出自を知る権利**（ドナーを特定できる情報も含む）を認める一方，代理懐胎を禁止する報告書をまとめたのは，2003年のことである。同年，法制審議会生殖補助医療関連親子法制部会も，生殖補助医療によって生まれた子について，夫の同意がある場合は夫を父とし，分娩者を母とする「精子・卵子・胚の提供等による生殖補助医療により出生した子の親子関係に関する民法の特例に関する要綱中間試案」を公表したが，その後，審議は中断している。2008年には，**Case 5-12**の事件を機に，日本学術会議が法務省および厚生労働省から代理出産を中心とする法整備のあり方について審議依頼を受け，代理出産を原則禁止とし（ただし，厳重な管理下での臨床試験の道は残す），分娩者を母とすること等を内容とする回答を提出している。しかし，直ちに立法には至らず，ようやく2020年に議員立法により生殖補助医療法が成立したが（➡149頁），その規律の対象は限られている。

　精子・卵子提供者の法的地位，提供の匿名性と子の知る権利，事実婚カップルや同性カップルによる利用等，検討すべき問題は多い。近時は，SNS 上での精子売買をめぐるトラブルも生じている。生殖補助医療によって生まれた子の親子関係紛争も複雑化している。例えば，（生来の）女性 A が，性同一性障害者である男性 B の凍結保存精子を用いて C を出産した後，B が女性に性別変更し（MtoF），A が再び B の凍結保存精子を用いて D を出産した事案において，B は，性別変更前に生まれた C の父ではあるが，D の父でも母でもないとした裁判例（★東京高判令和 4・8・19判時2560号51頁）がある。凍結保存技術を用いることで性別変更前の性による生殖が可能であることが引き起こした問題である。

　生殖補助医療は国境を越える。フィリピン，インド等における日本人の代理出産依頼をめぐるトラブルも報道されている。代理出産は，アメリカ（約半数の州），イギリス等，許容する国がある一方，ドイツ，フランス等，禁止している国もあり，国内の世論調査の結果も分かれている。たとえ日本で禁止したとしても，日本人の依頼により国外で生まれる子がいると予想される以上，その是非とは切り離して出生児の親子関係に関する規律を設けることも考えられる。

　2023年末，超党派の議員連盟が子の知る権利を一定範囲で保障することなどを内容とする新法の骨子案を完成させた。これは第一歩にすぎない。

あっても，母子関係の成立を認めることはできない」と判示し，Xらの訴えを
退けた（★最決平成19・3・23民集61巻2号619頁：百選Ⅲ-36）。分娩者を母とする
判例は，当時，懐胎・出産した女性が血縁上の母であったことのみを理由とす
るものではなく，「出産と同時に出生した子と子を出産した女性との間に母子
関係を早期に一義的に確定させることが子の福祉にかなうということもその理
由となっていた」として，分娩者と子との間に血縁関係がないことが明らかな
代理出産のようなケースにおいても維持されることを確認した（**図表5-2⑧**に
ついて同様の結論をとった判例として，★最決平成17・11・24判例集未登載）。生殖補
助医療法9条は，代理出産の場合についても適用されうる（ただし，生殖補助医
療法は，代理出産の許否は規律の対象とはしていない）。

　代理出産の依頼者である妻は，子を特別養子とすることによって法的親子関
係を成立させることが考えられる。要保護性（▶817条の7。➡147頁）が認めら
れるかが問題となるが，妻が子を監護養育する真摯な意向を示し，代理母の側
に自分の子として監護養育していく意思がないこと等を理由に肯定した裁判例
がある（★神戸家姫路支審平成20・12・26家月61巻10号72頁等）。

第6章　親　　権

1　親権の意義

　親権とは，親が未成年の子の監護教育をし，その財産を管理する権利および義務のことである（▶820条・824条）。親権は，その言葉のとおり，子に何かを強制する権限や，子に対する他人の干渉を排除する権限を含む。しかし，親権については近年，親の権利よりも子の権利という側面が重要視されている。その背景には，子を独立した個人として扱うべきであり，親権を根拠とする子に対する親の行き過ぎた支配や虐待は許されないという意識の広がりがある。したがって，親権法では，子が権利の主体であることを重視した解釈が求められている。2022年親子法改正により，親権を行う者は，子の監護教育に際して，子の人格を尊重し，子の年齢および発達の程度に配慮しなければならず，体罰その他の子の心身の健全な発達に有害な影響を及ぼす言動をしてはならないとする規定が設けられた（▶821条）。

2　親　権　者

　未成年の子については，父母が親権を行使することになっている（▶818条1項）。父母の婚姻中および離婚後の親権者は誰か，嫡出でない子の親権者は誰か，養子の親権者は誰か等については，以下のように定められている。

1　嫡出子（婚内子）の親権者

父母の婚姻中：共同親権　未成年子の父母が婚姻している場合には，原則として父母が共同で親権を行使することになっている（▶818条3項本文。共同親権の原則）。したがって，父母は，婚姻中は子の監護教育を共同

で行い，子の財産を共同で管理する。例外として，一方が親権を行うことができないときは，他方が単独で親権を行う（▶同項ただし書）。例えば，父母の一方が親権を喪失し（▶834条），または後見開始の審判を受けるなど（▶838条2号），法律上親権を行使できなくなった場合，行方不明・疾病などのために事実上親権を行使することができなくなった場合がこれにあたる。

父母の離婚後：単独親権　父母が離婚した場合には，父母のどちらか一方が未成年子のために**単独で親権を行使**することになっている（▶819条1・2・5項）。これは，離婚後は常に単独親権でなければならないことを意味する。父母の合意により離婚後も共同親権とすることは認められていない。協議離婚では，協議によって父母のどちらか一方を親権者と定めなければ離婚届は受理されないことになっている（▶765条1項）。協議によって一方を親権者と定めることができないときは，家庭裁判所が審判で単独親権者を定める（▶819条5項）。裁判離婚では，判決において単独親権者が定められる（▶819条2項。人事32条3項）。単独親権者を定める基準については明文の規定はないが，乳幼児の場合には母が優先的に指定される傾向がある（➡89頁）。しかし，このような「母性優先の原則」には男女平等の観点から批判が提起されている。

　子が出生する前に父母が離婚したときには，生まれた子の養育の便宜上，母が単独で親権を行使する。もっとも，子が出生した後に，父母の協議で父を親権者と定めることができる（▶819条3項）。

　離婚後の単独親権の趣旨は，離婚後に父母が共同で親権を行使することにより親権行使が円滑にできず子が不利益を被る事態を避けることである（例えば，子の医療や進学については適時の判断が要求される）。しかし近年は父母の離婚後も父母が共に子の養育に関して責任をもつ仕組みを明確化するべきであるとの認識が広がり，親権制度の見直しの必要性が指摘され，離婚後も父母が共同で親権を行使する可能性を開く民法改正が進められている。（➡**Topic 6-1**参照）。

> **🔲 Case 6-1**　A・Bの実子であるCは，16歳の時に，D・E夫婦と養子縁組（普通養子縁組）をした。ところがCが17歳になった時に，離縁によりD・EはCの養親ではなくなった。この場合には，誰がCの親権者となるのか。

養子の親権者　未成年の養子については，養親が親権を行使する（▶818条2項）。**Case 6-1**では，縁組後は実親A・Bではなく，養親D・Eが，Cのために親権を行使する。養親D・Eは婚姻している夫婦なので，D・Eが共同で親権を行使し，離婚すればどちらか一方が単独で親権を行使する（▶818条3項・819条1・2・5項）。未成年の養子と養親が離縁すれば，縁組が終了し，実親A・Bの親権が回復する（養子が15歳未満の場合については811条2・3・4項による。➡141頁）。

2　嫡出でない子（婚外子）等の親権者

　父が認知した婚外子については，原則として母が単独で親権を行使する。例外として，父母の協議で父を親権者と定めたときに限り，父が単独親権者となる（▶819条4項）。また，胎児の間に父母が離婚した子の親権者は母であるが，出生後に協議で父を親権者と定めることができる（▶同条3項）。しかし，

✏ Topic 6-1
離婚後の子の親権等に関する法改正の動向

　父母による子の養育の在り方の多様化を踏まえて，子の利益を確保する観点から，離婚後も父母の双方で子のために親権を行使する「共同親権」の可能性を開く家族法改正が実現する見込みである。2024年2月に法務省内の法制審議会が，「家族法制の見直しに関する要綱」を決定した。要綱では，①親権の有無にかかわらず父母が子に対して負う扶養義務等を明確にすること，②未成年の父母が離婚をする場合には，必ず一方を単独親権者と定めなければならないとする現行法のルールを改め，一方または双方を親権者と定めることができるようにし，離婚後の共同親権の可能性を開くこと（DVや虐待が生じているために共同親権を避けるべき場合における家庭裁判所の適切な判断が期待されている），③子の出生前に父母が離婚した場合，父が子を認知した場合にも，父母の双方を親権者と定めることができるようにすること，④養育費等の請求権に，一般の先取特権を与え，支払義務のある親に，他の債権者に優先して養育費を支払わせる仕組みを設けること，⑤養育費の定めがされずに離婚した場合に法定の養育費支払義務が発生し，子を養育する親が他方に一定額を請求できるようにすること，⑥親子交流の試行的実施や親以外の第三者と子との交流についての規律を明文化することなどが盛り込まれている。要綱には，その他，⑦財産分与における考慮基準の明確化と期間制限の伸長や，夫婦間の契約の取消権についての754条の削除，精神病離婚についての770条1項4号の削除などが含まれている。

2024年に公表された「家族法制の見直しに関する要綱」では（➡ **Topic 6-1**参照），婚外子および胎児の間に父母が離婚した子について，父母が協議により共同で親権を行使する可能性を開くこととされている。

　婚外子の親権者が未成年者である場合には，親権者自身が親権制度において保護されるべき存在であり，親権の適切な行使ができるかが問題となる。そこで，この場合には，親権者である未成年者の，親権者（未成年者の父母）が，婚外子に対して未成年者が有する親権を代わりに行使する（▶833条。親権代行）。

3　親権者の変更

　単独親権者が一度定められると，以後どのような場合でも親権者を他方の親に変更できないというわけではない。子の利益のために必要がある場合には，子の親族の請求により，家庭裁判所は親権者を一方から他方に変更することができる（▶819条6項）。親権者の変更は子の福祉にかかわるため，協議によって自由にすることはできず，家庭裁判所の許可が必要とされている。離婚後に単独親権者が病気となり，未成年子の養育に困難が生じるようになった場合や，単独親権者が未成年子を虐待するような場合には，親権者の変更が必要となる。

　これに対して，単独親権者が死亡した場合には生存親の親権が当然に回復するとみるべきとの見解が以前は有力に主張されていた。しかし，生存親が監護教育・財産管理をするのにふさわしいか否かについて改めて審査されるべきとの考え方から，単独親権者が死亡しても生存親の親権は当然には回復せず，単独親権者が死亡するとまず，未成年後見が開始するというのが先例（★大阪家審平成26・1・10判時2248号63頁），通説の立場である（未成年後見人として考えられる者として，例えば未成年者の祖父母，死亡した母の再婚の夫など）。もっとも，親権者変更の審判が申し立てられ，これを家庭裁判所が許可すれば（▶819条6項類推適用），生存親は親権者となることができる（前掲★大阪家審平成26・1・10は，母が遺言により未成年後見人を指定して死亡した事例で，父への親権者の変更を認めた）。

　単独親権者が未成年の婚外子を残して死亡した場合や，養親が未成年の養子を残して死亡した場合も同様に，生存親の親権が当然に回復するのではなく，まずは未成年後見が開始するが，親権者変更の手続を経て生存親も親権者となりうると解されている。

3　親権の内容

　親権には，未成年者の身上監護（監護教育）および未成年者の財産管理の2つの面がある。いずれについても，親権は子の利益のために行使するものとされ，子の人格を尊重しなければならないとされる。

1　身上監護
　親権を行う者は，子の利益のために子の監護および教育をする権利，義務を有する（▶820条）。2022年親子法改正により，親権者は，監護および教育をするにあたっては，子の人格を尊重し，子の年齢と発達に配慮しなければならないことが明示された（▶821条）。監護および教育は，子に衣食住を与えるという基礎的なことから，病気の時に看病したり受診させたりすること，学校や習い事を選択することまで，広範囲におよぶ。監護および教育のために，親権者は，子の居所を指定することができる（▶822条。居所指定権）。なお，2022年親子法改正前には，親権者は，監護および教育に必要な範囲内でその子を懲戒することができるとする規定が置かれていた（▶改正前822条。懲戒権）。しかし，懲戒権については，親権者による児童虐待の正当化につながるとの批判的意見があり，2022年親子法改正により，同条を削除すると同時に，親権者が体罰その他の子の心身の健全な発達に有害な影響を及ぼす言動をしてはならないことが明示された（▶821条）。また，子が職業を営むためには，親権者の許可が必要である（▶823条1項。職業許可権）。

　なお，子に名を付することも，明文の規定はないが，身上監護についての親権者の義務・権利と解されている（命名権）。もっとも，子の利益を著しく害する命名は，命名権の濫用とされる（親が子に「悪魔」と命名した事例について，★東京家八王子支審平成6・1・31判時1486号56頁：百選Ⅲ-44。➡14頁）。また，未成年者への医療行為に対する父母の同意については明らかではないが，一般に，身上監護についての親権者の義務・権利とみられている。未成年子が一定の年齢に達しているときは，父母の同意に加えて子の同意を要するが，生命に関わる治療については，子が拒否している場合でも，父母の同意があれば実施できる

と解されている。

2　財産管理

財産管理の趣旨　親権者は，子の財産を管理し，その財産に関する法律行為についてその子を代理する（▶824条本文。条文上「代表」とされているが代理の意味である）。未成年子は，行為能力が制限され，単独では完全に有効な法律行為をすることができない。そこで，親権者が，未成年者の制限された行為能力を補う権利と義務を負うこととされている。親権者は，未成年者の財産の保全や改良をするだけではなく，未成年者の法定代理人として未成年者に直接効力の及ぶ法律行為をすることができる。もっとも，未成年者の行為を目的とする債務を生ずる代理行為をするには，未成年者本人の同意が必要である（▶824条ただし書）。なお，財産管理には，親権者の同意権も含まれる（▶5条1項）。

親権者の注意義務　子の財産を管理する際に親権者に要求される注意義務は，委任契約における受任者に要求される善良なる管理者の注意義務（善管注意義務。▶644条）より低く，自己のためにするのと同一の注意義務で足りることとされている（▶827条）。これは，親子は愛情に基づいた特別に近い関係にあることから，子の財産管理のために親に高度の注意義務を課すのは実情に合わないとの考えに基づいている。親権者が注意義務に反する財産管理により子に損害をもたらした場合には，親権者に損害賠償義務が生じるだけではなく，親権者の管理権喪失の原因が生じる（▶835条）。

■ Case 6-2　未成年者Aは，父Bと母Cの共同親権に服していた。Aは，祖父Dから甲不動産の贈与を受け，甲を所有していた。ところがBは，Cの許諾を得ずに，B・Cの共同の名義で，Eとの間に甲の売買契約を締結した。

共同親権者の一方が単独でした代理行為　父母が共同親権者である場合には，未成年者の財産管理を父母が共同で行わなければならない（▶818条3項）。未成年者の財産に関する代理行為や，未成年者の法律行為に対する同意も，父母が共同で行わなければならない。もっとも，**Case 6-2**のように，共同親権者の一方Bが，B・Cの共同名義でEと契約した場合には，相手方E

としては，B・Cが共同で代理行為をしたと信頼してもやむを得ないとみられる。そこで，このような相手方の信頼を保護するために，Bの代理行為は原則として有効とされている（▶825条本文）。もっとも，Eが，代理行為が共同でなされていないということを知っている場合には，Bの単独の代理行為は効力を生じない（▶同条ただし書。単独の同意についても同様である）。

　これに対して，Bが，Cの許諾を得ずに，Bの単独の名義で代理行為をした場合には，同条の適用がなく，代理行為は無効となる（★最判昭和42・9・29家月20巻2号29頁）。学説ではBの行為を無権代理とみてCの追認があればAに効力が及ぶとする見解がある。

第三者が無償で子に財産を与えた場合の管理

　第三者が無償で子に財産を与え，かつ親権者である父または母にこれを管理させない意思を表示した場合には，財産は父または母の管理外となる（▶830条1項）。Case 6-2では祖父Dが甲を未成年者Aに無償で与えているが，Dが父Bには甲の管理をさせない意思を表示していた場合がこれにあたる。さらにDがB・Cのどちらにも管理させない意思を表示していた場合において，管理者が指定されていない場合には，家庭裁判所は，子，その親族または検察官の請求によって，管理者を選任する（▶同条2項）。

財産管理の終了

　子が成年に達したときは親権が終了するから，親権者は遅滞なく財産管理の計算をしなければならない（▶828条本文）。子の財産の管理によって，収益が生じる場合もある（例えば預貯金債権の利息，不動産賃貸借による賃料収入）。財産管理から生じる収益は，本来子がその返還を請求しうるはずである。しかし，親権者の方でも子のために財産管理の費用（税や不動産の修繕費等）や養育費を負担すれば，それらに収益を充てるのが実情とみられる。そこで，親権者がこれらの費用を負担する場合には，子に収益を返還する必要がないこととされている（▶同条ただし書。「相殺」とあるが，厳密な意味での相殺とは異なる）。

　財産管理の終了には，委任の終了についての規定が準用される。親権者その他の財産管理者による財産管理が終了した場合において，急迫の事情があるときには，親権者または財産管理者であった者等は，必要な処分をする義務を負う（▶831条・654条）。また，財産管理が終了した場合においては，終了を相手

方に通知し，または相手方が終了を知ったときでなければ，管理権の終了を相手方に対抗することができない（▶831条・655条）。

3　利益相反行為と代理権の濫用

利益相反行為の意義　親権者は，未成年者の財産に関する法律行為について法定代理権をもつ（▶824条）。親権者の代理権は一定の事項に限定されず，広く法律行為一般に及ぶ包括代理権である。もっとも，親権者の代理権の行使が利益相反行為にあたる場合には，親権者自らが代理権を行使することができないこととなっている。利益相反行為とは，親権を行う父または母と，その子との間で利益が相反する行為（▶826条1項），または，同一の親権者が親権を行使する場合において複数の子の間で利益が相反する行為のことである（▶同条2項）。このような行為については，親権者自らが代理することはできない。利益相反行為についての親権者の代理は，親権者に未成年者のためにする公正な親権の行使を期待し得ない典型的な場面であるといえるからである。

　親権者は，利益相反行為にあたる行為を自らすることはできないが，子のために**特別代理人**の選任を家庭裁判所に請求し（▶826条），選任された特別代理人が親権者に代わってその行為をする。共同親権者の一方についてのみ子と利益が相反する行為については，共同親権者の他方は，単独で代理行為をすることができず（818条3項ただし書に該当しない），選任された特別代理人と共同してのみ代理行為をすることができる（★最判昭和35・2・25民集14巻2号279頁：百選Ⅲ-50）。

　親権者が自ら利益相反行為をしたときは，無権代理と同じ効果が生じる（➡168頁）。親権者がした行為は，利益相反行為に該当しない場合でも，代理権の濫用に該当すれば（➡168頁），同様に無権代理と同じ効果が生じる。

　なお，利益相反行為の規定は後見人に準用されている（▶860条）。後見人について特殊なのは，後見監督人がいる場合には（➡190頁），後見人と被後見人との利益が相反する行為については後見監督人が代理するため（▶851条4号），特別代理人を選任する必要がないということである。

❖Case 6-3　以下の事例において利益相反行為はどれか。

(1)　親権者Ａがその子Ｂの所有する甲不動産を売り，Ａ自身が買い受けた。

(2)　親権者Ａがその子Ｂの所有する甲不動産を第三者Ｃに売却した。

(3)　親権者Ａが第三者Ｃの債務の物上保証として，子Ｂの所有する甲不動産に債権者Ｄのために抵当権を設定した。

(4)　親権者Ａが第三者Ｃの債務について連帯保証人となっている場合において，同じ債務について，子Ｂを連帯保証人とする連帯保証契約を，Ａが債権者Ｄとの間で結んだ。

(5)　第三者Ｃの債務について子Ｂを連帯保証人とする連帯保証契約を親権者Ａが債権者Ｄとの間に結び，その後，同じ債務について，Ａが連帯保証人となる連帯保証契約をＤとの間に結んだ。

> **親権者と子との**
> **利益相反（▶826条1項）**

親権者と子との利益相反行為は，親権者にとって利益となると同時に子にとって不利益となりうる行為である。以下では判例の基準（➡次頁）に従って利益相反行為の具体例を検討する。**Case 6-3**(1)のような親権者Ａとその子Ｂとの間の売買は，例えば甲を安値で売ると，Ａにとっては利益となると同時にＢにとっては不利益となることから明らかなように，利益相反行為である。もっとも，この事例はＡが売買の相手方であるＢの代理人となる自己契約とも評価される（▶108条1項）。

　Case 6-3(2)における売買は，買主である第三者Ｃにとって利益となると同時に売主である子Ｂにとって不利益となりうる行為といえる。しかし，これは親権者Ａにとって利益となりうる行為とはいえない。なぜなら，Ａは，代理人として行為しただけであり，その行為の効果はＡには及ばず利益を受けることにはならないからである。したがって親権者と子との利益相反行為がなされたとはみられない。

　Case 6-3(3)においては，第三者Ｃの債務の物上保証としてした抵当権の設定行為は，第三者Ｃにとって利益となると同時に子Ｂにとって不利益となりうるが，親権者Ａにとって利益となりうる行為ではないから，親権者と子との利益相反行為ではない。この事例において，第三者Ｃの債務を，親権者Ａの債務に修正した場合には，親権者Ａにとって利益となりうる行為として利益相反行為がなされたといえる。

　Case 6-3(4)では，子Ｂが連帯保証人に加われば，親権者Ａの連帯保証人と

しての負担が軽減される。つまり，Aが連帯保証債務を履行すれば，Bに対して負担部分について求償権を行使することができ，Aの不利益が軽減される（▶465条1項による442条の準用）。したがって，Aにとって利益となると同時にBにとって不利益となりうる行為がなされ，親権者と子との利益相反行為がなされたといえる。

　　Case 6-3(5)では，子Bを連帯保証人とする連帯保証契約は，Bにとって不利益となりうるが，親権者Aにとって利益にはならないから利益相反行為ではない。その後なされたAが連帯保証人となる連帯保証契約は，そもそも代理行為ではない。

> **✜Case 6-4**　親権者Aは，子Bを代理して，B名義でCから300万円を借り受け，担保としてBの所有する甲不動産に抵当権を設定した。行為時にAは，借り受けた300万円を，自らの趣味のピアノを購入するために使う目的を有していた。Aが抵当権を設定する行為は利益相反行為といえるか。

利益相反行為
の判断基準　　(1)　形式的判断説（判例）　　**Case 6-4**では，Aは，自らの利益を図る目的で，Bを代理してCから300万円を借り受けている。この点をみれば，親権者にとって利益となると同時に未成年子に不利益となりうる行為がなされ，利益相反行為がされたようにみえる。しかし，判例によると，利益相反行為がされたか否かは，親権者の行為の目的や動機から判断するのではなく，行為の外形から客観的に判断するべきとされている（★最判昭和42・4・18民集21巻3号671頁。形式的判断説）。これは，行為の相手方にとっては，親権者が行為時に有していた目的や動機はわかりにくく，外形から客観的に判断することが相手方の信頼や取引の安全の保護につながるからである。外形から客観的にみると，Aは代理人としてB名義で金銭を借り受けて，B名義の甲不動産に抵当権を設定しているが，これは，Bに不利益が及ぶとしても，代理人であるAにはその効果は及ばず，Aにとって利益になる行為ではない。判例の基準によると，A自身が利益を得ようとする目的や動機は全く考慮されない。したがって，**Case 6-4**においてAの行為は利益相反行為にはあたらない。

　　(2)　行為の客観的性質の基準（判例）　　これに加えて，判例は，行為の結

果ではなく客観的性質からみて利益相反行為にあたるか否かを判断するという基準をあげている（★最判昭和49・7・22家月27巻2号69頁）。例えば上のケースで，親権者Aが，未成年子Bの所有する甲不動産を，Bを代理してA自身が買い受けたとする。このような代理による売買契約は，自己契約にあたるが（▶108条1項），AとBの利益が相反する行為とも評価しうる。ここで，売買契約の結果，適正な価格でAが買い受けたためにBに不利益をもたらすものではなかったという場合には，利益相反行為がなされていないといえるかが問題となる。判例によると，利益相反行為であるか否かは行為の結果ではなく，行為の客観的性質から判断する。売買契約は客観的性質からみると，Aにとって利益となると同時にBの不利益となりうる行為であるから，結果にかかわらず利益相反行為であると判断される（この基準の意義については，➡166頁を参照）。

　(3)　**実質的判断説**（有力説）　このような判例の基準は親権者による不公正な代理行為から子を保護するのに不十分であるとして，学説において別の基準が提唱されている。実質的判断説によると，利益相反行為への該当性は，行為の外形や客観的性質だけではなく，行為の目的や動機，結果等を考慮して判断すべきであるという（**実質的判断説**）。**Case 6-4**では，形式的判断説によると利益相反行為はなされていないとみられるが，実質的判断説では，子B名義で借り受けた300万円を親権者Aが自らの趣味のために使うという，子Bの不利益において親権者Aが利益を受けようとする目的が考慮され，利益相反行為がなされたと評価されうる。また，実質的判断説によると，形式的判断説では利益相反行為にあたるとみられる行為でも，親権者が未成年者の利益のためにする目的や動機をもってなされている場合には，利益相反行為にあたらないと評価されうる。

複数の子の間の
利益相反（▶826条2項）　　親権者が複数の子に対して親権を行使する場合において複数の子の間で利益が相反する行為も利益相反行為（▶826条2項）にあたる。このような行為においては，親権者は，複数の子の1人を代理して行為をすることができるが，他の子らについてはそれぞれ特別代理人の選任を家庭裁判所に請求する必要がある（前掲★最判昭和49・7・22）。これは，親権者が複数の子の間に利益の相反する代理行為をすれば，子全員の利益のための行為を期待することができないためである。

　2項の利益相反行為が問題となる典型的な場面は，相続人である複数の子を親権者が代理して行う遺産分割協議，相続放棄である。

> **■Case 6-5**　被相続人Aが死亡し，その長男Bおよび既に死亡していた二男Cの2人の未成年子D・E（代襲相続人）の3名がAを相続した（相続分は，B1/2，D・E各1/4）。D・Eの母Fが，D・Eを代理してBとの間で遺産分割協議をした結果，D・EはAの遺産を何も取得せず，Bが遺産をすべて承継するという合意が成立した。Fの代理行為は利益相反行為といえるか。

　(1)　**遺産分割**　　**Case 6-5**では，親権者Fが，Aの相続におけるBとの遺産分割協議につき，相続人である2人の未成年者D・Eを代理している。親権者が2人の未成年者を代理して遺産分割協議をすることは，2項の利益相反行為にあたるといえそうである。もっとも，**Case 6-5**では，FがD・Eを代理してした遺産分割協議の結果，D・Eの遺産の取り分はゼロと定められたが，これはDの取り分を増加させてEの取り分を減少させた場合とは異なり，D・Eの利益が相反するとはいえないとの見方もある。しかし，判例は，利益相反行為を，行為の結果から判断するのではなく，行為の客観的性質から，未成年者相互に利害の対立を生じるおそれがあるかどうかで判断する（前掲★最判昭和49・7・22。➡165頁）。**Case 6-5**において，D・Eともに遺産の取り分をゼロとする遺産分割協議の結果をみると，確かにD・E相互に利害の対立が生じていない。しかし，親権者FがD・Eの双方を代理して遺産分割協議をする行為は，Dの取り分を増加させることでEの取り分を減少させることができる等，D・E相互に利害の対立を生じるおそれのある行為である。したがって，FによるD・Eの代理行為は，行為の客観的性質上，利益相反行為であり，Fは，D・Eのどちらか一方について特別代理人の選任を請求する必要がある。

　行為の客観的性質から判断する基準は，親権者による公正な代理行為をできるだけ確保し，未成年者の利益を保護しようとする発想に基づいている。

> **■Case 6-6**　被相続人Aが死亡し，その妻B，未成年子である長男C，二男DがAを相続した。BはAが死亡した1週間後に，家庭裁判所に相続放棄の申述をした。それからさらに1週間後，B は，CおよびDを代理して，双方につき相続放棄をした。Bの代理行為は利益相反行為といえるか。

(2)　相続放棄　　親権者Bが相続放棄をせずに，C・Dを代理して相続放棄をすれば，これは親権者と未成年者との利益が相反する行為となる（▶826条1項）。しかし，**Case 6-6**ではBが相続放棄をした上で，C・Dを代理して相続放棄をしているから，親権に服するC・Dの間で利益が相反する行為となるかのみが問題となる（▶同条2項）。親権者BがCについてのみ相続放棄をすれば，Dが単独相続人として財産をすべて相続できる点をみれば，利益相反行為がなされたといえる。もっとも，**Case 6-6**では，BはC・Dの双方につき相続放棄をしている。放棄の結果をみると，C・Dは共にAの相続人ではなかったことになり，これはC・Dの利益が相反しているとはいえない。しかし，利益相反行為への該当性は，行為の結果ではなく，行為の客観的性質から，未成年者相互に利害の対立を生じるおそれがあるかどうかで判断されるべきとするのが判例である（前掲★最判昭和49・7・22）。これによると，BがC・D双方について相続放棄をするかどうかを決定する行為は利益相反行為であるようにみえる。なぜなら，Cについてのみ相続放棄をすればCが相続人ではなかったことになるという不利益が生じ，同時にDの相続人としての相続分が増加するという利益が生じうるからである。

　しかし，判例は，**Case 6-6**のように親権者Bが先に放棄をしてC・D双方について放棄をする行為，またはB自らの放棄と同時にC・Dを代理して放棄をする行為は，行為の客観的性質上，利益相反行為ではないとの判断を示す（★最判昭和53・2・24民集32巻1号98頁。未成年後見人が複数の未成年者について相続放棄をした事案である）。学説では，行為の結果ではなく，行為の客観的性質を判断基準とすれば，親権者が複数の未成年子を代理して行った相続放棄は利益相反行為とみられるのではないかとの指摘がある。もっとも，相続放棄では，熟慮期間の3か月間（▶915条1項）に特別代理人の選任を請求する手続をとるのは容易ではないこと，利益相反行為であると判断する場合には，未成年者に単純承認の結果として相続債務を承継しなければならない不利益が及ぶ可能性が生じることから，放棄の利益相反行為への該当性についてある程度特別な判断基準を設けることはやむを得ないとみられる。

利益相反行為の効果　　利益相反行為については，親権者は特別代理人の選任を家庭裁判所に請求しなければならない。特別代理人によらず

親権者自らが代理行為をした場合には，無権代理行為と同様で，その行為の効果は，本人である未成年者には及ばない（★最判昭和57・11・18民集36巻11号2274頁。▶108条2項）。本人が成年に達した後に追認すれば（▶113条），その効果は本人に及ぶ。**Case 6-5**（➡166頁）において，親権者FによるD・Eを代理する遺産分割協議は利益相反行為にあたる。したがって，特別代理人によらずにF自らが行ったBとの間の遺産分割協議の効果は，D・Eが成年に達した後に追認しない限りD・Eに及ばない（▶108条2項）。D・Eに遺産分割協議の効果が及ばないということは，一度なされた遺産分割協議は遺産分割の当事者の一部を欠いてなされたということであり，遺産分割協議は無効となる。

代理権の濫用　判例によると，利益相反行為への該当性は，親権者の行為の目的ではなく，外形からみて客観的に判断される（形式的判断説）。これは，相手方の信頼や取引安全の保護のためであるが，反面，親権者が自己または第三者の利益を図るためにしたが，外形から見て利益相反行為に該当しない行為によって，未成年者に不利益が及ぶ結果をもたらしうる。そこで，判例は，親権者が自己または第三者の利益を図る目的をもっていることを，相手方が知っている場合または知ることができた場合には，代理権の濫用として，未成年者に行為の効果が及ばない場合があるとする（★最判平成4・12・10民集46巻9号2727頁：百選Ⅲ-51）。代理権の濫用となる行為も，利益相反行為と同様に，無権代理行為とみなされる（▶107条）。

　もっとも，代理権の濫用と判断する基準は判例において厳しく設定されている。「子の利益を無視して自己又は第三者の利益を図ることのみを目的としてされるなど，親権者に子を代理する権限を授与した法の趣旨に著しく反すると認められる特段の事情が存しない限り」濫用にあたらない（前掲★最判平成4・12・10。107条が新設される前の93条類推適用が問題とされている）。これは，親権者の代理権は包括的であり，代理権の行使は親権者の広い裁量に任されているという理由に基づいている。したがって，利益相反行為にあたらないとされる行為が代理権の濫用とされる場面は非常に限定的である。

4　監　護　権

　親権と別に監護権という概念がある（▶766条）。親権が，監護教育と財産管理の両面にわたる親の義務と権利を指すのに対して，監護権は，親権のうちの監護教育（▶820条）についての義務と権利であるとみるのが一般的である。したがって，監護者が定められた場合には，原則として，監護者が監護教育を行い，親権者は，残りの財産管理を行う。もっとも，親権者は，監護者の行為を妨げない範囲での，監護教育についての権利義務を有する。

　親権者とは別に監護者が指定されるのは，766条および771条によると父母の離婚時である。離婚の際に，例えば父が単独で親権を行使することとし，母が監護権を行使すると定めることができる（➡90頁）。しかし，父母が離婚していないが別居している場合にも，子の監護者の指定を求めて審判を申し立てる例が少なくない。判例は，父母の別居時における監護者指定の審判を認めている（▶766条類推適用。★東京高決昭和57・6・1家月35巻9号72頁）。これに対して，祖父母などの父母以外の第三者が監護者指定の審判の申立てをすることは認められていない（★最決令和3・3・29民集75巻3号952頁：百選Ⅲ-46）。

5　子の引渡し

> **✤ Case 6-7**　A・Bが協議離婚をし，5歳の子Cの親権者をAと定め，CはAのもとで養育されることとなった。Bは，Cの保育所の迎えを時々担当することとなった。ある日，BはCを保育所に迎えに行くとそのままCを連れ去り，自宅に住まわせるようになった。Aは，Bに対してCの引渡しを請求することができるか。

子の引渡
請求の方法
　　　　　　　(1) 親権に基づく妨害排除請求　親権者は，法的な権限をもたずに子の監護をしている者に対して，子に対する親権の行使が妨げられたとして，妨害排除に基づく子の引渡しを通常の民事訴訟手続によって請求することができる。実際に親同士で子の引渡請求をする事例は多い。もっとも，親権に基づく妨害排除請求は，通常は第三者に対して子の引渡しを請求する場合に認められる（★最判昭和35・3・15民集14巻3号430頁：百選Ⅲ-45。親権者が，亡夫の弟に対して子の引渡しを求めた事案）。**Case 6-7**のように，親権者Aが，親権をもたない親Bに対して子Cの引渡しを請求する事件

は，本来家事事件である。したがって，通常の民事訴訟手続ではなく，家庭裁判所が後見的立場から介入し子の利益や当事者の状況に配慮しながら判断する家事審判の手続によるのが適切である。判例は，離婚後に子の親権者となった父が，子の母に対して，妨害排除に基づく子の引渡しを求めた事例について，母による4年以上の監護が子の利益にとって相当ではないことの疎明がなく，母が親権者変更を求める調停を申し立てており，父が監護に関する処分ではなく親権に基づく妨害排除請求として子の引渡しを求める合理的な理由があるといえない等から，権利の濫用であり許されないと判断している（★最決平成29・12・5民集71巻10号1803頁）。

(2)　**子の監護に関する処分**　親権者または監護者は，子を引き渡そうとしない親に対して，766条の子の監護に関する処分として，子の引渡しを求めて家庭裁判所に審判を申し立てることができる。

　子の引渡し，監護者指定，親権者の変更が本案とされている場合に，審判前の保全処分の申立てにより子の引渡請求をすることができる（▶家事105条）。もっとも，保全処分が認められるためには，本案が認容される蓋然性があり，かつ，保全の必要がなければならない（▶家事157条）。裁判例では子が監護している父のもとで安定して生活していた事案において保全の必要性が認められないとして母からの子の引渡しを求める申立てを却下したものがある（★東京高決平成15・1・20家月55巻6号122頁）。

　なお，別居中の父母は離婚していない限り，未成年子に対して共同で親権を行使する。しかし，実務上，別居中の父母の一方が他方に対して子の引渡しを請求する場合にも，766条の類推適用により家庭裁判所に監護者指定の調停・審判を申し立てることができるとされている。

(3)　**人身保護請求**　親権者または監護者からの，他方の親に対する子の引渡請求は，地方裁判所における人身保護法に基づく人身保護請求手続によって行うこともできる。人身保護手続は，不当に身体の自由を奪われた者の自由を回復させるための手続である（▶人身保護1条）。裁判所は，速やかに裁判しなければならないこととされ（▶人身保護6条），請求日から1週間以内に審問期日を開かなければならないといった期間制限がある（▶人身保護12条）。子の引渡請求も，人身保護手続によって行うことが認められている（★最大判昭和

33・5・28民集12巻8号1224頁）。しかし，一方の親からの他方の親に対する子の引渡請求は，本来家事事件であり，家庭裁判所の後見的な介入により父母のいずれの監護が子の利益となるかについて判断することのできる審判手続によるべきである。このような観点から，人身保護請求手続による一方の親から他方の親に対する子の引渡請求は，子が権限なしにまたは違法に拘束されていることが顕著であり，かつ，人身保護請求手続以外に適切な方法がない場合にのみ認められ（▶人身保護規則4条），原則としては審判手続および審判前の保全処分によることとされている。

判例は，別居中の夫婦間で子の引渡請求がされた事例で，共同親権者の一方による監護は，特段の事情がない限り適法であり，顕著な違法性（▶人身保護規則4条）があるとするためには「子の幸福に反することが明白であることを要する」との厳しい判断基準を示している（★最判平成5・10・19民集47巻8号5099頁）。これに対して，離婚後の父母間で子の引渡請求がされた事例では，拘束が権限なしであることが顕著であるとして（▶人身保護規則4条），人身保護請求が認められている（★最判平成11・5・25家月51巻10号118頁）。

✐ Topic 6-2
国境をまたぐ子の引渡請求―ハーグ条約

　　家族の国際化が進み，国籍を異にする夫婦が未成年の子を抱えて離別する際に，一方が子を連れてこれまで住んでいた国（常居所国）を離れて，母国に帰るという事例が多くなった。子にとっては国境を越えて連れ去られることは一般的に大きな負担となり，また，連れ去られた先で子が生活を始めると常居所国の親が子の引渡しを求めるのが難しくなるということから，そのような連れ去りを阻止するべきであるとの考えが広がった。ハーグ条約（「国際的な子の奪取の民事上の側面に関する1980年10月25日の条約」）は，このような考え方から，一方が子を連れ去って他国に移動した場合には，移動した先の国の当局が，子がこれまで住んでいた国に子を迅速に戻す義務を負うというルールを設けている。日本は当初，様々な事情を抱えて子を連れて帰国する日本人の利益を擁護する立場から，加盟に対して慎重な立場をとっていた。しかし，国内外の要請を受けて，日本も2011年に条約の加盟の準備を始め，2014年に条約が発効した。

　　日本国内で条約を実施するための国内法は，「国際的な子の奪取の民事上の側面に関する条約の実施に関する法律」である。現在では，日本でも国境をまたぐ子の引渡し事件の裁判例が多数公表されている。

子の引渡しの執行 子の引渡しを命じる審判や判決にもかかわらず，親が子を引き渡そうとしない場合には，家庭裁判所の履行勧告によるほか（▶家事289条１項，人事38条），間接強制による強制執行が認められる（★東京高決平成20・7・4家月61巻7号53頁。1日につき3万円の間接強制金の支払を命じた事例。▶民執172条１項）。もっとも，間接強制の申立てが債務者にとって過酷な執行となる場合には権利の濫用として許されない（★最決平成31・4・26判時2425号10頁は，父が子を母に引き渡さないときは１日毎に１万円を母に支払うことを命ずる間接強制決定をした原決定を過酷な執行と判断した）。

6，7歳くらいまでの意思能力のない幼児の引渡しについては，物の引渡しに準じて執行官による直接強制が認められる（▶民執174条１項１号。★広島高松江支判昭和28・7・3高民集6巻6号356頁）。もっとも，子の引渡しの直接強制は，子の人格の尊重という観点から問題視されている。民事執行法上は，間接強制その他の方法により子の引渡しを図ることとされ，直接強制は，例外として，間接強制では引渡しが実現されない場合，または子の急迫の危険を防止するために必要がある場合にのみ認められることとされている（▶民執174条2項）。もっとも，例外を緩やかに解すれば直接強制を広く認めることになるため，実際上直接強制が例外といえるかどうかは明らかではない。

面会交流（親子交流） 父母の離婚後に，子を監護しない親が，子に会って交流することを**面会交流**（親子交流）という。父母の離婚後の面会交流については，父母が協議で定め，協議が調わないときは家庭裁判所が審判で定める（▶766条１項・3項）。面会交流は子の利益に最も適合するように内容を形成するべきと解されている。面会交流の審判は，婚姻中の父母が別居中に，子と同居しない親が子と会って交流する場合にもされる（▶766条の類推適用。★最決平成12・5・1民集54巻5号1607頁：百選Ⅲ-20）。

面会交流の法的性質については様々な見解があるが，現在一般的には，親にとっての面会交流は，子の福祉に反しない限り，親権および監護権の有無にかかわらず親に帰属する義務かつ権利であり，766条に根拠付けられると解されている。

子と同居する親が，他方の親に面会交流をさせようとしない場合には，家庭裁判所の履行勧告によるほか（▶家事289条１項，人事38条），間接強制による強

制執行が認められる（★大阪家決平成28・2・1判タ1430号250頁は，不履行1回につき債務者である母に対して4万円の支払を命じる）。もっとも，間接強制を命じるには，面会交流の日時，頻度，交流時間の長さや子の引渡しの方法などが具体的に定められて給付が特定されている必要がある（★最決平成25・3・28民集67巻3号864頁：百選Ⅲ-21）。

　なお，面会交流については，離婚時の取決めが一般化していないこと（取決め率20〜30%程度），実現率が低いことが問題視されている。2024年に公表された「家族法制の見直しに関する要綱」では，面会交流の取決めに際しては子の利益を最も優先して考慮しなければならないこと，親子の面会交流を早期に実現させるために試験的親子交流を明文化すること，祖父母など父母以外の第三者と子との交流について規律を設けること等が盛り込まれている。

4　親権の終了

親権の喪失・停止　親権者による親権の行使により未成年子の利益を害する場合には，一定の要件の下で親権者の親権を喪失させる，または停止させることができることになっている。

　親権喪失の制度は，親権者による未成年子の虐待・悪意の遺棄，その他親権行使が著しく困難または不適当であるために，子の利益を害するという場合に，親権を喪失させる制度である。子，その親族，未成年後見人，未成年後見監督人，検察官の請求に基づいて家庭裁判所が審判をすることにより，親権を喪失させることができる（▶834条）。児童相談所長も親権喪失の審判を申し立てることができる（▶児福33条の7）。

　親権喪失の審判を受けた父または母は，親権を失うが，親権喪失の審判が取り消されれば，親権を回復することができる（▶836条）。また，親権喪失の審判により親子関係が消滅するというわけではない。親権のうち，財産管理権のみを喪失させることもできる（▶835条）。管理権喪失の審判を受けた父または母は，未成年子の財産管理権を失うが，監護教育をする権利義務を失わない。

　親権喪失では，親権を奪われる側の反発が強く制度を円滑に利用することが難しい。そこで，生じる効果がより緩やかな制度として親権停止の制度が設け

られている。親権停止は，親権者による親権の行使が困難または不適当であるために，子の利益を害する場合に，2年を上限として，親権を停止させる制度である（▶834条の2）。親権を喪失させるまでには及ばない比較的軽度の児童虐待の事例，親権者が未成年者に必要な医療を受けさせない医療ネグレクトのように一定期間の親権を制限することで足りる事例を想定している。

親権・管理権の辞任　親権者は，やむを得ない事由があるときは，親権または管理権を辞することができる。もっともこれは親権に服する子の福祉に大きく関わるため，家庭裁判所の許可が必要である（▶837条）。親権者に健康上の問題がある場合や，刑務所に収容されるなど事実上行使するのが困難になった場合が想定されている。

✐ Topic 6-3

児童虐待への法的対応

　児童虐待事件に対して措置を講じる法的手段として，民法上の制度の他，特別法として，児童福祉法，児童虐待防止法による対応が重要である。

　児童虐待への短期的対応として，児童虐待を発見した者には，すみやかに福祉事務所や児童相談所に通告する義務を負わせている（▶児童虐待6条1項）。児童相談所は，裁判所の許可を得て，児童虐待が疑われる児童の居所への強制的な立ち入り（臨検）と児童の捜索を行うことができ（▶児童虐待9条），子や保護者を指導し（▶児福26条），子を最長2か月（延長可能），施設等で保護することができる（▶児福33条）。

　児童虐待への長期的対応として，虐待親の親権を剥奪または停止するために，親権喪失あるいは親権停止の制度がある（▶834条・834条の2。➡前頁）。親権喪失または親権停止の審判がされたときは，未成年後見が開始する（▶838条1号。➡178頁）。また，被虐待児に法律上の親を与えるための法的手段として，特別養子縁組がある（➡143頁）。

　なお，2022年親子法改正により，親権者による懲戒権を規定する822条は，児童虐待の正当化につながるとして削除され，821条に親権者は体罰等をしてはならないことが明示された。

☑ *Exam 1*

　Aには，死亡したBとの間に未成年の子Cがいた。BはCに甲不動産を生前に贈与していた。Aは，趣味のレーシングカーの購入資金を調達するために，甲をDに売却した。Dが甲の引渡しおよび所有権移転登記手続を請求するのに対して，Cはどのような根拠に基づいてこれを拒否することが考えられるか。Dの反論も考えながら検討せよ。

▷ 解答への道すじ

　Cは，Aの行為が利益相反行為（▶826条1項）に該当するとして，成年に達した後追認しない限り，その行為の効力は自らに生じない（▶108条2項・113条1項）と主張することが考えられる。Aが自らの趣味のための資金を調達する目的で甲を売却していることから，この行為はAの利益になると同時にCの不利益となるため，利益相反行為に該当するとの理由づけが可能である（実質的判断説。➡165頁）。これに対して，Dは，この行為は，外形からみてAの利益になると同時にCの不利益となりうる行為とはいえないため（Aは代理行為をしているにすぎず，その効力はAに及ばないのでAは利益を得る立場ではない），利益相反行為に該当しない，と反論することが考えられる（形式的判断説。判例はこの立場をとる。➡164頁）。これに対してさらにCは，利益相反行為に該当しないとしても，Aの行為は代理権濫用であると主張して（▶107条），Dの請求を拒否することが考えられる（➡168頁）。

☑ *Exam 2*

　Aは，父から甲不動産の贈与を受け，Aの未成年の子B・Cと甲を共有することとなった。Aは，B・Cの学費を調達するために，自己の名でDから500万円を借り入れ，物上保証として甲につきDのために抵当権を設定して登記が経由された。その後甲について抵当権が実行され，Eが甲の所有権を取得し，登記が経由された。Eに対して，B・Cが甲の持分権を有すると主張している。B・Cはどのような根拠に基づいてこのような主張をすることが考えられるか。Eの反論も考えながら検討せよ。

▷ 解答への道すじ

　B・Cは，Aが自己名義でDから金銭を借り入れ，自己の債務につき物上保証として甲に抵当権を設定した行為を，利益相反行為であるとして（▶826条1項），その効力はB・Cに及ばないと主張することが考えられる（▶108条2項・113条1項）。判例に従いAの行為を外形から客観的にみて，抵当権が実行されると，B・Cは甲の持分を失い，その競売代金が弁済に充当される点で不利益を被り，一方でAは自らの債務の負担が軽減されることで利益を受ける。したがって，Aの行為は利益相反行為にあたるとみられる（形式的判断説。➡164頁）。これに対してEは，未成年者の学費を調達するためという目的を考慮すると（実質的判断説。➡165頁），Aの行為は利益相反行為に該当しないと反論することが考えられる。

第7章　後見・保佐・補助，扶養

1　後　　見

1　序説─後見の種類

　後見制度には，①親権者がいない未成年者のために，親権の延長・補充をする目的で，監護教育・財産管理をする制度である未成年後見と，②成年者で精神上の障害により事理弁識能力を欠く者や不十分な者の財産管理・療養看護の事務をすることによりその者を保護するための制度である（広義の）成年後見とがある。

2　未成年後見

親権・成年後見との違い　　未成年後見は，親権者がいない・財産管理権を行う親がいない未成年者を保護するための制度であり，身上監護面では親権の規定に従うところが多いものの，未成年被後見人（本人）の保護機関に就職するのは親族等の自然人だけでなく，児童養護施設などの法人が就職することもある。財産の管理面では，未成年後見人は，親権者と同様に包括的に行うが（▶859条），親以外の者が財産管理・代理権を行うことになるため，善管注意義務を負うことになる（▶869条）。また，853条以下に従い財産調査・目録の作成義務，家庭裁判所への後見事務の報告義務（▶863条）等を負う。

> **✖ Case 7-1**　未成年者ＡはＢ・Ｃ夫婦の子で，Ｂ・Ｃに次の事由が生じた場合，Ａのために未成年後見が開始するか。
> (1)　Ｂは，Ａに対する虐待を理由に，家庭裁判所から親権喪失の審判がされた。
> (2)　ＢとＣは，交通事故に巻き込まれ死亡した。
> (3)　ＢとＣは，Ａに対する虐待を理由に，家庭裁判所から親権喪失の審判がされた。

図表 7-1　親権・後見・保佐・補助の比較

	親権	未成年後見	補助	保佐	（狭義の）成年後見
被保護者	未成年者	未成年者	被補助人	被保佐人	成年被後見人
保護者	親権者	未成年後見人 （複数人可能，法人可能）	補助人 （複数人可能，法人可能）	保佐人 （複数人可能，法人可能）	成年後見人 （複数人可能，法人可能）
開始	子の出生 ＊婚外子の父が認知をした場合に父が親権者となるにはその協議・審判（819条④⑤）	親権者の死亡，親権／管理権の喪失・辞任・停止により④親権を行う者がいない，または管理権を行う者がいない場合（838条1号），⑩後見開始の審判（同2号）	本人が精神上の障害により事理弁識能力が不十分な場合において，補助開始の審判（15条①・876条の6）＊本人以外の申立ての場合，本人の同意（15条②）	本人が精神上の障害により事理弁識能力が著しく不十分な場合に，保佐開始の審判（11条・876条）	本人が精神上の障害により事理弁識能力を欠く常況にある場合において，後見開始の審判（7条・838条2号）
財産管理権・代理権	法定代理人。包括管理権・代理権（824条）	法定代理人。包括管理権・代理権（859条）	法定代理人。代理権付与の審判により与えられた代理権（876条の9①）＊本人以外の請求の場合本人の同意（同②）	法定代理人。代理権付与の審判により与えられた代理権（876条の4①）＊本人以外の請求の場合本人の同意（同②）	法定代理人。包括管理・代理権（859条）
後見支援信託／後見支援預金	―	あり	―	―	あり
同意権	あり （5条）	あり （5条）	同意権付与の審判により定められた法律行為（17条①）＊本人以外の者の請求の場合本人の同意（同②）	13条1項の行為と同意権付与の審判により定められた法律行為（13条②本）	同意権ではなく，本人の法律行為は，日常生活に関する行為を除き，取消しの対象（9条）
取消権	あり（120条①）				
注意義務	自己のためにするのと同一の注意義務（827条）	善管注意義務（869条）	善管注意義務（876条の10①）	善管注意義務（876条の5第2項）	善管注意義務（869条）
保護者の身上監護権	あり（820条から823条）	あり（857条）	補助の事務についての身上配慮義務（876条の10①）	保佐の事務についての身上配慮義務（876条の5①）	療養看護・財産管理に関する事務についての身上配慮義務（858条）
財産調査・目録の作成	―	あり（853条から856条）	義務はないが，代理権がある場合（876条の10①）。	義務はないが，代理権がある場合（876条の5②）	あり（853条‑856条・863条）
郵便物の管理	―	―	―	―	あり（860条の2から3）
監督者	―	未成年後見監督人	補助監督人	保佐監督人	成年後見監督人
終了事由 上段：絶対的終了事由 下段：相対的終了事由	未成年者が成年に達したとき，死亡。親権者の死亡，親権の喪失・辞任（なお，親権の停止・財産管理権の喪失・辞任により未成年後見が開始）	未成年者が成年に達したとき，死亡，親権者の出現・成年後見等への移行	被補助人の死亡，補助開始の審判の取消し（事理弁識能力の回復，成年後見・保佐への移行）	被保佐人の死亡，保佐開始の審判の取消し（事理弁識能力の回復，成年後見・補助への移行）	成年被後見人の死亡，後見開始の審判の取消し（事理弁識能力の回復，保佐・補助への移行）
		未成年後見人の死亡・辞任・欠格・解任	補助人の死亡・辞任・欠格・解任	保佐人の死亡・辞任・欠格・解任	成年後見人の死亡・辞任・欠格・解任
死後事務	―	―	―	―	あり（873条の2）

未成年後見の開始と 未成年後見人の選任 **Case 7-1**(1)の場合には，親権者Ｃがいるため，未成年後見は開始しない。未成年後見は，①親権を行う者がいないとき，または②親権を行う者が管理権を有しないときに当然に開始する（▶838条1号）。成年後見開始の場合（▶同条2号）とは異なり，家庭裁判所による後見開始の審判を要しないが，最後に親権を行う者（**Case 7-1**(1)のＣ）は遺言により未成年後見人となる者を指定することができる（**指定未成年後見人。**▶839条1項本文）。指定未成年後見人がいない場合には，請求により家庭裁判所が未成年後見人を選任する（**選任未成年後見人。**▶840条1項，家事39条，別表一-71）。

未成年者に対して最後に親権を行う者は，後見人の指定に際し，指定された者の承諾を得る必要はない。ただし，指定された者は，正当な理由があるときは，家庭裁判所の許可を得て辞任することができる（▶844条）。なお，未成年後見人を指定する親権者は管理権を有していなければならない（▶839条1項ただし書・2項）。

Case 7-1(2)の場合，Ａに親権者がいない状態となるが，実際には，未成年後見人の指定や選任の審判がされていなければ未成年後見人はおらず，事実上親族等により保護される状態が続くことも多い。この場合にＡのために未成年後見人の選任審判をするには，未成年被後見人（本人），その親族，その他利害関係人が請求をする必要がある。また，未成年者の保護の観点から，児童相談所長も選任の請求ができる（▶児福33条の8）。

Case 7-1(3)の場合，Ｂ・Ｃがともに親権喪失の審判を受けたため，Ａのために未成年後見人を選任する必要が生じる。ＢまたはＣは遅滞なく未成年後見人の選任を家庭裁判所に求める義務がある（▶841条）。

未成年後見人は，複数人選任し，権限を分掌させることもでき，法人を選任することもできる（▶840条。成年後見について，➡184頁）。なお，2011（平成23）年5月27日成立の民法等一部改正法以前は，未成年後見人は1人で，かつ自然人に限られていた。しかし，未成年後見の場合であっても，成年後見と同様に，権限を分掌させる必要がある場合や，また児童養護施設などの法人がその職に就いた方がよい場合もあるため，現行法に改められた。

なお，指定された未成年後見人は，成年後見人等とは異なり，戸籍法81条に

基づき届出を行わなければならない。

> **Case 7-2**　未成年者Ａの父Ｂと母Ｃは，離婚しており，ＢがＡの親権者となっ
> ている。Ｂは，遺言によりＤを未成年後見人に指定した。Ｂの死亡後，Ｃは，Ａの
> 親権者を自身に変更したいと考えているが認められるか。

　離婚後に親権者となっていた者が死亡した際に，親権者とならなかった者に
①親権の復活があるのか，②後見が一度開始し，親権の変更がされるのかについて争いがある（➡158頁）。

　Case 7-2では，遺言の意義を尊重し，親権者の変更は認められないという説もある。裁判例は，後見人指定の遺言をしていたとしても，親権者とならなかった親が親権の変更を望んでおり，それが未成年者の福祉に副う場合には，親権者の変更を認めることが相当であるとする（★大阪家審平成26・1・10判時2248号63頁，同抗告審，大阪高決平成26・4・28判時2248号65頁。原審を支持する）。

**未成年後見人
の職務**　　　未成年後見人の職務は，未成年者の身上監護と財産管理に分かれる。身上監護に関しては，基本的に親権者と同一の権利義務を負う（▶857条本文により，820条から823条を指示）。未成年後見監督人がいる場合に，親権者が定めた教育方法を変更するなどの場合には，その同意が必要となる（▶857条ただし書）。

　財産管理に関しても，未成年後見人は，未成年被後見人の財産について管理し，その財産に関する法律行為について代表する（法定代理。▶859条）。また，未成年後見人は，未成年被後見人の財産管理にあたり，財産目録の作成義務（▶853条）や終了時の計算義務（▶870条），注意義務については善管注意義務を負う（▶852条・644条）。詳細は，**3 成年後見**（➡186頁以下）を参照。

監督機関　　　未成年後見人を指定することができる者は，遺言で未成年後見監督人を指定することができる（▶848条）。また家庭裁判所が必要と認めるときは，一定の者の請求または職権により，未成年後見監督人を選任することができる（▶849条）。詳細は，**3 成年後見**（➡189頁）を参照。

未成年後見の終了　　　未成年後見が終了する事由には，絶対的終了事由と相対的終了事由がある。詳細は，**3 成年後見**（➡193頁）を参照。

　未成年後見にのみ生じる終了事由としては，①未成年被後見人が成年に達したときや，②未成年被後見人の親権者が出現したとき，また③未成年被後見人の事理弁識能力を考慮して成年後見等の制度へ移行したときがある。いずれも絶対的終了事由にあたる。

3　成年後見

成年後見の沿革と種類　精神上の障害により判断能力が低下している状態で売買その他の法律行為をした場合，その者が意思無能力であったことが証明されれば，その者はその法律行為の無効を主張することができる（▶3条の2）。しかし，実際には意思無能力の証明は困難であった。1999（平成11）年改正前の民法は，心神喪失の場合に本人の行為能力をすべてはく奪する禁治産制度と，心神耗弱の場合に本人の一定の重要な法律行為について保佐人の同意権のみを付与した準禁治産制度により，成年者で精神上の障害により判断能力が不十分な者のための保護を図っていた。しかし，この禁治産・準禁治産制度は，制度が硬直的で利用しにくいことや，保護の実効性に欠けること，用語上の問題，さらには戸籍に記載されることへの当事者の抵抗など多くの問題を抱えていた。そこで，高齢社会への対応と障害者福祉の拡充の観点から，自己決定の尊重，残存能力の活用，さらに障害がある者も家庭や地域で通常の生活を送ることができるような社会の実現というノーマライゼーションの理念に照らし，（広義の）成年後見が整備された。（広義の）成年後見には，民法改正により（平成11年法119号，2000〔平成12〕年4月施行），禁治産・準禁治産制度が廃止され，（狭義の）**成年後見・保佐・補助の3類型**が整備された**法定後見**と，特別法により新設された**任意後見**がある。

　ところで，成年後見の改正の背景には，同時に導入された公的介護保険制度が，行政による「措置から契約」に転換されたことがあり，判断能力が低下した高齢者が，介護保険に関する契約を締結する必要性が説かれていた。そのため，成年後見の利用は，介護保険制度と同じように広まることが期待されていたが，実際は介護保険制度ほどの広まりはない。

　その一因として，成年後見人の選任にあたってその業務の1つである「財産管理」が重視されていたため，利用者に寄り添った運用がされていないとの指

摘がされていた。そこで，成年後見制度の利用促進および事務の円滑化を図る
目的で2016年に①成年後見利用促進法（平成28年法29号）および②成年後見事務
円滑化法（平成28年法27号）が成立し（➡ **Topic 7-1**），成年後見がより利用しや
すい制度へと調整されることが目指されている。

　なお，成年被後見人は選挙権等の制限がされるという人権上の問題もあっ
た。2017（平成25）年に東京地方裁判所が，公職選挙法11条1項1号による**成
年被後見人の選挙権**の制限は，成年者に普通選挙等を保障する憲法15条1項お
よび3項等に違反し無効である（★東京地判平成25・3・14判時2178号3頁）との
判断をしたことを契機に，成年被後見人の選挙権の回復等のための公職選挙法
等の一部を改正する法律（平成25年法21号）が成立・施行され，成年被後見人の
選挙権等は回復した。

> ❖ **Case 7-3**　85歳のAは，認知症が進行している。Aの長男Bは，A所有の甲不
> 動産を売却し，その代金でAを介護施設に入所させたいと考え，Aに無断で売却の
> ために必要な書類や実印を自宅から持ち出し，Aの代理人であるとしてDに甲を売
> 却した。Bによる甲の売却の効力はどうなるか。

**財産管理をめぐる問題：
親族による無権代理** ▶
　親から依頼を受け，親に委任契約等により代理
権の授与を受け，代理権に基づき子が契約を
締結する場合には，子は親の代理人である。これに対し，**Case 7-3**のBのよ
うに子が代理権の授与を受けることがないまま代理行為をしても**無権代理**であ
り，親本人には効果は帰属しない（▶113条1項。**Case 7-3**での無権代理の追認の
可能性については，➡188頁）。Bが有効に代理行為をするためには，代理権が授
与されるか，法定代理人である必要がある。認知症等の精神上の障害により本
人が契約等の法律行為や準法律行為をすることが困難な場合には，成年後見人
等の法定代理人を選任し，代理権に基づき行う必要がある。なお，代理権なく
他人の事務を行う場合には，所定の要件を満たせば事務管理が成立する可能性
はある（▶697条）。

✐ Topic 7-1

親族後見人か第三者後見人か？―本人の意思に寄り添うために

　成年後見制度の運用が開始された2000年頃は, 成年後見人等（成年後見人, 保佐人, 補助人）に最も多く選任されていた者は親族で, 全体の90％以上を占めていた（「成年後見関係事件の概況―平成12年4月から平成13年3月―」によると, 子が最も多く全体の約35％）。しかし, 近年では, 弁護士・司法書士・社会福祉士等の職業後見人や市民後見人など親族以外の者が70％以上選任される傾向にあったところ（「成年後見関係事件の概況―令和4年1月-12月」によると親族以外が80.9％, 親族が19.1％の割合で選任）, 日常的に本人にあまり接触しない後見人による支援は本人の意思の尊重が十分に反映されていないと批判がされるようになり, 親族後見人の場合には, その不適切な財産管理が懸念されてきた（➡ **Topic 7-2**図参照）。

　このような中, **成年後見利用促進法**は, **成年後見事務円滑化法**とともに議員立法として成立した。成年後見利用促進法は, 基本理念（成年被後見人等の個人の尊厳とその尊厳にふさわしい生活保障およびそのための適切な意思決定支援, さらにその自発的意思の尊重と「財産の管理のみならず身上の保護」が適切に行われること）を推し進めるために, 成年後見人等の担い手の量と質を拡充し, 家庭裁判所や行政機関, 民間団体等の相互の協力・役割分担をもとに成年後見制度が利用促進され, 利用者の権利が適切かつ確実に保護されるために必要な体制を整備することを企図し（▶成年後見利用促進法3条）, この理念に従った施策をとることが国の責務とされた（▶法5条）。これを受け, 第一期に続き, 2022年に「第二期成年後見制度利用促進基本計画」が閣議決定され, 2026年度までの計画が策定された。これら一連の計画に従い, 全国のどの地方公共団体でも権利擁護支援の地域連携ネットワークにおいて, 成年後見制度を必要とする人が制度を利用しやすくなるよう地域体制の構築が図られている。そしてそこでは各地域の相談窓口を開設し, 利用者本人だけでなく成年後見人等にも必要な支援を継続的に行うことで, より本人に寄り添い本人の意思を尊重できるふさわしい者を成年後見人等として選任できる体制づくりがされている。このような流れの中で, 2019年3月18日開催の成年後見利用促進専門家会議で最高裁の見解として, 親族等で身近にふさわしい者がいる場合にはそのような者が後見人になることが望ましい旨の説明がされており, 今後の運用が注目される。

Case 7-4 **Case 7-3**において，次男Cが，Aの財産を管理したいと考え，自らを成年後見人の候補者として，成年後見開始の申立てをした。

家庭裁判所は，A・B・Cのこれまでの関係性など諸事情を考慮したとき，Aの親族ではなく専門職後見人であるFが望ましいとの判断に至った。この場合，Fを成年後見人に選任することができるか。

(狭義の)成年後見の開始 (1) 総 説 成年後見は，精神上の障害により，**事理弁識能力**を欠く常況にある者について，家庭裁判所が後見開始の審判をすることで開始する（▶7条）。家庭裁判所は，後見開始の審判を受けるべき者（成年被後見人となる本人）のために，職権で成年後見人を選任し（▶8条・843条1項），後見開始の審判をする。審判が確定すると，後見登記等に関する法律（平成11年法152号）に定める登記（**後見登記**）がされる。後見登記には，後見開始の審判をした裁判所，その審判の事件の表示・確定日，成年被後見人の氏名，出生の年月日，住所・本籍，成年後見人の氏名または名称，住所等が記載される（▶後見登記4条1項）。

成年後見の開始により，**成年被後見人の法律行為**が制限される。成年被後見人の法律行為は，成年後見人による同意があったかどうかにかかわらず，ノーマライゼーションの理念から認められる成年被後見人が行う日用品の購入その他日常生活に関する行為を除き，取り消すことができる（▶9条。➡188頁）。

成年後見人は，成年被後見人のために契約等を代理することで，成年被後見人をサポートすることになる（➡187頁）。

成年後見人は，後見登記等ファイルに記載されている事項を証明した証書（登記事項証明書。▶後見登記10条）を取引の相手方等に提示することで，成年被後見人のために代理等の事務を行っていることを顕名することができ，相手方としても登記事項を確認することができるため，取引の安全にもつながる。

(2) **後見開始の審判** (a) 民法上，本人，配偶者，4親等内の親族，未成年後見人，未成年後見監督人，保佐人，保佐監督人，補助人，補助監督人および検察官（▶7条）は，後見開始の審判の申立てを行うことができる。本人の福祉の観点から市町村長（特別区の区長を含む）も行うことができる（▶老福32条，知的障害28条，精神51条の11の2）。

(b) 家庭裁判所は, 本人に事理弁識能力を欠く常況にあるかどうかを判断するにあたり, 原則として, 本人の精神の状況について鑑定し (▶家事119条1項), 本人の陳述を聴かなければならない (▶家事120条1項)。

(c) 家庭裁判所は, 後見開始の審判をするときに成年後見は開始し (▶8条・838条2号), これと同時に成年後見人選任の審判がされる。後見開始の審判時には, 職権で成年後見人を選任するので (▶843条1項), 別途成年後見人選任の申立てをする必要はない。成年後見開始の申立書類の1つに, 後見人候補者等事情説明書を添付することで, 申立人等は, 後見人の候補者を示すことができる。しかし, 家庭裁判所は, 成年後見人となるべき者の陳述を聴き (▶家事120条2項), 843条4項に従い (➡次述(2)) **Case 7-4** のように最も適当と考える者を成年後見人に選任することになる。

なお, 後見開始の申立てを却下する審判に対して, 申立人は, 即時抗告することができるが (▶家事123条1項2号), 後見開始の審判と同時にされた成年後見人選任の審判に対して不服申立てをすることはできない (★東京高決平成12・9・8家月53巻6号112頁, 広島高岡山支決平成18・2・17判タ1229号304頁)。

成年後見人の選任

(1) **選任事由** 家庭裁判所が成年後見人を選任するのは, ①後見開始の審判をするとき (▶843条1項), ②成年後見人が欠けたとき (▶同条2項), ③既に成年後見人が選任されている状態であっても追加で必要があると認めるときのいずれかである (▶同条3項)。①の場合は, 職権により選任されるが, ②③のときは, 成年被後見人, 親族・その他利害関係人の請求によるかあるいは職権により行われる。

(2) **判断要素** 家庭裁判所は, 成年被後見人の心身の状態, 生活・財産の状況, 成年後見人となる者の職業・経歴, 成年被後見人との利害関係の有無その他一切の事情を考慮して, 成年後見人を選任することになる。成年後見人となる者は, 自然人に限られず, 法人も選任される。法人が選任される場合には, 事業の種類・内容, その法人およびその代表者と成年被後見人との利害関係の有無が考慮されることになる (▶843条4項)。法人は, 社会福祉法人や福祉関係の公益法人だけでなく信託銀行のような営利法人も選任されうる。

(3) **人　数** 成年後見人の人数は1人に限られず, 必要に応じて複数人を選任することも可能である。複数人の成年後見人がいるときは, 家庭裁判所

が，職権で，複数人の成年後見人各自が事務全般について共同して権限を行使するのか，あるいは例えば親族後見人が療養看護に関する事務を，専門職後見人が財産管理に関する事務を行使するというように事務の分掌を定めることもできる（▶859条の2第1項）。共同行使または分掌の定めの審判がされた場合には，その旨が後見登記ファイルに記載される（▶後見登記4条1項7号。「共同して」の意味については，➡160頁）。

　成年後見人が数人あるとき，成年後見人の1人の取引の相手方の意思表示は，その1人に対してすれば足りる（▶859条の2第3項）。取引の安全の観点から，意思表示の受働代理が認められており，権限の共同行使・分掌の定めにかかわらず，成年後見人の1人が意思表示を受領すれば，その効果は本人に帰属する。

　家庭裁判所は，複数の成年後見人による代理権の共同行使や分掌が必要ないと判断すれば，職権でその定めを取り消すことができる（▶同条2項）。

　(4)　**欠格事由**　成年後見人は，成年被後見人の財産および療養看護に関する事務を担うため，それにふさわしい能力・資質が求められるが，特別な資格が必要なわけではない。しかし847条は，後見の職務を適切に行うことが期待できない者が成年後見人に就くことを認めてない。すなわち，①未成年者（▶同条1号），②家庭裁判所に解任された法定代理人・保佐人・補助人（▶同条2号），③破産者（▶同条3号。ただし，復権〔▶破255条以下〕すれば欠格とはならない），④被後見人に対して訴訟をし，またはした者とその配偶者・直系血族（▶同条4号），⑤行方の知れない者（▶同条5号）である。欠格事由に該当する者が成年後見人に選任されても選任は無効であり（★大決大正4・7・29民録21輯1295頁），就任後に欠格事由が生じた場合には，当然にその地位を失うことになる（★大決昭和12・6・9民集16巻771頁）。

> ✙ **Case 7-5**　Aのために，成年後見人Bが選任された。Bは，Aと面会したが，Aとは思うように意思疎通が図れなかった。Bは，AがA所有の甲不動産で一人暮らしを続けるのは困難であり，高齢者施設に入居させるのはどうかと考えていたが，そのためには，甲を売却する可能性も検討しなければならない状況であった。Bは，Aの療養看護に関する事務を行うためどのようなことに注意する必要があるか。また，Aの代理人として甲を売却するためにはどのような手続が必要か。

成年後見人の職務　　(1)　**身上監護（生活・療養看護）に関する事務・財産管理に関する事務と身上配慮義務**　　成年後見人の職務は，成年被後見人の①身上監護を目的とする事務（例えば，介護サービスの提供を受けるための契約，施設入所契約，医療契約などの締結）と②財産の管理に関する事務に分けられるが（▶858条），これら２つの事務を完全に分離することは難しい。しかし，複数人の成年後見人が選任され，権限が分掌される場合，その線引きは必要となり，身上監護に関する事務とそれに伴う費用（生活費等）の支払に関する事務とそれ以外の事務で分離するなど一定の基準が必要となるとの見解がある。また，成年後見人が行う事務には「事実行為」は含まれないと解されており，成年後見人自身が介護やその他の世話を成年被後見人のために直接する必要はない。成年後見人は，成年被後見人の意思を尊重し，その心身の状態・生活に配慮する義務を負い（**身上配慮義務**。▶858条），成年被後見人が介護等の専門機関や親族等から必要な支援を受けることができるように契約等の事務を行うことになる。ただし，成年後見人は，身上配慮義務の趣旨に従い，必要な情報を成年被後見人に説明し，その希望に沿うものかを確認する，契約に必要な情報を収集する，サービスが適切に履行されているかを確認するなど，事務を遂行するために必要な事実行為はしなければならない。成年後見人が職務を遂行するにあたり負う身上配慮義務は，善管注意義務（▶869条・644条）を具現化した義務であり，成年後見に関する事務処理の指導原理であると解されている。

Case 7-5 においては，成年後見人Bは，Aの意思やAに対し日常的に支援してきた親族や福祉等の専門家などの助言を考慮しつつ（➡ **Topic 7-1**），Aの今後の住居を検討する必要がある（ただし，甲は，居住用不動産であり，居住用不動産の処分については，➡(2)(d)）。

　成年後見人の身上監護に関する事務に**医療同意**も含まれるかが問題となる。身体に関する決定は，本人のみが行うことができ，代理行為には馴染まず，明確な医療同意に関する要件が法律等に明記されていないため，本人に不利益を与える可能性があるからである。本人が何らかの意思を表明できる場合には，その意思が尊重されるべきであるが，本人が全く意思を表明できない状態に至った場合には，学説には，⑦成年後見人に権限を与える立法が必要であると

いう考え方と，㈡医療現場で実際に行われているように，親族・近親者の同意を前提にこれらの者がいない場合に，緊急性・必要性の観点から緊急避難や事務管理の法理で対応すべきとする考え方に分かれる。

(2)　財産管理の事務　(a)　財産目録の作成，支出の計画，職務の報告義務　成年後見人は，(1)の①②の事務を遂行するための前提として，就職後遅滞なく成年被後見人の財産の調査に着手し，原則として1か月以内にその調査を終え財産目録を作成し（▶853条），家庭裁判所に提出しなければならない。また，その職務のはじめに，生活，教育・療養看護，財産の管理のために，毎年支出すべき金額を予定しなければならない（▶861条1項）。成年後見人は，職務遂行中に，成年後見監督人・家庭裁判所から事務の報告や財産目録の提出を求められた場合には，それに応じなければならない（▶863条1項）。

(b)　郵便物等の管理　郵便物を本人以外の者が受領し，開封することは，通信の秘密（▶憲21条2項），信書開封罪（▶刑133条）に抵触する。しかし，成年後見人は，財産管理の事務を行うために成年被後見人の郵便物を受領し，開封する必要もある。2016年の成年後見事務円滑化法（平成28年法27号）により，成年後見人は，必要と認められる場合に，成年被後見人に宛てた郵便物等を成年後見人に配達させるように，家庭裁判所に審判を求めることができることになった（▶860条の2）。成年後見人は，この手続に基づき成年被後見人の郵便物を受け取り，開封することができるが（▶860条の3第1項），当該郵便物が後見事務に関係しない場合には，速やかに成年被後見人に交付しなければならない。また，成年被後見人は，成年後見人が受け取った郵便物につき閲覧を求めることができる（▶同条2項・3項）。

(c)　財産管理権・代理権　成年後見人は，成年被後見人の財産を管理する権限を有し，その財産に関する法律行為について代表する権限を有する（**法定代理**。▶859条1項）。したがって，成年後見人は，成年被後見人の財産を管理・保存するだけでなく，処分することもでき，その効果は本人に帰属することになる（▶99条1項）。

なお，遺言や婚姻・認知・嫡出否認等の身分行為などの一身専属的な行為は，成年後見人による代理権の対象とはならない。

(d)　本人に重大な影響を与える代理行為　成年後見監督人がいる場合にお

いて，成年被後見人を代理して営業するときや元本の領収を除く13条１項１号に掲げる行為について代理行為を行うときには，後見監督人の同意が必要となる（▶864条）。しかし，後見監督人がいない場合には，この同意は不要である。

　また，居住用不動産の処分，すなわち売却，賃貸，賃貸借の解除または抵当権の設定その他これに準じる行為は，本人に居住用不動産を失わせるという重大な影響を与える可能性もあることから，家庭裁判所の許可を得なければならない（▶859条の３）。本人が，高齢者施設に入居し，現在居住していなくても，将来居住する可能性があれば，家庭裁判所の許可が必要となるとする下級審裁判例がある（★東京地判平成28・8・10判タ1439号215頁）。成年後見人が，家庭裁判所の許可を得ずに成年被後見人の居住用不動産の処分を行った場合，この処分行為は代理権のない者による処分行為であると解すると，本人に効果は帰属しない（▶113条１項）。この場合事後的に家庭裁判所の許可が得られれば，確定的に契約の効力が生じると解することができ，許可が得られない場合には成年後見人は無権代理人の責任を負う（▶117条）。

　(e)　利益相反行為　　成年後見人が自己の債務を担保するために，成年被後見人が所有する不動産に抵当権を設定する行為等は，利益相反行為にあたり，このような行為をする場合，特別代理人の選任が必要となる（▶860条・826条）。利益相反行為に関しては，第6章（➡162頁）参照。

　(f)　成年被後見人からの財産等の譲受けの禁止　　成年後見人は，成年被後見人の財産や成年被後見人が第三者に対して有する権利を譲り受けた場合，成年被後見人は取り消すことができる（▶866条１項）。成年後見人が成年被後見人の財産等を譲り受けることで両者の利害関係が生じ，成年被後見人が不利益を受ける可能性があるからである。

　(g)　取消権，追認・追認拒絶権　　成年被後見人が日常生活に関する行為ではない法律行為を行った場合，成年後見人がその法律行為に同意をしていたかどうかにかかわらず，その法律行為を取り消すことができる（▶9条）。法定代理人である成年後見人にも取消権がある（▶859条・120条）。成年被後見人の法律行為が取り消された場合には，その効果は法律行為の時に遡及するため（▶121条），無効な行為に基づき給付をしたものの返還請求，すなわち原状回復請求もできる（▶121条の２）。

　また，成年後見人は，本人との関係で専らその利益のために善良な管理者の注意をもって代理権を行使するため（▶869条・644条），本人の利益にかなう場合には，取り消すことができる法律行為を追認することもできる（▶124条 2 項 2 号）。

　成年後見が開始する前に，本人の親族が行った無権代理行為について，就職した成年後見人が追認拒絶することができるかが問題となる。判例は，成年後見人は，本人の利益のために善良な管理者の注意をもって代理権を行使する義務を負うから（▶869条・644条），無権代理行為を追認するか，追認拒絶をするかも善管注意義務を前提とした代理権の範囲に含まれるとし，成年後見人による追認拒絶を認める。ただし，例外的に，取引の安全等相手方の利益を考慮して，追認拒絶が信義則に反する場合には，成年後見人による追認拒絶が制限される（★最判平成 6 ・ 9 ・13民集48巻 6 号1263頁：百選 I － 5 ）。

　(3)　**費用・報酬**　　成年後見の事務を行うための必要な費用は，本人の財産から支弁される（▶861条 2 項）。報酬については，親族後見の場合は無償を原則としてきたが，近年では専門職を含む第三者が成年後見人になることが多い（➡ Topic 7-1）。また，成年後見の業務量は，本人の状況次第で負担が異なる。そこで，民法は，家庭裁判所に成年後見人および成年被後見人の資力その他の事情によって，成年被後見人の財産から相当な報酬を審判により付与することを認めている（▶862条，家事別表一–13）。この判断は家庭裁判所の裁量により定められるもので，成年後見人には報酬請求権はないと解されていることから，家庭裁判所の審判に対して即時抗告することはできない。

　成年被後見人に財産がない場合でも，成年後見の申立てに要する経費（登記手数料，鑑定費用等）や後見人等の報酬等の全部または一部（厚生労働省令で定める費用）については，市町村地域生活支援事業において，2012（平成24）年度から必須事業化され，助成の対象となっている。

> **■ Case 7-6**　成年被後見人Ａのために A の意向に沿って，家庭裁判所は，親族Ｂを成年後見人に選任したが，Ｂからの事務の報告について不明瞭なところが多いことに気づいた。家庭裁判所はどのような措置をとるべきか。

監 督 機 関　　(1)　**成年後見監督人**　(a)　成年後見監督人の選任　　**成年後見監督人**は，成年被後見人，その親族もしくは成年後見人

の請求や職権により，家庭裁判所が必要であると認めるときに，選任される（▶849条）。成年後見監督人の選任が必要な場合として，①既に選任されていた成年後見監督人の辞任・解任，欠格事由の発生・死亡，失踪宣告により欠けた場合，②後見事務遂行にあたり専門性の異なる複数の成年後見人を監督する必要がある場合，③成年後見人等の事務処理の適正について紛争が生じる可能性がある場合などがある。

　成年後見監督人は，任意後見監督人とは異なり，任意の設置機関である。家庭裁判所は，直接成年後見人を監督することもできるが（▶863条），**Case 7-6**の場合，職権により成年後見監督人を選任することも考えられる。

　成年後見監督人は，複数選任でき，法人も認められる（▶852条・843条4項）。ただし，成年後見人の配偶者，直系血族および兄弟姉妹は成年後見監督人になることはできず（▶850条），成年後見人の欠格事由に関する規定も準用されている（▶852条・847条）。これらの者には，成年後見人を適切に監督することが期待できないからである。

　(b)　**成年後見監督人の職務**　**成年後見監督人の職務**は，主に成年後見人の事務を監督することであり（▶851条1項），成年後見人に対しいつでも後見事務の報告や財産目録の提出を求めることができ，その事務や成年被後見人の財産の状況を調査することができる（▶863条1項）。この他，成年後見人が欠けた場合には遅滞なくその選任を家庭裁判所に請求すること（▶851条2号），急迫の事情がある場合に必要な処分をすること（▶同条3号），成年後見人による成年被後見人との利益相反行為について成年被後見人を代理すること（▶同条4号），成年後見人が後見開始後財産の調査およびその目録を作成する際に立ち会うことである（▶853条2項）。成年後見監督人は，職務を遂行するにあたり委任に関する規定が準用されており，善管注意義務や監督終了後の応急処分義務等を負っている（▶852条・654条）。

　成年後見監督人が，適切に調査をせず，成年後見人が成年被後見人の預貯金を払い戻した事件では，その監督義務違反にあたるとして損害賠償責任が認められている（★大阪地堺支判平成25・3・14金判1417号22頁）。

　(2)　**家庭裁判所**　家庭裁判所は，成年後見人に対し，監督に関する権限が広範に認められている。すなわち，成年後見人に対しいつでも後見事務の報告

や財産目録の提出を求めることができ，その事務や成年被後見人の財産の状況を調査することができる（▶863条1項）。また，成年後見監督人や成年被後見人等の請求や家庭裁判所の職権によって，成年被後見人の財産の管理やその他事務について必要な処分をすることができる（▶同条2項）。**Case 7-6** では，成年後見人Bによる成年被後見人Aの財産管理や療養看護について必要な助言や指示ができ，Bに不適切な管理があった場合には，新たに職業後見人を選任し業務を分掌したり，成年後見監督人を選任し成年後見人の監督にあたらせることもできる。Bの不正行為の状況によっては解任をすることもできる（▶846条）。

家庭裁判所には，成年後見監督人の善管注意義務のような監督義務に関する明文の規定はない。そのため，成年後見人による横領などの不正行為について家庭裁判所裁判官に監督義務違反があったかどうかの判断枠組みが下級審裁判例では異なる。すなわち①裁判官に与えられた権限が逸脱されて著しく合理性を欠くと認められる場合に義務違反にあたるとするもの（職務行為基準説。★広島高判平成24・2・20判タ1385号141頁）と②裁判官は成年後見人の後見事務について独立した判断権を有し，かつ，独立した判断を行う職責を有するため，監督義務違反があるといえるためには，裁判官が違法・不当な目的をもって権限を行使するなど付与された権限の趣旨に明らかに背いた場合に限られるとするもの（違法性限定説。★東京高判平成29・4・27判時2371号45頁）とに分かれる。

> **成年後見人に対する損害賠償請求**　**(1) 不法行為（横領）・善管注意義務違反**　成年後見人が成年被後見人の財産を横領した場合には，不法行為（▶709条）など財産法上の損害賠償責任を負う。また，成年後見人は，後見業務を行うにあたり，善管注意義務を負うため（▶852条・644条），この義務に違反し成年被後見人に損害を与えた場合には，損害賠償責任を負う。

> **▪Case 7-7**　成年被後見人Aは，訪問介護サービスや成年後見人Yの支援を受けながら1人で暮らしていた。ある日Aは，徘徊しているうちにX電鉄のα駅構内のはずれから線路に立ち入り，α駅を通過する電車βと衝突し，死亡した。この事故により，X電鉄は，代替輸送等に2000万円の損害が生じたため，Yに対し損害賠償請求をしたい。Xは，Yに対しどのような根拠に基づき損害賠償請求をすることが考えられるか。

（2）**714条責任** 成年被後見人Aに自己の責任弁識能力がある場合には，X電鉄はAに対し709条に基づき損害賠償請求をすることができる（**Case 7-7**では，Aが死亡しているため，相続人が損害賠償債務を相続する。➡260頁, 286頁）。これに対し，Aが精神上の障害により責任弁識能力を欠く状態（**責任無能力**）にある場合には，A自身は損害賠償責任を負わない（▶713条）。そのため，Xは，成年後見人Yが858条に基づき成年被後見人に身上配慮義務を負うことから「法定の義務」を負う監督義務者にあたるとして，Aが第三者に与えた損害を賠償する責任（▶714条本文）をYに負わせることができるかが問題となる。

✐ Topic 7-2
親族による後見と後見制度支援信託・後見制度支援預金

後見人等の不正事例の内訳をみると，親族を含む専門職以外の者の不正事例が圧倒的に多い（下記：図）。しかし，本人に近い親族が後見人等に就職するニーズもあり，2012（平成24）年に導入された**後見制度支援信託**や2018（平成30）年に導入された**後見制度支援預金**の制度を利用することで，親族による不正行為を防ぎつつ親族が後見人に就職することも1つのあり方である。

後見制度支援信託は，成年被後見人・未成年被後見人の財産のうち，日常的な支払をするのに必要十分な金銭を預貯金等として後見人が管理し，通常使用しない金銭を信託銀行等に信託する仕組みであり，後見制度支援預金も通常使用しない金銭を，本人がそれまで利用してきた信用組合や信用金庫に後見制度支援預金口座を開設することでその口座に預ける仕組みである。これらの制度の利用をすると，信託財産の払戻し，信託契約の解約，後見制度支援預金口座に係る取引のためには予め家庭裁判所が発行する指示書が必要となるため，不正行為の防止に役立つ。なお，これらの制度を利用できるのは，成年後見および未成年後見のみであり，保佐，補助および任意後見では利用できない。

後見人等不正事例（左軸）／後見制度支援信託等年間利用者数（右軸）

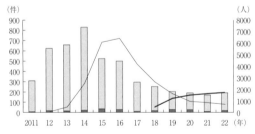

■ 専門職後見人等による不正事例
□ 専門職外も含めた後見人等による不正事例
— 後見制度支援信託年別利用者数（新規開始・管理継続中の合計）
— 後見制度支援預貯金年別利用者数（新規開始・管理継続中の合計）

出典：後見人等による不正事例（最高裁判所事務総局家庭局実情調査）および後見制度支援信託等の利用状況について各年版をもとに作成。

判例は，858条は成年後見人が契約等の法律行為を負う上で負担する義務であり，成年被後見人を介護することや行動を監視するといった事実行為まで負担する義務はないため，成年後見人は同条に基づき直ちに**法定の監督義務者**にならないとする。ただし，監督義務を引き受けたとみるべき特段の事情がある場合に714条1項を類推適用することを認める（★最判平成28・3・1民集70巻3号681頁：百選Ⅱ-83）。

成年後見の終了

（1）**終了事由**　成年後見は，その「任務が終了したとき」に終了する（▶870条）。成年後見そのものが必要でなくなり終了する**絶対的終了**の場合と，成年後見人が交代するため当該成年後見人の任務が終了する**相対的終了**の場合がある。絶対的終了の場合には，①成年後見開始の原因が止み家庭裁判所が後見開始の審判を取り消した場合（▶10条），②家庭裁判所が成年被後見人である者の事理弁識能力の回復により保佐開始の審判や補助開始の審判をするときに後見開始の審判を取り消した場合，③成年被後見人の死亡のように後見そのものが必要でなくなり終了する場合がある。相対的終了の場合には，①成年後見人の死亡，②成年後見人の辞任（▶844条），③成年後見人の解任（▶846条），④成年後見人が欠格事由に該当した場合（▶847条）がある。

（2）**終了時の事務**　成年後見人は任務が終了したとき，原則として，2か月以内に管理の計算（**後見の計算**）をしなければならない（▶870条）。成年後見監督人がいる場合には，その立合いをもってしなければならず（▶871条），後見監督人の立合いなしに行われた後見の計算については無効として，改めて後見の計算を求めることができると解されている。

　後見の計算後，成年後見人がそれまで管理してきた財産を本人または本人が死亡している場合にはその相続人に返還する義務を負う。この義務は，後見の計算の義務（▶870条）とは別の義務であると解されている。

　後見の計算終了時に，成年後見人が成年被後見人に返還すべき金額がある場合には，その金額に利息を付して返還すべき義務を負う（▶873条1項）。成年後見人が，成年被後見人の金銭を自己のために消費していた場合には，その消費の時から利息を付して返還しなければならず，損害が生じていればその賠償の責任を負う（▶同条2項）。

　なお，前述した後見終了時の事務や死後事務（➡次述）以外にも，成年後見人は緊急時の応急処分義務を負う（▶874条・654条）。

> **▌▌Case 7-8**　成年被後見人Aが入院先のC病院で死亡した。Aの成年後見人で入院手続をしたBは，C病院から，Aの入院費用の支払と遺体の引取りを求められた。Aには子Dがいるが，Dは一切関わりたくないためBに適宜対応して欲しいと返答した。Bは，Aの死後も後見人の任務を負っているのか。

　(3)　**死後事務**　成年後見人の任務は，本人の死亡により終了し，後見の計算を行うことになる（➡(2)）。本人が残した財産は，積極財産・消極財産にかかわらず原則として相続人に承継される（▶896条。➡260頁）。**Case 7-8**のAの入院時にかかった費用は，Aの死亡と同時に確定するAの債務であり，Aの相続人Dが承継することになるため，相続人に弁済する義務があり，Aの遺体も一般に親族等が引き取ることが多い（遺族による火葬等については，➡266頁）。しかし，相続人が存在しない場合や相続人がいても疎遠になっていたり協力的でない場合には，C病院からすれば，Aの財産を管理しAの入院のための契約を代理したBにその支払や遺体の引取りも期待し，成年後見人側からも債務の弁済等一定の権限を認められることで後見業務をより円滑に行う必要性も指摘されている。

　873条の2は，成年後見人による死後事務について，相続法理との抵触を調整するために成年後見人の権限を限定的に認めた規定である。すなわち，①成年被後見人が死亡した場合に，②必要があるとき，③成年被後見人の相続人の意思に反することが明らかなときを除き，④相続人が相続財産を管理するに至るまでの間，以下の3つの死後事務ができる。(i)相続財産に属する特定の財産の保存に必要な行為（▶1号），(ii)弁済期が到来した相続財産に属する債務の弁済（▶2号），(iii)遺体の火葬・埋葬に関する契約その他財産の保存に必要な行為（▶3号）である。ただし，(iii)については，⑤家庭裁判所による許可も必要となる。**Case 7-8**では，Bは，C病院にBが管理しているAの財産から入院費用の支払をすることができる。また，家庭裁判所の許可を得て，Aの遺体を引き取り，火葬・埋葬することはできる。ただし，873条の2第3号では，葬儀は認められていない。葬儀は，宗派の問題や高額化する可能性もあるからである。

4　保　　佐

> **✚ Case 7-9**　Aは，幼少期に脳疾患を患った後遺症により，成年に達した後も認
> 知能力は12歳から13歳程度であるとの診断を受けていた。Aは，現在40歳でα作業
> 所で働いており，一人暮らしをしているが，Aの親CはAの近所で暮らし，Aが重
> 要な契約をする際にはサポートをしてきた。しかし，Aは最近α作業所以外で働き
> たいと言うようになった。高齢のCは，Aの転職も含めた今後に不安を感じるよう
> になった。
> 　Aが，C以外の誰かの支援を得て重要な法律行為をするには，どのような制度を
> 利用することが考えられるか。

　保佐は，精神上の障害により事理弁識能力が著しく不十分な者のための保護
制度である（▶11条）。本人（被保佐人）は，日常生活に関する行為をはじめ一
定の行為はできるが，重大な法律行為については，保佐人の支援を受けること
になる。

　保佐の開始にも，家庭裁判所による審判が必要となり，家庭裁判所により保
佐人の選任がされることになる（▶11条・876条の２第１項）。被保佐人は成年被
後見人に比べ事理弁識能力があるため，法律行為を単独で行うことができる。
しかし，13条１項に定める元本の領収や借財，不動産その他の重要な財産に関
する権利の得喪を目的とする行為等や家庭裁判所により保佐人の同意を必要と
する旨の審判を受けた行為（▶同条２項）については，被保佐人が保佐人の同
意なく行えば，取り消しができる（▶同条４項）。なお，日用品の購入等は，取
消しの対象とならない（▶同条２項ただし書）。**Case 7-9**では，仮にAのために
保佐が開始し，Aが転職する場合，雇用契約（労働契約）の解除・締結が必要
となる。相当な対価を伴う契約である限り，雇用契約は13条１項３号の「重要
な財産に関する権利の得喪を目的とする行為」に該当すると解されており（委
任契約，介護契約，施設への入所契約，保険契約など，同規定の適用範囲は重要な財産
上の権利に係る行為全般に拡張されたと立案担当者により説明されている），Aは転職
にあたり，保佐人の同意が求められることになる。

　また，保佐人が，被保佐人のために代理行為をするためには，代理権付与の
審判が必要である（▶876条の４第１項）。審判により代理権が与えられなけれ
ば，代理権はないが，法に従い代理権が与えられるという意味では法定代理で

ある。代理権付与の審判の申立てを本人以外の者が行う場合には，本人の同意が必要となる（▶同条2項）。

　保佐人は，事務の遂行にあたり，身上配慮義務を負う（▶876条の5第1項）。また，保佐の事務を遂行するにあたり，876条の5第2項により後見・委任に関する規定が準用されている。

　保佐においても，家庭裁判所は保佐人を監督する。また，必要な場合には保佐監督人が選任され（▶876条の3第1項），保佐人の監督業務を行う。

　保佐の終了も，本人の死亡や成年後見・補助への移行などの絶対的終了事由や保佐人の死亡・欠格などの相対的終了事由に分けられる（➡193頁）。保佐が終了すれば，保佐人も終了時の計算義務を負うことになるが（▶876条の5第3項），保佐人は873条の2の死後事務の権限がない。

5　補　　助

> **✂ Case 7-10**　若年性の認知症と診断された50歳のAは，日常的な買い物等には支障がなかったが，賃借建物の取壊しにより転居が必要となったことをきっかけに新たに賃貸物件を探す必要が生じ，自身が重要な判断を要する契約をすることに不安を感じるようになった。この場合，Aは成年後見制度を利用することができるか。

　補助は，精神上の障害により事理弁識能力が不十分な者のための保護制度である（▶15条）。Aのように，自らの状態を理解しつつ，事理弁識能力が不十分であるとの判断がされる場合には，補助制度を活用することで，Aの残存能力を活かしつつ保護を受けることができる。

　補助の開始も，家庭裁判所による審判が必要となり，家庭裁判所により補助人の選任がされる。被補助人は成年被後見人や被保佐人と比べ事理弁識能力がより存するためその自己決定を尊重する必要がある。このようなことを考慮し，補助開始の申立てを本人以外の者が行う場合には，本人の同意が必要となる（▶15条2項）。

　また，被補助人は，審判により定められた法律行為（▶13条1項に規定する一部の法律行為）についてのみ制限を受け，補助人の同意を得ずに行った法律行為は取り消すことができ（▶17条1項・4項），補助人は審判により定められた

範囲で代理権を有する（▶876条の9第1項）。被補助人の残存能力を活用し，自己決定を尊重するため，被補助人の行為制限は限定的なものとなる。同意権付与の申立ておよび代理権付与の申立てを本人以外の者が行う場合には，本人の同意が必要となる（▶17条2項・876条の9第2項・876条の4第2項）。

　　補助においても，家庭裁判所は補助人を監督する。また，必要な場合には補助監督人が選任され（▶876条の8第1項），補助人の監督業務を行う。

　　補助の終了も，本人死亡や成年後見・保佐への移行などの絶対的終了事由や補助人の死亡・欠格などの相対的終了事由に分けられる（➡193頁）。

6　任意後見

> **▓ Case 7-11**　一人暮らしで親族とは長年にわたり疎遠となっていたＡは，自身が加齢で認知症などが進行した場合に，自らの財産を管理することや必要な法律行為をすることができなくなってしまうことを心配し，今のうちから，自ら信頼できる人に認知症になったときの財産管理を委ねておきたいと考えている。Ａはどのような方法をとることができるか。

任意後見とは　　事理弁識能力が低下した場合，法定後見制度により，他人による意思決定の支援を受けることはできる。しかし，法定後見制度では，本人の申立ての場合を除き，どの制度を選択するかを本人が決定することができない。また，誰が成年後見人等に選任されるのか，その権限の範囲はどこまで認められるのか等は，家庭裁判所の審判で定められるので，本人に事理弁識能力があれば望まなかったであろう審判がされる可能性もある。**任意後見**は，自己決定の尊重という理念を最大限尊重するため，本人が予め将来任意後見人になってほしい者（**任意後見受任者**）との間で任意後見契約を締結し，財産管理や療養看護に関して必要になると考えられる事務についての代理権を予め定めておくことができる制度である。また，任意後見では，家庭裁判所は任意後見監督人を通じて間接的に関与するにとどまり，法定の成年後見制度のように成年後見人等を直接監督しないことも特徴的である。

任意後見契約　　**任意後見契約**とは，委任者である本人と任意後見受任者との間で，本人が精神上の障害により事理を弁識する能力が

不十分な状況においてその生活，療養看護および財産管理に関する事務の全部・一部を委託し，その委託に係る事務について代理権を付与する委任契約である（▶任意後見2条1号・2号・3号）。任意後見契約は，公正証書により行われる要式行為であり（▶任意後見3条），契約時には本人に意思能力があることが公証人により確認される。任意後見契約には，任意後見人が代理することになる事務の範囲が明確に特定され，**任意後見契約の登記**が行われる（▶後見登記5条4号，その他の登記事項については同号参照）。

　任意後見契約は，委任契約の一類型であり，契約の解除により終了する。ただし，本人保護や当事者の真意を担保するため，任意後見が開始する前は，本人または任意後見受任者はいつでも公証人の認証を受けた書面によって，任意後見契約を解除することができる（▶任意後見9条1項）。

　任意後見契約発効後の解除は，任意後見人による無責任な解除や本人による解除でも本人の判断能力低下により本人の保護ができなくなるおそれがあるため，正当な事由がある場合に家庭裁判所の許可を得て解除することができる（▶同条2項）。任意後見契約の解除の場合には，解除の意思表示をした当事者が終了の登記を行わなければならず，登記がなければ善意の第三者に代理権の消滅を対抗することはできない（▶任意後見11条，後見登記5条8号）。解除以外の終了事由については，「成年後見の終了」を参照（➡193頁）。

任意後見契約の発効および任意後見人の職務　任意後見契約が発効するのは，①任意後見契約が締結され，登記されており，②精神上の障害により本人の事理弁識能力が不十分な状況にあり，③本人，配偶者，4親等内の親族または任意後見受任者により申立てがされ（本人以外の者が申し立てる場合には，本人の意思を尊重するため，本人の同意が必要となる〔▶任意後見4条3項〕），④家庭裁判所が任意後見監督人の選任の審判をした時である（▶任意後見4条柱書）。ただし，本人が未成年者である場合，本人が成年被後見人等で本人の利益のために特に必要な場合，任意後見受任者であっても不適任な事由に該当する場合には任意後見契約は発効しない（▶任意後見4条1項1号から3号）。

　任意後見受任者は，任意後見契約が発効すると，**任意後見人**として任意後見契約により委託された事務について代理行為を行うことになる（▶任意後見2

条4号）。任意後見人は事務の遂行にあたり本人の意思を尊重しその身上に配慮する義務を負う（▶任意後見6条）。

　任意後見人に不正行為等があれば，家庭裁判所により解任される（▶任意後見8条）。なお，家庭裁判所は，任意後見人から職務に関し報告を受けて直接監督することはなく，任意後見監督人により報告を受け，必要に応じて任意後見監督人に本人の財産状況の報告を命じる形で，間接的に介入することになる（▶任意後見7条3項）。

任意後見監督人　任意後見が開始されるためには，**任意後見監督人**が家庭裁判所により選任されなければならない（任意後見監督人の選任時の考慮事由〔▶任意後見7条4項〕，欠格事由〔▶任意後見5条〕については，「成年後見監督人」➡190頁を参照）。

　任意後見監督人は，任意後見人の事務を監督し，家庭裁判所に対し定期的に報告する義務を負い，いつでも任意後見人に対し事務の報告を求めたり，自ら調査することができる（▶任意後見7条1項1号・2号・2項）。急迫時には，任意後見人の代理権の範囲で必要な処分をすることができ（▶同項3号），本人と任意後見人との利益相反行為（➡162頁）については，本人を代理する（▶同項4号）。

任意後見と法定
後見との関係　任意後見契約で定められた代理権の範囲が不十分であるなど，「本人の利益のため特に必要があると認めるときに限り」後見開始の審判等をすることができる（▶任意後見10条1項）。本人の自己決定権の尊重の観点から任意後見が優先するからである（★大阪高決平成14・6・5家月54巻11号54頁）。裁判例では，保佐開始の申立て後，審判がされるまでの間に本人と任意後見契約を締結し登記もされた事案では，任意後見契約の無効事由がない限り任意後見契約は有効であるとしつつ，保佐開始の審判の判断は，任意後見契約所定の代理権の範囲が不十分であるか，合意された任意後見人の報酬額が余りにも高額であるか，任意後見受任者の欠格事由があるか（▶任意後見4条1項3号ロ，ハ）を調査し（前掲★大阪高決平成14・6・5），「本人の利益のため特に必要がある」かどうかを判断する必要性を指摘する。特に複数の子の間で親の財産管理等をめぐる意見の対立から，任意後見契約が締結され本人の利益のための内容となっていない場合や任意後見契約に対抗する形で法定後見の申立てがされていることもあるからである（親と同居の子が任意後見

契約を締結し登記をした場合に，他の子がその状況に不満をもち，補助開始および代理権付与の審判の申立てがされたものの却下された事案〔★札幌高決平成12・12・25家月53巻8号74頁〕，親の財産管理や延命治療の方針について複数の子の間で対立があり，一方が母との任意後見契約を締結し任意後見監督人選任の申立てをし，他の一方が後見開始の申立てをした事案では，第三者後見が適当とされた〔★大阪高決平成24・9・6家月65巻5号84頁〕）。

Further Lesson 7-1

▶▶▶▶▶　**任意後見契約の前と後—財産管理委託契約・死後事務契約**

　任意後見契約は，精神上の障害により事理弁識能力が不十分になった場合に発効させることができ，本人の死亡により終了する。そのため，任意後見契約を締結する際には，事理弁識能力が少しずつ減退する状態に対応するためにまだ不十分とはいえない時期に備え①**財産管理委託契約**を締結し，死後も必要な事務を途切れなく行えるように②**死後事務契約**とをセットで締結することが多いとされている。

　①財産管理委託契約が必要なのは，本人に事理弁識能力がある場合には，その能力を活用することが求められるからで，高齢であるというだけでは私的自治を補充するための後見制度の保護の対象とはならないからである。このような場合に財産管理等を他人に任せたいのであれば，財産管理に関する委託契約（準委任契約）や法律行為に関する委任契約を締結し，他人に財産管理権や代理権を授権する必要がある。

　また，任意後見契約は，本人の死亡により終了する（成年後見については，➡193頁。委任契約の終了事由については653条）。任意後見の場合には，成年後見人による死後事務に関する規定は適用されず，②死後事務契約を別途締結する必要がある。この契約の法的性質は委任・準委任契約であり，委任者の入院費用等の弁済や火葬・埋葬だけでなく，葬儀や友人等への謝金の支払を内容とした合意もすることができる。このような合意の効力は，民法653条の法意によって否定されるものではないと解されている（★最判平成4・9・22金法1358号55頁）。

　本人の事理弁識能力が低下し，本来なら任意後見契約が発効されなければならない場合でも，任意後見受任者が任意後見監督人の選任により後見業務を監督されることを免れる目的で，任意後見監督人の選任の申立てをせず，そのまま財産管理契約を継続するという問題が指摘されている。この状態が続くと本人の財産保護が図れず，財産管理の受任者であり任意後見受任者の権利濫用や経済的虐待の問題にもつながりかねない。このような事態を防ぐためには，親族のみならず地域による見守りの強化が求められる。また，死後事務を受任していてもそれが履行されているかを確認することは，相続人等が見守ることができなければ難しい。死後に自らの意思を実現することの限界である。

2　扶　養

1　序　説

私的扶養と公的扶助：
生活保護の補足性

人は自らの生活を支えるために，労働その他の収入を得る必要があるが，幼少期や老齢期，また健康上の理由等で誰かの支援が必要な場合がある。親が未成年者に対して行う支援や子が老親に対して行う支援は，私的扶養と呼ばれ，民法にその根拠が置かれている。これに対し，日本では，憲法25条の生存権の保障を具体化するために生活保護制度が整備されており（公的扶助），これによりすべての国民に健康で文化的な最低限度の生活を営む権利が保障されている（▶生保2条・3条）。もっとも，生活保護法4条には，「保護の補足性」が定められており，生活保護を求める者は，自助努力が求められる。すなわち自身の「資産，能力その他あらゆるもの」を活用してなお最低限度の生活を維持することができない場合に限り，生活扶助，教育扶助，住宅扶助，介護扶助等の各扶助のいずれかを金銭ないし現物で受給することが認められるため，自身の資産や能力を活用するだけでなく，生活保護以外に利用できる社会保障制度（社会保険〔雇用保険・健康保険・介護保険・年金保険など〕や児童扶養手当などの社会福祉）や私的扶養の活用も求められることになる。生活保護は，税を財源とした制度であるからである。

なお，資産のある介護の必要な者は，通説は扶養必要状態にあると解しておらず，親族に扶養義務は生じない。それでも親族から介護や世話などを受ければ，相続の際に寄与分（▶904条の2。➡294頁）や特別の寄与（▶1050条。➡第13章）として考慮されることになる。

2　扶養当事者

絶対的扶養義務と
相対的扶養義務

877条1項は，直系血族間および兄弟姉妹間の扶養義務を定め，2項は3親等内の親族間の扶養義務を定める。直系血族間および兄弟姉妹間の扶養は，扶養を求める者が，①**扶養必要状態**にあり，扶養義務者に②**扶養能力**がある場合に当然に生じる権利義務である（**絶対的扶養義務**）。通説は，①②を扶養の権利義務の発生要件と解する。

　直系血族と一口に言っても，(i)未成年者に対する親の扶養義務，(ii)高等教育中の成年子に対する親の扶養義務，(iii)成年子に対する親の扶養義務，(iv)親に対する子の扶養義務，(v)祖父母と孫間の扶養義務，(vi)(v)よりも遠い直系血族間などその関係性に差がある。とりわけ(i)の扶養義務の根拠をめぐっては学説上対立がある。すなわち，①877条1項を根拠とする説もあるが，②親権から導かれるとする説，③監護権から導かれるとする説，④親として当然に生じる義務であるとする説等に分かれる（2024年に公表された「家族法制の見直しに関する要綱」では，親子関係に関する規律として，明文化することとされている）。いずれにしても，父母が婚姻中（別居中を含む）の子の養育費に関する問題は，877条に基づき本人が親に扶養料を請求するというよりは，婚姻費用分担（▶760条）に含めて，また離婚した父母間での子の扶養の問題は，離婚の効果として子の監護に関する費用として766条に基づき夫婦間での取決めがされることが一般的である。子が嫡出でない子の場合には，認知後の子の監護に関する事項として，監護親は養育費を請求することができる（▶788条）。

　(ii)**高等教育中の成年子**は，2022年4月1日施行の民法改正（平成30年法59号）による**成年年齢引下げ**に伴い，大学等の高等教育機関への進学時は成年者となる。従来から高等教育中の子の扶養義務についてもその根拠や権利義務の発生要件・程度をめぐって，学説・裁判例において対立があるが，成年に達しているかどうかにかかわらず，教育中で自立していない子を特に「未成熟子」と呼び，自立している未成年子や成年子と区別するものが多い。このような状況を考慮し，家庭裁判所実務で参照される「平成30年度司法研究概要」には，成年年齢引下げにより，18歳，19歳の者が不利益にならないよう，766条に基づく養育費の支払義務の終期を未成熟子を脱する時期として，個別の事案で認定判断されること，未成熟子を脱する時期が特定し認定されない事案では20歳となる時点とするとの見解が示されており，改正前の養育費の「標準算定方式・算定表」（以下，「算定表」とする）の年齢区分をそのまま維持し運用する方針が示されている。なお，成年に達した者が自ら親に高等教育費等の請求をする場合には，877条1項に基づき行われると解される。

　877条2項の扶養は，家庭裁判所が当事者間に「特別な事情がある」と認めるときに審判により権利義務が設定され，調停には服さない（**相対的扶養義務**。

▶家事別表一-84。また877条2項の扶養義務は，後に事情の変更が生じた場合に審判によって取り消される〔▶同条3項〕）。

> **❖ Case 7-12**　Aには，未成年子C・Dがいる。Aには高齢の母Eがいるが，Eは，受給している年金だけでは生活ができないとしてAに扶養を求めている。
>
> 　Aの収入で全員の生活費を賄えない場合，誰に対する扶養を優先することになるか。

二元説（生活保持義務／生活扶助義務）　**Case 7-12**のように，未成年で修学中のため扶養必要状態にある直系血族である子C・D，さらに年金だけでは生活できず扶養必要状態にある母Eは，Aに対し扶養を求めることができる。民法の規定に従えば，Aがすべての扶養権利者のために扶養を与えるだけの資力がない場合，当事者の協議により，扶養権利者の順位や扶養の方法・程度を決定することになるが，協議により定めることができなければ，家庭裁判所の調停・審判により定めることになる（▶878条・879条，家事別表二-9・10。➡次頁）。

　通説は，夫婦間の扶養義務（▶752条。夫婦間の扶養義務については，➡45頁，53頁以下）や親が未成年子に対し負担する扶養義務は，他の血族間の扶養義務（生活扶助義務）と区別し，程度の高い**生活保持義務**にあたり，生活保持義務は生活扶助義務に優先すると解する（二元説）。この考え方に従えば，**Case 7-12**では，Aは子C・Dの扶養を優先的にすることになる（➡209頁）。夫婦間と親と未成年子との関係は，身分関係の不可欠的要素をなすと考えるからである。生活保持義務を負う扶養義務者は，扶養権利者に対し，「自己の生活程度に等しく，全面的な維持」をし，「最後に残された一片の肉まで分け与えるべき義務」を負うと説明されてきた。これに対し，**生活扶助義務**は，「自ら生きる権利は他を養う義務に優先する」というのが原則で，扶養義務者は自身の生活を保持してなお余力がある限りで扶養義務を負担することになる。この考え方をもとに，家庭裁判所実務では，父母（夫婦）の年収と子の年齢を考慮し，夫婦間での婚姻費用の請求や離婚後子の養育費の請求を簡易迅速にするために算定表が作成され，活用されている。

　もっとも，このような二元的な考え方に対し，①生活保持義務を過度に強い

ることは家族の貧困につながる, ②配偶者や子の年齢や労働能力によっては老親の方が優先度が高い場合もあるなど批判が強く, 生活保持義務と生活扶助義務は, 程度の差にすぎないと考える学説(一元説)も有力である。

3　権利義務の発生・程度・方法

> **⊠ Case 7-13**　A・B夫婦には15歳の子Cがいる。A・Bは離婚することになり, AがCの親権者となりCを監護養育することになった。AはCに対しいつから, どのような扶養義務を負うことになるか。

未成年子・未成熟子の親に対する扶養の権利義務　父母は未成年子に対する監護・養育に関する責任を負うため(▶820条), 子の扶養必要状態は監護・養育のための世話などの事実行為により解消していることも多いが, 監護・養育・教育にかかる費用については扶養料の問題となる(もっとも,「扶養料」ではなく「養育費」と称されることが多く, 法的根拠に関する争いは, ➡202頁)。通説・実務は, 親は未成年子に対し生活保持義務を負担し, 父母が婚姻・離婚しているかどうかにかかわらず, 子が自立できるようになるまで, すなわち「未成熟」を脱するときまで, 扶養義務は継続することになると解する(高等教育中の成年子の父母の扶養義務の程度は, ➡次頁。養子縁組を結んだ場合の養親の扶養義務については, ➡138頁)。

　未成年子が財産を有する場合には, 親権者である親がその財産について管理し, その財産に関する法律行為を代理することになるが(▶824条), 親が子の養育や子の財産の管理に必要な費用は子の財産の収益と相殺されることになるため(▶828条ただし書), 子は自身の財産収益により可能な範囲で養育にかかる費用を負担することになる。しかし, 通常, 未成年子にはそのような収益可能な財産や収入がないため, 未成年子は扶養必要状態にあり, 親に対して扶養を求めることができる。

　もっとも親の扶養能力に関し, 最低限保障される生活水準が規定されておらず, 下限がどこまでも引き下げられるという問題点が指摘されている。特に子のいる現役世帯に一定割合生じている子の貧困問題も深刻であるが, ひとり親世帯では貧困率が顕著に高く(2021年国民生活基礎調査によれば, OECDの作成基

準に従った貧困線は127万円で，貧困線に満たない世帯員の割合（貧困率）は15.4％である。「子どもがいる現役世帯」の貧困率は10.6％で，そのうち「大人が1人」の世帯貧困率は44.5％，「大人が2人以上」の世帯貧困率は8.6％となっている），子のいる貧困世帯への社会的支援が子の養育環境を整えるためには必要な施策となっている（2019〔令和元〕年10月1日より，幼児教育・保育の無償化が子育て支援政策の一環で実施されている）。

> **❖ Case 7-14**　ＡとＢは離婚し，子Ｃの親権者をＡと定めた。離婚後はＡの収入でＣの養育に関する費用を賄っていたが，Ｃが大学に進学後，Ａだけの収入ではＣが大学生活を継続することが困難となった。ＡはＣの大学費用の一部負担をＢに求めることができるか。

高等教育中の成年子に対する父母の扶養義務　離婚時に高等教育費用について父母が取り決めていないCase 7-14のような場合，高等教育課程進学時には成年者であるため，自身が請求権者となり877条に基づき扶養料の請求をすることになる。学説上，未成年子に対する扶養義務の根拠を親権に求める考え方からは，親には高等教育を受けさせる義務はないとし，贈与や消費貸借契約等の契約に基づき支援されるべきと考える説も有力である。

　親の子に対する扶養義務を根拠とする学説においても，その性質を①生活保持義務とするか，②生活扶助義務とするか，③いずれとも位置づけられず親の子に対する片面的な扶養義務の一部で一般の親族扶養よりも程度の高い義務と解するかの違いがある。近年の裁判例は，家庭裁判所の算定表における「15歳から19歳までの子」への養育費の区分が公立高校を前提とした標準的学習費用に依拠した額が前提となっているため，高等教育費等の負担については，生活扶助義務の考え方に依拠しつつ，(i)親による大学進学了解の有無，それが国立か私立か，(ii)父母双方の収入や，(iii)本人の奨学金・アルバイトによる負担の可能性を考慮して，扶養義務者となる親に一定の負担を定める例（★大阪高決平成27・4・22判時2294号60頁）や上記(i)(ii)に加え扶養義務者の地位や学歴，私立大学への進学の了解の有無を考慮し，「未成熟子に対して自己と同一の水準の生活を確保する義務」を負うとして親に一定の負担を定める例（★東京高決平成29・11・9判時2364号40頁）など，学説の①②の何れかを基礎としつつ，個

別の事案において負担の調整を図っている。

　なお，高校卒業後の大学等の高等教育機関への進学率は83.5％で，過去最高となっている（令和2年度学校基本調査〔確定値〕の公表）。高等教育費も，非課税世帯とそれに準じた世帯を対象に，2020年4月1日より①授業料無償化および②給付型奨学金の制度が実施されることになり，修学意思がある者にとっては，家庭の経済状況に左右されず，進学の機会が一定程度確保されるようになった。

> **Case 7-15**　一人暮らしで80歳のAは，年金と貯蓄でこれまで生活にかかる費用を支払ってきたが，介護が必要な状態となり，自身の収入と資産では生活できなくなっている。Aには，子Bがいる。Bには妻Cと子Dがいるが，BにもCにも収入があり，Dも既に独立している。

一般親族間での権利義務　Aが高齢で年金以外の収入がなく，生活に必要な費用を年金と貯蓄で賄っていたところ，貯蓄がなくなってしまえば，Aはそれまで送ってきた生活が維持できなくなる。Aのこの状態は扶養必要状態にあたり，扶養義務者Bに扶養能力がある場合にA・B間に扶養の権利義務が生じると解されている。もっとも，**扶養必要状態**の基準に関する裁判例は，①生活保護基準（★広島高決平成29・3・31判例17号96頁），②総務省統計局の家計調査報告に従い当該権利者と同年代の者の消費支出に権利者の社会保険・住民税の合計額が生活保護基準を超えていてもその額が当該権利者の最低生活費である場合，権利者の年金収入を控除した残額をもとに決定するもの（★札幌高決平成26・7・2家判4号97頁），③扶養権利者が扶養義務者に対し高等教育を授けていれば生活保持義務を基準とするもの（★福岡家小倉支審昭和40・8・3家月18巻1号85頁），④扶養権利者が有料老人ホームに入居する場合には，扶養義務者に異議がないことを前提とした上で，扶養権利者が入居するにあたり必要な一時金や生活費をもとに不足する額とするもの（★新潟家審平成18・11・15家月59巻9号28頁）等に分かれている。そして，扶養義務者の**扶養能力**についても前述①では人事院による標準生活費をもとに算定し（前掲★広島高決平成29・3・31），②③では当事者双方の生活程度，社会的地位，教育の程度，資産・収入などをもとに総合的に判断し（前掲★札幌高決平成26・7・2，福岡家小倉支審昭和40・8・3），④では総務省統計局の家計調査年報をもとに算定する（前

掲★新潟家審平成18・11・15）等，客観的な統計をもとに算定するものもあれば，それぞれの事案において個別の判断をしているものもあり，一致していない。

そして，**扶養の程度**は，扶養当事者が協議で定められない場合，家庭裁判所が扶養権利者の需要，扶養義務者の資力その他一切の事情を考慮して，審判で定めることになるが（▶879条），②③の基準は扶養義務者に負担する資力がある場合には，扶養の程度も相対的に高くなるため，扶養義務者の負担の予測性という意味では①④のように客観的な基準に従い判断することが望まれる。

扶養の方法に関しても，879条は，扶養権利者の需要，扶養義務者の資力その他一切の事情を考慮して，協議・審判で定めるものとする。扶養の方法は，大きく**金銭扶養**と**引取扶養**（世話や面倒見などの事実行為を含む現物給付）の2つの方法が考えられるが，引取扶養は沿革的にみて，金銭扶養が負担になる扶養義務者の便宜のために選択することが認められたという経緯をもつことから金銭扶養が原則となる。今日では引取扶養をすることで，扶養権利者の事実上の介護の負担を扶養義務者やその家族に強いる可能性も生じるため負担が大きく，扶養権利者にとっても精神的に負担となることもあるため，法律上強制できない扶養の方法と解される。学説上は，当事者間で合意がない限り認めるべきではないとするものが有力である。ただし，複数の扶養義務者がおり，その1人が扶養権利者を引取扶養をする場合には，引取りをする扶養義務者が，他の扶養義務者に対し，金銭的負担を求めることは認められる（★最判昭和26・2・13民集5巻3号47頁）。

引取扶養に介護行為が含まれるかは，特に2000年に公的介護保険制度が運用され，介護行為が金銭評価できること，介護は単なる引取りを超える負担となることを考慮し，扶養を超えた負担と解するべきである。

4　扶養の順位

> **✖ Case 7-16**　80歳のAには，前妻との間に成年の実子Bがいるが，Bとは20年近く交流がない。Aは，15年前にCと再婚し，Cの連れ子Dとともに同居していたが，Cは既に亡くなり，AがDの生活費や大学の進学の支援をした。Dは，25歳で会社員である。Aは，医療費などで貯蓄がなくなり，自身の年金だけでは生活することができない状況となった。Aの扶養義務者は誰か。

Case 7-16では，Aの子Bが877条 1 項の扶養義務者であり，Dは直系姻族のため家庭裁判所による扶養義務の設定があって初めて扶養義務者となる（▶同条 2 項，家事別表一－84）。扶養当事者が複数人いる場合，扶養権利者および義務者の順位について，878条は当事者の協議か最終的には家庭裁判所の審判により定める旨を規定している。

　複数の扶養権利者・義務者となる者がいる場合，特に親等の異なる扶養当事者がいる場合でもその近さにかかわらず順位を協議するのか，審判で決することになるのかが問題となる。

877条 1 項と 2 項の扶養当事者の関係

877条 1 項と 2 項の扶養義務者間では 1 項の扶養義務者が優先するという考え方がある。この考え方に従えば，**Case 7-16**では，1 項の扶養義務者であるBがまず義務を負担し，Bに扶養能力がなければ，2 項の扶養義務者Dの負担が問題となる。

　これに対し，1 項の扶養義務者Bがいる場合でも，「特別な事情」から 2 項の扶養義務者Dに義務があると審判することができるという考え方もある。この場合，「特別な事情」から義務が設定されているので，(i)Dの扶養義務が優先されると解するか，(ii)DもBと並んで扶養義務者となると解するかが問題となる。(i)の考え方に従えば，1 項の扶養義務者Bがいる場合でも，2 項の扶養義務者Dに義務設定がされればDが先順位の扶養義務者となる。(ii)の場合には，2 項の扶養義務者Dは，扶養の順位（▶878条前段），扶養の程度・方法（▶879条）についてA・Bとの協議等に加わることになる。

　扶養権利者が複数いる場合も同様の問題が生じる。特定の扶養義務者がすべての扶養権利者の需要を満たすことができない場合には，1 項の扶養権利者が優先されるのであれば，2 項の扶養権利者のために扶養義務を定める審判がされるべきとの考え方がある。これに対し，審判により権利が設定された 2 項の扶養権利者が優先されると解すれば，2 項の扶養権利者が優先的に扶養を受け，扶養義務者になお扶養能力があればその限りで 1 項の扶養権利者が扶養を受けるということになる。また，単に 2 項の扶養権利者としての地位が認められたにとどまると考える場合には，1 項の扶養権利者と扶養義務者が協議等をして，扶養を受ける順位（▶878条後段），その程度・方法（▶879条）に関する定めをすることになる。

> **❖ Case 7-17** 　Ａは，配偶者Ｂとの間に未成年子Ｃがおり，一家の家計は専らＡ
> の給与で賄われており，Ｂにもパート収入があるもののこの収入はＣの大学進学に
> かかる費用に充てるため貯蓄に回されている。このような状況の中，Ａの父ＤがＡ
> に扶養を求めてきた。Ｄの請求は認められるか。

**877条1項の扶養
当事者間での順位**　　　生活保持義務と生活扶助義務を二元的に考える説に従えば，親の未成年子に対する扶養義務はそれ以外の直系血族間の扶養義務に優先する扶養義務であると解される。夫婦が別居していても，離婚し一方の子の非親権者・非監護親となっても，別居時の同居親や親権者・監護親とともに同順位の扶養義務者であることに変わりない（★大阪高決昭和37・1・31家月14巻5号150頁）。父母の収入，子の人数・年齢に応じて，父母は養育費を分担することになる。嫡出でない子に対しても，親権の有無，同居の有無にかかわらず，親である以上，扶養義務を負うことになる。

　高等教育中の成年子に対する親の扶養義務を生活保持義務に位置づける説に従えば，高等教育中の成年子の扶養義務も他の直系血族間の扶養義務に優先することになる。もっとも裁判例や学説には，高等教育中の成年子の扶養義務は，生活扶助義務に基礎を置き，子のアルバイトによる稼働や奨学金の活用を前提として親の扶養能力を考慮すると考えるものがある（前掲★大阪高決平成27・4・22）。生活扶助義務と捉えると，成年子の親に対する扶養義務と同じ順位となりうる。

　生活保持義務と生活扶助義務の違いは相対的に決まると考える説（一元説）からは，老親に対する扶養が未成年子や高等教育中の成年子の扶養に優先することもありうるということになる。

> **❖ Case 7-18** 　ＡとＢは離婚し，その子Ｃの親権者はＡとなったが，ＡとＢは養
> 育費について定めていなかった。しかし，Ａの扶養能力が十分でなく，見かねたＡ
> の父ＤがＣを引き取り養育し，養育に必要な費用も支払っていた。

　扶養義務者の順位を，①生活保持義務関係にある者が優先するとする説や，②親等の近さで優先順位が決まる説に従うと，Ｄの順位はＡ・Ｂより後順位となる。Ｄは，Ａ・Ｂに対して立て替えた扶養料・養育費の求償請求ができ，

A・Bの扶養能力が十分になければ，Dは後順位の扶養義務者としてCに対する扶養義務を負担することになる。このような考え方に対し，判例は，878条・879条によれば，複数の扶養義務者がいる場合には協議が調わない限り，家庭裁判所が審判により扶養義務を具体的に確定するとし，①②のように当然に順位が定まる考え方には立っていない。そのため，当事者間の協議か家庭裁判所による審判がない限り，順位も確定しないことになる（★最判昭和42・2・17民集21巻1号133頁：百選Ⅲ-53。同判例は，AがDの立て替えた過去の扶養料をBに対し求償した事案であった）。

5　過去の扶養料

未成年子（未成熟子）の親への請求・父母間での求償

父母は子に対し同順位の扶養義務者と解されているため，通説は，親権・監護権の有無，同居の有無にかかわらず，子を扶養する義務を負うと解する。同居親から未成年子に対する扶養は，親による監護・養育・教育により事実上も金銭上も行われているため，過去の扶養料・養育費の請求は，実際には問題とならない。父母が離婚し，養育費の定めをせずに子を監護する者が子の養育を引き受けている場合や，一度養育費の取決めをしていても事情の変更により増額が必要な状態となり，先行して必要な費用を負担している場合に，通常は扶養権利者または監護親が非監護親に対し過去の養育費の分担を求めることになる。扶養権利者からの請求・監護親による養育費の請求の有無にかかわらず，扶養の要件の具備により義務は発生するため（★東京高決昭和58・4・28家月36巻6号42頁，宮崎家審平成4・9・1家月45巻8号53頁），非監護親が扶養義務の履行をしていないのであれば，過去の扶養料・養育費として求償が認められるべきである。ただし，裁判例では，裁判所の裁量により相当と認める範囲で過去に遡って支払が認められるとされ（前掲★東京高決昭和58・4・28，宮崎家審平成4・9・1），要件充足時からの扶養料・養育費が認められるわけではない。

　認知により法的親子関係が形成されれば，認知した親に対し養育費請求ができる（▶788条・766条）。認知の効力は出生時に遡るため（▶784条），過去の養育費も理論的には負担すべきということになるが，扶養義務者の認識時を基準とすると，養育費の請求がされた時点が基準となりうる。

　なお，2024年に公表された「家族法制の見直しに関する要綱」では，養育費債権者の一般先取特権や父母が協議できない場合に対応する制度として「法定養育費制度」を新設することとされており，父母の離婚に伴う子の養育費の不払解消・養育費の確保に向けた施策が進められている。

親族間での求償　扶養を受ける権利は，扶養権利者に現実に生じている扶養必要状態を解消するための権利であり，時の経過とともに消滅していく権利のため，過去に遡って請求はできないはずである（絶対的定期性）。

⑴　**扶養権利者の扶養義務者に対する請求**　　877条１項の扶養権利者は，

Further Lesson 7-2
▶ ▶ ▶ ▶ ▶　法律上の父子関係の否定と養育費

　親は子に対して扶養義務を負うが，父子関係の不存在が確定した場合に，父であった者Aが子の母BやBの子Cに対し，AがCのためにそれまで支払った養育費相当額を不当利得の法理に基づきBやC，さらにCを認知した父に返還請求ができるのかが問題となる。親の未成年子に対する扶養は，法的根拠に争いがあるとはいえ，法的な親子関係を前提に行われる義務である。したがって，A・C間の法的親子関係が否定された場合，AがそれまでCのために払ってきた養育費について不当利得であるとして返還請求が認められるかが問題となっていた（★大阪高判平成20・2・28LEX/DB25400319は肯定。これに対し東京高判平成21・12・21判時2100号43頁は否定）。2022年親子法改正により，嫡出否認がされた場合に，子に対しては，父が支出した養育費（監護費用）の償還を制限する規定（▶778条の３）が置かれた（➡119頁）。親子関係不存在確認がされた場合も同様の対応が求められる。

　A・Bが婚姻中にDNA鑑定で父AとBが出産した子Cとの生物学上の父子関係が否定されたが嫡出否認期間が経過したため父子関係が存続している状態で，Aと妻Bが離婚し，BがCの養育費の分担をAに求めた場合，AはCに対しなお扶養義務を負担するのかも問題となる。判例は，Aが婚姻中十分な養育費を負担しており，Bが相当多額の財産分与を受けることになっている場合，BがCの養育費を分担することができない事情はうかがわれないとしてとして，Bの請求を権利濫用として認めなかった（★最判平成23・3・18家月63巻9号58頁：百選Ⅲ-16）。判例に対し，学説は，仮にCがAに扶養料の請求を求めた場合，A・C間の法律上の親子関係がある以上認められるべきであるとの見方が強い。最判平成23・3・18は，夫婦間で本来解決すべきBの不貞行為の問題と「夫婦間の養育費の問題」＝「本来親子間で支払われるべき扶養料の問題」とを切り離して判断できていない。

扶養必要状態に陥っている場合に，扶養義務者となる可能性のある者に対して扶養を求めることができ，扶養義務者に給付能力がある場合に実体的に当然に扶養義務が生じると解されており，この考え方に従えば，扶養の要件を満たした時点に遡って求償請求ができると考えられる。しかし，扶養義務者は扶養権利者から扶養請求をされなければそのような義務が生じていることは知り得ない。したがって，扶養の権利義務の発生要件を満たすだけでは扶養義務者の義務が債務として具体化することはない。判例は，権利者が扶養債務の履行を請求した時から，義務者は遅滞に陥るとし，それ以降のものについては過去のものでも請求できるとする（★大判明治34・10・3 民録 7 輯 9 巻11頁。近年の傾向としても，広島家審平成 2・9・1 家月43巻 2 号162頁）。

　(2)　**扶養義務者間の求償請求**　　複数の子が老親に対する扶養義務を負担する場合も，判例は扶養義務者が義務を免れるためには相当な理由が必要で，扶養義務者間での求償請求も「冷淡な者は常に義務を免れ情の深い者が常に損をする虞がある」との理由から認めている（前掲★最判昭和26・2・13）。もっとも，いつの時点からの求償を認めるかについては，下級審裁判例では，請求時以降に限定せず請求以前のものも含め認めるものがある（★広島高決平成29・3・31家判17号96頁，前掲★新潟家審平成18・11・15など）。扶養義務者間での過去の扶養料の求償請求は，扶養権利者による請求とは異なり，義務者間の負担の公平を考慮し，家庭裁判所は扶養の期間，程度，各当事者の出費額，資力等の事情を考慮して定めるものとされている（★東京高決昭和61・9・10判時1210号56頁では，扶養調停申立ての時から 5 年前に遡り求償することを認めた）。

　いずれにしても877条 1 項の扶養の権利義務関係が具体的に債権化するのは，当事者間で扶養の程度・方法に関する協議が成立した時か，最終的に家庭裁判所の審判が確定した時となる。

　877条 2 項の扶養当事者は，①家庭裁判所が特別の事情があるとして扶養義務を認める旨の審判をした時か，②扶養義務者となった者が他の扶養義務者との間で扶養の順位・程度，方法も含めて協議・審判をする必要があると解する場合には，当該協議・審判をした時に扶養義務が確定することになる。

　親族間での求償の場面で，当事者間で協議・審判をせずに，事務管理・不当利得など財産法上の根拠に基づき通常の民事裁判手続に従い他の扶養義務者に

請求できるかについては，かつて認めていた裁判例もあったが，家事事件手続法に基づき扶養義務者間の協議が定まらなければ家庭裁判所の審判により確定するものと解されている（前掲★最判昭和42・2・17）。

扶養義務者以外の者が支払った「扶養料」の請求　877条の扶養義務者ではない者が，生活困窮者の生活費（扶養料）を支払った場合には，事務管理・不当利得等の財産法の根拠に基づき，扶養義務者に対し支払った扶養料相当額を請求することができる。

離婚後の養育費の取決めのサポートや取決めに基づき自治体が立替払をし，立替費用を扶養義務者に支払要請をする施策が注目されている（明石市の離婚等子どもの養育費支援事業として，①養育費の取決めサポートや②子どもの養育費緊急支援事業等参照）。生活保護であれば，先行して生活保護費を支給した実施主体が扶養義務者に対して償還請求するための規定がある（▶生保77条）。離婚後等のひとり親世帯の貧困問題を解消するためにも，養育費についても，立替払等により行政が第一次的に困窮状態を解消する制度の整備も今後検討するべきである。

6　事情の変更による扶養に関する協議または審判の変更と取消し

扶養の権利義務が確定した場合，扶養義務者は定期的に扶養権利者に扶養義務の履行を行うことになる。もっとも，①扶養権利者の扶養必要状態が改善した場合や脱した場合，②扶養権利者に追加的に生活必要費等が生じた場合，③扶養義務者の収入が減少した場合や無収入となった場合，④扶養義務者に新たに扶養を受ける権利がある者が出現した場合など，扶養の権利義務に関する協議や審判をした状況と異なる状況が生じた場合（**事情の変更**），扶養に関する協議・審判の変更ないし取消しができる（▶880条）。協議や審判を経ることなく，当事者が一方的に負担額を変更することはできない。

7　扶養に関する将来の権利の処分

扶養に関する現在および過去の権利義務は協議・審判により確定することになる。これに対し，扶養を受ける権利の処分，すなわち扶養を受ける権利を放棄することは禁止されている（▶881条）。扶養を受ける権利は，生存維持のた

めの規定であり，扶養権利者と扶養義務者との間に個別に成立するものである
からである。扶養を受ける権利は一身専属的権利であり，その権利の譲渡，担
保権の設定，差押えも制限されている（▶民執152条3項）。ただし，履行期の到
来した債権は処分可能であると解されている。

　離婚時などに，養育費を将来請求しないという取決めも，子の親に対する扶
養請求権を放棄させる内容までは含んでいない。審判例では，あくまで父母の
取決めは有力な斟酌事由にとどまるとする（★東京家審昭和38・6・14家月15巻9
号217頁，その抗告審東京高決昭和38・10・7家月16巻2号60頁）。

☑ *Exam*

　Aは，高齢で認知症が進行していた。Aには子B・C・Dがいる。Dは，Aのために成年後見開始の審判を申し立てた。

　BとCは，A所有の甲不動産を売却し，その代金でAを介護施設に入所させたいと考えていた。Bは，Aに無断で，また時価よりも相当安い価格で，Aの代理人としてEとの間で甲不動産の売買契約（本件売買契約）を締結し，1か月後に所有権移転登記手続をすることを約した。Eは，本件売買契約締結時にBに代金を支払った。また，Cは，本件売買契約締結時に立ち会っていた。

　その後，Aの後見開始の審判がされ，CがAの成年後見人に選任された。

　1か月後，Eは，Bに対し所有権移転登記手続を求めたが，Cが成年後見人に選任されたことを理由としてその履行が拒絶された。

　問1　EがCに対し本件売買契約に基づき甲不動産の所有権移転登記手続請求をした場合，Cは履行を拒絶するためにどのような反論をすることができるか。

　問2　Eは，Cの反論に対し，どのような再反論をすることが考えられるか。

▶ 解答への道すじ

［問1］　Bは，Aから代理権の授与を受けることなく本件売買契約を締結しているため，Bの行為は無権代理と評価される。本件売買契約はAに効力が生じないが，Aの追認により効力が生じる可能性が残されている（▶113条1項）。本問では，成年後見が開始する前に，Bが行った本件売買契約を，就職した成年後見人Cが，追認拒絶することができるかが問題となる。成年後見人は，成年被後見人の財産に関する法律行為について管理権・代理権を有するが（▶859条1項），本人との関係で専らその利益のために権限を行使する義務を負うため（▶869条・644条），本人の利益に合致するよう適切な裁量を行使することが要請される（★最判平成6・9・13民集48巻6号1263頁：百選Ⅰ-5）。無権代理人により締結された契約の追認権・追認拒絶権も成年後見人の権限に含まれる。Cは，Eの請求に対し，無権代理人Bにより締結された本件売買契約について追認拒絶すると主張することができる。

［問2］　Eは，成年後見人Cによる本件売買契約の追認拒絶は，①交渉の経緯，②双方の経済的不利益，③履行等の交渉，④無権代理人と成年後見人との人的関係や成年後見人が就職前に契約に関与した程度等に照らし，信義則に反すると主張することが考えられる（前掲★最判平成6・9・13）。

第8章　相続法総説および相続人

1　相続法総説

1　相続の意義

私有財産制と相続　私有財産制を認める資本主義体制の下では，私人に財産の所有を認めている。相続は，私有財産制の下で所有権絶対の原則を保障するための根幹をなす制度である。ある者が死亡した際に，その者が生前所有した財産の承継先を定める必要があるからである。相続はその承継先を定める制度として機能している。すなわち，被相続人の一定範囲の親族を相続人として定めるとともに（法定相続人），遺言による財産の処分も認める。また，死者の財産の帰属先がない場合には国庫に帰属することを定めることで，死者が生前に所有した財産について無主の財産を作らない制度としても機能している。

相続法の沿革　日本の相続法は，第2次世界大戦の前と後において，その基礎とされた理念が大きく異なる。1898（明治31）年に公布・施行された明治民法は，「家（イエ）」ないし家制度という社会を支配していたイデオロギーをもとに，**家督相続**を定めていた。家督相続では，家の長となる者（戸主）が家産を一体的に承継することになり，戸主の地位は，嫡出の長男が単独で優先して相続するものとされていた。家督相続は，家産の承継だけでなく，家族に対する支配権も対象としていた。家督相続と並んで個人財産を承継する**遺産相続**も認められていて，戸主以外の家族に適用されたが，あくまで家督相続の対象とならない個人財産のみがその対象となっていた。なお，遺産相続人の順位は直系卑属・配偶者・直系尊属・戸主の順で定められており，配偶者の地位は当時から弱い立場であるとの指摘もされていた。

　第2次世界大戦後，個人の尊厳（▶憲13条）や男女の本質的平等（▶憲14条）

を基礎とする日本国憲法の下，1947（昭和22）年に「日本国憲法の施行に伴う民法の応急的措置に関する法律」により憲法に抵触する規定が失効し（これにより家督相続制度は廃止），同年民法「第4編親族」と「第5編相続」が改正され，1948年に施行されることになった。相続法は，明治民法下の遺産相続を中心に改められ，男女の平等，夫婦の平等，複数の子間での平等の下，長男子単独相続から共同相続制度へ，また配偶者相続人の順位等の見直しがされた。

　1962（昭和37）年には，代襲相続制度が見直され，特別縁故者への分与制度が新設された。均分相続が増える中，1980（昭和55）年には配偶者の法定相続分を3分の1から2分の1に引き上げ，被相続人への相続人の寄与に報いるための寄与分制度が新設された。1999（平成11）年には成年後見制度の整備に伴い聴覚・言語機能障害者のための公正証書遺言等の見直しがされた。

　2013（平成25）年には，嫡出でない子の法定相続分を嫡出子の2分の1とする当時の900条4号ただし書前段が違憲であるとの最高裁決定（★最大決平成25・9・4民集67巻6号1320頁：百選Ⅲ-59）を受け，同規定が削除された。この法改正を契機に，「高齢化社会の進展や家族の在り方に関する国民の意識変化等の社会情勢に鑑み，配偶者の死亡により残された他方配偶者の生活への配慮をする必要がある」との法務大臣の諮問100号を受け，法律婚を前提とした相続財産承継という観点から相続制度の見直しがされ，2018（平成30）年の相続法改正に至ることになる。2018年の相続法改正では，配偶者短期居住権・配偶者居住権の新設，配偶者の特別受益に関する持戻し免除の意思表示の推定規定の新設，相続人ではない親族が被相続人のために寄与した場合に認められる「特別の寄与」に関する制度が新設されるなど，法律婚配偶者の保護を念頭に置いた制度も新設された。さらに，従来相続法において不備があると指摘された制度や高齢社会において検討が必要であった制度が見直され，新たな制度が整備された。すなわち，預金債権の仮分割等を新設し，遺産分割における一部分割規定や相続開始後における共同相続人の財産処分に関する規定を定めた。また，自筆証書遺言の方式を緩和し，特別法を制定し自筆証書遺言の保管制度を新設した。この他，遺言執行者に関する規定の見直し，遺留分制度についても遺留分権利者の権利を金銭債権化するなど本質的な見直しもされた。

　所有者不明土地の増加等の社会経済情勢の変化と所有者不明土地の発生の予

防や土地の利用の円滑化を目的として，2021（令和3）年4月21日，「民法等の一部を改正する法律」（令和3年法24号）および「相続等により取得した土地所有権の国庫への帰属に関する法律」（令和3年法25号）が成立した（同月28日公布）。この改正では，相続財産に無関心な相続人への対応として，遺産分割前の暫定的な共有状態にある財産につき相続財産の保存に関する必要な処分ができるようになるなど相続財産の管理に関する見直しや，遺産分割の促進の観点から具体的相続分の主張を制限する規定が設けられるなど民法の改正がされた（2023年4月1日施行）ほか，相続登記等の申請義務化など相続に関する不動産登記法の見直しもされた（2024年4月1日施行）。

　「民事関係手続等における情報通信技術の活用等の推進を図るための関係法律の整備に関する法律」（令和5年法53号〔第52条〕・同年6月14日公布。2年6月以内に施行）により，民法の一部が改正され，デジタル化に対応することを目的に公正証書遺言に関する規定が改正された。

2　相続法の構造

法 定 相 続　法定相続は，血族相続人と配偶者相続人を定める。血族相続人の順位は，被相続人の子とその子を代襲する直系卑属（▶887条），被相続人の尊属（▶889条1項1号），被相続人の兄弟姉妹とそれを代襲する甥・姪（▶同条1項2号・2項）と定められている。配偶者は，常に相続人となり，血族相続人がいる場合には，同順位の相続人となる（▶890条）。民法がこのように被相続人と一定の関係にある者を相続人として定めた根拠として，①血縁による財産の承継（血の代償），②上記相続人が被相続人と**相続的共同関係**にあること，③②のゆえに被相続人とともに生前に形成した財産に対する潜在的持分の清算，④②のゆえに被相続人の残された家族の扶養（生活保障），⑤遺言がない場合の被相続人の推定的意思，⑥被相続人と生前に取引があった者，とりわけ債権者との関係での取引の安全，⑦公平の実現などがあげられてきた。しかし，配偶者相続人にとっては①は根拠とならず，血族相続人と一口にいっても，被相続人に現に扶養されている未成熟子か，生計を異にするその他の血族か，また被相続人の事業に携わってきた相続人かどうかなど生前の関係性次第では②③④の根拠は決定的ではなく，相続人が複数人いなけれ

ば⑦も根拠とはならない。また，相続放棄などの制度が認められている現行民法の下では⑥も根拠としても決定的ではない。このように，いずれかの根拠に基づき**法定相続の根拠**を完全に説明することはできない。

遺言・遺留分と法定相続との関係 法定相続と遺言自由との関係をどのように位置づけるのかという問題をめぐり，①②の対立がある。①通説は，私的自治の原則の延長線上にある財産処分として遺言による財産処分を認めることで，被相続人の死後にもその意思を及ぼすことを認める遺言自由の原則が法定相続に優先する原則であると捉える。この考え方をもとにすると遺言がない場面で法定相続が機能すると解することになる。これに対し，②有力説は，遺言による自由な財産処分から法定相続を守ることを重視するため，法定相続を相続法の原則として捉える。民法は，死後の財産の帰属を定める相続の場面において，法定相続人による包括承継という制度を採用しており，他の私的自治が機能する場面とは異なる制約，特徴的な制約としては被相続人の財産処分に対して一定の法定相続人のために遺留分を認めていることなどを理由とする。

3 相 続 税

相続税は，一般に，世代間の財産の移転による富の偏在と格差を是正する社会政策的な目的で賦課されていると考えられている。日本の相続税は，生前贈与によって相続税がかかることを免れられないように，**相続税**と**贈与税**は一体として相続税法に規律されており，各相続人が遺産として取得した額が基準となって課税されている。すなわち，①相続や遺贈によって取得した財産と，②相続開始前の7年以内の贈与財産の価額を加算した額（相続時精算課税の適用を受け贈与により取得した財産の合計額）から，③債務や葬式費用を控除し，その額が④基礎控除額を超える場合にその超える部分（課税遺産総額）に対して課される税である。基礎控除額は，3000万円に「600万円×法定相続人の数」が加算された額である。また，⑤配偶者には，配偶者控除が認められており，その法定相続分または1億6000万円のいずれか大きい金額まで控除を受けることができる。

相続時精算課税は，いわゆる若年世代への財産の移転を促進する目的で導入

された制度であり，原則として60歳以上の父母または祖父母から，20歳以上の子または孫に対し，財産を贈与した場合に，2500万円の特別控除を受けることができる。この贈与額を超えた場合に贈与税が課せられることになるが，相続開始時には取得した相続財産と贈与財産とを合計した価額で相続税が計算され，そこから支払った贈与税が差し引かれる。なお，相続時精算課税制度を利用した場合，贈与税の基礎控除（110万円）は受けられない。

2　相続の開始

1　死　　亡

　相続は，人の**死亡**によって開始する（▶882条）。明治民法の家督相続では，隠居，去家など，死亡以外にも相続の開始原因を認めていたが，現行法の下では死亡のみが**相続の開始原因**となる。自然死以外にも認定死亡や失踪宣告による死亡によっても相続は開始する。

　自　然　死　　相続が開始する原因となる死亡の判定には，一般的に「心臓の不可逆的停止，呼吸の不可逆的停止，瞳孔の散大」という3つの徴候で判定する**心臓死**（三徴候説）によって判断されると解されてきた。しかし，1997（平成9）年に臓器移植法が制定され，脳幹を含む全脳の機能が不可逆的に停止するに至ったと判定されれば**脳死**とされ，脳死した者の身体は「死体」として扱われることになった（▶臓器移植6条1項・2項）。そこで，民法上も相続の開始原因としての「死亡」に脳死を含めるべきか否かの議論が生じている。臓器を摘出する目的で臓器移植法に基づき脳死判定がされた場合には，脳死判定時をもって死亡と判断する説が有力である。

　認　定　死　亡　　自然死以外にも，法律により人の死として扱われる制度として，認定死亡がある。認定死亡は，巨大地震や水難などの自然災害や火災などの事故によって死亡した蓋然性が高い場合には，死体が確認できなくとも，死亡地の取調べをした官庁や公署が市町村長に死亡を報告し，戸籍に死亡の記載をする制度である（▶戸89条本文）。戸籍に記載された日が死亡した日として推定され，相続や生命保険金等の手続を行うことになる。もっとも，認定死亡は，行政手続に基づき便宜的に死亡の取扱いを行うものであ

り，生存の証拠があれば当然に効力を失う。

> **💠 Case 8-1**　Aには配偶者Bがいる。BはAが所有する甲不動産で生活しており，Aは，単身赴任をしていたところ，8年前にBに電話をしたのを最後に連絡を絶ってしまった。BはAを捜索したが見つからない。Bは，甲を売却し，生活費に充てたいと考えている。

失踪宣告　　失踪宣告は，従来の住所や居所を去り生死不明な状態が続く者（不在者）に対し，利害関係人が家庭裁判所に申立てをし，家庭裁判所が不在者に対し失踪宣告をすることにより，その不在者を死亡したものとみなす制度である（▶30条・31条，家事148条・別表第一-56）。失踪宣告には，音信が絶たれ生死不明が7年間続く場合に認められる**普通失踪**（▶30条1項）と沈没した船に在船していたなど死亡の蓋然性が高い危難に遭遇し生死不明となり危難が去って1年が経過した場合に認められる**特別失踪**がある（▶同条2項）。

　失踪宣告を受けた者は，普通失踪の場合には期間の満了時に，特別失踪の場合には危難が去った時に死亡したものとみなされる（▶31条）。**Case 8-1**は普通失踪にあたり，BがAの利害関係人として失踪宣告の申立てをすれば，Aが失踪して7年が経過した時点でAが死亡したものとみなされ，BはAの遺産を相続することができる。

　失踪者の生存の証明がされれば，失踪宣告の取消しがされる。失踪宣告の効力は絶対的で，取消し手続が必要となる（▶32条1項前段）。失踪宣告の取消しの審判に基づいてのみ戸籍の記載も抹消・変更される。失踪宣告が取り消された場合には，失踪宣告後善意で行った行為について取消しの効力は及ばない（▶同項後段）。もっとも，相続により遺産から財産を取得している者は，取消しにより権利を失うことになるため，失踪者に対し返還義務を負う（▶同条2項）。**Case 8-1**においてAの失踪宣告が取り消されれば，Bは，Aの相続により甲を取得していれば甲を返還しなければならない。しかし，Bが甲を換価している場合には，現存利益の範囲でのみAへの返還義務を負う（▶同条2項ただし書）。なお，Bが甲を換価し生活費として使っていた場合，その支出は甲を換価したかどうかにかかわらず支出すべき財産であり，減るはずの財産が減

らずに残っており利得が残っているといえ，その支出相当額も併せて返還する義務を負う。

　失踪者がその生活関係の中で行った取引行為は，失踪宣告およびその取消しの影響を受けない。

> ❖**Case 8-2**　Aには，配偶者Bと子C，Aの父Dがいる。AとCは，同じ便の飛行機に乗っていたところ，その飛行機が墜落し死亡した。事故の状況からAとCの死亡の前後が判然としない。Aの相続人は誰か。

同時死亡の推定　　**Case 8-2**のように同一の危難により，被相続人と推定相続人が死亡し，その死亡の前後が判然としない場合には，同時に死亡したものと推定される（**同時死亡の推定**）（▶32条の2）。この推定を受ける限り，子Cは，Aの相続人にはならない。この場合，配偶者BとAの父DがAの相続人となる（▶890条・889条1項1号）。Aの死亡時にCが生きていたとの反証がある場合には，配偶者Bと第1順位の血族相続人CがAの相続人となる（▶890条・887条1項）。

2　場　　所

　相続は，被相続人の住所において開始する（▶883条）。**相続開始の場所を規定することで，相続に関して紛争が生じた場合の裁判管轄を明らかにするためである。民事訴訟法・家事事件手続法に規定されている（▶民訴3条の3の12号・5条14号，家事188条1項・191条・201条・202条1項・203条）。

3　相　　続　　人

　相続が開始した場合に相続人となるべき者を推定相続人という。推定相続人は，相続開始後，相続財産を当然に包括承継（▶896条）する者であり，民法が定めた者に限られる。推定相続人は，被相続人の相続財産を承継するという観点から，被相続人の死亡時に存在していなければならない（**同時存在の原則**）。

1　胎児の権利能力

> **Case 8-3**　(1)　Aは，1000万円の財産を残して死亡した。Aの死亡時，Aには配偶者Bと子Cがいた。またBは，Aとの間に，胎児Dを身ごもっていた。DはAの相続人となるか。
> (2)　(1)の事例で，Bが，A死亡後すぐにEと婚姻して，A死亡から300日経たない間にDを出産していた場合，DはAの相続人となるか。

　私権は出生に始まり（▶3条1項），民法上の権利主体となるのは胎児が母体からすべて露出した時であると解されている（全部露出説）。そのため，同時存在の原則を貫くと，胎児は被相続人の死亡時には相続人の地位にはないことになる。しかし，胎児は，いずれ生まれる可能性が高く，胎児の権利保護の観点から不法行為による損害賠償請求権（▶721条）と同様，相続についても「既に生まれたものとみな」される（出生擬制）（▶886条1項。また，遺贈を得る権利〔▶965条〕についても同様）。ただし，「胎児が死体で生まれたときは」，初めから相続人とならなかったものとして扱われる（▶886条2項）。

　「既に生まれたものとみなす」の意味について，①胎児である間は権利能力はないが生まれた時点で相続時に遡って権利能力を認めると解する停止条件説（人格遡及説）（★大判大正6・5・18民録23輯831頁，大判昭和7・10・6民集11巻2023頁）と②胎児でいる間も権利能力を認めるが死産であれば遡って相続人でなかったものと扱う解除条件説との対立がある。

　いずれの説に立っても，**Case 8-3**(1)では，Dが生まれた後には，B・C・DがAの相続人として，Aの遺産につき遺産分割をすることができる。Dが生まれる前の段階では，停止条件説に従えば，Dは相続人とは認められず，生まれて初めてDの権利を行使できる（ただし，実際に権利を行使するのは法定代理人である）。解除条件説では，Dが生まれる前の段階でもDの権利能力が認められ，相続人として権利を行使できるから，胎児の権利保護には資する。もっとも，解除条件説に対しては，死産のときには法律関係が覆るため，法的に不安定であることや，出生前の法定代理人の規定がないなどの問題が指摘されている。近年の学説は，胎児である間の法定代理人の権利行使に関する明文の規定がないことが法定代理人を排することには繋がらず，むしろ胎児に権利能力を

認め，母による代理権行使を妨げない（遺産分割において母と利益相反行為になる場合は除く）と解する方が886条の趣旨にかなう。また民法・実体法のみならず，出生前の証拠保全や仮差押え，仮処分を認めているという訴訟法における当事者能力の観点からも解除条件説の方が胎児の権利保護に繋がるとの見方が強い。

　なお，不動産登記実務においては，遺産中の不動産については，胎児のために法定相続分に従い相続登記をすることが認められており，2018年の相続法改正とともに成立した「法務局における遺言書の保管等に関する法律」では，胎児の母に遺言書情報証明書の交付を請求することを認めている（▶法9条1項2号ロ括弧書）。

　Case 8-3(1)の前提として，死亡によるAとBの婚姻関係が解消されたとしても，Dの父はAと推定されることが前提となっている（▶772条1項）。これに対し，(2)の場合，Dの父はEと推定されることになる（▶同条3項）。そのため，この推定が覆されない限り，DはAの相続人とはならない。

✐ Topic 8-1

法定相続情報証明書

　法定相続情報証明書は，2017（平成29）年に導入された制度である。この制度が開始する前は，相続税の支払や相続登記など相続に伴う手続を行うたびに，被相続人の戸除籍謄本等の必要書類の交付を受ける必要があったため，手続の負担が指摘されていた。相続人は，この制度により，一度，登記所（法務局）に，戸除籍謄本や被相続人の住民票の除票，相続人の戸籍謄抄本，当該申出手続の申出人の氏名・住所を確認することができる公的書類等の必要な書類とともに相続関係を一覧に表した図（法定相続情報一覧図）の提出（申出）をし，法定相続情報一覧図の保管の申請をすることになるが，この法定相続情報一覧図について，登記官により認証文が付された無料の法定相続情報一覧図の写しの交付を受けることができるようになる。相続人は，相続に関する手続が必要な機関に対し，登記所から交付された一覧図の写しを提出することで対応することができるようになったため，戸籍謄本等の複数の書類を何度もとる必要がなくなった。法定相続情報一覧図は，申出日の翌年から5年間保存され，申出をした者であれば，その写しの再交付も受けることができる。

2　法定相続人の範囲とその順位

　民法は，被相続人の配偶者と一定範囲の血族を相続人として定めた（**図表8-1**）。被相続人は民法が定めた相続人以外の者を指定することはできない。

　配偶者は常に相続人となる（▶890条）。血族相続人がいる場合にはその順位に従い，配偶者とともに相続人となる。血族相続人の第1順位は，子とその直系卑属（▶887条），第2順位は，直系尊属（▶889条1項1号），第3順位は兄弟姉妹と甥姪（▶889条1項1号・2項）である。配偶者および第1順位から第3順位の血族相続人がいない場合，すなわち甥姪まで誰も相続人がいない場合には，相続人は不存在となる（➡255頁）。

　被相続人は，遺言により，特定の相続人の順位の如何にかかわらず財産を与えることもでき，相続人以外の者に対し遺贈をすることもできる（➡第11章）。

血族相続人　　　　（1）　**子およびその直系卑属**　　子および直系卑属は，第1順位の**血族相続人**である（▶887条）。子と孫が相続開始時に存在する場合，子が相続人となる（▶同条1項）。**図表8-1**のAの血族相続人は，BとCである。被相続人の「子」であれば足り，子が実子か養子か，嫡出子か嫡出でない子かは問われない。ただし，養子が相続開始前に離縁されている場合には，法定血族関係が終了するため（▶729条），相続人とはならない。また，子が普通養子の場合，実親との法定血族関係は断絶されず，実親の相続人にもなるが，子が特別養子の場合には，実親との法定血族関係が終了するため（▶817条の9），実親の相続人とはならない。死後認知の場合も認知の効力は子の出生時に遡るため（▶784条），相続人となる（遺産分割との関係〔▶910条〕は，➡第10章）。被相続人に胎児がいる場合については，前述1（➡223頁）参照。

　図表8-1において，子Bが，相続の開始以前に死亡していた場合（先死）に，子の直系卑属であるDとEがBを代襲相続する（▶887条2項）。

　（2）　**直系尊属**　　被相続人に第1順位の相続人（▶887条）がいない場合，直系尊属が相続人となる（▶889条1項1号）。直系尊属とは，父母，祖父母，曾祖父母，高祖父母と，被相続人から直上する関係にある血族である。実親か養親かは問われない。親等の異なる者がいる場合，被相続人に近い親等の者のみが相続人となる（▶同号ただし書）。

　（3）　**兄弟姉妹とその直系卑属**　　第1順位の相続人（▶887条）および第2順

図表8-1 法定相続人の範囲と順位

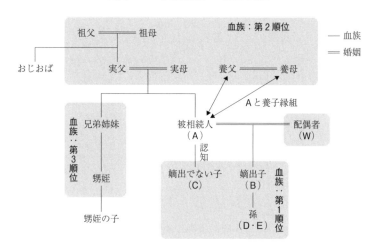

位の相続人（▶889条1項1号）の相続人がいない場合に，兄弟姉妹が相続人となる。兄弟姉妹が被相続人にとって半血の場合（父母のいずれかを異にする場合）であっても，相続人となるが，その他の兄弟姉妹が全血であれば，半血の者は全血の者の2分の1の相続分となる（▶900条4号ただし書。兄弟姉妹の代襲相続については，➡次頁，278頁）。

配偶者相続人　被相続人の配偶者は常に相続人となる（▶890条）。血族相続人がいない場合には，単独相続人となり，血族相続人がいる場合には，共同相続人となる。**図表8-1**のWは，B・Cとともに，相続人となる。配偶者の法定相続分は，どの順位の血族相続人と相続するかにより異なる（▶900条。➡278頁）。

　仮にWが婚姻届を提出していない事実上の配偶者の場合，WはAの配偶者相続人とはならない。法定相続人となる配偶者は，法律上の婚姻関係になければならない（➡102頁）。

⚑ Case 8-4　被相続人Aには，子Bがいる。Aには既に死亡した子Cがいたが，Cが死亡した後にAはCの配偶者Dの世話になっていた。Dは代襲相続人となるか。

Case 8-4においてCの配偶者Dには代襲相続権がないため，Cが先に死亡

した場合，Aが死亡してもAの財産を承継することができない。しかし，Dが
Aの特別寄与者となる場合には，特別寄与料を相続人Bに対して請求すること
ができる（▶1050条。➡第13章）

代襲相続　(1)　**趣　旨**　被相続人の死亡以前に，相続人となるべき
子・兄弟姉妹に代襲原因がある場合に，その者の直系卑属
（代襲相続人・代襲者）が，相続人になるべき者（被代襲者）に代わって相続分を
承継することを**代襲相続**という（▶887条2項・889条2項）。

　代襲相続は，公平の観点から，被代襲者が先に死亡するなどして相続できな
い場合において，被代襲者が相続できた相続財産を代襲相続人が相続すること
を認めた制度である。

　被相続人の相続財産について相続人の下の世代が承継することで，無主物を
作らないという機能もある。第1順位の血族相続人である子Aが相続できず，
代襲者Bが（代襲）相続できない場合にはBの子CがいればCが**再代襲**し，A
もBもCも相続できずBの子Dがいる場合にはDが再々代襲することを認め，
直系卑属が存在する限り代襲することが認められている（▶887条3項）。もっ
とも，第3順位の血族相続人である兄弟姉妹が相続人となる場合には，その子
（被相続人からみた場合には甥姪）に限って代襲相続が認められており（889条2項
は，887条2項を準用するが，887条3項を準用していない），兄弟姉妹に代襲相続人
がいない場合には，相続人が不存在ということになる。兄弟姉妹について代襲
相続を無限に拡大することを認めることに対する批判——「笑う相続人」に対
する批判——から1980年改正により現行規定に改められた。

> **Case 8-5**　被相続人Aには，子Bがいる。Bには，配偶者Dと子E・Fがい
> る。また，Aには養子CがいたがCは既に死亡している。CはAと養子縁組をした
> 後に子Gを出産していた。Aは，Bについて廃除の申立てをし，Aの請求は認めら
> れていた。Aの相続人としての資格があるのは誰か。

　(2)　**要　件**　代襲相続の要件は，①被代襲者に代襲原因があることと，②
代襲しようとする者に代襲資格があることである。

　①代襲原因は，相続人となるべき子・兄弟姉妹（被代襲者）が被相続人より
先に死亡している場合（**Case 8-5**ではCはAよりも先に死亡），相続欠格にあたる

場合（▶891条）または廃除された場合（▶892条以下。**Case 8-5**ではBはAにより廃除されている）である（▶887条2項・889条2項）。相続欠格や廃除を代襲相続原因としたのは，親の非行がその子に及ばないようにするためで，代襲者は自己固有の代襲相続権で被相続人を相続するという考え方に基づいている。相続放棄は代襲原因にはならない。相続放棄をする場合には，放棄の目的は，一部の相続人に相続財産を集中させるということもあるが，相続債務を承継しないように放棄をする場合には放棄者はその直系卑属には遺産を承継させたくないという意思があること，また子とその卑属が個別に放棄の手続を行うことの複雑化を防ぐためである。

②代襲者は，被代襲者に代襲原因がある場合に被代襲者の下の世代が承継するため，(i)被代襲者の子であり，かつ(ii)第1順位では被相続人の孫（第3順位では甥姪）である必要がある（▶887条2項ただし書）。被相続人と被代襲者が養子縁組をする以前の被代襲者の子は，被相続人の直系血族にはあたらず（▶727条），代襲相続人にはならない（▶887条2項ただし書）。被代襲者の配偶者（Bの配偶者D）も代襲相続人にはならない。また，(iii)代襲者は相続開始時に存在していなければならない（同時存在の原則）。なお，代襲者が胎児である場合には，886条が適用される。**Case 8-5**において代襲相続人として相続資格があるのは，Bの子E・F，AとCの養子縁組後に生まれたCの子Gである。

（3）**効　果**　代襲者は，被代襲者が受けるべき相続分を受け取る。また，被代襲者の系統に複数の代襲相続人がいる場合には，相互の相続分は均分（**株分け**）となる（▶901条・900条4号）。**Case 8-5**では，E・Fが，Bが受け取るべき相続分2分の1を均分で，すなわち各4分の1を代襲相続し，GはCが受け取るべき相続分2分の1を代襲相続することになる。

（4）**特定財産承継遺言（相続させる旨の遺言）と代襲相続**　遺言者が，相続人の1人に特定財産承継遺言（特定財産承継遺言については，➡350頁以下）をしていたところ，その相続人が被相続人の相続開始前に死亡していた場合には，代襲相続の規定を特定財産承継遺言に類推適用するのではなく，遺言者の意思を解釈し，「特段の事情のない限り」代襲者の遺産の取得を否定する旨の判断をした（★最判平成23・2・22民集65巻2号699頁。➡341頁）。

4　相続資格の剥奪

相続欠格

(1)　趣　旨　**相続欠格**は，被相続人を殺害するなどの非行行為や被相続人の遺言に不当に介入した相続人から相続権を法律上当然に剥奪する制度である（▶891条）。相続欠格を，①相続秩序を破壊し違法に利得を得ようとした者に対し公益的理由から民事制裁を与えるための制度であると捉える立場と，②相続的共同関係を破壊した相続人に対して私益的理由から民事制裁を与えるための制度であると捉える立場との対立がある。いずれの立場によるかで，相続欠格の宥恕（ゆうじょ）を認めるかどうかに影響を与える（➡233頁）。

> **⊞ Case 8-6**　被相続人Aには，子B・Cがいる。Aには，子Dもいたが，DはCによって殺害された。Cは殺人罪で，懲役（刑法改正により2025年6月1日より懲役と禁錮を一体化した「拘禁刑」となる）＊年の実刑判決を受け，刑が確定した。Cの動機に以下のような違いがある場合，Cは相続欠格者となるか。
> (1)　Cは，日常的にDがCを侮辱していたことに腹をたてており，争いの際にかっとなって殺してしまった。
> (2)　CがDを殺害したのは，AがDに対してAが営む事業やAの資産の大部分を承継させるつもりであると聞いたからであった。

(2)　欠格事由　**(a)　殺人・殺人未遂**　891条1号は，相続人が，被相続人，先順位の相続人または同順位の相続人を殺害または殺害しようとし，殺人罪（▶刑199条）・殺人未遂罪（▶刑203条）により実刑判決を受け，刑に処せられた場合を相続欠格にあたると規定する。ここでの「殺害」には，殺人予備罪（▶刑201条），殺人等の教唆，幇助・嘱託殺人（▶刑202条）も含むと解されている。また執行猶予判決を受けた場合は，通説は，有罪ではあるが，実刑を免れているため，執行猶予期間が経過すれば刑の言渡しの効力が消滅することから相続欠格には該当しないと解する。

891条1号は，殺害行為について既遂か未遂かを問わないが，故意は必要であり，過失致死や殺意のない傷害致死は相続欠格にはあたらない。

Case 8-6 においては，Cは，同順位の相続人Dを殺害し，殺人罪で刑に処

せられているため，殺人の故意は(1)(2)のいずれにおいても認められる。しかし，891条1号が適用されるための殺人の故意の解釈について，通説は，(ⅰ)単に殺害の故意があるだけでなく，(ⅱ)被相続人や同順位の相続人を殺害し相続法上の利得を受けることを目的とした場合に限り（**二重の故意**），相続欠格にあたると考える。通説に従うと **Case 8-6**(2)のCは，(ⅰ)(ⅱ)を満たし，殺害の故意があるためCは相続欠格者となることに異論はない。しかし，**Case 8-6**(1)においては，Cには(ⅱ)の利得を受ける目的がないため，相続欠格者にあたらないといえる。なお，被相続人や同順位の相続人を殺害する故意があれば足りるとする説もあり，この説からは，**Case 8-6**(1)のCも相続欠格者となる。

(b) 殺人・殺人未遂を告発・告訴しない場合　　殺人・殺人未遂について告発・告訴しなかった場合（▶891条2号本文）も欠格事由にあたる。ただし是非の弁別がないとき，殺害者が自己の配偶者もしくは直系血族であったときは除かれる（▶同条2号ただし書）。是非の弁別がないとき，殺害者が自己の配偶者等であるときは，告発・告訴は期待できないからである。なお，近代国家では，犯罪があるとされれば，告発・告訴がなくとも，犯罪捜査は行われるため，891条2号は削除されるべきとの学説もある。判例も，公訴権が発動されている場合には，告発・告訴をしなかったとしても相続欠格にはならないとしている（★大判昭和7・11・4法学2巻829頁）。

> **Case 8-7**　被相続人Aには，子B・Cがいる。Aは，A所有の甲不動産にBと同居し，日常的にBの助けを受けていたため，「甲をBに相続させる」旨の遺言（α遺言）を作成しようと考えていた。次の(1)(2)の場合においてCは相続欠格者となるか。
> (1) Aがα遺言を作成し，そのことをCは知った。Cは，Aを脅してα遺言の撤回を迫ったところ，Aは，Cに恐怖を感じてα遺言を撤回した。
> (2) Cは，Aがα遺言を作成しようとしていることは知らなかったが，AとBの仲がよいことを快く思っておらず，Aに対し「BはAの悪口をいつも言っていて，近くAを介護施設に入所させると言っていた」など事実と異なることを告げたため，Aは気を悪くしてα遺言の作成をやめた。

(c) 詐欺・強迫による遺言への介入　　詐欺・強迫により被相続人が「相続に関する」遺言をする，撤回する，取り消す，変更するのを妨げた場合（▶891条3号），また詐欺・強迫により，被相続人に相続に関する遺言をさせ，

撤回させ，取り消させ，変更させた場合（▶同条 4 号）は，相続欠格となる。被相続人の遺言自由を保障するために，被相続人の遺言意思に不当な介入をした者を制裁するためである。

　後見人の指定など「相続に関する」遺言とは関係のない内容の遺言行為に，推定相続人が関与しても相続欠格とはならない。遺言行為には，遺言の作成（▶967 条以下），遺言の取消し・撤回（▶1022 条以下），既存の遺言書の加除訂正・変更（▶968 条 3 項・970 条 2 項・982 条）に関するあらゆる遺言行為が対象となる。詐欺・強迫の故意について，通説は，(i)被相続人を欺罔して錯誤に陥らせる故意または強迫して畏怖を生じさせる故意だけでなく，(ii)遺言の妨害行為により相続法上の利得を得る目的を必要とする（二重の故意）。**Case 8-7**(1)では C は A を脅しており(i)の故意が認められる。また，C は a 遺言を撤回させており，遺言がされた場合に比し，利得を得る目的もあるといえ，(ii)も満たす。**Case 8-7**(2)では，事実と異なることを C が告げており(i)の故意は認められるが，C には(ii)の目的がなく，相続欠格者とはならない。

> **┇Case 8-8**　A には，子 B・C がいる。A は，所有する財産のうち特に価値の高い甲不動産を B に相続させる旨の遺言（a 遺言）を作成し，a 遺言の内容を B に伝えた上で，B に a 遺言を保管して欲しいとして渡していたところ，B は a 遺言の保管場所を忘れてしまった。A の死亡後，B は C に A の遺言を預かっていたことを伝えず，遺産分割をした。B の行為は，相続欠格にあたるか。

　(d)　遺言書の偽造・変造・破棄・隠匿　　891 条 5 号は，相続人が相続に関する被相続人の遺言書を偽造・変造・破棄・隠匿したことにより，遺言に関し著しく不当な干渉行為をしたことに対し，相続人となる資格を失わせるという民事上の制裁を課すための規定である（★最判昭和56・4・3民集35巻 3 号431頁）。

　偽造・変造・破棄・隠匿行為についての「故意」について，通説は(i)当該行為の故意に加え，(ii)その行為により相続法上の利得を得る目的を必要とする（二重の故意）。

　判例は，被相続人の意思を実現させようとして法形式を整えるために加除・訂正行為を行った者は，不当な利益を得る目的がなかったときには 5 号の相続欠格者にはあたらないとしている（前掲★最判昭和56・4・3）。**Case 8-8**では，

Bは，Aから預かった遺言の保管場所を忘れ，しかもCに遺言の存在を伝えて
おらず，この行為は遺言の破棄・隠匿にあたるかが問題となる。判例は，相続
人が被相続人の遺言書を破棄または隠匿した行為が相続に関して不当な利益を
目的とするものでなかったときは，遺言に関する著しく不当な干渉行為とはい
えないとし，このような者に厳しい制裁を課すことは891条5号の趣旨に沿わ
ないとする（★最判平成9・1・28民集51巻1号184頁：百選Ⅲ-54）。

なお，2018年の相続法改正では，被相続人以外の者による偽造・変造・破
棄・隠匿の防止目的で，自筆証書遺言の保管制度が整備された（➡328頁）。

> **∷Case 8-9** 被相続人Aは，何者かに殺害されて死亡した。Aには，子B・Cが
> いた。また，Bには，子Dがいる。
> 　Bは，相続開始から1か月後，A所有の甲不動産につき，B・Cの共有登記を
> し，自己の相続分につき，Eに譲渡し，持分権移転登記をした。
> 　相続開始から3年後，BがAに対する殺人罪に問われ，懲役刑（拘禁刑）に服す
> ることになった。裁判の過程で，Bが相続欠格者にあたることが判明した。
> 　C・DがEに対し，甲の持分権移転登記の更正登記請求をした場合，Eはこの請
> 求を拒絶できるか。なお，Eは，BがAを殺害した事実を知らない。

　(3)　**効　果**　相続人が，相続欠格事由に該当する行為をした場合，法律上
当然に相続資格（相続権）を喪失する。相続欠格事由が相続開始前に生じた場合
には，その欠格事由に該当する行為をした時からその効果が生じるのか，相続
開始時にその効果が生じるのかの争いがある。したがって**Case 8-9**では，B
が相続欠格者であることが判明したのは相続開始後であるが，(ⅰ)Aを殺害した
時点または(ⅱ)相続開始の時点から，Bは相続欠格者であったということになる。

　なお，相続開始後に欠格事由に該当する行為をした場合は，相続開始時にそ
の効果は遡ると解されている。

　相続欠格にあたるかどうかは，対象となる被相続人との関係で決まる（相対
性）。また，相続欠格に該当するのは非行行為を行った相続人のみであり，そ
の相続人に直系卑属がいる場合には，その直系卑属が代襲相続することになる
（▶887条2項）。したがって，Aの相続人は，Cと代襲相続人Dとなる。

　相続欠格者Bと不動産の取引をしたEは，Bが無権利者であるため，その承
継人は登記の欠缺を主張する正当な利益を有する第三者にはあたらず登記を備

えていても対抗できない（▶177条）。またＥが，相続欠格の事実について善意・無過失であったとしても94条２項の類推適用により保護されることはない（★大判大正３・12・１民録20輯1019頁）。Ｅは，甲不動産の持分登記を備えていても，Ｃ・Ｄの請求を拒絶することができない。なお，学説上，94条２項の類推適用により第三者を保護するべきとするものもある。

(4)　**相続債務**　　相続人は相続債務を承継し（▶896条本文），相続債権者は相続人に債務の履行を求めることができる（債務の相続については，➡260頁，286頁）。しかし，相続欠格者は，相続人とはならず，債権者は，相続欠格者に債務の履行を求めることができない。

> 🔹 **Case 8-10**　被相続人Ａには，子Ｂ・Ｃがいる。ＡにはＢ・Ｃの他に子Ｄがいたが10年前にＢがＤを殺害した。Ｂは殺人罪に問われ懲役刑（拘禁刑）に服している。
> 　Ａは，Ｂの刑事裁判で寛大な処分を求めており，服役中も面会に何度も出向きＢにＤとの関係をとりもつことができなかったことを謝罪していた。また，自身の財産はすべてＢに承継させるつもりであるなどと伝えていたが，Ａは，遺言書を残すことなく死亡した。Ｂは相続欠格者にあたるか。

(5)　**宥　恕**　　Ｂは，相続欠格者となりうる（▶891条１号。➡前述(2)(a)）。しかし，ＡとＢとの関係性は，ＢがＤを殺害した後のＡの生前の言動から破壊されたとまではいえず，ＡはＢの行為を許し（**宥恕**），Ａの財産を承継させる意図がみられる。ＡがＢを宥恕した場合に，Ｂは相続人の地位を回復することができるか。これについて判例・学説は対立している。相続欠格は，法律が相続人の資格を当然に剥奪する制度であるため，相続廃除（▶892条以下）とは異なり（➡237頁），被相続人の意思により取り消すことができない。

①宥恕否定説は，本条は相続秩序を破壊した相続人に対する公益的理由から行われる民事制裁であるとする。この考え方に従うと，被相続人の意思により相続欠格者に相続資格を与えることはできず，**Case 8-10**ではＢが相続欠格者にあたる場合には，Ｂには相続権は認められない。なお，ＡがＢに財産を承継させたい場合には生前贈与等の方法によることが考えられる。

②宥恕肯定説は，私益的理由からの民事制裁であると本条を捉えるため，被相続人が宥恕し，相続的共同関係が回復するのであれば，欠格者の相続資格の回復を認める。相続制度においては，被相続人の意思による財産処分が尊重さ

れることを重視するからである。ただし，被相続人の言動から相続欠格者を宥
恕し，相続資格を認める意思表示が推定できれば，相続資格を認めることがで
きるという立場（★広島家呉支審平成22・10・5家月63巻5号62頁）と被相続人の
意思表示が明確にある場合にのみ宥恕を認めるとする立場が対立する。前者の
立場からは，**Case 8-10**においてBに相続権が認められるが，後者の立場から
はAの言動だけではBに相続を認める意思表示が明確にあったといえるかが問
題となる。

推定相続人の廃除　(1)　**意　義**　相続欠格にあたるような重大な行為で
なくても，被相続人にとっては推定相続人の行為が目
に余り相続財産を承継させたくない場合がある。しかし，被相続人が自由に相
続人の資格を剝奪することができるとした場合，相続人に究極の不公平をもた
らすことにもなる。推定相続人の廃除という制度は，被相続人の意思に基づき
相続人の資格を失わせることを認める制度であるが，892条に廃除の要件を定
めること，さらに家庭裁判所が廃除を認めるかどうかを判断するという仕組み
をとることで，被相続人の意思を前提として推定相続人の権利を失わせる民事
上の制裁を認めた制度である。被相続人が廃除を求める場合には，生前に家庭
裁判所に申立てをするか，遺言により廃除（▶892条・893条）をする必要がある。

　相続欠格は，推定相続人の行為が相続欠格に該当した場合，法律上当然に相
続権が剝奪されることになるが，廃除は，被相続人の意思に基づき，家庭裁判
所の審判を経て廃除事由に該当するかどうかが決定されるという違いがある。
また，被相続人の意思を前提とする制度であるため，被相続人は，廃除の審判
を取り消すことができる（➡237頁）。

　(2)　**廃除対象者**　廃除される者は，推定相続人のうち，遺留分権者に限ら
れる（▶892条）。被相続人は，遺留分権を有しない兄弟姉妹（▶1042条1項）に
相続させたくなければ，遺言をすることでその意思を実現できるからである。

🔲 Case 8-11　Aは，以下の(1)から(3)において，子Bの相続資格を奪いたいと考
えている。Bの行為は廃除事由にあたるか。
　(1)　Bは，Aに対して日常的に身体的虐待を加えている。
　(2)　Bは，Aに対し暴言を吐いたり，日常的な浪費がひどくAがBの借金を返済

することも多かった。
(3)　Bは，Aの営む会社で従業員として働いていたが，Aから長年抑圧された状況にあり，不満を抱える状況にあり，飲酒した際に感情を爆発しAに暴言を吐いた。

　(3)　**廃除事由**　　被相続人が推定相続人を廃除することができるのは，被相続人に対して推定相続人が，①虐待もしくは②重大な侮辱を加えた場合，または推定相続人に③その他著しい非行があった場合である。**Case 8-11**(1)のように虐待のみを理由として廃除が認められることもあるが，**Case 8-11**(2)のように，「重大な侮辱」と「著しい非行」などいくつかの廃除事由を組み合わせて廃除が認められるかが判断されることもある。**Case 8-11**(3)の場合は，被相続人と推定相続人の双方に責任がある場合であり，AとしてはBの行為が「重大な侮辱」にあたるとの理由から廃除を求めることが考えられるが，裁判例では，相続的共同関係を破壊するに至った原因について被相続人に責任があるかや，推定相続人の行為が一時的なものかなどを考慮して判断する必要があるとして，Bの行為は廃除事由にあたらないとの判断がされている（★名古屋高決昭和46・5・25家月24巻3号68頁）

　(4)　**廃除の手続**　　廃除をするためには，被相続人が①生前に家庭裁判所に廃除の申立てをする方法（▶892条）と②遺言による廃除をし，遺言の効力発生後，家庭裁判所に廃除の申立てをする方法がある（▶893条）。

　廃除の申立てには，被相続人に意思能力が必要であるが，意思能力があれば成年被後見人等であっても自ら申立てが可能である（▶家事188条2項・118条）。

　遺言による廃除の場合，遺言が有効なものでなければならないが，廃除の趣旨が明確に表示されていなくても遺言の趣旨から廃除が認められることもある（★最判昭和30・5・10民集9巻6号657頁）。遺言による廃除の意思表示があれば，遺言執行者は，遺言の効力が生じた後に遅滞なく家庭裁判所に請求することになる（▶893条）。

　廃除に関する審判事件は，家事事件手続法別表第一に掲げられる審判事件であり，廃除を求められた推定相続人は手続上の当事者ではない。しかし，廃除が認められると相続資格が剥奪されるという効果の重要性と廃除事由をめぐり申立人と相手方の推定相続人とが対立する紛争性の高い事件であるため，別表

第二と同様に，申立てが不適法であるときや申立てに理由がないことが明らか
でない限り，推定相続人の陳述を家庭裁判所が直接聴く機会を保障し（▶家事
188条 3 項），当該推定相続人を当事者とみなすことで別表第二の当事者に近づ
けて手続に関与させる機会も保障している（▶同条 4 項・67条・69条～72条）。審
判において廃除の決定がされる基準は①②③において差はなく，被相続人の主
観的感情や恣意のみで判断されることはない（➡前述(3)）。

　(5)　**廃除の効果**　廃除の審判が確定すると，被廃除者は相続資格を喪失す
る。この効果は，被相続人と被廃除者との間でのみ生じ，それ以外の者には及
ばず（相対的効力），被廃除者に直系卑属がいる場合には代襲相続が生じる（➡

Further Lesson 8-1
▶▶▶▶▶　**廃除原因と離縁原因・離婚原因との関係**

　夫婦関係や普通養子縁組における親子関係において，自らの財産を配偶者や養子
に相続させたくないと考える場合，廃除の手続をとるのではなく，夫婦であれば離
婚をすることで，養子縁組の場合には，離縁をすることで，配偶者や子の相続人の
地位を喪失させることもできる。もっとも離婚や離縁は相手方が協議に応じなけれ
ば，離婚の訴えや離縁の訴えによるしかない。この場合，相手方に「有責性」（そ
の他婚姻を継続し難い重大な事由」や「その他縁組を継続し難い重大な事由」）が
なければ，離婚・離縁は認められないが，これらの事由と廃除原因である「著しい
非行」との関係が問題となる。
　離婚・離縁訴訟の場合，請求者に有責性があっても（離婚訴訟の場合には 3 つの
条件がつくものの），信義則に反するような特段の事情がなければ請求は認められ
ることになるのに対し（★最大判昭和62・9・2民集41巻 6 号1423頁：百選Ⅲ-15。
➡79頁），廃除の場合には，相手方に「著しい非行」がなければ認められず，廃除
の方が認められる基準を高く設定していることになる。夫からの離婚請求を拒絶し
つつ遺言による廃除をしていた妻の死亡後に廃除の申立てがされた事案に対し，大
阪高決令和 2・2・27判タ1485号115頁は，配偶者の非行が，被相続人との人的信
頼関係を破壊し，推定相続人の遺留分を否定することが正当に評価できる程度に重
大なものでなければならないとして請求を否定した。同決定は，従前の裁判例とは
異なり，廃除事由を離婚原因と同程度の非行があるかどうかで判断するという基準
も示すが，従前の裁判例に従えば廃除が認められる程度の行為（暴力，濫訴など）
を夫はしていたにもかかわらず，妻の遺産が，夫婦が共同で営んだ事業を通じて形
成されたことと妻が婚姻関係の継続を求めていたことを考慮し，廃除の判断が厳格
にされたものといえる。日本では，相続の段階で，夫婦財産の清算の仕組みがない
ため，苦肉の判断になったのではないか。

227頁)。

　被廃除者は，相続資格を失うだけで，親族関係にあることにかわりはないのでそれ以外の扶養の権利義務や親権・後見などの関係は残る。

　生前廃除の場合，審判が確定すると，法律上その効果は当然に生じ，請求した者が戸籍の届出をするがこの届出は報告的届出である（★大判昭和17・3・26民集21巻284頁）。遺言による廃除の場合，廃除の審判が確定すると，被相続人の死亡時に遡ってその効力が生じる（▶893条後段）。

　廃除の請求・取消し，遺言による廃除・取消し（取消しについては，➡後述(7)）が確定するまでの間は，推定相続人の相続権が剥奪されるかどうか不明のため，家庭裁判所は親族・利害関係人・検察官の請求によって，遺産の管理に関する処分をすることができる（▶895条1項）。

　推定相続人に対する廃除の審判が確定する前に，その者が相続財産である甲不動産を売却し，所有権移転登記を済ませたとしても，当該推定相続人の廃除の審判がされれば，その処分行為は遡って無効となる。この場合，その廃除された者と取引をした者は，登記の有無にかかわらず他の相続人に所有権の主張ができないと解される（★大判昭和2・4・22民集6巻260頁）。

　(6)　**相続債務**　相続債務は，相続人に承継され（▶896条本文），相続債権者は法定相続分に従って相続人に債務の履行を求めることができる（➡260頁，286頁）。被廃除者は相続人としての資格を失っている。したがって，債権者は，被廃除者に対し，債務の履行を求めることができない。

> ■**Case 8-12**　Aには，子B・Cがいるが，AはBにつき廃除の申立てをし，Aの請求が認められていた。数年後，Aは，Bの言動をみて，Bを相続人に戻したいと考えた。Aはどのような手続をとることができるか。

　(7)　**廃除の取消し**　廃除は，被相続人の意思に基づき，家庭裁判所の審判を経て認められる制度であるため，被相続人は，いつでも推定相続人に対する廃除の取消しを家庭裁判所に申し立てることができ（▶894条1項），廃除の取消しの審判がされると，確定した時から将来に向かって効力が生じる。遺言により，廃除を取り消すこともでき，この場合には遺言執行者が家庭裁判所に廃除の取消しの申立てをし（▶同条2項），廃除の取消しの審判がされると，相続

開始時に遡って効力が生じる（▶893条）。これにより被廃除者は推定相続人の地位を回復する。**Case 8-12**においては，Aは廃除の取消しの手続をとることで，Bについて相続人の地位を回復することができる。

　なお，廃除者が，被廃除者と養子縁組をすることで被廃除者は新たに相続人の地位を取得するとする判例がある（★大判大正9・2・28民録26輯120頁）。

5　相続回復請求権

1　意　　義

　884条には，相続人またはその法定代理人が「相続権を侵害された」ときに，**相続回復請求権**という権利を行使することを前提とし，この権利の行使期間が5年（短期消滅時効）ないし20年（除斥期間）の期間制限を受けることだけが規定されている。しかし，同条には，相続回復請求権がどのような法的性質の権利であるか，またどのような相続人が相続回復請求権に対し本条に基づく短期消滅時効の援用をすることができるのかが，明確に定められておらず，判例・学説上議論されてきた。

> **沿　革**　相続回復請求権の沿革をたどると，ローマ法に遡るが，明治民法下においても現行規定と同趣旨の規定が置かれていた（家督相続においては，▶明治966条，遺産相続においては，▶明治993条・966条）。この当時，主に家督相続の場面で，家督相続人が，家督相続人でもないのにそのように振る舞いその法的地位や相続財産を侵害している相続人（**表見相続人・僭称相続人**）に対し，その法的地位や相続財産を回復するために行使する権利が相続回復請求権であり，争いを早期に解決するために相続回復請求権の短期消滅時効を規定したという経緯をもつ。戦後の改正により，家督相続が廃止されたが，相続回復請求権に関する規定は，特段議論されることなく現行法に引き継がれた。

> **884条の目的／消滅時効・除斥期間**　現行法の下では，「相続回復請求権」という独立した権利を観念しないと考えられており，本来の相続人（**真正相続人**）は，表見相続人によりその相続権が侵害された場合に，相続権に基づき個別の相続財産に関する財産法上の請求権を行使することにより，侵害

された権利の回復を図ることになる。

　884条は，真正相続人が相続権の侵害された事実を知った時から5年間（消滅時効），相続開始から20年が経過したとき（除斥期間）には，権利が消滅するという規定を設けることで，真正相続人の権利の行使を一定の期間で制限し，紛争の早期解決のために機能する（★最大判昭和53・12・20民集32巻9号1674頁：百選Ⅲ-100）。

> **Case 8-13**　Aには，配偶者B，子C・Dがいた。Aは，甲・乙不動産を残して死亡した。
> 　Bは，相続開始後に遺産分割協議書を偽造し，相続開始後甲・乙についてB名義の所有権移転登記を済ませ，5年が経過した。C・DはBに対してどのような請求をすることになるか。

法的性質　Case 8-13において，Bは，C・Dとの遺産分割協議をせずに虚偽の遺産分割協議書を作成し，甲・乙不動産の所有権移転登記を済ませても，C・Dの持分について無権利者のため，甲・乙不動産について単独で所有権を取得することはない。そこで，真正権利者C・Dは，Bに対し，自身の権利（相続回復請求権）を行使することになる。

　従前，相続回復請求権の法的性質について，(i)真正権利者が，相続回復請求権という1個の独立した権利により，包括的に相続財産を回復することができるのか（独立権利説），あるいは(ii)相続回復請求権は，個別の財産に対する侵害について，その侵害を排除するための物権的請求権等の集合体であると考えるか（権利集合説）という対立があった。独立権利説に従えば，C・Dは甲・乙についてそれぞれ所有権の回復を求めるというように，個々の財産を列挙し，どのような権利を回復するのかということを主張立証する必要はなく包括的な権利行使が認められる。これに対し，権利集合説に従えば，C・Dは，Bに対し，共有持分権に基づき甲・乙不動産の更正登記手続を求めることになる。

　共同相続を前提とした現行法の下では，通説・判例は，権利集合説に依拠した展開がされている。相続回復請求権を1個の独立した権利として捉え，相続財産について包括的に回復すると捉えたとしても，個別の財産を特定していな

ければ，判決の後でも執行することができないからである。なお，家督相続において戸主が単独相続した明治民法の下では独立権利説に立った裁判例もあった。

2 884条の適用場面

共同相続人間での請求 　884条は，真正相続人による相続回復請求に対し一定期間の経過を理由に，表見相続人が時効を援用するか，除斥期間の経過により真正相続人の権利を制限することのみを規定しているが，同規定からは表見相続人の範囲は明確でなく，表見相続人の範囲を広く解釈することで，真正相続人が相続財産を回復する権利を狭めてしまうことになる。判例は，共同相続人のうちの1人または数人が，本来の自己の相続持分を超える部分について，他の共同相続人の相続権を否定し，その部分も自己の相続持分であると主張して占有管理し，他の共同相続人の相続持分を侵害している場合でも，884条の規定は適用されるとする。しかし，他の相続人がいて，その持分に属するものであることを知りながら（悪意），その部分を自己の持分に属するものであると称し，または，そう信ぜられるべき合理的な事由があるわけではない（有過失）にもかかわらず自己の持分を超えて，相続財産を占有管理している場合は，相続回復請求権の消滅時効の援用をすることができないとする（前掲★最大判昭和53・12・20）。判例に従えば，884条の消滅時効を援用する表見相続人は，善意・無過失でなければならない。

　Case 8-13のBは，遺産分割協議を経ることなく甲・乙を自己名義としており，自己の相続分を超えてC・Dの相続持分を侵害しており，C・Dによる相続回復請求は認められる。この請求に対し，Bは，C・Dの相続持分の侵害について悪意であり，884条の援用はできない。これに対し，次にみる**Case 8-14**の場合には真正相続人の相続回復請求に対し，表見相続人による884条の援用が認められうる。

■ Case 8-14 　A・B夫婦には子C・Dがいる。A・Bは，子Eをもうけたが，A・Bは，Eの生後直ちにF・G夫婦に引き渡し，EはF・G夫婦の子として出生届がされた（藁の上からの養子。➡121頁）。このような状況の中，Aが死亡した。Aの遺産は甲不動産と乙不動産である。BはAより先に死亡しており，C・DはE

の存在を知らずに遺産分割協議をし，甲をＣが，乙をＤが取得した。Ｅは，Ａの死亡から６年後Ｆから自身の出生の事実とＡの死亡を知らされ，Ｃ・Ｄに対し遺産分割の申入れをした。
　Ｃ・Ｄは，884条の消滅時効を援用できるか。

表見相続人の
善意無過失
　Case 8-14では，Ｃ・Ｄは他の相続人であるＥを外して遺産分割協議をしているが，Ｅは藁の上からの養子であったという事情があり，善意・無過失の表見相続人として884条に基づき消滅時効の援用を主張することができる。

　なお，884条が適用される場面は，藁の上からの養子の場面以外に，被相続人の死亡前に離婚した配偶者や離縁した養子が，離婚・離縁につき無効・取消しを求め，それが認められた場合など限定的な場面が想定される。

　表見相続人が，884条の消滅時効を援用するためには，善意無過失の主張立証責任を負う。善意無過失の判断時期は，「当該相続権侵害の開始時点」を基準として判断される。また，共同相続人間での相続回復請求では，善意無過失の対象は，「他に共同相続人がいることを知らず，かつ，これを知らなかったことに合理的な事由があったこと」であり，「相続権侵害の事実状態が現に存在することを知っていたかどうか，またはこれを知らなかったことに合理的な事由があったかどうか」ではないと解されている（★最判平成11・7・19民集53巻6号1138頁）。**Case 8-14**では，Ｃ・Ｄは，遺産分割協議時点でＥの存在について善意であり，戸籍にＥが記載されていなかったことから無過失であったと主張することができる。

❖ Case 8-15　**Case 8-13**において，ＢがＣ・Ｄから相続回復請求を受ける前に，Ｈに甲・乙を売却し，所有権移転登記も済ませていた。Ｈは，884条の援用ができるか。

第三者に
対する請求
　判例は，884条の援用ができない共同相続人（**Case 8-15**では，Ｂ）から，相続回復請求の対象となる財産を譲り受けた第三者（Ｈ）について，第三者が相続権の侵害について善意無過失であったとしても，当該第三者は884条の消滅時効を援用することができないとする（★最判平

成7・12・5判夕906号239頁)。このような判例に対し，学説には，第三者が取得したものが不動産の場合には94条2項の類推適用，動産の場合には即時取得（▶192条）により第三者が保護される可能性を認めるものもある。

取得時効の援用　判例上，前述したように，884条の消滅時効の援用ができる表見相続人や第三者は限定的であるが，これらの者が884条の善意・悪意とは関係なく，物権法上の取得時効を援用し，目的物を取得できるかが問題となる。判例（相続回復請求の問題となりうる事件として★最判昭和47・9・8民集26巻7号1348頁）・学説は，表見相続人・第三者の取得時効の援用を肯定すべきとする。

第9章 相続の承認，放棄および相続財産の清算

1 相続の承認，放棄

　相続が開始すると，被相続人の財産に属した一切の権利義務は，当然に，相続人に承継される（▶896条本文）。この承継は，相続人の意思に関係なく法律上当然に生ずる（当然承継）。こうして，被相続人の死亡による無主の財産の発生を防ぐことができる。

　他方で，相続は，権利義務を包括して承継させるものである。仮に相続人に相続することを強制すれば，その意思によらずに，多額の債務を負わせることにもなりかねない。そこで，相続人には，権利義務の承継を承認するか放棄するかを選択する自由が認められている。相続人が相続を承認すれば，相続による権利義務の承継が確定的となるのに対し，放棄すれば，相続開始時に遡って相続しなかったことになる（▶939条）。

　承認には，単純承認と限定承認の2種類がある。単純承認すれば，相続人は被相続人の権利義務を無限に承継する（▶920条）。それゆえ，被相続人が債務超過であった場合には，相続人は，自己の固有財産をも責任財産としつつ，相続債務を弁済する義務を負うことになる。これに対し，限定承認では，権利義務を承継はするが，被相続人の債務および遺贈に対する責任を，相続によって得た積極財産の限度に限定することができる（▶922条）。限定承認は，被相続人（相続財産）が債務超過かどうか不明で，単純承認すべきか放棄すべきか判断しかねる場合などに有用である。

1　相 続 放 棄

相続放棄の意義　相続人は，**相続放棄**をすれば，その相続について相続人とならなかったものとみなされる（▶939条）。これによ

り，同人に対しては，相続による権利義務の承継が相続開始時に遡ってなされなかったことになる。ただし，相続放棄後であっても一定の場合には相続財産に属する財産の管理を継続しなければならない（▶940条1項。➡272頁）。

放棄は相続開始後になされる。推定相続人が被相続人の生前に相続放棄することは認められていない（遺留分の事前放棄に関する1049条と対比，➡373頁）。

> **▌Case 9-1**　以下の(1)(2)の場合，誰が相続するか。
> (1)　被相続人には，配偶者Aと子B・Cがいた。Bには子Dがいた。Bは相続放棄をした。
> (2)　被相続人には，子E・Fがいた。E・Fはともに相続放棄をした。

相続放棄は代襲原因でないため（▶887条2項。➡228頁），**Case 9-1**(1)で，Bに子Dがいたとしても，DはBを代襲しない。**Case 9-1**(2)では，第1順位の血族相続人は放棄により相続人ではなくなり，第2順位・第3順位の血族相続人も，配偶者もいない以上，相続人の不存在となる（▶951条以下。➡255頁）。

法定相続分（➡278頁）を計算する際には，相続放棄をした者は相続人ではないため含めない（遺留分放棄の場合との違いに注意，➡374頁）。**Case 9-1**(1)では，AとCが相続人であり，法定相続分はそれぞれ2分の1である。

| **相続放棄の手続** | 相続放棄は，各相続人が個別に，その旨を家庭裁判所に申述してなされる（▶938条）。 |

相続放棄には，相続人の地位に関する身分行為としての側面に加え，権利義務を取得しないという財産に関する行為としての側面があり，相続放棄をするには，行為能力を要する。相続人が制限行為能力者である場合は，法定代理人等が相続人の相続放棄に同意を与え（▶5条・13条1項6号・17条）または相続放棄を代理する（▶824条・859条・876条の4・876条の9）。代理する場合，利益相反行為にあたるならば，特別代理人の選任等が求められる（➡167頁）。

| **相続放棄と債権者** | 相続放棄の効力は絶対的であり，相続債権者や相続人の債権者等，何人に対しても主張できる（相続放棄と登 |

記の問題については，➡283頁）。

> **⚔ Case 9-2**　Aが死亡し，相続人はAの子Bのみである。Aは債権者Xに対して多額の債務を負っていたため，Bは相続放棄の申述をし，受理された。相続債権者Xは，Bに対し，Bの相続放棄がXを害することを知ってなされた詐害行為であるとして，その取消しおよび債務の履行を求めた。Xの主張は認められるか。

　Case 9-2では，相続放棄が財産権を目的としない行為に該当し，そもそも詐害行為取消権の対象とならないのではないかが問題となる（▶424条2項）。

　判例は，**Case 9-2**と同様，相続債権者から請求のあった事案において，「相続放棄のような身分行為については，民法424条の詐害行為取消権行使の対象とならない」とした。その理由としては，次の2点をあげる。①詐害行為取消権行使の対象となる行為は，積極的に債務者の財産を減少させる行為であることを要し，消極的にその増加を妨げるにすぎないものを包含しない。しかし，相続放棄は，相続人の意思からいっても，また法律上の効果からいっても，既得財産を積極的に減少させる行為というよりはむしろ消極的にその増加を妨げる行為にすぎない。②相続放棄のような身分行為については，他人の意思によってこれを強制すべきでない。もし相続放棄を詐害行為として取り消しうるとすれば，相続人に対し相続の承認を強制することと同じ結果となり，不当である（★最判昭和49・9・20民集28巻6号1202頁。遺産分割についてと対比，➡ 311頁）。

　学説には，取消権を行使する者が相続債権者か相続人の債権者かで分けて論じるものが多い。すなわち，相続債権者は本来，債務者である被相続人の財産を引き当てにすべきであるから，偶然生じた相続によって，相続人の財産から満足を得ようという期待は保護されない（よって，判例の結論自体は妥当であり，Xの主張は認められない）。これに対し，相続人の債権者は，もともと債務者は相続人であるから，相続人が相続財産を承継することで，責任財産が増加することへの期待は保護に値する。また，債務者である相続人には自己の債権者を害する自由までは認められない（よって，相続人の債権者が相続人の相続放棄を詐害行為にあたるとして取り消す余地はあるとする）。

2 限定承認

限定承認の意義　相続人は，相続を承認すると，被相続人の権利義務の一切を承継し，被相続人の債務について責任を負う。また，被相続人が遺贈をしていれば，相続人は遺贈義務者として遺贈の履行につき責任を負う（➡340頁）。**限定承認**では，ここでいう被相続人の債務および遺贈に対する責任が，相続によって得た積極財産の範囲に限定される（▶922条）。

相続財産の状況いかんにかかわらず，相続人が自己の固有財産をもって相続債務等を弁済する必要はないため，相続人にとって有用にみえるが，ほとんど利用されていない。限定承認をするには，相続人全員が共同して（▶923条），熟慮期間内に，相続財産の目録を作成して家庭裁判所に提出し，その旨を申述しなければならず（▶924条），また，その効力として，清算手続をする必要があり（➡247頁），コストを要する等，その煩雑さゆえだとされる。

熟慮期間（➡249頁）は，起算点の最も遅い相続人を基準とする。それゆえ，ある相続人にとっては熟慮期間を経過していても，他の相続人の熟慮期間が経過していなければ，なお限定承認を選択しうる。相続人の1人が，相続財産を処分したことで単純承認をしたとみなされれば（▶921条1号。➡248頁），共同相続人全員での限定承認選択がかなわないため，もはや限定承認はできない。相続放棄者がいれば，この者は初めから相続人ではなかったとみなされるため（▶939条），限定承認は，残りの共同相続人全員ですればよい。

> **⁑Case 9-3**　Xが死亡し，相続人はXの子A・Bで，相続財産は甲預金2000万円と乙預金400万円である。A・Bは，Xが相当額の債務を負っていたことを知り，限定承認をした。以下の(1)(2)の場合，どのように清算されるか。
> (1)　Xの債務は，債権者Cに対する500万円，債権者Dに対する1000万円だと判明した。また，Xは乙預金を第三者Eに遺贈していた。
> (2)　Xの債務は，債権者Cに対する1000万円，債権者Dに対する2000万円だと判明した。また，Xは乙預金を第三者Eに遺贈していた。

限定承認の効力　限定承認がなされると，相続人は，相続財産と相続人の固有財産を分離したまま，相続財産の管理を継続しつつ（▶926条。➡272頁），相続財産から債務等の弁済を行う。相続人が数人いる場合は，相続財産の清算人が選任され（▶936条1項），この者が一切の行為を行う

（▶936条2項）。

　弁済の際には，まず，①相続債権者および受遺者に対し，限定承認をしたことおよび一定期間内に債権等の請求の申出をすべき旨を公告する（▶927条1項）。その上で，知れている相続債権者および受遺者には各別に申出の催告をする（▶同条3項）。こうして，相続財産から弁済すべき相続債権者および受遺者を把握した上で，②申出をしたまたは知れている，相続債権者および受遺者に対して配当弁済をする。配当弁済の順位は，優先権を有する相続債権者（▶929条ただし書），優先権のない相続債権者（▶929条本文），受遺者（▶931条）である。受遺者が劣後するのは，相続債権者が被相続人の財産状況を考慮して債権を取得したのに対し，受遺者は被相続人の意思により無償で権利を取得する立場にあることなどによる。それぞれ複数いれば，債権額の割合に応じて弁済する（▶929条本文，受遺者については同条の類推適用）。

　Case 9-3のA・Bは，Cに対する債務とDに対する債務を承継はするが，積極財産2400万円の限度でしか責任を負わない。**Case 9-3**(1)では債務すべてが相続財産から弁済され，遺贈も履行される。**Case 9-3**(2)ではCに800万円，Dに1600万円を弁済すればよく，遺贈は履行されない。C・DはA・Bに対して債務全額の弁済を請求しうるが，判決文では相続財産の限度で執行すべき旨が示される。積極財産を超える額の債務は，自然債務であるため，A・Bが任意に弁済すれば，有効な弁済とされる。

　相続債権者または受遺者のうち，相続人が①の公告や催告を怠ったり，①の期間内に弁済をしたり，②で不当弁済をしたりしたために，弁済を受けられなくなった者は，相続人に対して損害賠償を請求することができる（▶934条1項）。また，情を知って不当に弁済を受けた相続債権者または受遺者に対して，求償することができる（▶同条2項）。

3　単純承認

単純承認の意義　単純承認は，相続開始により生じた相続の効力を確定的にする。相続人は，単純承認すると，無限に被相続人の権利義務を承継する（▶920条）。相続財産が債務超過であれば，自己の財産をもって相続債権者に弁済をしなければならない。

単純承認をするには，その旨の意思表示をする。また，下記のような一定の事由が生じることでも単純承認したものとみなされる（▶921条，**法定単純承認**）。熟慮期間中に限定承認も放棄もしなければ，単純承認をしたとみなされるため（▶921条2号），単純承認の意思表示をあえてするケースは少ない。

法定単純承認　次の事由があれば単純承認したとみなされる。

（1）**相続財産の処分**　人が財産を処分する行為は，当該財産について自己に処分権限があることを前提とするから，相続人が相続財産の全部または一部を処分したときには，相続財産を自己の財産とする意思（黙示の単純承認）があると推認できる。また，第三者から見ても単純承認があったと信ずるのが当然と認められる（★最判昭和42・4・27民集21巻3号741頁）。そこで，相続人が相続財産の全部または一部を処分した場合には，当然に相続の単純承認があったとみなされる（▶921条1号）。

相続人の行為に単純承認の意思を見出すものであるため，処分は，相続人が相続開始の事実および自己が相続人であることを知ってしたか，または，被相続人の死亡を確実に予想しながらしたことを要する（前掲★最判昭和42・4・27）。処分の有効性は問題とならず，故意による事実行為（相続財産の一部と知りつつ高価な壺をあえて壊した等）も含まれる。反対に，保存行為や短期賃貸契約の締結は，ここでの処分に該当しない（▶同号ただし書）。

（2）**熟慮期間の徒過**　熟慮期間内に（▶915条1項）限定承認や放棄をしなかった場合は，単純承認をしたものとみなされる（▶921条2号）。このことから，民法は，単純承認を原則としていることがわかる。

（3）**背信行為**　限定承認や放棄をした後であっても，相続人が，相続財産の全部または一部を，①隠匿する，②ひそかに消費する，③限定承認の際に悪意で相続財産の目録（▶924条参照）に記載しないという行為をした場合は，単純承認したとみなされる（▶921条3号）。

①は相続債権者に財産の存在を認識させないようにすること，②は相続債権者の不利益になるのを知りつつ財産の価値を失わせることをいう。ただし，相続放棄者が①または②の行為をしたとしても，後順位で相続人となった者が既に相続を承認していた場合には，この者を保護するため，単純承認をしたとはみなされず（▶同号ただし書），相続放棄の効果が維持される。

③につき，判例は，「限定承認手続の公正を害するものであるとともに，相続債権者等に対する背信的行為であって，そのような行為をした不誠実な相続人には限定承認の利益を与える必要はないとの趣旨」とする（★最判昭和61・3・20民集40巻2号450頁）。③の悪意が，相続財産であることを知っていれば足りるか，詐害の意図を要するかは見解が分かれる。

4　承認・放棄の選択

熟慮期間　相続人が承認するか放棄するかを選択するまでの間は，相続による権利義務の承継が未確定であるため，この状態が長引くと，他の共同相続人や後順位の相続人，利害関係人の利益を害するおそれがある。そこで，相続人は，「自己のために相続の開始があったことを知った時から3箇月」（熟慮期間）以内に承認・放棄をしなければならず（▶915条1項），熟慮期間を徒過すれば単純承認したとみなされる（▶921条2号）。

（1）**起算点**　熟慮期間の起算点は，より具体的には「相続人が，相続開始の原因たる事実及びこれにより自己が法律上相続人となった事実を知った時」とされる。相続人は，通常，これらの事実を知った時から3か月以内に，調査すること等によって，相続すべき積極および消極の財産（相続財産）の有無や，その状況等を認識しまたは認識することができ，単純承認・限定承認・放棄のいずれかを選択すべきかの前提条件が具備されるからである（★最判昭和59・4・27民集38巻6号698頁：百選Ⅲ-81）。相続人が相続財産の状況を真に認識していたかまでは求められていない。

> **Case 9-4**　Aは，友人Bに頼まれ，債権者Cに対するBの債務1000万円につき，連帯保証人となっていた。Aが死亡し，相続人はAの子Xのみである。Xは，Aが死亡し自らが相続人となったことは知っていた。しかし，長年Aとは連絡をとっておらず，Aが生活保護を受けつつ独居生活をしていたことから，Aには相続財産が全くないものと信じ，相続に関する手続を何ら行わなかった。Aの死亡から4か月後，CはXに対して連帯保証債務の履行を求めた。これによって債務の存在を知ったXは，相続放棄の申述をした。Xの相続放棄は認められるか。

熟慮期間の起算点が，上記のとおりだとすると，**Case 9-4**のXの熟慮期間は，Cから請求を受けた時点で既に経過しており，Xの相続放棄はもはや認め

られないことになる。これに対し，熟慮期間を起算するにあたり，上記の事実
に加え，相続人が相続財産の存在を認識していたことをも要求することで，X
の相続放棄を認めるべきではないかが問題となる。

　判例は，原則としては，これを否定し，相続財産の存在の認識を問わない立
場をとる。ただし，相続人が限定承認または相続放棄をしなかったのが，「被
相続人に相続財産が全く存在しないと信じたためであり，かつ，被相続人の生
活歴，被相続人と相続人との交際状態その他諸般の状況からみて当該相続人に
対し相続財産の有無の調査を期待することが著しく困難な事情があって，相続
人においても右のように信ずるについて相当な理由があると認められるときに
は」，例外的に，「熟慮期間は相続人が相続財産の全部又は一部の存在を認識し
た時又は通常これを認識しうべき時から起算すべき」とする（前掲★最判昭和
59・4・27）。よって，Xの相続放棄は認められる。

　判例が例外として認めるのは，相続人が相続すべき積極および消極の財産
（相続財産）が全く存在しないと信じた場合である（限定説）。積極財産のみを認
識し，相続債務を認識していなかった場合は含まれない。学説には，財産の一
部を認識していたが，多額の債務の存在は認識していなかった場合（仮に認識
していれば通常相続放棄をするような場合）を含めるべきとの見解もある。

　(2)　**期　間**　　熟慮期間は原則として3か月である。ただし，利害関係人ま
たは検察官の請求によって，家庭裁判所において伸長することができる
（▶915条1項）。

　(3)　**相続財産の管理**　　熟慮期間中であっても，相続人は一応相続人として
相続財産を承継しているため，その固有財産におけるのと同一の注意をもっ
て，相続財産を管理する義務を負う（▶918条。➡271頁）。

承認・放棄の撤回・
取消し・無効　　相続人はいったん承認・放棄をすると，熟慮期間が
残っていたとしても，もはやそれを撤回することは
できない（▶919条1項）。

　取消しは，民法第1編・第4編の規定に基づき認められる（▶同条2項）。具
体的には，行為能力の制限（▶5条2項・9条・13条1項6号・4項・17条4項），
錯誤・詐欺・強迫（▶95条・96条），後見監督人の同意の欠如（▶865条・867条2
項）である。ただし，一般の取消権とは異なり，ここでの取消権は，追認する

ことができる時から6か月経過すれば時効によって消滅し，また，承認・放棄の時から10年経過したときも消滅する（▶919条3項。126条と対比）。また，限定承認・放棄の意思表示の取消しは，家庭裁判所への申述によらなければならない（▶919条4項）。

無効の主張も認められる。意思無能力者による場合（▶3条の2），方式違反の場合，熟慮期間経過後であった場合等である。明文の定めがなく，家庭裁判所への申述は要しないと解されている。

> **⚙ Case 9-5**　Aが死亡し，Aの子Bが単独相続をしたが，1か月後に，Bも死亡した。Bの相続人は子Cである。BはAの相続につき承認するか放棄するかの選択をしていなかった。Cは，各相続につき，どのような選択をすることができるか。

再転相続　　Case 9-5のように，Aの相続人Bが，Aの相続について承認・放棄の選択をせずに熟慮期間内に死亡した場合には，その相続人C（再転相続人）が，Aの相続について承認・放棄を選択する地位も含めて，Bを相続する（**再転相続**）。

（1）　**選択権の行使**　　再転相続人Cは，第1の相続（AからBへの相続）と，第2の相続（BからCへの相続）につき，それぞれ別個に，承認するか放棄するかを選択することができる（★最判昭和63・6・21家月41巻9号101頁：百選Ⅲ-82）。その上で，いずれを先に選択するかで次のようになる。

（a）　**第2の相続について先に選択した場合**　　Cは，第2の相続を承認すると，Bの地位を承継して，第1の相続についての選択権を取得する。これに対し，Cが第2の相続を放棄したときには，Cは，第1の相続についての選択権を取得しない。第1の相続については，Bの相続についての後順位の相続人（Bの直系尊属等）であり，Bの相続を承認した者が選択することになる。

（b）　**第1の相続について先に選択した場合**　　Cには，第1の相続・第2の相続について別個に熟慮し選択する機会が保障されるべきであるから，Cは，第2の相続について放棄していないときは，第1の相続を放棄することができる。また，第1の相続を放棄しても，それによっては第2の相続について承認または放棄をするのに何ら障害とはならない（前掲★最判昭和63・6・21）。

Cが第1の相続を先に放棄した後，第2の相続を放棄したときには，CはB

を相続しなかったこととなるため（▶939条），Bが有していた第1の相続についての選択権も有さず，第1の相続の放棄は無権利者による意思表示であり無効となるのではないかが問われうる。しかし，判例は，Cが再転相続人たる地位に基づいてした第1の相続の放棄の効力が遡って無効になることはないとする（前掲★最判昭和63・6・21）。このように解する理由は明らかにされていないが，身分関係の安定性を重視した結果でないかといわれている。

　(2)　**熟慮期間**　　再転相続人Cが第1の相続につき選択する際の熟慮期間の起算点は，第1の相続の相続人Bではなく，再転相続人C自身が自己のために第2の相続の開始があったことを知った時である（▶916条）。そうすることで，再転相続人に対して，承認・放棄のいずれかを選択する機会を保障している（★最判令和元・8・9民集73巻3号293頁）。

> **Case 9-6**　Aの相続人Bは，自己がAの相続人となったことを知らず，Aからの相続について相続放棄をすることなく死亡した。Bの相続人Cは，自己がBの相続人となったことは知っていたが，BがAの相続人であったことは知らなかった。Bの死亡から4か月後，Aに対して債権を有したDが，Cに対して強制執行をしようとした。これにより，Cは，BがAの相続人であり，自己がBからAの相続人としての地位を承継した事実を知った。Cは，AからBへの相続（第1の相続）について相続放棄をすることができるか。

　Case 9-6では，再転相続人Cは自己のために第2の相続が開始したことは知っていたが，その被相続人Bが第1の相続をしていたことは知らなかった。仮に，第1の相続についての熟慮期間の起算点を，第2の相続の開始を知った時（▶916条参照）と解すると，Cにとっては，第1の相続について，何らの意思表示をする機会がないまま，熟慮期間の徒過による法定単純承認の効力が生じてしまい（▶921条2号），再転相続人自身に選択する機会を保障する916条の趣旨に反する。

　そこで，判例は，916条にいう起算点を，「相続の承認又は放棄をしないで死亡した者の相続人が，当該死亡した者からの相続により，当該死亡した者が承認又は放棄をしなかった相続における相続人としての地位を，自己が承継した事実を知った時」と限定的に解釈し，再転相続人の選択機会を保障している（前掲★最判令和元・8・9）。よって，Cは第1の相続を放棄することができる。

2　財 産 分 離

> ■ **Case 9-7**　Aが死亡し，Aの相続人はBのみである。以下の(1)(2)の場合，(1)における C，(2)における D は，相続によって債権回収が困難になるところ，民法上どのような手段をとることができるか。
>
> 　(1)　Aは，積極財産4000万円を有し，Cに対して債務3000万円を負っていた。Bは，積極財産1000万円を有し，Dに対して債務3000万円を負っていた。
>
> 　(2)　Aは，積極財産1000万円を有し，Cに対して債務3000万円を負っていた。Bは，積極財産4000万円を有し，Dに対して債務3000万円を負っていた。

財産分離の意義　相続が開始し，相続人が被相続人の権利義務を包括的に承継すると（▶896条），相続財産と相続人の固有財産が混合する。**Case 9-7**(1)の場合，相続債権者Cにとっては，相続開始前には，Aが債務者であり，Aの責任財産を引当てとしていたところ，相続開始により，債務者はBとなり，相続財産と相続人Bの固有財産とを合わせたBの責任財産を，Dと競合しつつ引当てとすることになる。**Case 9-7**(2)の場合は，相続人の債権者Dは，相続開始前には債権回収が見込めていたにもかかわらず，相続開始により，Bが限定承認または放棄をしない限り，債務超過である相続財産を承継したBの責任財産を，Cと競合しつつ引当てとすることになる。このように，相続債権者や相続人の債権者は，相続財産と相続人の固有財産とが混合することで，相続人や相続財産の資産状況次第では，債権回収上の不利益を被るおそれがある。同様のことは，相続財産から財産を取得しまたは相続人に対して遺贈の履行請求をする，受遺者にもあてはまる。

　そこで，相続債権者または受遺者や，相続人の債権者には，相続財産と相続人の固有財産とを分離するよう家庭裁判所に請求することが認められている（▶941条・950条。**財産分離**）。

財産分離の種類　相続債権者または受遺者は，相続開始から3か月以内または相続財産が相続人の固有財産と混合しない間，財産分離を請求することができる（▶941条1項。**第1種財産分離**）。条文上ではそれ以上の要件は求められていないが，**Case 9-7**(1)のように，相続人の固有財産

が債務超過の場合が念頭に置かれており，「相続人がその固有財産について債務超過の状態にあり又はそのような状態に陥ることなどから，相続財産と相続人の固有財産とが混合することによって相続債権者等がその債権の全部又は一部の弁済を受けることが困難となるおそれがあると認められる場合」のみ，家庭裁判所は財産分離を命ずることができる（財産分離の審判。▶家事別表一-96）と解されている（★最決平成29・11・28判時2359号10頁）。

　相続人の債権者は，相続人が限定承認をすることができる間または相続財産が相続人の固有財産と混合しない間，財産分離を請求することができる（▶950条1項。第2種財産分離）。**Case 9-7**(2)のように，相続財産が債務超過の場合が想定される。ただし，通常は，財産分離ではなく相続財産破産が用いられる（▶破222条以下）。

財産分離の手続　財産分離の審判が確定すると，財産分離の請求をした者は，相続債権者および受遺者に対して財産分離があった旨と，配当加入の申出をすべきことを公告する。第2種財産分離では，知れている相続債権者および受遺者に，その申出の催告をする必要もある（▶941条2項，950条2項・927条）。

　申出期間が満了すると，相続財産をもって，相続債権者および受遺者に弁済する。第1種財産分離では，財産分離の請求をしまたは配当加入の申出をした相続債権者および受遺者が（▶942条・947条2項），第2種財産分離では，配当加入の申出をしまたは相続人に知れている相続債権者および受遺者が，相続財産から配当弁済を受ける（▶950条2項・929条）。配当弁済の順位は，優先権を有する相続債権者，優先権のない相続債権者，受遺者である（▶947条2項，947条3項・931条，950条2項・929条・931条）。複数いれば，それぞれの債権額の割合に応じて弁済を受ける。

　限定承認の場合とは異なり，財産分離の請求をしまたは配当加入の申出をした相続債権者および受遺者は，相続財産をもって全部の弁済を受けることができなかった場合に限り，相続人の固有財産に対して不足額の弁済を請求することができる（▶948条前段）。ただし，相続人の固有財産においては，相続人の債権者が優先的に弁済を受け，相続債権者および受遺者は劣後する（▶同条後段参照）。

3　相続人の不存在

1　相続人の存否不明

相続財産法人　被相続人に戸籍上の相続人がいない場合や，戸籍上の相続人がいても全員が欠格・廃除に該当するまたは放棄した場合のように，相続人のいることが明らかでない（存否不明）場合，相続財産は法律上当然に法人となる（▶951条。**相続財産法人**）。

　相続人が行方不明の場合は，上記にはあたらず，不在者財産の管理人（▶25条）が相続財産を管理する（▶28条）。相続人は存在しないが，相続財産全部の包括受遺者（➡342頁）が存在する場合も，当該包括受遺者が相続開始時から原則として被相続人の財産に属した一切の権利義務を承継するため，相続人存否不明の場合にはあたらず（★最判平成9・9・12民集51巻8号3887頁），相続財産は法人とはならない。

相続人の捜索と相続財産の管理・清算　相続財産が法人となった場合には，相続人を捜索しつつ，相続財産を清算する。この手続は，2021年民法等改正により，合理化された（➡(1)）。また，相続財産を清算せずに管理のみを行う仕組みが新設された（➡(2)）。

　(1)　相続財産の清算　(a)　公　告　相続財産が法人となれば，利害関係人等の請求により，家庭裁判所は，相続財産の清算人を選任し（▶952条1項），①その旨および相続人があるならば一定期間内にその権利を主張すべき旨の公告（相続人捜索の公告）を行う（▶952条2項）。そして，②相続財産の清算人は，すべての相続債権者および受遺者に対し，一定期間内に請求の申出をすべき旨を公告する（▶957条1項前段）。①の期間は6か月以上でなければならず（▶952条2項），②の期間は2か月以上で，かつ，①で相続人が権利主張すべき期間が満了するまででなければならない（▶957条1項後段）。言い換えると，①②の公告は，最短では6か月で満了する。2021年民法等改正前には最短でも10か月を要したが，期間が短縮された。

　(b)　清　算　相続財産の清算人は，相続財産法人の代理人として，不在者財産の管理人と同様の権利義務を有し（▶953条・27条〜29条），相続財産の管理

を行う。また，②の期間が満了すると，期間内に申出したかまたは知れている相続債権者および受遺者に対して配当弁済する（▶957条2項・929条）。配当弁済の順位は，優先権を有する相続債権者，優先権のない相続債権者，受遺者である（▶957条2項・929条・931条）。その他の相続債権者および受遺者は，①の期間の満了までは，残余財産から弁済を受けることができる（▶957条2項・935条）が，①の期間が満了すると，権利を行使することができなくなる（▶958条）。

　(c)　相続人捜索　　①の公告により，相続人が現れ，相続を承認すると，相続財産は相続開始時から当該相続人に帰属していたことになり，相続財産法人は相続開始時に遡って消滅する（▶955条本文）。それまでに，相続財産の清算人がその権限内でした行為の効力は妨げられない（▶955条ただし書）。相続財産の清算人は，相続人の法定代理人であったものとされる。

　戸籍上は相続人がいないのに，後から相続人が現れる事例としては，①被相続人の子であるとの死後認知の訴えが認容された，◻遺言認知があった，◯「藁の上からの養子」として戸籍上は他人の子と届けられていたが被相続人の子であることが確認されたといったことが考えられる。

　①の期間内に，相続人としての権利を主張する者がいないときは，相続人の不存在が確定する。これ以降は仮に相続人がいたとしても，その権利を主張することはできない（▶958条）。

　(2)　**相続財産の管理**　　相続人存否不明の相続財産は，相続開始時に法律上当然に法人となるものの，相続財産の清算人が選任されない以上，管理されないおそれがある。他方で，当面の管理のみを目的として，相続財産の清算人を選任して，相続財産の清算をすることは，手続が重く，コストもかかる。そこで，2021年民法等改正により，相続財産の管理のみを目的とする制度が新設された。すなわち，利害関係人または検察官の請求によって，家庭裁判所は，相続財産の管理人を選任し，この管理人に相続財産の保存に必要な処分を命ずることができる（▶897条の2）。相続人の存否不明のために相続財産に属する物の物理的状態や経済的価値を維持することが困難であり，第三者に保存行為をさせる必要がある場合に認められる。

2　相続人の不存在確定後の相続財産

特別縁故者制度の趣旨　相続財産法人が清算され，相続人の不存在が確定して，相続人ならびに相続財産の清算人に知れなかった相続債権者および受遺者がもはや権利を行使することができなくなった場合において（▶958条），清算後の残余財産があれば，家庭裁判所は，被相続人と特別の縁故があった者（**特別縁故者**）に，その全部または一部を与えることができる（▶958条の2）。1962年に設けられた制度であり，相続人の不存在が確定した後の残余財産は，最終的には国庫に帰属するところ（▶959条），それよりも特別縁故者に帰属させた方が，被相続人の意思にも合致するであろうとの考えが背景にあった。判例も，特別縁故者制度は，「特別縁故者を保護するとともに，特別縁故者の存否にかかわらず相続を国庫に帰属させることの不条理を避けようとするものであり，……被相続人の合理的意思を推測探究し，いわば遺贈ないし死因贈与制度を補充する趣旨も含まれている」としている（★最判平成元・11・24民集43巻10号1220頁：百選Ⅲ-57）。

特別縁故者への分与　分与の判断は，被相続人の特別縁故者が，相続財産清算人選任および相続人捜査の公告の期間（▶952条2項。250頁の①の期間）満了後3か月以内に（▶958条の2第2項），家庭裁判所に相続財産分与の申立てをすることで開始される。家庭裁判所は，申立人の特別縁故者該当性，申立人への分与相当性および分与額を判断する。

(1)　**特別縁故者該当性**　特別縁故者にあたるのは，生計を同じくしていた者，療養看護に努めた者，その他被相続人と特別の縁故のあった者である（▶958条の2第1項）。これに該当するかは，被相続人との間に，具体的かつ現実的な精神的・物質的に密接な交渉があったかで判断される（★大阪高決昭和46・5・18家月24巻5号47頁）。

対象者の典型は，内縁配偶者や事実上の養子である。審判例・裁判例によれば，療養看護に尽くした看護師でもある友人，身元引受人となり身辺の世話をした縁戚，生活資金を援助した者，財産管理をした者なども，特別縁故者とされている（順に，★高松高決昭48・12・18家月26巻5号88頁，鳥取家審平成20・10・20家月61巻6号112頁，大阪家審昭和39・9・30家月17巻3号69頁，大阪高決平成20・10・24家月61巻6号99頁）。

　最近では，成年後見人や療養看護を業として行う法人等からの申立てもみられる。提供したサービスに見合う報酬・対価を得たのであれば，特別縁故者にはあたらない。しかし，報酬を得ずに療養看護に尽くした場合や，提供されたサービスが対価を超えていた（無償の部分があった）場合には，特別縁故者にあたるとされている（順に，前掲★大阪高決平成20・10・24，高松高決平成26・9・5金法2012号88頁）。

　(2)　**対象財産**　　分与の対象は，清算後の残余財産の全部または一部である。家庭裁判所がその裁量により，分与の相当性および分与額を判断する。

> **✖ Case 9-8**　Aは，B・Cとともに，甲土地を共有していた（持分は各1／3）。Aが死亡し，Aには相続人はいなかったが，特別縁故者に該当するDがいた。甲土地におけるAの持分について，B・Cは自分たちが取得した旨を主張するのに対し，Dは特別縁故者に対する分与の対象となると主張している。

　Case 9-8でAに相続人がいれば，甲土地におけるAの持分は，Aの相続人が承継する。Aに相続人がいない場合，相続財産の清算人は，相続財産をもって，相続債権者および受遺者に対して弁済をするが，ここでの相続財産には共有持分も含まれると解されている。そうすると次に，共有持分は，特別縁故者に対する分与対象に含まれるかが問題となる。民法には，共有者の1人が死亡して相続人がないとき，その持分は他の共有者に帰属するとの定めがあり（▶255条），これによれば，Aの持分はB・Cに帰属するからである。

　判例は，㋑255条により共有持分が他の共有者に帰属するのは，相続財産が国庫に帰属する（▶959条）時期であるのに対し，958条の2の分与は国庫に帰属する前になされること，㋺残余財産のうちの共有持分以外と共有持分とで，分与対象になるかどうかを区別して取り扱う合理的理由がないこと，㋩共有持分も相続債権者等への弁済のために必要があれば競売して換価できるところ（▶957条2項・932条），換価して弁済した後に残った現金は分与対象となるのに対し，換価しなかった共有持分は分与対象にならないとするのは不合理であること，さらに㋥特別縁故者制度の趣旨を踏まえて，958条の2を優先適用すべきとする（前掲★最判平成元・11・24）。

国庫帰属　相続財産の清算後に，特別縁故者に対して分与されなかった財産は，最終的に国庫に帰属する（▶959条）。国庫に帰属する時期は，952条2項の期間（255頁の①の期間）満了時または特別縁故者への分与審判確定時ではなく，相続財産の清算人によって国庫に引き継がれた時である。引き継がれた財産ごとに国庫に帰属するから，財産全部の引継ぎが完了するまでは，相続財産法人は維持され，相続財産の清算人の代理権も引継未了の財産についてなお存続する（★最判昭和50・10・24民集29巻9号1483頁）。相続財産法人が消滅するのは，残余財産の全部が国庫に引き継がれた時点である。

Further Lesson 9-1

▶▶▶▶▶　**特別縁故者に対する相続財産分与の判断基準**

　特別縁故者制度は，「被相続人の療養看護に努めた内縁の妻や事実上の養子など被相続人と特別の縁故があった者が，たまたま遺言等がされていなかったため相続財産から何らの分与をも受けえない場合にそなえて」設けられたものとされる（前掲★最判平成元・11・24）。ここでは，被相続人の扶養を受けていた者が，被相続人の死亡後も，被相続人の財産によって生活できるようにするのが，被相続人の合理的意思にかなうとの発想をみてとることができる。

　しかし，最近では，家族関係は多様化し，遺言の利用も普及しつつある。内縁・事実婚といった互いに法定相続人にならない関係においては，当事者間で遺言等をして対応する場合も少なくない。審判例においても，被相続人が申立人に対して包括遺贈をする旨のメモを残していた事例で，被相続人の遺贈の意思がいまだ確定的なものになっていなかったことが，分与額を控えめにする理由とされている（前掲★鳥取家審平成20・10・20）。今や，被相続人が有効な遺言を残していないという事実は，申立人に財産を与えたいという意思を否定する方向にも解されうる。

　近年，むしろ評価されているのは，客観的な事情のようにも思われる。被相続人に対して何らかの財産やサービスを無償で与えたか，被相続人（相続財産）の形成・維持に寄与したかが，特別縁故者該当性や分与額の判断要素となっている。

第10章　相続の効力

1　包括承継

包括承継　　被相続人が死亡し，相続が開始すると，被相続人の財産に属した一切の権利義務が相続人に承継される（▶896条本文。**包括承継**）。被相続人が有した動産または不動産上の所有権，賃借権，預貯金債権，被相続人が負っていた金銭債務などが包括的に相続の対象となる。また，被相続人の有していた法的地位，例えば売買契約における売主の地位，預貯金債権を発生させる預貯金契約上の地位，取消権・解除権を有する地位なども相続人に承継される（無権代理行為における本人または無権代理人の地位等の相続については，➡第1巻229〜233頁参照）。

　ただし，被相続人の一身に専属したものは，被相続人の死亡により消滅し，相続されない（▶896条ただし書）。また，祭祀に関する権利は，相続人ではなく，祖先の祭祀を主宰すべき者に承継される（▶897条）。

2　祭祀に関する権利の承継

祭祀に関する権利　　祭祀に関する権利は，明治民法下では家督相続人が承継していた。戦後の民法改正以降は，相続一般の規定によらず，特則により，祖先の祭祀を主宰すべき者が承継する（▶897条）。

　対象となるのは，系譜，祭具，墳墓の所有権である。祭具とは位牌や仏壇，仏具，神棚等をいい，墳墓とは，墓石，墓碑等を指す。また，墓地の所有権や使用権は墳墓に含まれると解されている。

　祖先の祭祀を主宰すべき者は，まず，被相続人の指定により定まる。被相続人の黙示による指定が認められる場合もある。被相続人の指定がなければ慣習

によるが（▶同条1項），明治民法の内容は慣習として認められていない。慣習が明らかでなければ，家庭裁判所が，祭祀に関する権利を承継すべき者を定める（▶同条2項）。家庭裁判所では，被相続人との生活関係，祭具等の管理状況，被相続人の推定的意思などから総合的に判断される。

遺骨の帰属　既に墳墓に納められた祖先の遺骨は，通常，墳墓に含まれるから，897条に基づき，墳墓の承継者に帰属する。

被相続人の**遺骨**については，そもそも，遺骨に所有権を観念できるかが問題となる。学説では，有体物として所有権の目的となるものの，その性質上，埋葬管理・祭祀供養の範囲においてのみだと解されることが多い。

そして，これを誰が取得するかについては，相続人，喪主，被相続人の祭祀を主宰すべき者と見解が分かれる。判例には，一定の事例の下であるが，慣習に従って祭祀を主宰すべき者に帰属するとするものがある（★最判平成元・7・18家月41巻10号128頁）。

3　一身専属的な権利義務

一身専属的な権利義務　被相続人の一身に専属する権利義務は，被相続人の人格や身分に密接に関連している（**帰属上の一身専属性**）。相続人がその権利を行使し，義務を履行するのは適当でないため，相続の対象にはならない（▶896条ただし書）。

帰属上の一身専属性を定めた規定としては，まず，代理における本人・代理人の地位（▶111条），使用貸借の借主の地位（▶597条3項），委任者・受任者の地位（▶653条），組合員の地位（▶679条）がある。それぞれ，当事者の死亡により法律関係は消滅する。個人的な信頼関係に基づく契約上の地位であり，当事者の相続人がその地位に就くのに適さないため，相続人には承継されない。ただし，委任者が自らの死後の事務等に関する委任契約を締結していた場合には，委任者の死亡によって当該委任契約を終了させない旨の合意が含まれていると解され，死後事務委任契約上の委任者の地位は，相続人に承継される。653条の法意はこのような合意の効力を否定するものではないと解されている（★最判平成4・9・22金法1358号55頁）。

配偶者居住権（▶1036条・597条3項。➡304頁），配偶者短期居住権（▶1041

条・597条3項。➡275頁）も，被相続人の配偶者にのみ認められるもので，当該配偶者の死亡によって消滅する。

　雇用契約，請負契約のように，他人による権利行使や義務の履行を認めるのが不適当な権利義務も，相続されない。婚姻費用分担請求権（▶760条），子を監護する権利義務（▶820条），扶養請求権（▶877条）も，身分関係に強く結びついており相続されない。ただし，婚姻費用の分担額が既に定められている，扶養請求がなされて給付額が確定している等，一定額の金銭給付請求権として具体化していれば，金銭債権として相続の対象となる。

一身専属性が問題となる権利義務　　**(1)　占有・占有権**　　判例は，被相続人の事実的支配の中にあった物は，原則として，相続開始時に当然に，相続人の支配の中に承継されるとみることで，**占有権の承継**を認める。また，被相続人の占有に属したものは，特段の事情のない限り，当然相続人の占有に移ると解している（★最判昭和44・10・30民集23巻10号1881頁）。相続人が相続開始の事実を知っているかや，相続財産を現実に所持したかは問われない。相続人は，相続した占有に基づき占有訴権を行使することができるし，また，被相続人のもとで継続した取得時効における占有の継続も認められる。

　相続人が自らその物を事実上支配すれば，被相続人から承継した占有と，自身で開始した独自の占有とが併存する（占有の二面性）。相続人が取得時効を主張する際には，被相続人の占有を併せて主張するか，自己の占有のみを主張するかを選択することができる（▶187条。★最判昭和37・5・18民集16巻5号1073頁）。

　被相続人から承継した占有が他主占有である場合，相続人は，相続した占有に基づく取得時効の成立を主張することができない。そこで，独自の占有については自主占有であるとして取得時効の成立を主張することができるかが問題となる。判例によれば，相続人が新たに事実上支配することによって占有を開始し，所有の意思があるとみられる場合には，185条後段にいう新権原により自主占有を始めたものとされる（★最判昭和46・11・30民集25巻8号1437頁）。

　そして，所有の意思があるとみられるためには，相続人において，自己の事実的支配が外形的客観的にみて独自の所有の意思に基づくものと解される事情（自主占有事情）を証明しなければならない。例えば，賃借人からの賃料を受領し費消してきた，固定資産税を継続して納付している，登記済証を所持してい

るといった事情がこれにあたる（★最判平成8・11・12民集50巻10号2591頁：百選
Ⅰ-63）。所有の意思の推定（▶186条1項）はなされない。

(2)　**根抵当権**　　普通の抵当権および元本確定後の根抵当権は，抵当権者が
死亡すれば，被担保債権に随伴して，被担保債権を承継した者に承継される。
これに対し，元本確定前の**根抵当権**は，担保すべき元本が特定されていないた
め，その承継を基礎づけられない。そこで，根抵当権者が死亡して相続が開始
した場合，原則として元本は確定し，相続人は，元本の確定した根抵当権と被
担保債権とを承継する。根抵当権は相続開始時に存した債権のみを担保し，相
続開始後に新たに発生する元本は担保しない。ただし，相続人は，根抵当権設
定者（抵当不動産所有者）との間で，相続開始後に生じる元本をも担保させる旨
の合意をし，この合意について相続開始後6か月以内に登記をすれば，相続開
始後に生じる元本を担保させることができる（▶398条の8）。

(3)　**保証債務**　　通常の金銭消費貸借上の**保証債務**は，保証人が死亡する
と，相続人に承継される（★大判昭和9・1・30民集13巻93頁）。

被相続人が有する根保証（個人根保証）については，保証人が死亡したとき
に，主たる債務の元本が確定し（▶465条の4第1項3号），元本の確定した債務
に係る保証債務が相続の対象となる。

身元保証は，被用者の行為により生じた損害の賠償を約するものである
（▶身元保証1条）。当事者間の特別の信頼関係を基礎としており，責任の範囲
が不明確であるため，特別の事情がない限り，相続されない（★大判昭和18・
9・10民集22巻948頁）。身元保証の内容が個人根保証の性質を有する場合には，
上述のように，保証人の死亡により，主たる債務の元本は確定し（▶465条の4
第1項3号），元本の確定した債務に係る保証債務が相続の対象となる。

(4)　**不動産賃借権**　　不動産**賃借権**も相続の対象となり，相続人は，被相続
人が有した賃借人の地位を承継する。ただし，公営住宅の賃借権は，住宅に困
窮する低所得者に低廉な家賃で住宅を賃貸するという公営住宅の趣旨に照ら
し，相続されない（★最判平成2・10・18民集44巻7号1021頁）。

居住建物の賃借権が相続される場合に，被相続人の内縁配偶者など，被相続
人と同居していたものの相続人ではない者がいれば，この者の居住の保護が問
題となる。居住者は，賃貸人に対しては，相続人が相続した賃借権を援用して

居住する権利を主張することができる（★最判昭和42・2・21民集21巻1号155頁）。ただし，居住者は相続人との共同賃借人になるわけでないため，相続人が賃料支払債務を履行しなければ，賃貸人は賃貸借契約を解除することができる。その意味で，居住者の居住利益が保護されているわけではない。相続人がいない場合は，居住者が「事実上夫婦又は養親子と同様の関係にあった」者にあたれば，建物賃借権を承継できる（▶借地借家36条）。

(5) 不法行為に基づく損害賠償請求権　被相続人が不法行為に基づく損害賠償請求権を有していた場合，同請求権は金銭債権として相続の対象となる。これに対し，被相続人が不法行為により即死した場合には，同人は死亡と同時に権利主体でなくなっており，不法行為に基づく損害賠償請求権が被相続人（被害者）に帰属したといえるのかが問題となる。また，慰謝料請求権については，被害者への一身専属性を有するのではないかも問われる（➡第4巻250〜252頁も参照）。

　判例は，即死の場合にも，観念的には致命傷と死亡との間に間隔があると解して，損害賠償請求権が被害者に帰属し，それが相続されるとする（★大判大正15・2・16民集5巻150頁）。また，慰謝料請求権については，被侵害法益が被害者の一身に専属するのみであり，発生した慰謝料請求権は単純な金銭債権として相続されるとする（★最大判昭和42・11・1民集21巻9号2249頁：百選Ⅲ-60）。

　これに対し，学説の多数は，被相続人への請求権帰属を観念するのは論理矛盾であるし，子の死亡により親が子の逸失利益を相続したり，被相続人と交流のなかった相続人が多額の請求権を相続したり，内縁配偶者等が保護されなかったりするのは不合理だと批判する。そして，被相続人の近親者（遺族）は，被相続人から扶養される利益が侵害されたと主張し，加害者に対して損害賠償請求をすれば足りるし，慰謝料請求権は，711条に基づき行使すれば足りるという（判例の相続構成に対し，扶養構成と呼ばれる）。

▓ Case 10-1　Aは，Bと協議離婚をし，その半年後に死亡した。以下の(1)(2)の場合において，Aの相続人Cは，自らが財産分与請求権を相続したとして，これをBに主張することはできるか。
　(1)　A・B間で財産分与について協議が調い，分与額が確定していた。
　(2)　AはBに対して財産分与を求めたが，具体的な内容は交渉中であった。

(6)　**財産分与**　　**Case 10-1**(1)のように，被相続人が生前に財産分与請求権を行使し，その具体的内容が，協議または審判によって確定していた場合には，一般の金銭債権として，相続の対象となる。

これに対し，**Case 10-1**(2)のように，具体的内容が確定される前に，被相続人が死亡した場合については，財産分与請求権の性質の捉え方等により見解が分かれる（➡88〜89頁参照）。さらに，財産分与請求権は離婚により発生していると捉えた場合であっても，一方では，①財産分与を1個の包括的権利であるとみた上で，相続を肯定する見解と，否定する見解があり，他方では，②財産分与の要素（清算的要素，扶養的要素，慰謝料的要素）ごとにみて，財産上の問題である清算的要素と慰謝料の部分に関する権利義務は，相続の対象となるが，扶養的要素に関する権利義務は一身専属的であり相続されないとする見解がある。

4　被相続人に属しない権利義務

Case 10-2　Aには，子B・Cがいた。Aは，自己を被保険者とする死亡保険契約を締結し，Bを保険金受取人として指定していた。Aが死亡し，Bは死亡保険金請求権1億円を取得した。Aの相続財産（積極財産）は1000万円であった。

死亡保険金　被相続人が自らを被保険者とする死亡保険契約を締結していた場合には，被相続人の死亡により**死亡保険金請求権**が発生し，保険金受取人として指定されていた者がこれを取得する。

Case 10-2のように，保険金受取人として指定された者が特定の相続人であっても，保険金受取人は保険金請求権を保険契約に基づいて，固有の権利として取得する。被相続人から承継取得するものではなく，死亡保険金請求権は相続財産には属しない（★最判昭和40・2・2民集19巻1号1頁，最判平成14・11・5民集56巻8号2069頁）。

それゆえ，死亡保険金請求権には相続法の規定は適用されない。ただし，他の共同相続人との均衡を考慮し，死亡保険金請求権を，903条の特別受益またはそれに準ずるものとして考慮する余地がないのかは問題となる（➡291頁）。

保険金受取人が「相続人」と指定されていた場合には，「被保険者死亡時点

の相続人たる個人」を指定したものと解され，保険金請求権は相続人の固有財産となる（前掲★最判昭和40・2・2）。相続人が複数いる場合には，相続分の割合によるとする指定が含まれると解され，各共同相続人は，相続分の割合に応じて権利を取得する（★最判平成6・7・18民集48巻5号1233頁）。

死亡退職金・遺族給付　被相続人の遺族が**死亡退職金**を受給する場合には，相続人としてではなく，自己の固有の権利として取得する。死亡退職金支給の根拠規程では，受給権者の範囲および順位につき民法の規定する相続人の順位決定の原則とは著しく異なった定め方がされており，同規程からは，死亡退職金は，専ら被相続人の収入に依拠していた遺族の生活保障を目的とすると解されるからである（★最判昭和55・11・27民集34巻6号815頁）。また，規程がなくても，支給の趣旨から同様に解される（★最判昭和62・3・3家月39巻10号61頁）。遺族年金などの遺族給付も同様である。いずれについても，相続財産には属さない。

葬式費用・香典　被相続人が死亡すると，遺族は，その遺体を火葬・埋葬し，葬儀を執り行うことが多い。

　葬儀が葬儀会社等との契約に基づき実施された場合に，葬儀会社が費用を請求する相手は，契約当事者（債務者）である。その上で，契約当事者はこの支出を誰かに求償できるのか否か，すなわち，**葬式費用**は最終的に誰が負担するのかが問題となる。学説は，最終的に相続財産から支出する，相続人らで負担する等の見解に分かれる。

　家裁実務は，葬儀の際に受け取る香典を喪主に対する贈与と解し，これに対応して，葬式費用は喪主負担と解している。

2　遺産共有

　相続人が数人いるときは，相続財産（相続の対象となる個々の財産の総体）は，共同相続人らの共有に属する（▶898条1項）。各共同相続人は，相続開始により，その相続分に応じて被相続人の権利義務を承継し（▶899条），相続分の割合で相続財産（遺産）を共有する。これを**遺産共有**という。

　遺産共有は，財産の帰属についての一時的・暫定的状態である。相続財産

（遺産）を構成する個々の財産の帰属を終局的に確定させるには，遺産分割（➡
298頁）を経なければならない。

1　遺産共有の意義

Case 10-3　Ｘが死亡し，相続人はＸの子らＡ・Ｂ・Ｃである。Ａは，Ｘが有し
ていた甲土地のうちの共有持分３分の１を，遺産分割が未了の間に，第三者Ｄに譲
渡しようとした。

**遺産共有の
法的性質**　　(1)　**共有説と合有説**　遺産共有については，かつて，その
法的性質が，物権法上の共有（▶249条以下）なのか（共有説）
合有なのか（合有説）が議論された。

共有説は，相続財産を構成する個々の財産が，共同相続人間での物権法上の
共有になると考える。各共同相続人は，相続財産を構成する個々の財産上に共
有持分を有するから，この共有持分を遺産分割前に単独で自由に処分すること
ができることになる。

これに対し，合有説は，遺産共有では，各共同相続人は相続財産全体につい
て抽象的な持分を有するのであり，個々の財産上には潜在的持分を有するにす
ぎないとの見解である。この見解によれば，各共同相続人は，相続財産全体に
おける持分を遺産分割前に処分することはできる。しかし，個々の財産上にお
ける持分の処分は観念できない。

(2)　**学説の変遷**　起草者は共有説に立ち，遺産共有には物権編の共有の規
定が適用されるとした。しかし，遺産分割では相続財産（遺産）を全体として
把握するべきであるし，民法は，遺産分割の遡及効（▶明治民法1012条。現行909
条本文に相当。➡313頁）を定めており，遡及効を貫くと，遺産分割前に各共同
相続人が個々の財産上に共有持分を有していたことは否定される。そのため，
戦前の学説では，合有説が通説的見解であった。

戦後の民法改正では，909条にただし書が新設され，これが共有説の根拠と
なる。909条ただし書は，遺産分割の遡及効により第三者の権利を害すること
はできないと定めており，遺産分割前に各共同相続人が相続財産の個々の財産
上の持分権を有効に処分することができることを前提とするからである。

（3） **判例・民法の立場**　判例は，遺産共有の法的性質に関しては，共有説の立場をとる（★最判昭和30・5・31民集 9 巻 6 号793頁）。そして，**Case 10-3**のように，共同相続人の 1 人が，遺産分割前に，相続財産を構成する特定の不動産上の自己の共有持分権を第三者に譲渡することを認める（★最判昭和38・2・22民集17巻 1 号235頁：百選Ⅲ-77参照）。また，相続財産を構成する個々の財産には，共有に関する規定が適用され，この際の共有持分は，指定相続分または法定相続分である（▶898条 2 項）。

以上が，相続財産を構成する個々の財産の共有についてであるのに対し，遺産共有では，同時に，相続財産全体についての共有も観念される。相続財産全体における持分を遺産分割前に処分することが認められ（▶905条。➡297頁），また，遺産共有の解消では，遺産分割審判によって，相続財産全体の共有を解消することが目指される（★最判昭和50・11・7 民集29巻10号1525頁）。共同相続人の 1 人が，相続財産を構成する個々の財産につき，遺産分割前に共有物分割請求を提起することは，基本的に認められない（★最判昭和62・9・4 判タ61号61頁。▶258条の 2 第 1 項。ただし，同条 2 項の例外に注意）。

2　当然分割か遺産共有か

> ▪**Case 10-4**　Ｘが死亡し，相続人は子Ａ・Ｂである。Ｘは，Ｃに対する，不法行為に基づく損害賠償請求権600万円と，Ｄ銀行に対する普通預金債権300万円（甲預金）を有していた。Ａは，遺産分割未了の間に，相続分に応じてこれらの金銭債権の支払を受けることができるか。

金銭債権の共同相続　（1）　**可分債権の当然分割**　共有説によれば，相続財産中の債権は準共有となりうるが，可分債権・不可分債権には，多数当事者の債権債務関係の規定が適用される（▶264条ただし書・427条以下）。判例は，不法行為に基づく損害賠償請求権が相続された事案において，「金銭その他の**可分債権**」が「法律上当然分割され各共同相続人がその相続分に応じて権利を承継する」とした（★最判昭和29・4・8 民集 8 巻 4 号819頁：百選Ⅲ-69）。

可分債権は，相続開始時に当然分割され，各共同相続人に確定的に帰属する。そのため，各共同相続人は自らに帰属する分の債権を行使し，弁済を受領

することができる。また，可分債権は，遺産共有の状態とはならず，よって，遺産分割の対象にはならない。ただし，可分債権も相続財産ではあるため，遺産分割協議・調停の際に，共同相続人全員の合意により，遺産分割の対象にすることは可能と解されている。

(2)　**遺産共有の対象となる債権**　　他方で，判例は，金銭債権または金銭給付を主たる目的とする債権のすべてを可分債権と解しているわけではない。例えば，郵政民営化前の定額郵便貯金債権は，法令上分割払戻しが認められていないため，その性質上可分債権にあたらないとする。相続開始時に当然分割はせず，遺産分割の対象となる（★最判平成22・10・8民集64巻7号1719頁）。

株式，個人向け国債，委託者指図型投資信託の受益権も，その性質上可分債権にはあたらないと解されている。株式は，株主の会社に対する法律上の地位であって，剰余金の配当を受ける権利等の自益権と，株主総会における議決権等の共益権とが含まれるから，個人向け国債は，法令上1単位未満での権利行使が要請されていないから，委託者指図型投資信託の受益権は，口数を単位とし，法令上可分給付を目的とする権利でないものが含まれているからである。いずれも，相続開始と同時に当然に分割されることはない（★最判平成26・2・25民集68巻2号173頁：百選Ⅲ-71）。

また，**預貯金債権**（▶466条の5）も，次のような預貯金債権の内容および性質に照らすと，相続開始時に相続分に応じて当然に分割されることはなく，遺産分割の対象となるとされる。すなわち，㋑現金のように，評価についての不確定要素が少なく，預金者にとっても確実かつ簡易に換価できる。そのため，具体的な遺産分割の方法を定めるにあたっての調整に資する。㋺普通預金債権・通常貯金債権は，口座において管理されており，預貯金契約上の地位を準共有する（★最判平成21・1・22民集63巻1号228頁参照：百選Ⅱ-65）共同相続人が全員で預貯金契約を解約しない限り，1個の債権として同一性を保持しながら，常にその残高が変動しうる。㋩定期預金債権・定期貯金債権は，一定の預入期間内には払戻しをしない条件で預入れがなされているから，共同相続人は共同して全額の払戻しを求めざるを得ず，単独でこれを行使する余地はない（★最大決平成28・12・19民集70巻8号2121頁：百選Ⅲ-70，最判平成29・4・6判時2337号34頁）。

> **❖ Case 10-5**　**Case 10-4**において，Ａは，Ｘの葬儀費用と入院費の支払のた
> め，甲預金から払戻しをしたいと思っている。

遺産分割前の
預貯金債権の払戻し　預貯金債権は，遺産分割未了の間は，共同相続人間
　　　　　　　　での準共有となる。払戻しを受けるには，共同相続
人全員で権利行使するか，または，変更行為にあたるため，共同相続人全員の
同意を得なければならない（▶251条１項）。共同相続人の１人による払戻し
は，自己の相続分に相当する額であっても認められない。

　しかし，そうすると，例えば，共同相続人において被相続人が負っていた債
務の弁済をする必要がある，被相続人から扶養を受けていた共同相続人の当面
の生活費を支出する必要があるなどの事情により，被相続人の有した預貯金を
遺産分割前に払い戻す必要があるにもかかわらず，共同相続人全員の同意を得
ることができない場合に不都合が生ずる（前掲★最大決平成28・12・19，共同補足
意見）。そこで，2018年相続法改正では，次の２つの制度が新設された。

　①　預貯金債権を仮に取得させる仮処分（▶家事200条３項）　遺産分割の調
停または審判を本案とする保全処分としてなされる。通常の保全処分では，急
迫の危険を防止する必要性が要件となるが，預貯金債権に限っては，これを要
件としない。相続財産に属する債務の弁済，相続人の生活費の支弁その他の事
情により遺産に属する預貯金債権を行使する必要があると認められれば，申立
人は，預貯金債権の全部または一部を仮に取得できる。

　②　単独での預貯金債権の行使（▶909条の２）　各共同相続人は，預貯金
債権の一定額に限って，他の共同相続人の同意なく，単独で払い戻すことがで
きる。払戻しの上限は，相続開始時における債権額の３分の１に，払戻しを求
める相続人の法定相続分を乗じた額である。また，金融機関ごとでの上限額が
法務省令で定められている（標準的な当面の必要生計費，平均的な葬式の費用の額
その他の事情を勘案して，150万円）。

　Case 10-5では，Ａ・Ｂはそれぞれ，300万円×１/３×法定相続分１/２＝
50万円の払戻しが可能である。仮に，甲預金のほか，同じＤ銀行に対する乙普
通預金債権900万円（乙預金）が存するときには，Ａ・Ｂは，甲預金から50万
円，乙預金から150万円（＝900万円×１/３×１/２）をそれぞれの上限としつ

つ，甲預金・乙預金合わせて150万円までの払戻しをすることができる。

　①は，遺産分割の保全処分であり，遺産分割の調停または審判が係属していることが前提となるから，緊急の払戻しを希望する場合には使いづらい。しかし，上限額の定めはなく，家庭裁判所の判断で，他の共同相続人の利益を害さない範囲において認められる（▶家事200条3項ただし書）。②は，金銭の使途が問われず，家庭裁判所の判断を経ずにすむが，上限額の制限を受ける。

　①は，仮分割の仮処分であるため，後になされる遺産分割の本分割は，仮分割された預貯金債権も含めてなされる。これに対し，②は，遺産分割の一部分割の効力を有し（▶909条の2後段・907条），その後の遺産分割は，残余の財産についてなされる。

金銭の相続　相続財産中の金銭は，他の動産と同様に，遺産共有の対象となる。可分債権とは異なり，当然分割するのではないから，共同相続人の1人が相続財産として金銭を保管している場合に，他の共同相続人が相続分に応じた支払を請求することはできない（★最判平成4・4・10家月44巻8号16頁：百選Ⅲ-67）。なお，相続財産としての金銭の保管は，金銭の所有権は，特段の事情のない限り，その占有者と一致するという判例法理（★最判昭和39・1・24判時365号26頁：百選Ⅰ-73）の特段の事情にあたることになる。

3　相続財産の管理

相続人による管理　相続人は，相続を承認するか放棄するかを選択するまでの期間（熟慮期間。➡249頁），相続財産を承継した者として，**相続財産の管理義務**を負う。ここでの管理には，将来，相続放棄をしたときに備えて，相続財産と相続人固有の財産とを分別しておく意味や，将来，限定承認をしたときに，相続債権者または受遺者に損害を与えないようにする意味がある。ただし，当然承継した財産の管理であり，いまだ相続を承認したわけではないという観点から，「その固有財産におけるのと同一の注意」をもってなせば足りる（▶918条）。

　相続人が単純承認をした場合には，相続による財産承継が確定する。しかし，相続人が数人いれば，財産は遺産共有という暫定的状態となり，遺産分割未了の間の財産の管理が問題となる（➡詳細は，273頁以下）。

相続人が限定承認をした場合には，相続債権者または受遺者のために，引き続き財産を分別し，上記の相続財産の管理を継続しなければならない（▶926条1項）。

> **⚔ Case 10-6** Xが死亡した。Xには，子Aと弟Bがいたが，Aが相続放棄をし，次にBも相続放棄をした。Xの相続財産としては，甲土地があった。Bは，甲土地の一部を，Xの生前から駐車場として利用していた。

2021年民法等改正によると，相続放棄をした者は，相続放棄時に相続財産に属する財産を現に占有していたときにのみ，相続人（他の共同相続人または次順位の相続人）または952条1項の相続財産の清算人に対して当該財産を引き渡すまでの間，自己の財産におけるのと同一の注意をもって，当該財産を保存する義務を負う（▶940条1項）。**Case 10-6**では，Aは甲土地の保存義務を負わないが，Bは，甲土地を現に占有していたため，請求により相続財産の清算人が選任され（▶952条1項），同人に甲土地を引き渡すまでの間，甲土地の保存義務を負う。

管理者・管理人による管理 熟慮期間中，単純承認後，限定承認後，相続放棄後引渡しまでの間のいずれの段階においても，相続財産の管理にあたるのは第一次的には相続人である。

共同相続人らは，共有持分の価格に従いその過半数で，相続財産に属する個々の財産についての管理者を選任・解任することができる（▶252条1項）。管理者は，変更（その形状または効用の著しい変更を伴わないものを除く）を除き，管理に関する行為をすることができる。変更を加えるには，共同相続人全員の同意を要する（▶252条の2第1項）。

共同相続人間での管理に問題がある場合等には，共同相続人の1人は，遺産分割調停または審判を申し立て，遺産分割審判前の保全処分を請求して，財産の管理者の選任を求めることができる（▶家事200条1項）。

相続人が相続財産の管理に関心をもたず，財産を放置していれば，利害関係人が不利益を被るおそれもある。このような場合には，利害関係人または検察官の請求によって，家庭裁判所は，相続財産の管理人の選任その他の相続財産の保存に必要な処分を命ずることができる（▶897条の2第1項）。

　ただし，これはあくまでも相続財産の保存のためである。①相続人が１人であり当該相続人が単純承認をした場合，②相続人が数人あるが遺産全部の分割がなされた場合には，財産の承継・帰属が終局的に確定しているため，本制度の対象外となる。また，③相続人の不存在を理由に相続財産の清算人が選任されている場合には，相続財産の清算人が相続財産の管理義務を負っており，本制度の対象外となる（▶897条の２第１項ただし書）。

相続財産の
管理費用　相続財産の管理のために支出された費用は「相続財産に関する費用」として，相続財産から支弁される（▶885条）。熟慮期間中の管理，単純承認後の遺産共有状態での管理，限定承認後の清算，相続放棄後の保存という，各段階において要する費用が含まれる。具体的には，固定資産税，火災保険料，建物修繕費などが対象となる。

相続財産の管理
に関する行為　遺産共有の状態にある相続財産の管理については，民法に特別の規定が用意されていない。そのため，相続財産に属する個々の財産が物権編の共有になるとの理解（共有説）を前提に（➡267頁），物権編の共有の規定を適用することが多い。この際の各共同相続人の共有持分は，法定相続分または指定相続分である（▶898条２項）。

　(1)　**変　更**　財産に対して変更（形状または効用の著しい変更を伴わないものを除く）を加えるには，共同相続人全員の同意を要する（▶251条１項）。例えば，畑として利用されていた土地に宅地造成工事を行う場合である。全員の同意を得ずになされれば，他の共同相続人は工事の差止めや原状回復を請求することができる（★最判平成10・3・24判時1641号80頁）。

　他の共同相続人を知ることができず，またはその所在を知ることができないために，全員の同意を得ることができない場合には，共有者は，当該他の共同相続人以外の他の共同相続人の同意を得て変更を加えることができる旨の裁判を請求することができる（▶251条２項）。

　財産の処分については，(a)共同相続人全員の共有持分の処分にあたり，全員によってなされるとの見解と，(b)251条の変更にあたると解して，相続人の１人が他の共同相続人全員の同意を得てなされるとの見解がある。共有者の一部不明の場合は，(b)の見解に立てば，251条２項に基づく対応が可能である（なお，共有不動産の処分については262条の３も参照）。

(2)　**管　理**　　財産の管理に関する事項（保存行為を除く）は，各共同相続人の共有持分の価格に従い，その過半数で決せられる（▶252条1項）。賃料の取立て，財産の賃貸ほか，使用貸借契約の解除（★最判昭和29・3・12民集8巻3号696頁），準共有となった株式の議決権行使（★最判平成27・2・19民集69巻1号25頁）等が該当する。共有物の管理者の選任・解任，形状または効用の著しい変更を伴わない変更も含まれる（▶252条1項）。

これに対し，保存行為は，共同相続人各自が単独でなしうる（▶252条5項）。居住建物の修理，貸金債権の時効の完成猶予等がこれにあたる。また，相続財産を構成する不動産について不法な登記がなされている場合に，登記簿上の所有名義人に対して所有権移転登記の全部抹消を請求することも，保存行為である（★最判昭和31・5・10民集10巻5号487頁）。

> **Case 10-7**　甲建物を所有していたXが死亡した。
> (1)　相続人は子A・B・Cである（相続分の指定はない）。相続開始後，Aが甲建物を単独で占有している場合，B・Cは，Aに対して，賃料相当額の支払を請求することができるか。また，明渡請求することはできるか。
> (2)　(1)において，Aが，相続開始前から，甲建物においてXと同居していたという事情があった場合はどうか。
> (3)　(2)において，AがXの配偶者であった場合はどうか。

**相続財産の
使用・占有**　　Case 10-7(1)において，甲建物におけるAの共有持分は法定相続分の割合3分の1である。Aは共有物である甲建物を自己の持分に応じて使用することは認められるものの（▶249条1項），他の共有者との協議を経ないで当然に共有物である甲建物全体を単独で占有する権原を有するものではない。そこで，他の共同相続人B・Cは，別段の合意のない限り，Aに対し，Aの持分を超えた部分についての使用の対価の償還を請求することができる（▶249条2項）。

また，他の共同相続人B・C（その共有持分の合計の価格が共有物の価格の過半数を超える多数持分権者）は，管理に関する事項として，持分の価格に従いその過半数で，Aの使用をやめさせる旨の決定をし，現に占有する少数持分権者Aに対し，明渡しを請求することも考えられる（▶252条1項，★最判昭和41・5・19民集20巻5号947頁も参照：百選Ⅰ-70）。

　ただし，**Case 10-7**(2)のように，占有者Ａが相続開始前から被相続人と同居していたという事情がある場合には，特段の事情のない限り，被相続人と同居の相続人との間において，「相続が開始した後も，遺産分割により右建物の所有関係が最終的に確定するまでの間は，引き続き…無償で使用させる旨の合意があったものと推認される」（★最判平成 8・12・17民集50巻10号2778頁：百選Ⅲ-63）。相続開始から遺産分割終了までの間は，被相続人の地位を承継した他の共同相続人Ｂ・Ｃが使用貸借契約の貸主となる。249条 2 項にいう「別段の合意」があるといえ，借主Ａは使用対価の償還義務を負わない。

配偶者短期居住権　　**Case 10-7**(3)のように，被相続人の配偶者が被相続人所有の建物に相続開始時に無償で居住していた場合には，配偶者には，下記(1)の期間中，当該居住建物を無償で使用する権利が認められる。この権利を**配偶者短期居住権**という（▶1037条 1 項）。相続開始時に配偶者が居住建物の一部のみを無償で使用していた場合には，その部分に限って成立する。

　(1)　**存続期間**　　配偶者短期居住権が認められる期間は，①当該居住建物について配偶者を含む共同相続人間で遺産分割をすべき場合（配偶者が居住建物について遺産共有持分を有する場合）には，遺産分割により当該居住建物の帰属が確定する日または相続開始時から 6 か月を経過する日のいずれか遅い日までの間である（▶同項 1 号）。このうち，遺産分割による帰属確定までについては，前掲最判平成 8・12・17の延長に位置づけられる。使用貸借の合意を推認するまでもなく，居住の利益を保護する趣旨である。少なくとも相続開始時から 6 か月の間は，遺産分割が早期になされた場合に備え，配偶者に退去までの猶予期間を与える趣旨である。

　②①以外の場合（配偶者が居住建物について遺産共有持分を有さない場合）には，居住建物取得者が配偶者短期居住権の消滅を申し入れた日から 6 か月を経過する日までの間となる（▶1037条 1 項 2 号・ 3 項）。②に該当するのは，具体的には，被相続人が当該居住建物を配偶者以外の者に対して特定財産承継遺言・遺贈・死因贈与した場合，配偶者が相続放棄をした場合である。これらの場合，居住建物の所有権を相続または遺贈・死因贈与により取得した者（居住建物取得者）は，本来何らの負担なく居住建物を利用できる地位にある。他方で，退

去を求められた配偶者にも，退去までの猶予期間を与える必要があり，両者の均衡を図ったものである。

(2) **配偶者短期居住権を取得する者**　被相続人の配偶者のうち，被相続人所有の建物に相続開始時に無償で居住していた者である。被相続人と同居していたことは要件ではなく，被相続人が別居していても認められる。

配偶者が配偶者居住権を取得した場合は，配偶者短期居住権を認める必要性がない。また，欠格事由に該当するまたは廃除された場合には，欠格・廃除の制度趣旨に照らし，配偶者短期居住権は認められない（▶1037条1項ただし書）。

法律上の配偶者にのみ認められたものであり，内縁・事実婚の場合には及ばない。また，配偶者でない同居相続人の保護は，従前のとおり，前掲最判平成8・12・17による。

(3) **内　容**　配偶者短期居住権は，居住建物取得者に対する法定の債権であり，使用借権に類似する。ここでいう居住建物取得者とは，上記①の場合は，他の共同相続人全員，②の場合は特定財産承継遺言の受益者，受遺者，受贈者，または，相続人らである。

配偶者短期居住権は，配偶者にのみ特別に認められた帰属上の一身専属権であるから，配偶者はこれを譲渡することはできない（▶1041条・1032条2項）。

(a) **配偶者の権利義務**　配偶者は，配偶者短期居住権に基づき，居住建物を使用することができる。居住保護を目的としており，居住建物から収益を得る権限はない（▶1037条1項。1028条1項との違いに注意）。使用は，従前の用法に従い，善良な管理者の注意をもってしなければならない（▶1038条1項）。第三者に居住建物を使用させるには，居住建物取得者の承諾を要する（▶同条2項）。ただし，配偶者が自身の介護のために子を同居させるような場合には，子は配偶者の占有補助者とみることができるため，ここでの第三者には該当せず，居住建物取得者の承諾を要しない。

配偶者は，これらの義務に違反した場合，損害賠償責任を負う。居住建物取得者はこの損害賠償請求権を，居住建物の返還を受けた時から1年以内に行使しなければならない。他方で，同請求権の時効は，居住建物取得者が居住建物の返還を受けた時から1年を経過するまでは，完成しない（▶1041条・600条）。

(b) **居住建物取得者の義務**　居住建物取得者は，配偶者による居住建物の

使用を妨げてはならない（▶1037条2項）。居住建物を第三者に譲渡した等の場合には，使用させる義務の不履行として損害賠償責任を負う。

(c) 居住建物の管理　配偶者は，居住建物の使用に必要な修繕をすることができる。配偶者が相当の期間内に必要な修繕をしないときは，居住建物取得者が修繕をすることができる（▶1041条・1033条1項・2項）。使用貸借では規定がなく，契約内容に委ねられているが，配偶者短期居住権は法定の債権であるため，このような定めがある。

費用負担に関しては，使用貸借の場合と同様である。通常の修繕費や，居住建物およびその敷地に課される公租公課といった通常の必要費は，配偶者が負担する（▶1041条・1034条1項）。通常の必要費以外の費用を配偶者が支出したときは，居住建物取得者は，196条の規定に従いその償還義務を負う。ただし，有益費については，裁判所から相当の期限を許与されうる（▶1041条・1034条2項・583条2項）。配偶者は，この償還請求権を，居住建物取得者が居住建物の返還を受けた時から1年以内に行使しなければならない（▶1041条・600条1項）。

(4) **配偶者短期居住権の消滅**　配偶者短期居住権は，①存続期間（▶1037条）の満了により消滅する。⑪配偶者が居住建物の使用にあたって1038条1項・2項に違反したときには，居住建物取得者の配偶者に対する意思表示により消滅する（▶1038条3項。形成権）。⑥配偶者が配偶者居住権を取得した場合（▶1039条），⊜配偶者が死亡した場合（▶1041条・597条3項）も，必要性がなくなるため，当然に消滅する。⑤居住建物の全部が滅失その他の事由により使用できなくなった場合は，賃貸借の場合と同様，存続させる意味がなくなるため，消滅する（▶1041条・616条の2）。

配偶者短期居住権が消滅すれば，配偶者は，居住建物を居住建物取得者に返還しなければならない（配偶者が引き続き居住建物を使用する権利を有する⑥の場合，配偶者が居住建物の共有持分を有する場合を除く。▶1040条1項）。返還の際には，原則として，相続開始後に居住建物に附属させた物を収去する義務，相続開始後に居住建物に生じた損傷を原状に復する義務を負う（▶同条2項・599条1項・2項・621条）。⊜の場合は，死亡した配偶者に生じたこれらの義務が，配偶者の相続人に承継される。

3 相 続 分

1 法定相続分・指定相続分

　相続人が複数いる場合，相続財産は遺産共有の状態となり，各共同相続人は，その相続分に応じて被相続人の権利義務を承継する（▶899条）。ここでいう相続分は，相続分の指定があれば指定相続分を指し（▶902条），なければ法定相続分をいう（▶900条・901条）。

法定相続分　相続分の指定がなければ，相続分の割合は定められたものとなる（▶900条・901条）。これを**法定相続分**という。

> **Case 10-8**　Ｘが死亡し，次の者が相続人である場合，各人の法定相続分はいくらか。
> (1)　配偶者Ａと，ＸとＡの間の子Ｂ，Ｘが認知した子Ｃ，Ｘの養子Ｄ。
> (2)　配偶者Ａと，Ｘの父母Ｅ・Ｆ。
> (3)　配偶者Ａと，Ｘの兄弟姉妹Ｇ・Ｈ。
> (4)　配偶者Ａと，Ｘと父母双方を同じくする兄弟姉妹Ｉ，父母の一方のみを同じくする兄弟姉妹Ｊ。

　法定相続分は，相続人が配偶者と第1順位の血族相続人（子）の場合，配偶者2分の1，子全員で2分の1である（▶900条1号）。子が数人いれば，子全員についての相続分2分の1を均等に分ける（▶同条4号）。かつては，嫡出でない子の相続分は嫡出子の2分の1との規定があった（▶旧900条4号ただし書）。しかし，最大決平成25・9・4（民集67巻6号1320頁：百選Ⅲ-59）は，現在では「嫡出子と嫡出でない子の法定相続分を区別する合理的な根拠は失われて」いるとして，同規定を憲法14条1項に違反し無効と判断した（➡8頁，100頁）。これを受け，2013年民法改正により，同規定は削除され，現在では，嫡出子か嫡出でない子かでの区別はない。

　相続人が配偶者と第2順位の血族相続人（直系尊属）の場合は，配偶者3分の2，直系尊属全員で3分の1である（▶900条2号）。直系尊属が数人いれば，3分の1を均等に分ける（▶同条4号）。

　相続人が配偶者と第3順位の血族相続人（兄弟姉妹）の場合は，配偶者4分

の3，兄弟姉妹全員で4分の1である（▶同条3号）。兄弟姉妹が数人いれば，4分の1を均等に分ける（▶同条4号）。ただし，被相続人と父母双方を同じくする兄弟姉妹（全血の兄弟姉妹）と，父母の一方のみを同じくする兄弟姉妹（半血の兄弟姉妹）がいる場合，半血の兄弟姉妹の法定相続分は，全血の兄弟姉妹の法定相続分の2分の1である（▶同号ただし書）。

　被相続人に配偶者がおらず，相続人が血族相続人のみの場合は，血族相続人が数人いれば，全体を均等に分ける。ただし，全血の兄弟姉妹と半血の兄弟姉妹がいる場合には，上記のとおりとなる。

　Case 10-8では，(1)A 1／2，B・C・D各1／6，(2)A 2／3，E・F各1／6，(3)A 3／4，G・H各1／8，(4)は，A 3／4，I 1／6，J 1／12である。

　✚ Case 10-9　Xが死亡し，次の者が相続人である場合，各人の法定相続分はいくらか。
　(1) 配偶者A，子B，既に死亡した子Cの子D・E。
　(2) 配偶者A，既に死亡した子Bの子F，既に死亡した子Cの子D・E。
　(3) 配偶者A，既に死亡した兄Gの子H・I・J。

　代襲相続が生じた場合，代襲相続人の相続分は被代襲者が受けるべきであった相続分と同じである（▶901条1項本文）。代襲者が数人いれば，これを均等に分ける（▶同項ただし書，900条4号）。**Case 10-9**では，(1)A 1／2，B 1／4，D・E各1／8，(2)A 1／2，F 1／4，D・E各1／8（D・E・Fで頭分けして各1／6になるのではない），(3)A 3／4，H・I・J各1／12となる。

　✚ Case 10-10　Xが死亡し，相続人は子A・B・Cである。相続財産は，甲土地3000万円，乙土地2000万円，丙債権（預金債権）1000万円であった。Xは，「相続分は，A 2分の1，B 3分の1，C 6分の1とする」との遺言をしていた。

　指定相続分　被相続人は遺言によって，相続人の相続分を指定し，または指定を第三者に委託することができる（▶902条1項）。指定された相続分を**指定相続分**といい，法定相続分に代わる相続分になる。**Case 10-10**では，各共同相続人は，遺産分割までの間，相続財産（遺産）に属する甲土地，乙土地，丙債権を，指定相続分に応じて共有・準共有する。

> **❖ Case 10-11**　**Case 10-10**において，遺言が次のとおりであった場合はどうか。
> (1) 「Aに遺産の2分の1を与える」との遺言。
> (2) 「Aに遺産の6分の1を与える」との遺言。
> (3) 「Aに甲土地を，Bに乙土地を，Cに丙債権を与える」旨の遺言。
> (4) 「Aに丙債権を与える」旨の遺言。

Case 10-11(1)では，一部の者のみの相続分が定められており，他の共同相続人の相続分は法定相続分による（▶902条2項）。相続分は，A1/2，B・Cは残りの1/2を法定相続分の割合で分けてそれぞれ1/4になる。

Case 10-11(2)では，遺言の趣旨をAの相続分を1/6のみとすると解せば，A1/6，残りの5/6をB・Cで分け，それぞれ5/12となる。他方で，この遺言をAに1/6を包括遺贈（➡342頁）する趣旨と解せば，相続分の指定はなされていない。残りの5/6をA・B・C間で法定相続分の割合で分けて，それぞれ5/18となる。いずれとみるかは，遺言者の意思解釈によって決まる。

Case 10-11(3)は，相続財産のすべての財産を対象とした，特定財産承継遺言（➡343頁）と解される。そして，財産の価値を考慮すれば，A1/2，B1/3，C1/6との相続分の指定を伴うものといえる。

Case 10-11(4)では，①Aには丙債権しか与えない趣旨の特定財産承継遺言だと解せば，Aの相続分は1/6との指定があり，B・Cの相続分は残り5/6を法定相続分の割合で分けて，それぞれ5/12となる。②相続分の指定はせず，法定相続分を維持したまま，丙債権はAに相続させる旨の特定財産承継遺言がなされたと解することもできる。③Aに対する特定遺贈（➡344頁）との解釈も可能である。いずれとみるかは，遺言者の意思解釈によって決まる。

2　相続分による権利義務の承継

相続不動産の登記　相続財産に属する不動産は，相続開始後，共同相続人間での，法定相続分または指定相続分に応じた共有となり，遺産分割によって，その帰属が確定する。このような不動産の登記については，一方では，(1)時系列に沿って，①被相続人からの共同相続人全員を共有名義人とする共同相続登記をし，その後遺産分割を経て，②「遺産分割」を

原因とする持分の移転登記をする方法がある。

　他方で，(2)共同相続登記を経由しないまま，遺産分割を経て，被相続人から直接，遺産分割による権利取得者に移転登記をする方法も認められている。遺産分割の効力は相続開始時に遡り（▶909条本文。➡313頁），対象不動産を取得

Further Lesson 10-1
▶▶▶▶▶ 相続人の登記申請義務

　近年，土地の所有者が不動産登記簿によっても直ちには判明しなかったり，判明しても連絡がつかなかったりするケースが増えている。このような「所有者不明土地」では，その土地の利用が阻害されるなどの問題が生じる。

　所有者不明土地となる主な原因は，土地の所有者が死亡した後に相続登記がなされないことにあるといわれる。そこで，2021年民法等改正では，不動産登記法を改正し，次の(1)〜(4)のように，相続等に関する所有権移転について公法上の登記申請義務を課し，この登記申請義務を正当の理由なく怠れば，10万円の過料に処することで（▶不登164条1項），不動産登記情報の更新を促している。

　(1)　不動産の所有権の登記名義人が死亡し，相続が開始した場合，相続・遺贈により当該所有権を取得した相続人は，自己のために相続の開始があったことを知り，かつ，当該所有権の取得を知った日から3年以内に，所有権移転登記の申請をしなければならない（▶不登76条の2第1項）。遺産分割未了の間になされる共同相続登記，遺産分割の結果を踏まえた相続登記，遺贈による移転登記のいずれかを申請すべきことになる。

　(2)　(1)の登記義務を負う者は，(1)と同様の期間内に，相続人申告登記をすることでも，登記義務を履行したとみなされる（▶不登76条の3第2項）。相続人申告登記とは，相続人が，所有権の登記名義人が死亡し相続が開始した旨と，自己が当該登記名義人の法定相続人である旨を申し出ると，その旨を登記官が職権で付記登記により公示する方法である（▶不登76条の3第1項）。ただし，この登記は，相続の発生と，申出人が法定相続人である蓋然性を示すにすぎず，対抗力はない。持分についての登記もなされない。

　(3)　法定相続分に応じた共同相続登記がなされた後に遺産分割がされた場合は，法定相続分を超えて所有権を取得した者は，遺産分割の日から3年以内に，所有権移転の登記を申請しなければならない（▶不登76条の2第2項）。

　(4)　相続人申告登記がなされた後に遺産分割がされた場合，相続人申告登記の申出をした者が，遺産分割によって所有権を取得したときは，遺産分割の日から3年以内に，所有権移転の登記を申請しなければならない（▶不登76条の3第4項。相続申告登記の後に，法定相続分に応じた共同相続登記がなされていれば，(3)による）。

した相続人は，これを相続開始時から承継したことになるのと合致する。

　(2)の登記は，相続を登記原因とする移転登記であり，権利取得者のみでの単独申請でなしうる。(1)の①は，各共同相続人の法定相続分または指定相続分に応じた共同相続登記となる。登記権利者のみによる申請が可能で（▶不登63条2項），相続財産中の不動産に対する保存行為にあたるため，相続人の1人が全員のために単独でなしうる（▶252条5項。➡274頁）。相続分の指定がある場合も，直接，指定相続分に応じた登記をすることができる。

　これに対し，(1)の②は，持分を失うことになる相続人を登記義務者，遺産分割により持分を取得する相続人を登記権利者とした共同申請でなされる。

　ただし，2021年民法等改正を受けた実務上の対応により，(1)①での相続登記が法定相続分に応じてなされていた場合，遺産分割により所有権を取得した相続人は，遺産分割による所有権取得に関する登記を，更正登記の方法により，単独で申請できることとなった。遺産分割により所有権を取得した相続人は，遺産分割の遡及効により（▶909条本文。➡313頁），相続開始時から当該所有権を承継していたこととなるため，法定相続分に応じた登記はいわば誤っていたとして訂正するものである。被相続人から当該相続人に直接相続による所有権移転がなされたとの内容，すなわち(2)の登記と同様の内容に修正される（①で指定相続分に応じた相続登記がなされていた場合や，遺産分割により取得した権利が所有権でない場合には，この方法は認められない）。

相続と登記①　相続財産中の不動産について，実体の権利関係と異なる登記がなされた場合には，当該不動産について利害関係を有する第三者との関係が問題となる。

> **◼️Case 10-12**　Xが死亡し，相続人はXの子A・Bである（相続分の指定はない）。遺産分割未了の間に，Aは，相続財産に属する甲土地全体をAが取得したとの内容の遺産分割協議書を偽造して，甲土地につき相続を原因とする単独名義の所有権移転登記をした。さらに，この登記を利用して，甲土地全体を第三者Cに譲渡し，Cへの所有権移転登記も経由した。BはCに対して自己の共有持分を主張することができるか。

　(1)　共同相続と登記　**Case 10-12**では，甲土地はA・Bが法定相続分に応じて共有するため，Aは共有持分2分の1を有するが，残りの2分の1につ

いては無権利である。なされた登記のうちBの持分の部分は，無権利の登記であるから，Bは，自己の持分については，Cに登記なくして対抗できる（▶899条の2第1項反対解釈，★最判昭和38・2・22民集17巻1号235頁：百選Ⅲ-77）。

> **Case 10-13**　Xが死亡し，相続人はXの子A・Bである。Xは「相続分はA3分の1，B3分の2にせよ」との遺言をのこしていた。相続財産に属する甲土地につき，指定相続分に応じた登記がなされる前に，Aは，A・B名義の法定相続分に応じた共同相続登記をした。さらに，この登記を利用して，Aの持分と登記された2分の1を第三者Cに譲渡し，Cへの持分権移転登記も経由した。

(2)　**相続分の指定と登記**　　相続人が，相続財産に属する個々の財産上に指定相続分に応じた持分を有する場合，その持分のうちの，法定相続分に相当する部分は，被相続人との身分関係により客観的に決まる。これに対し，法定相続分を超える部分は，遺言という意思表示による。そのため，法定相続分を超える部分については，対抗要件を備えなければ第三者に対抗することができない（▶899条の2第1項）。**Case 10-13**で，Bは，自己の共有持分（3分の2）を超える部分（6分の1）については，Cに対抗することはできない。

> **Case 10-14**　Xが死亡し，相続人はXの子A・B・Cである。遺産分割未了の間に，Cの債権者Dは，相続財産に属する甲土地につき，A・B・Cで共同相続した旨の登記を，Cに代位して行い，Cの共有持分3分の1を差し押さえた。しかし，Cは相続放棄をしていた。

(3)　**相続放棄と登記**　　**Case 10-14**で，Cは，相続放棄をしたことで，相続開始時に遡って相続人でなかったとみなされるから（▶939条。➡243頁），相続人はA・Bのみである。甲土地は相続開始時からA・Bが共有していたこととなり，Cの共有持分はない。そして，このような相続放棄の効力は絶対的で，何人に対しても，登記等なくしてその効力を生ずる（★最判昭和42・1・20民集21巻1号16頁：百選Ⅲ-79）。そのため，A・Bが，本件相続登記の無効を主張し，Dの差押えに対する第三者異議の訴えを提起すれば認められる。

相続と登記②　　相続と登記に関しては，次のような問題もある（以下の事例においては，いずれも，Xが死亡し，相続人はXの子A・Bであ

るとする）。

（1）**遺産分割と登記**　遺産分割協議の結果，相続財産中の甲土地はAが取得することになったが，Aがその旨の登記を備えない間に，Bの債権者Cが，Bを代位して，A・B名義の法定相続分に応じた共同相続登記をした上で，Bの持分を差し押さえたとする。判例は，遺産分割は，第三者Cに対する関係においては，Bが相続開始によりいったん取得した共有持分がBからAに移転するのと実質的に異ならないものであるから（➡313頁参照），Aはその旨の登記をしなければ法定相続分を超える甲土地の所有権の取得を第三者Cに対抗できないとする（★最判昭和46・1・26民集25巻1号90頁：百選Ⅲ-78）。条文上も，遺産分割による権利の承継は，法定相続分を超える部分については対抗要件を備えなければ第三者に対抗できないとされている（▶899条の2第1項）。

（2）**特定財産承継遺言と登記**　Xは自己所有の甲土地をAに相続させる旨の遺言をのこしていたが，Aが登記を備えない間に，Bの債権者Dが，Bに代位して，A・B名義の法定相続分に応じた共同相続登記をした上で，Bの持分を差し押さえたとする。ここでも，相続分の指定と登記の問題と同様，法定相続分に相当する部分は客観的に決まるものであるのに対し，法定相続分を超える部分は遺言という意思表示によるものである。そのため，Aは，法定相続分を超える部分については，登記なくして第三者Dに対抗することができない（▶899条の2第1項。➡350頁）。

（3）**第三者に対する遺贈と登記**　Xは自己所有の甲土地を第三者（相続人ではない者）Eに遺贈していたが，Eが登記を備えない間に，Bの債権者Fが，Bを代位して，A・B名義の法定相続分に応じた共同相続登記をした上で，Bの持分を差し押さえたとする。Eは遺言という意思表示により所有権を取得しており，その取得は登記なくしては第三者に対抗できない（★最判昭和39・3・6民集18巻3号437頁：百選Ⅲ-80。▶177条。➡344～345頁）。

（4）**相続人に対する遺贈と登記**　(3)の事例で，甲土地の遺贈を受けたのが相続人Aであった場合については，一方では，(3)と同様，登記がなければ甲土地全体について対抗できないとする見解がある。相続による承継ではなく，遺贈による取得である点を重視している。他方で，相続人に対するものである点に着目して，(2)と同様に考え（899条の2を類推適用して），法定相続分について

は登記なくして対抗できるとする見解もある。

　なお，2021年民法等改正は，所有権の遺贈に関して，受遺者が相続人であれば，所有権移転登記の単独申請が可能とする（▶不登63条3項）。登記申請では，受遺者が第三者か相続人かで異なる扱いがなされることになる。

> ▓**Case 10-15**　Xが死亡し，相続人はXの子A・Bである。XはCに対して不法行為に基づく損害賠償請求権（甲債権，3000万円）を有していた。次の⑴⑵において，A・BはそれぞれCに対していくら請求できるか。
> ⑴　相続分の指定がなかった場合。
> ⑵　A3分の1，B3分の2との相続分の指定があった場合。

可分債権の承継　　相続財産中の**可分債権**は，相続開始時に法律上当然分割され，各共同相続人がその相続分に応じて権利を承継する（★最判昭和29・4・8民集8巻4号819頁：百選Ⅲ-69。➡268頁）。ここでいう相続分の割合は，相続分の指定があれば指定相続分，なければ，法定相続分である。**Case 10-15**⑴では，A・Bは，1500万円ずつの分割債権を承継する。

　Case 10-15⑵では，Aは1000万円，Bは2000万円の分割債権を承継し，Cに対して支払請求することができることになる。しかし，被相続人の債務者Cが，遺言による相続分指定の有無およびその内容を知るのは困難である。そこで，法定相続分を超える相続分の指定を受けた相続人Bは，指定相続分による債権の承継のうち，法定相続分を超える部分については，債権譲渡と同様の対抗要件を満たさなければ，債務者に対抗することができないとされている（▶899条の2第2項）。ここでは，債権の譲渡人に相当するのは被相続人であり，その地位を共同相続人全員が承継するから，①共同相続人全員が債務者に対して通知をするか，②債務者が承諾することを要する（▶467条）。

　ただ，①の方法については，他の共同相続人Aに対抗要件具備義務がないため，Bは必ずしもAの協力を得られるとは限らない。そこで，Bが，遺言の内容を明らかにして（遺言の原本を示す，遺言のうちの当該債権に関する部分の写しを交付する等），債務者に指定相続分による承継の通知をしたときも，共同相続人全員が債務者に通知したものとみなされ（▶899条の2第2項），対抗要件を具備したことになる。**Case 10-15**⑵で，Bは甲債権2000万円分を承継するが，債

務者Cに対して1500万円を超える支払を請求するには，Aとともに，あるいは
遺言の内容を明らかにして単独で，Cに通知することを要する。

> **‼Case 10-16** Xが死亡し，相続人はXの子A・Bである。次の(1)(2)において，
> G₁・G₂は，A・Bに対し，債務のうちのいくらずつを請求することができるか。
> (1) Xは，①債権者G₁に対して3000万円の金銭債務を負っていた。また，②H
> とともに，債権者G₂に対し，2000万円の連帯債務を負っていた（X・Hの内
> 部的な負担割合は平等とする）。相続分の指定はない。
> (2) (1)において，A3分の1，B3分の2との相続分の指定があった。

可分債務の承継　(1)　**可分債務の当然分割**　Case 10-16(1)①のような，
被相続人の金銭債務は，**可分債務**として，可分債権と同
様に427条が適用され，相続開始時に当然に分割し，各共同相続人がその相続
分に応じてこれを承継する（★大決昭和5・12・4民集9巻1118頁，最判昭和34・
6・19民集13巻6号757頁：百選Ⅲ-72）。

Case 10-16(1)②のような**連帯債務**も，判例によれば，通常の金銭債務と同
様に可分であるから，相続開始時に当然に分割され，各共同相続人がその相続
分に応じてこれを承継する（前掲★最判昭和34・6・19）。A・Bは，それぞれ
1000万円の連帯債務を承継し，この範囲で，他の連帯債務者Hとともに連帯債
務者となる。Aは，G₂に対し1000万円を支払ったときには，Hに500万円を求
償することができる（▶442条1項）。このような判例の立場について学説から
は，連帯債務の担保的機能が損なわれ，法律関係も煩瑣になるとの批判があ
り，各共同相続人が全額について連帯すべきとの見解も示されている。

(2)　**相続分の指定がある場合**　可分債務が相続分に応じて当然に分割する
際の，相続分の割合は，相続分の指定があれば指定相続分，なければ法定相続
分である。Case 10-16(1)①では，A・Bはそれぞれ1500万円の債務を承継
し，G₁は，A・Bそれぞれに1500万円の支払を請求することができる。

これに対し，Case 10-16(2)では，①の債務は，A 1000万円，B 2000万円
に分割承継される。このとき，債権者は支払の請求をこの指定相続分に応じて
するしかないのかが問題となる。本来債務者は，債権者との関係においては，
自身の債務を処分する権限を有さないからである。他方で，相続人間の内部関
係においては，債務の承継割合を，積極財産の承継割合に合わせることに一定

の合理性がある。そこで，可分債務は，相続人間の内部関係においては指定相続分に応じて分割承継されるものの，債権者はなお，法定相続分に応じて支払の請求をすることもできるとされる（▶902条の2。★最判平成21・3・24民集63巻3号427頁参照：百選Ⅲ-93）。ただし，債権者が共同相続人の1人に対して指定相続分に応じた債務の承継を承認した場合には，もはや法定相続分に応じた支払の請求はなし得ない（▶902条の2ただし書）。

Case 10-16(2)では，①の債務につき，AはG₁から1500万円の支払を請求された場合に，G₁が指定相続分に応じた承継を承認していない限り，自分が承継したのは1000万円である旨主張することはできない。AはG₁に1500万円を弁済した後，Bに500万円を求償することになる（前掲★最判平成21・3・24）。

3　具体的相続分①：特別受益がある場合

> **Case 10-17**　Xが死亡し，相続人はXの子A・B・Cの3名である。Xは死亡時に，甲土地3000万円，乙預金2000万円，現金1000万円を有していた。A・B・Cが遺産分割をしようとしたところ，次の(1)・(2)のような事情のあることが判明した。(1)AはXの生前に，Xから生計の資本として丙土地（3000万円相当）の贈与を受けていた。(2)BはXから乙預金2000万円の遺贈を受けていた。

具体的相続分の意義　遺産分割では，相続財産（遺産）に属し，かつ，遺産共有の状態となった個々の財産を，共同相続人間で分配する（➡300頁）。**Case 10-17**では，(1)・(2)の事情がなければ，相続財産（遺産）全体を法定相続分（3分の1ずつ）に分配するのが公平であろう。

しかし，(1)・(2)のような事情がある場合，すなわち，共同相続人の中に，被相続人から別途利益を得た者がいる場合には，これを考慮しなければ，共同相続人間の実質的公平を図ることができない。

そこで，共同相続人の中に被相続人から**特別受益**（遺贈や一定の目的の贈与）を受けた者がいる場合には（▶903条），法定相続分または指定相続分を修正し，遺産分割での基準となるべき価額または割合を算定する。このような，各共同相続人の「遺産分割手続における分配の前提となるべき計算上の価額又はその価額の遺産の総額に対する割合」を，**具体的相続分**という（★最判平成

12・2・24民集54巻 2 号523頁）。

　具体的相続分は，遺産分割手続において，他の共同相続人Cから，特別受益を有する相続人A・Bに対し，A・Bには特別受益のあること（よってA・Bの具体的相続分が少なくなること）が主張され，遺産分割の前提問題として審理判断される。実体法上の権利関係ではないため，具体的相続分の価額または割合の確認を求める訴えは，確認の利益を欠くとして，不適法とされる（前掲★最判平成12・2・24）。

具体的相続分の算定方法　具体的相続分は，特別受益を，原則として被相続人から**相続分の前渡し**としてなされた（相続分の範囲内で与えられた）ものとみて，次のように算定する。

　①「被相続人が相続開始の時において有した財産」の価額に，相続人が得た特別受益としての贈与の価額を加え，共同相続人間で本来分配すべき相続財産（みなし相続財産）の価額を算定する。②みなし相続財産に法定相続分または指定相続分をかけて，一応の相続分を確定する。③一応の相続分から，相続人が受けた特別受益の価額を差し引く。このような算定を**特別受益の持戻し**という（▶903条 1 項）。

　Case 10-17では，① 6000万＋3000万＝9000万円，② 9000万×1／3＝3000万円，③ A 3000万－3000万＝0 円，B 3000万－2000万＝1000万円，C 3000万円となる（事情が⑴のみ，⑵のみの場合についても算定してみてほしい）。

　①において，「被相続人が相続開始の時において有した財産」は，積極財産のみを指す。遺産分割は基本的に積極財産を分配するものであるため，相続債務を控除しない（遺留分を算定するための財産と対比，➡361頁）。また，①において，遺贈は加えず，贈与のみの価額を加えるのは，具体的相続分を算定する場面においては，遺贈は相続開始時の財産に含まれていると解されているからである（よって，もし，相続開始時の財産が遺贈を除外して示されていれば，遺贈をみなし相続財産に含めなければならない）。

特別受益者　**特別受益**として遺産分割で考慮されるのは，被相続人から共同相続人に対してなされた遺贈および，婚姻または養子縁組のためもしくは生計の資本としてなされた贈与である（▶903条 1 項）。具体的相続分は，共同相続人間での遺産分割のために算定されるものであるから，相

続人ではない第三者，相続放棄をした者，欠格・廃除に該当する者に対してなされた遺贈や贈与は含まない。

(1) **受贈後に推定相続人となった場合**　被相続人から贈与を受けた時点では推定相続人の地位になく，その後被相続人と婚姻や養子縁組をしたことで推定相続人となった場合に，当該贈与が特別受益にあたるかについては，見解が分かれる。特別受益が相続分の前渡しにあたる点を重視すれば，推定相続人になる前になされた贈与は相続分の前渡しとはいえないから特別受益にはあたらない。これに対し，持戻しによる共同相続人間の衡平の実現を重視すれば，相続開始時に相続人である以上，特別受益とされる（例えば，★神戸家審平成11・4・30家月51巻10号135頁）。前者を基本としつつ，贈与が，婚姻または養子縁組と関連してなされた場合には特別受益とすべきとの見解もある（★神戸家明石支審昭和40・2・6家月17巻8号48頁）。

(2) **代襲相続の場合**　代襲相続人の具体的相続分を算定する場合には，被代襲者が被相続人から得た贈与を，代襲相続人の特別受益とみるべきかが問題となる。裁判例には，代襲相続人に，被代襲者が生存していれば受けることができなかった利益を与える必要はないこと，被代襲者に特別受益がある場合にはその子等である代襲相続人もその利益を享受しているのが通常であることを理由に，特別受益性を肯定するものがある（★福岡高判平成29・5・18判時2346号81頁。ただし遺留分に関する事案）。

代襲相続人自身が被相続人から得た贈与については，代襲原因発生後の受益であれば，相続分の前渡しであって特別受益にあたる。代襲原因発生前の受益であった場合，すなわち，受贈時点では代襲相続人の地位になく，その後代襲原因が生じ（例えば推定相続人が死亡して）代襲相続人となった場合には，実質的に相続分の前渡しと評価しうる特段の事情がない限り，特別受益にはあたらない（前掲★福岡高判平成29・5・18）。

(3) **相続人の近親者が利益を得た場合**　被相続人が相続人の配偶者や子などにした贈与は，共同相続人に対する贈与ではないから，原則として特別受益にあたらない（★東京家審平成21・1・30家月62巻9号62頁参照）。ただし，贈与の経緯，贈与により相続人の受けた利益等を考慮し，実質的にみて相続人に対して贈与したのと異ならないと認められる場合には，相続人に対する特別受益と

して持ち戻される（★福島家白河支審昭和55・5・24家月33巻4号75頁）。

| 特別受益の対象 | （1）**遺　贈**　遺贈は，その目的を問わずすべて特別受益とされる。 |

特定財産承継遺言による受益は，その対象財産が相続開始と同時に，受益相続人に移転する点を踏まえ（★最判平成3・4・19民集45巻4号477頁：百選Ⅲ-92。➡349頁），具体的相続分の算定の場面においては，「遺贈」に含まれると解される（なお，遺留分に関する1046条・1047条では，「受遺者」に，特定財産承継遺言による受益者を含む旨が明記されている）。

（2）**贈　与**　贈与では，㋑婚姻・養子縁組のための贈与，㋺生計の資本としての贈与が特別受益とされる。㋑の例としては，婚姻・養子縁組の際の持参金がある。結納金や挙式費用は，かつては特別受益とされていたが，最近では否定説が有力である。相続分の前渡しといえるほどの額になるか，他の共同相続人にも支出されていないか（★名古屋高金沢支決平成3・11・22家月44巻10号36頁），子への贈与というより親自身のための費用負担ではないか等から判断される。

㋺の例としては，住宅取得資金，農地，営業資産の贈与がある。相続人の生計の維持の基盤となる財産上の給付を広く含む。贈与にあたるかどうかも実質的に判断され，例えば，相続人の生活を破綻させるような多額の債務を被相続人が代わりに弁済した場合も含むとされる。ただし，生計の資本にはなり得ても，被相続人の資産状況，社会的地位，贈与の動機，贈与額等の諸事情を考慮し，夫婦間の協力扶助義務（▶752条），親族間の扶養義務（▶877条）の範囲内と評価できるものは，特別受益にはあたらない。

被相続人が相続人のために支出した大学等の高等教育にかかる学費・入学金は，当該相続人の将来の生活の基盤になるとして，特別受益にあたるかが問題となる。裁判例は，原則として，扶養の当然の延長にあたる，親の扶養義務の範囲内であるとしつつ，例外として，親の資産，社会的地位を超えた不相当な学費は，特別受益にあたるとする（★京都地判平成10・9・11判タ1008号213頁）。

被相続人から相続分を無償で譲り受けていた場合，例えば，夫Aが死亡し，妻B，A・B間の子C・Dが相続した後，BがAの相続における自己の相続分2分の1を無償でCに譲渡していた場合，その後Bが死亡して，Bの相続につ

いてＣ・Ｄ間での遺産分割をする際には，Ｃが被相続人Ｂから得た相続分が，当該相続分に財産的価値があるとはいえない場合を除いて，903条１項の「贈与」にあたる（★最判平成30・10・19民集72巻５号900頁：百選Ⅲ-64）。

（3）**死亡保険金請求権**　共同相続人の１人が被相続人の死亡により死亡保険金請求権を取得しても，保険金受取人である当該相続人が保険契約に基づき固有の権利として取得するのであり，被相続人から承継取得するものではない（➡265頁）。また，死亡保険金請求権は，保険契約者である被相続人が払い込んだ保険料と等価関係に立つものでなく，実質的に被相続人の財産に属していたとみることはできない。それゆえ，903条１項の特別受益にはあたらない。

　ただし，例外として，「保険金受取人である相続人とその他の共同相続人との間に生ずる不公平が民法903条の趣旨に照らし到底是認することができないほどに著しいものであると評価すべき特段の事情が存する場合」には，903条の類推適用により，特別受益に準じて扱われる（★最決平成16・10・29民集58巻７号1979頁：百選Ⅲ-61）。特段の事情の有無は，「保険金の額，この額の遺産の総額に対する比率のほか，同居の有無，被相続人の介護等に対する貢献の度合いなどの保険金受取人である相続人及び他の共同相続人と被相続人との関係，各相続人の生活実態等の諸般の事情を総合考慮して」判断される。

特別受益たる贈与の価額の評価　（1）**基準時**　特別受益となる贈与の価額は，相続開始時を基準に評価する（★最判昭和51・3・18民集30巻2号111頁。ただし遺留分算定の基礎財産に関する事案）。例えば，株式が贈与され，贈与時500万円相当，相続開始時1000万円相当の価値であれば，具体的相続分は贈与の価額1000万円として算定する。金銭の場合には，贈与時の金額を相続開始時の貨幣価値に換算した価額となる（前掲★最判昭和51・3・18）。不動産や動産の場合には，相続開始時において評価した価額となる。

　（2）**財産の滅失・価格の増減**　贈与から相続開始までの間に，贈与財産が滅失した場合（火災等による物理的滅失や，贈与や売買等の法律行為による経済的滅失）や，贈与財産の価格が増減した場合（受贈者の労力や費用の支出による価格の増加や，損傷や抵当権の設定等による価格の低下）はどうか。

　このような変動が受贈者の行為によるときは，贈与財産が相続開始時においてなお原状のままであるものとみなして，贈与財産の相続開始時での価額で，

具体的相続分を算定する（▶904条）。例えば，受贈者が甲土地の贈与を受けた後，甲を売却して得た代金で，乙土地を取得した場合，甲土地が受贈者のもとで現存しているものとみなし，甲土地の相続開始時の価額で算定する。

　変動が不可抗力または他人の行為によるときは，904条の反対解釈による。贈与財産が滅失していれば，受贈者は贈与を受けなかったものとし，価格の増減があれば，相続開始時の時価により，具体的相続分を算定する。学説には，受贈者が代償財産（保険金や損害賠償）を取得した場合には，代償財産の価額で算定すべきとする見解もある。

超過特別受益者がいる場合　共同相続人のうち，特別受益の価額が一応の相続分以上であるために，具体的相続分がゼロ以下となる者（超過特別受益者）は相続財産から財産を取得しない（▶903条2項）。例えば**Case 10-17**（➡287頁）で，Aに贈与された丙土地の価額が6000万円であれば，具体的相続分を算定すると，① 6000万＋6000万＝1億2000万円，② 1億2000万×1／3＝4000万円，③ A 4000万－6000万＝－2000万円，B 4000万－2000万＝2000万円，C 4000万円となり，Aの具体的相続分はゼロとされる。

　超過特別受益者は，超過受益分の返還を求められるわけではないから，超過受益分は，他の共同相続人で負担せざるを得ない。超過特別受益者以外の共同相続人B・Cの具体的相続分は，超過受益分（2000万円）の負担を考慮して，改めて算定することになる。

　その算定方法について明文の規定はないが，主に用いられるのは，次の2つである。(a)他の共同相続人は，上記の方法で算定された具体的相続分の割合に応じて，相続財産（遺贈を除いた積極財産）を分配する。この場合，超過受益分は，上記の方法で算定された具体的相続分の割合に応じて負担することになる。(b)他の共同相続人は，法定相続分または指定相続分に応じて，超過受益分を負担することとする。上記の方法に従い算定された具体的相続分からこの負担を控除したものが，他の共同相続人の具体的相続分となる。

　上記の例では，(a)によれば，相続財産（遺贈を除いた積極財産）4000万円を，B 2000万：C 4000万の割合（B 1／3，C 2／3）で分配して，B 4000万×1／3＝約1333万円，C 4000万×2／3＝約2667万円となる。(b)によれば，Aの超過受益分2000万円を，B・Cが法定相続分の割合に応じて負担するから，上記の

具体的相続分から，2000万×1／2＝1000万円ずつを控除して，B 2000万−1000万＝1000万円，C 4000万−1000万＝3000万円となる。

| 持戻し免除の意思表示 |

(1)　被相続人の意思表示　特別受益である贈与または遺贈について，被相続人が持戻しを要しない旨の意思表示をした場合には，被相続人の意思を尊重して，持戻しが免除される（▶903条3項）。意思表示の方法は特に定められておらず，生前行為によっても遺言によってもよいし，必ずしも贈与と同時になされなくてもよい（例えば生前贈与の持戻し免除を遺言で示す）と解されている。また，黙示の意思表示でもよいとされる。

持戻しが免除されれば，具体的相続分の算定にあたっては，贈与等はみなし相続財産に含めず，相続分外で特別に与えられたことになる。**Case 10-17**（➡287頁）において，Aへの贈与につき**持戻し免除の意思表示**があった場合，①みなし相続財産は6000万円，②一応の相続分が6000万×1／3＝2000万円，

✐ Topic 10-1

特別受益証明書（相続分皆無証明書）

超過特別受益者の具体的相続分はゼロとなるため（▶903条2項），登記実務では，超過特別受益者が「903条により相続分がない」旨の証明書（特別受益証明書，相続分皆無証明書などと呼ばれる）を提供し，残りの共同相続人のみで，相続財産中の不動産につき，相続による所有権移転登記の申請をする方法が認められている。

このような方法での登記申請が，特定の相続人のみが相続不動産を単独取得する便法として用いられることがある。他の共同相続人全員が，実際にはそうでないにもかかわらず，多くの特別受益を得ていることにして，特別受益証明書を提出するのである。しかし，この証明書を提出したとしても，家庭裁判所での相続放棄の申述をしたわけではないから，なお相続人ではある。よって，例えば，相続債権者からの相続債務についての支払請求を免れることはできない。

また，特別受益は本来遺産分割手続において考慮すべきものであるから，特別受益証明書を提出したことをもって，遺産分割協議において自己の相続分をゼロとする意思表示をしたと認定されてしまえば，遺産分割協議が成立したと扱われる（★東京高判昭和59・9・25家月37巻10号83頁）。

このように，特別受益証明書の利用は，共同相続人間での紛争を招きやすいため，適法な相続放棄をするか，または，遺産分割協議書を作成すべきと指摘されている。

③具体的相続分は，A 2000万円，B 2000万−2000万＝0円，C 2000万円となる（持戻しが免除されるのがBへの遺贈についてのみの場合，Aへの贈与およびBへの遺贈についての場合についても，算定してみてほしい）。

　(2)　被相続人の意思表示の推定　贈与または遺贈が，婚姻期間が20年以上の配偶者間で居住用不動産についてされた場合には，被相続人の持戻し免除の意思表示がなされたものと推定される（▶同条4項）。㋑このような贈与または遺贈は，一般に，相手方配偶者の長年の貢献に報いるとともに，相手方配偶者の老後の生活保障を厚くする趣旨でなされたと考えられること，㋺被相続人の意思としても，遺産分割において贈与等の価額を考慮させて，配偶者の具体的相続分を少なくさせるような意図は有していない場合が多いと思われることを根拠とする。

　対象となるのは，居住用不動産（建物または敷地）のみである。原則として贈与または遺贈の時点で居住の用に供されている必要があるが，近い将来居住の用に供する目的があったと認められる場合も含めてよいと解されている。また，居住用不動産の所有権のみならず，居住用不動産上の配偶者居住権が遺贈の目的とされた場合も，対象となる（▶1028条3項・903条4項）。居住用不動産の所有権が特定財産承継遺言の対象とされた場合も，配偶者の居住保護の趣旨から，903条4項が適用または類推適用されると解されよう。

　なお，婚姻期間が20年に満たなければ，持戻し免除は許されないという趣旨ではなく，被相続人が持戻し免除の意思表示をすることは妨げられない。反対に，あくまでも推定規定であるから，婚姻期間が20年以上であっても，被相続人がこれと異なる意思を示していれば，持戻しは免除されない。

4　具体的相続分②：寄与分を認める場合

> **◾ Case 10-18**　Xには，子A・B・Cがいる。このうち，Cは，約10年間，高齢となったXの日常生活に関する世話や療養看護・介護に努め，このおかげで，Xの財産は維持された。Xが死亡し，Xの相続財産は預貯金6000万円である。

寄与分の意義　**Case 10-18**のように，共同相続人の中に，被相続人の財産の維持・増加について特別の寄与をした者がいる場合に

は，遺産分割ではこれを考慮し，この者（寄与者）により多くの利益を与えることが実質的公平にかなうだろう。そこで，民法では，遺産分割においてこの寄与を考慮に入れて具体的相続分を算定するという方法がとられている。

　具体的には，寄与者に特別に与える**寄与分**を定めた上で，①「被相続人が相続開始の時において有した財産」の価額から，寄与分を控除したものを相続財産とみなし（みなし相続財産），② ①に法定相続分または指定相続分をかけて，一応の相続分を算出して，③ ②に寄与分を加えたものを，寄与者の具体的相続分とする（▶904条の2第1項）。**Case 10-18**で，Cの寄与分が900万円とされれば，① 6000万−900万＝5100万円，② 5100万×1／3＝1700万円，③ 具体的相続分は，A・B 1700万円，C 1700万＋900万＝2600万円となる。

寄 与 者　　寄与分は，遺産分割の基準としての具体的相続分算定の際に考慮されるもので，相続人についてのみ認められる。相続放棄をした者，相続欠格・廃除にあたる者には寄与分は認められない。

　(1) **代襲相続の場合**　　代襲相続人は，被代襲者が取得したであろう相続分を取得するため，共同相続人間の衡平を図る見地から，被代襲者がした寄与を主張することができる（★東京高決平成元・12・28家月42巻8号45頁，横浜家審平成6・7・27家月47巻8号72頁）。ただし，代襲原因が相続欠格・廃除である場合に，被代襲者の寄与分を認めるのは矛盾だとして否定する見解も有力である。

　代襲相続人は，代襲相続人自身の寄与については，代襲原因発生以前にしたものも含めて，主張することができる（前掲★横浜家審平成6・7・27）。

　(2) **相続人の近親者が寄与した場合**　　相続人の配偶者，被相続人の事実上の養子や内縁配偶者等は寄与行為をしたとしても，相続人ではないため，寄与分を主張することができない。裁判例・学説には，相続人の配偶者の寄与を，相続人の寄与と同視して，または，相続人の履行補助者としてなされたものとみて，相続人の寄与分として認めるものがある（前掲★東京高決平成元・12・28，東京高決平成22・9・13家月63巻6号82頁等）。他方で，相続人の寄与分として認めることを否定する見解も有力である。

　なお，寄与をした者自身で，財産法上の解決を図る（例えば事務管理に基づく費用償還請求，不当利得返還請求）をすることも考えられる。また，寄与をした者が，被相続人の親族（▶725条）に該当すれば，相続人に対して，特別の寄与

に応じた額の金銭の支払を請求することができる（▶1050条。➡377頁）。

寄与の態様 ▶ 寄与分として評価されるのは，⑴被相続人の事業に関する労務の提供または財産上の給付，被相続人の療養看護その他の方法により，⑵被相続人の財産の維持または増加について，⑶特別の寄与をした場合である（▶904条の2第1項）。

⑴　**寄与行為**　労務の提供とは，被相続人の家業に長年参加する等，被相続人に労働力を提供することをいう。財産上の給付は，被相続人の営む事業への資金提供等，財産権または財産的価値のある利益の給付をさす。療養看護とは，病気療養中の被相続人を介護することをいい，現代の高齢社会においては寄与分主張の中心となっている。また，被相続人の家事に関する行為等，その他の方法であっても，寄与として評価されうる。

⑵　**財産の維持・増加**　寄与分が認められるには，⑴の行為により，被相続人の財産が維持されたまたは増加したことを要する。寄与の評価が主観的なものとなれば，かえって共同相続人間の衡平を害するおそれがあるから，被相続人の財産への貢献があったかが客観的に判断される。被相続人に対する精神的な援助は，通常，被相続人の財産に影響しないため，寄与にあたらない。

⑶　**特別の寄与**　寄与分として評価されるには，「特別の」寄与であることを要する。特別の寄与にあたるかは，㋑相応の対価を得ずになされたか，㋺当該身分関係において通常期待される程度を超えるかで判断される。

㋑は，行為の無償性を問う。例えば，被相続人が寄与者に対しその貢献に報いる趣旨で贈与をしていれば，さらに寄与分を認める必要はない（★東京高決平成8・8・26家月49巻4号52頁）。

㋺は，療養看護について，特に問題となる。一方では，通常期待されるような程度の貢献は，相続分自体において評価されており，配偶者間では通常の協力扶助義務（▶752条），直系血族および兄弟姉妹の間では通常の扶養義務（▶877条）の程度を超えるものでなければならないとの見解がある。

しかし，そうすると，療養看護による寄与分は認定しづらくなるし，実際，家裁実務は寄与分の認定に抑制的である。そこで，学説では，療養看護・扶養を極度に義務化しないことで，通常の寄与の範囲を見直して，特別の寄与を認めやすくするべきとの見解や，共同相続人間で比較して，寄与の程度に著しい

差がある場合に，共同相続人間の衡平の観点から，相対的な寄与分を認めるべきとの見解が示されている。

寄与分の決定　寄与分は，共同相続人の協議により定める（▶904条の2第1項）。協議が調わない場合等は，家庭裁判所での調停・審判による（▶同条2項）。ただし，寄与分は，遺産分割での具体的相続分算定の際に問題とされるものであるから，寄与分を定める処分の調停・審判は，遺産分割調停・審判の申立てがなされた場合（▶907条2項）または相続開始後に認知を受けた相続人による価額支払請求があった場合（▶910条。➡299頁）にのみ申し立てることができる（▶904条の2第4項）。

　寄与分を定めるにあたっては，被相続人が有した財産に遺贈すべき財産があれば，遺贈が優先される。寄与分は，被相続人が有した財産の価額から遺贈の価額を控除した残額を超えることができない（▶904条の2第3項。遺留分との関係につき，➡365～367頁）。

5　相続分の譲渡と取戻権

相続分の譲渡　相続人は，相続開始時から遺産分割までの間に，自己の**相続分を譲渡**することができる（▶905条参照）。ここでの相続分は，遺産分割前における「積極財産と消極財産とを包括した遺産全体に対する譲渡人の割合的な持分」をいう（★最判平成13・7・10民集55巻5号955頁）。

　相続分が譲渡されると，これに伴い，個々の相続財産についての共有持分の移転も生ずるから（前掲★最判平成13・7・10，最判平成30・10・19民集72巻5号900頁：百選Ⅲ-64），相続分の譲受人は，遺産分割までの間，共同相続人とともに，相続財産を構成する個々の財産を共有する。その共有持分は，譲渡人である相続人の，法定相続分または指定相続分である。また，遺産分割時には，遺産分割に参加し，譲渡人が有していた具体的相続分を主張することができる。

　相続分の譲渡は，第三者に対しても，共同相続人に対してもなしうる。共同相続人に対してなされた場合，譲受人は従前から有していた相続分と新たに取得した相続分とを合計した相続分を有する者として，遺産分割に加わることとなる（前掲★最判平成13・7・10）。

相続分の取戻し　　共同相続人の1人が自己の相続分を第三者に譲渡した場合，他の共同相続人は，価額と費用を償還して，譲渡された相続分を第三者から取り戻すことができる（▶905条1項）。第三者が遺産分割に介入することを回避して，遺産分割を円滑に行えるようにする趣旨とされる。この取戻権は形成権であり，これを行使するには，譲受人に対して一方的意思表示をし，償還すべき価額および費用を現実に提供すれば足りる。

4　遺　産　分　割

　相続財産は，相続人が複数いる場合，遺産共有の状態となる（▶898条1項）。遺産共有は遺産分割までの暫定的状態であり，相続財産（遺産）に属する個々の財産の帰属は，**遺産分割**によって，終局的に確定する（▶907条）。

　遺産分割は，被相続人が遺産分割の方法を指定していれば，それに従う（▶908条1項）。指定がない場合や，指定されていない部分については，協議による（▶907条1項）。協議が調わないときは，家庭裁判所での調停・審判による（▶907条2項）。

　遺産分割は，遺産に属する物または権利の種類および性質，各相続人の年齢，職業，心身の状態および生活の状況その他一切の事情を考慮してなされる（▶906条）。個別の事情を考慮することで，共同相続人間の実質的公平を実現しようとしている。

1　遺産分割の当事者

　遺産分割はすべての当事者で行わなければならない。調停の場合は，当事者全員が申立人か相手方かのいずれかとなる。審判の場合は，申立人が，他の当事者全員を相手方とする。

当事者の範囲　　遺産分割の当事者に該当するのは，共同相続人（▶907条），包括受遺者（▶990条），相続分の譲受人（➡前頁）である。具体的相続分がゼロであっても，このことは遺産分割手続において明らかになることであるから，遺産分割の当事者である。相続分全部を譲渡した相続人は，当事者とならない（★最判平成26・2・14民集68巻2号113頁参照）。

当事者が制限行為能力者である場合は，法定代理人等が遺産分割にあたって同意を与え（▶5条・13条1項6号・17条）または代理する（▶824条・859条・876条の4・876条の9）。代理行為が利益相反行為にあたるときには，特別代理人の選任等が求められる（➡166頁）。

当事者が行方不明の場合は，不在者財産の管理人が家庭裁判所の許可を得て遺産分割に参加する（▶28条）。

当事者が相続開始時に胎児であった場合には（▶886条・965条），そもそも，胎児が生まれる前の段階で，遺産分割に関する権利を行使できるのかにつき見解の対立があるところ，訴訟法上や不動産登記実務では，胎児の権利保護の観点から，一定の対応が認められている（➡223頁）。

当事者の過不足　**(1) 当事者の不足**　当事者の一部を含めずに遺産分割をした場合，当該遺産分割は無効である。例えば被相続人と離婚した元配偶者を含めずに遺産分割をしたが，遺産分割後に離婚無効確認の訴えが認められた場合には，この配偶者も含めて遺産分割をやり直さなければならない。

> **Case 10-19**　Xは，甲預金3000万円と乙債務600万円をのこして死亡した。Xの子A・Bの間で遺産分割協議が成立した後，Xの子だと主張するCが，検察官を相手方として，認知の訴えを提起し（▶787条），これが認容された。

Case 10-19の被認知者Cは，認知により出生時に遡って被相続人の子であったことになる（▶784条本文）。それゆえ，A・Bによる遺産分割は相続人の一部を欠いてなされており，本来無効である。他方で，他の共同相続人A・Bからみれば，遺産分割の時点でCは相続人でなかった。また，認知の遡及効によっても，既に得た権利は害されないとの規定もある（▶784条ただし書）。

このように，相続開始後に認知により相続人となった者を除いて既に遺産分割その他の処分をしていた場合には，共同相続人の既得権と被認知者の保護との調整が必要となる（★最判昭和54・3・23民集33巻2号294頁）。民法は，遺産分割その他の処分の効力を維持しつつ，被認知者には，他の共同相続人に対する，価額のみによる支払請求権を認めて（▶910条），この調整を図っている。

被認知者は，遺産分割のやり直しを求めることはできず，他の共同相続人に

対して価額支払請求をすることになる。請求額は，遺産分割の対象とされた積極財産の価額を基礎に算定される（★最判令和元・8・27民集73巻3号374頁：百選Ⅲ-74）。当事者間の衡平の観点から，この価額は，価額支払請求時を基準に評価される（★最判平成28・2・26民集70巻2号195頁）。他の共同相続人にとっては，この支払債務は期限の定めのない債務にあたり（▶412条3項），価額支払請求時（履行請求時）から遅滞に陥る（前掲★最判平成28・2・26）。

なお，相続債務（金銭債務）は，相続開始時に遡って，被認知者を含む共同相続人全員で当然に分割されていたことになる。**Case 10-19**で仮にA・Bが既に乙債務の弁済をしていれば，Cに求償できる。

(2) **当事者の過多**　当事者ではない者を含めて遺産分割をしていたことが事後に判明することもある。例えば，被相続人の配偶者を含めて遺産分割をしたが，その後，婚姻無効確認の訴えが認められた場合である。

当事者ではない者を含めた結果，本来の当事者を除外していたのであれば，(1)と同様，遺産分割は無効である。例えば，被相続人の配偶者と子が遺産分割をしたが，遺産分割後，子と被相続人との親子関係不存在が確認され，本来は被相続人の親が相続人であった場合である。

遺産分割に当事者ではない者を含めていたが，本来の当事者がすべて参加していた場合については，遺産分割全体を無効とするか，当事者でない者に分配された部分のみを無効とするか，見解の対立がある。裁判例は，原則として，当事者ではない者に分配した部分のみを無効とし，同人に重要な財産を分配したなど，同人がいなければ分割の結果が大きく異なったであろう特段の事情があるときのみ，遺産分割全体を無効とすべきとしている（★東京家審昭和34・9・14家月11巻12号109頁，大阪地判平成18・5・15判タ1234号162頁）。

2　遺産分割の対象

遺産分割の対象財産の範囲　遺産分割の対象となるのは，相続の対象となった財産のうち，遺産分割時に相続財産（遺産）として存在する財産である。

相続財産のうち，可分債権は，相続開始時に当然に分割され，各相続人に確定的に帰属するため，遺産分割の対象ではない。ただし，共同相続人間の合意

があれば，遺産分割の対象とすることができると解されている（➡269頁）。

　相続債務は遺産分割の対象ではない。ただし，共同相続人間の合意により，相続債務の負担を含めた遺産分割をすることは可能である。相続開始時に当然分割していた金銭債務（可分債務）については，債務引受をすることになる。

遺産分割前に財産が処分された場合　相続財産（遺産）に属する財産が遺産分割前に処分された場合，当該財産は，遺産分割時には遺産として存在しないため，原則として，遺産分割の対象にはならない。

> **Case 10-20**　Xが死亡し，相続人はXの子A・B・Cである。相続財産は甲土地（3000万円）のみであった。Aは遺産分割前に，甲土地における自己の共有持分3分の1を1000万円で第三者Dに譲渡した。

　(1)　**共同相続人の一部の者が財産を処分した場合**　**Case 10-20**において，遺産分割の対象財産を，甲土地の残りの共有持分（2000万円）とし，これを共同相続人間で平等に分配するのは不公平である。Aが遺産分割前に相続財産の一部を用いて1000万円の利益を得たことが考慮されていないからである。

　そこで，処分した相続人を除く共同相続人全員の同意により，処分された財産を遺産分割時に遺産として存在するものとみなすことができる（▶906条の2）。遺産として存在するとみなすことで，計算上，遺産分割の対象となる。**Case 10-20**では，B・Cの同意によって，甲土地におけるAの共有持分がなお遺産として存在するとみなされれば，遺産分割の対象は甲土地全体（3000万円）となり，各共同相続人に1000万円相当ずつ分配することができる。

　(2)　**共同相続人全員の合意により財産が処分された場合**　財産を，遺産分割前に共同相続人が全員の合意により第三者に売却した場合も，当該財産は遺産分割の対象から逸出する（★最判昭和52・9・19家月30巻2号110頁）。ただし，共同相続人全員の同意により，遺産分割時に遺産として存在するとみなして（▶906条の2第1項），当該財産を遺産分割の対象とすることはできる。

　財産の売却により生じた代金債権も，遺産分割の対象となる遺産には属さず，各共同相続人が持分に応じて分割された債権を取得する（前掲★最判昭和52・9・19，最判昭和54・2・22家月32巻1号149頁）。ただし，受領した代金を一括して共同相続人の1人に保管させて遺産分割の対象に含める旨の合意をしたな

どの特段の事情がある場合には，売却代金を遺産分割の対象とすることができ
る（前掲★最判昭和54・2・22）。

相続財産から生じた果実 　相続開始後遺産分割までの間に，相続財産（遺産）に属す
る財産から果実が生じることがある。例えば，相続不動産
からの法定果実である賃料債権，株式の配当金，預金の利息である。相続開始
時に存在しない果実が相続財産（遺産）に属し，遺産分割の対象になるか否か
が問題となる。

> **✜ Case 10-21** 　Xが死亡し，相続人はXの子Ａ・Ｂである。相続財産に属する甲
> 不動産は賃貸不動産であり，相続開始後も，賃借人からの賃料収入があった。Ａ
> ・Ｂは，遺産分割において，甲不動産自体はＡに取得させることとしたが，相続開始
> 時から遺産分割までの間に生じた賃料をどちらが取得するか争っている。

　判例は，「遺産である賃貸不動産を使用管理した結果生ずる金銭債権たる賃
料債権」の帰属が問題となった事例において，「遺産は，……相続開始から遺
産分割までの間，共同相続人の共有に属するものであるから」，賃料債権は
「遺産とは別個の財産というべき」とする（★最判平成17・9・8民集59巻7号1931
頁：百選Ⅲ-68）。賃料債権は，遺産に属さないとの立場である。

　その上で，賃料債権は，「各共同相続人がその相続分に応じて分割単独債権
として確定的に取得する」とする（前掲★最判平成17・9・8。▶427条）。**Case
10-21**では，相続開始時から遺産分割までの間に生じた賃料債権は，相続分に
応じて分割し，Ａ・Ｂそれぞれに帰属する。

　元物たる不動産は遺産分割の対象となり，遺産分割の効力は相続開始時に遡
るため（▶909条本文。➡313頁），不動産については，これを取得した相続人が
相続開始時から所有していたことになる。これに対し，判例によれば，賃料債
権の帰属は，後にされた遺産分割の影響を受けない（前掲★最判平成17・9・
8）。**Case 10-21**で，賃料債権をＡが全面的に取得するのは，遺産分割時から
である。

一部分割 　共同相続人間の実質的公平を図るためには，遺産分割の対象
となる財産のすべてを1回の遺産分割で分配するのが望まし
い。他方で，遺産分割事件を早期に解決するために，争いのない遺産について

先行して一部分割を行うことが有益な場合もある。

　そこで，共同相続人は，全員の協議で，遺産の一部について分割（**一部分割**）することができる（▶907条1項）。共同相続人は，遺産に対する処分権限を有するため，遺産の一部を独立させて確定的に分配することもできると考えられるからである。

　また，相続人は，遺産の一部分割を家庭裁判所に請求することもできる（▶同条2項）。相続人は，遺産分割の範囲についても第一次的には処分権限を有するからである。ただし，一部分割をすることで，他の共同相続人の利益を害するおそれがある場合には，請求は却下される（▶同項ただし書）。

　一部分割・残余の分割のそれぞれにおいて特別受益や寄与分をどこまで考慮すべきかは特に定められていない。一部分割と残余の分割をあわせた遺産分割全体で，具体的相続分に応じた分配が目指される。

3　遺産分割の方法

Case 10-22　相続人は，被相続人の子A・Bであり，遺産分割の対象財産として甲土地および乙土地がある。遺産分割をするのに，どのような方法があるか。

遺産分割の具体的方法　遺産分割では，基本的には，遺産に属する財産の現物それ自体を分割する（現物分割）。財産を売却してその対価を分割する方法も許される（換価分割。▶家事194条）。一部の相続人に現物を取得させ，その者は他の共同相続人に対して債務を負担するという方法をとることもできる（代償分割。▶家事195条）。また，これらを組み合わせてもよい。

　Case 10-22でいえば，Aに甲土地を，Bに乙土地を分配するのは現物分割，甲・乙とも第三者に売却して，代金をA・Bに分配するのは換価分割，甲・乙ともAが承継し，Aは甲・乙の評価額のうち，Bの相続分に相当する額を支払うのは代償分割にあたる。

遺産分割方法の指定　**遺産分割の方法**は，被相続人が遺言で定めることもできる。現物分割・換価分割・代償分割等のいずれの方法とするかが指定され，相続人は指定された方法で遺産分割をすることになる。被相続人はこれを定めることを遺言で第三者に委託してもよい（▶908条1項）。

　遺言での指定は，本来は「現物分割をせよ」といった分割方法の指定を想定している。しかし，これにとどまらず，**Case 10-22**の事例でいえば，「Aに甲土地を，Bに乙土地を相続させる」などと，指定が現物分割の内容に及ぶことは少なくない。判例は，このように，遺言において，特定の財産を特定の相続人に相続させる旨の指定がなされた場合についても，遺贈と解すべき特段の事情のない限り，遺産分割方法の指定がなされたものと解している（★最判平成3・4・19民集45巻4号477頁：百選Ⅲ-92。特定財産承継遺言。➡349頁）。

> **Case 10-23**　Xが死亡し，相続人はXの配偶者A（75歳）および子Bである。Xの相続財産は，甲建物2000万円と乙預金3000万円であった。Aは，X所有の甲建物において長年にわたりXと同居していたため，今後も，甲建物に居住し続けたいと考えている。

配偶者居住権　遺産分割においては，2018年相続法改正により新設された**配偶者居住権**を設定することもできる。配偶者居住権とは，被相続人の配偶者に対してのみ認められる，居住建物を無償で使用・収益する権利である。

　(1)　**成　立**　　配偶者居住権は，配偶者が被相続人の財産に属した建物に相続開始時に居住していた場合に，遺産分割によって成立させることができる（▶1028条1項1号）。また，被相続人が配偶者に対して配偶者居住権を遺贈することもできる（▶同項2号）。居住建物の全部を対象とし，敷地には及ばない。被相続人が第三者と共有していた場合には成立しない（▶同項）

　(a)　**遺産分割による場合（1号）**　　遺産分割協議・調停のほか，審判によって成立させることもできる。ただし，審判によるには，配偶者に配偶者居住権を取得させることにつき共同相続人全員の合意があるか，あるいは，配偶者が配偶者居住権の取得を希望しており，かつ，居住建物の所有者が受ける不利益の程度を考慮してもなお配偶者の生活を維持するために特に必要があると認められなければならない（▶1029条）。

　(b)　**遺贈する場合（2号）**　　配偶者居住権は，遺贈の目的とされるほか，被相続人と配偶者の間での死因贈与によっても成立する（▶554条・1028条1項）。

特定財産承継遺言（相続させる旨の遺言）によることは認められていない。配偶者が配偶者居住権の取得を望まない場合に，配偶者居住権が遺贈の目的とされていれば，当該遺贈を放棄すれば足りるが（▶986条），特定財産承継遺言の目的とされれば，相続放棄をしなければならないと解されており，相続放棄をすれば一切の財産が承継できず，かえって配偶者の保護に欠けるからである。遺言に「配偶者に配偶者居住権を相続させる」と記載されていても，配偶者居住権の遺贈がなされたと解釈するのが遺言者の合理的意思に合致する。

(2)　**具体的相続分**　　配偶者が配偶者居住権を取得する場合は，自己の具体的相続分において取得する。

(a)　遺産分割による場合　　**Case 10-23**において，A・B間での遺産分割が具体的相続分に従って（2500万円ずつ）なされる場合に，Aが甲建物に居住し続けるために甲建物の所有権（2000万円）を取得するとすれば，乙預金からは500万円しか取得できない。これに対し，Aが甲土地の配偶者居住権を取得すれば，配偶者居住権の財産的価値は，所有権の価値よりも小さいため，Aは乙預金からより多く取得することができる。仮に配偶者居住権の価値が1000万円だとすれば，Aは，甲建物の配偶者居住権（1000万円）と乙預金から1500万円を，Bは配偶者居住権の負担付きの甲建物の所有権（1000万円）と乙預金1500万円を取得することになる。このように，配偶者居住権を利用すれば，他の共同相続人にも具体的相続分相当額を取得させつつ，配偶者はこれまでの生活環境を維持し，かつ，老後の生活資金を確保することができる。

(b)　遺贈・死因贈与による場合　　配偶者居住権が遺贈等の目的とされた場合には，特別受益にあたる。配偶者居住権の財産的価値が遺産全体に比して高く，配偶者が超過特別受益者となる場合であっても，超過した受益分を返還する必要はない（▶903条2項。➡292頁）。

また，特別受益は原則として持戻しの対象となるが，配偶者居住権が遺贈等の目的とされ，被相続人と配偶者との婚姻期間が20年以上であった場合には，持戻し免除の意思表示がなされたものと推定される（▶1028条3項・903条4項）。**Case 10-23**において，X・Aの婚姻期間が20年以上であり，XがAに対して配偶者居住権（財産的価値1000万円とする）を遺贈したのであれば，Xが持戻しを免除しない旨の意思表示をしていない限り，配偶者居住権1000万円の持

戻しは免除され，Ａは，配偶者居住権とは別に，相続財産（配偶者居住権を除いた4000万円）から2000万円を遺産分割によって取得できる。

　(3)　**内　容**　　配偶者居住権は，居住建物の所有者に対する法定の債権であり，賃貸借に類似する。存続期間は，原則として，配偶者の終身の間であるが，遺産分割協議・調停・審判，遺言・死因贈与契約で定めることもできる（▶1030条）。

　(a)　配偶者の権利義務　　配偶者は，配偶者居住権に基づき，居住建物を無償で使用・収益することができる（▶1028条１項）。配偶者居住権の価値は，遺産分割時に具体的相続分内で評価されるから，存続期間中に対価を支払う義務はない。

　居住建物の使用・収益は，従前の用法に従い，善良な管理者の注意をもってしなければならない（▶1032条１項）。また，居住建物を改築・増築したり，第三者に居住建物を使用・収益させたりするには，居住建物の所有者の承諾を得なければならない（▶同条３項）。ただし，配偶者の家族は，配偶者の占有補助者にすぎず，ここでの第三者には該当しないと解される。所有者の承諾を得て第三者が居住建物を使用・収益する場合には，賃貸借における転貸の規定が準用される（▶1036条・613条）。

　配偶者は，これらの義務に違反した場合，損害賠償責任を負う。居住建物の所有者は，この損害賠償請求権を，居住建物の返還を受けた時から１年以内に行使しなければならない。他方で，同請求権の時効は，居住建物の所有者が居住建物の返還を受けた時から１年を経過するまでは，完成しない。（▶1036条・600条）。

　(b)　譲渡禁止　　配偶者居住権は，配偶者自身の居住環境の継続を特に保護するための権利であるため，帰属上の一身専属権であり，配偶者はこれを譲渡することができない（▶1032条２項）。配偶者居住権の存続期間中に配偶者が高齢者施設に入居することになり，居住建物を必要としなくなったのであれば，居住建物の所有者との間で，配偶者居住権を放棄する代わりに金銭の支払を受ける旨の合意（合意による買取り）をしたり，居住建物の所有者の承諾を得て，第三者に賃貸して（▶同条３項）収益を得たりする方法が考えられる。

　(c)　居住建物の管理　　配偶者居住権が成立した場合，居住建物の修繕につ

いて最も利害関係を有するのは実際に使用する配偶者であるため，第一次的には配偶者が必要な修繕をすることができる（▶1033条1項）。居住建物の所有者は，配偶者が相当の期間内に必要な修繕をしない場合に，修繕することができる（▶同条2項）。賃貸借では賃貸人が修繕義務を負う（▶606条）のとは異なり，配偶者居住権が設定された居住建物の所有者は修繕義務を負わない。

　通常の修繕費や，居住建物およびその敷地に課される公租公課といった通常の必要費は，配偶者が負担する（▶1034条1項）。ここでも賃貸借（▶608条）とは異なる定めがなされている。

　通常の必要費以外の費用を配偶者が支出したときは，居住建物の所有者は，196条の規定に従いその償還義務を負うものの，有益費については，裁判所から相当の期限を許与されうる（▶1034条2項・583条2項）。配偶者は，この償還請求権を，居住建物を返還した時から1年以内に行使しなければならない（▶1036条・600条1項）。

　(4)　登　記　　配偶者居住権は，配偶者短期居住権とは異なり，その設定登記をすることができる。居住建物の所有者は，配偶者居住権設定の登記を備えさせる義務を負う（▶1031条1項）。配偶者居住権が遺産分割審判において設定される場合には，同審判において，登記手続も命じられる。

　登記を備えれば，配偶者は，居住建物について物権を取得した者その他の第三者に対抗することができる（▶同条2項・605条）。居住建物の占有を妨害する第三者に対して妨害停止の請求をしたり，居住建物を占有する第三者に対して返還の請求をしたりすることもできる（▶1031条2項・605条の4）。

　なお，賃借権とは異なり，居住建物の引渡し（▶借地借家31条）は対抗要件にはならない。配偶者居住権では，成立要件として，相続開始時における配偶者の居住建物への居住が求められており，仮に引渡し（占有）を対抗要件として認めると，常に対抗要件を備えていることになってしまうからである。第三者にとっても，配偶者居住権が登記によって公示されることで，居住建物の所有権に，配偶者居住権という負担が設定されていると知ることができる。

　(5)　消　滅　　配偶者居住権は，㋑存続期間（終身，または，定められた期間）が満了すると消滅する（▶1036条・597条1項）。㋺配偶者が居住建物の使用にあたって1032条1項・3項に違反した場合に，居住建物所有者が，相当の期間を

定めて是正の催告をし，期間内に是正されないとき，配偶者に対して意思表示することにより消滅する（▶1032条4項。形成権）。㈥存続期間中に配偶者が死亡した場合も（▶1036条・597条3項），当然に消滅する。㈦配偶者が居住建物の所有権を取得すれば，混同により消滅する。㈧配偶者がその意思により配偶者居住権を放棄すれば消滅する。㈨居住建物の全部が滅失その他の事由により使用できなくなった場合も配偶者居住権は消滅する（▶1036条・616条の2）。

　配偶者居住権が消滅すれば，配偶者は，居住建物を居住建物の所有者に返還しなければならない（配偶者が居住建物の共有持分を有する場合を除く。▶1035条1項）。返還の際には，原則として，相続開始後に居住建物に附属させた物を収去する義務，相続開始後に居住建物に生じた損傷を原状に復する義務を負う（▶1035条2項・599条1項・2項・621条）。㈥配偶者の死亡により消滅した場合には，配偶者に生じたこれらの義務が，配偶者の相続人に承継される。

遺産分割協議　遺産分割は，協議によりなされる場合，当事者全員の合意により成立する（**協議分割**）。協議分割では，遺産分割の対象となる財産の範囲や，遺産分割の方法も自由に合意することができる（➡302頁・303頁）。

（1）**遺産分割協議の無効・取消し**　遺産分割に参加した当事者に過不足があれば，遺産分割は基本的に無効である（➡詳細は299～300頁）。

　遺産分割協議は各当事者の意思表示によるものであるから，民法総則における法律行為・意思表示の無効・取消しに関する規定が適用されうる。例えば，成年被後見人である者が遺産分割に参加した場合，この者が遺産分割協議においてなした意思表示は取り消される（▶9条本文。その結果，共同相続人間には遺産分割の合意がなかったことになる）。遺産分割の内容が公序良俗に反する場合には，遺産分割自体が無効である（▶90条）。

　ただし，遺産分割協議における意思表示が錯誤にあたるかは，遺産分割の安定性を重視して抑制的に判断される。判例には，遺産分割協議後に，遺言が見つかった事例において，遺言の存在を知っていれば，遺産分割協議のような意思表示をしなかった蓋然性が極めて高いと判断される場合に限り，錯誤にあたるとするものがある（★最判平成5・12・16判タ842号124頁）。

✐ **Topic 10-2**

配偶者の居住保護

　我が国では平均寿命が急速に延び，2022年には，男性約81歳，女性約87歳であった。男女の差は拡大傾向にあり，被相続人（夫）の死亡後に，高齢の配偶者（妻）が長期間生活を継続するケースは増加していると考えられる。

　一般に，配偶者は，被相続人の所有する建物に居住していたのであれば，被相続人の死亡後も，当該建物に引き続き居住することを希望するであろう。とりわけ高齢の配偶者にとっては，住み慣れた居住建物を離れて新たな生活を始めることは大きな負担となるから，居住環境を維持させる必要がある。

　そこで，2018年相続法改正では，配偶者の居住保護のための方策が検討され，最終的に3つの制度が新設された。①配偶者短期居住権（▶1037条〜1041条。➡275頁），②配偶者居住権（▶1028条〜1041条。➡304頁），③配偶者に対する居住建物等の遺贈または贈与における，持戻し免除の意思表示の推定（▶903条4項。➡294頁・305頁）である。

　②の配偶者居住権は，特に，近年増加している高齢者同士での再婚事例で有用とされる。被相続人の後婚配偶者と，被相続人の前婚の子が相続人である場合に，配偶者居住権を成立させれば，後婚配偶者の居住を確保しつつ，建物所有権は子に取得させることができる。

　他方で，配偶者居住権は配偶者の一存で取得できるわけではない点に注意したい。配偶者としては，遺産分割において他の共同相続人の同意を得るか，他の共同相続人の不利益を考慮してもなお必要といえなければならない。あるいは，被相続人が遺贈等をしてくれるのを期待するしかない。例えばフランス法においては，配偶者が希望すれば，何らかの方法で居住が確保できるのとは大きく異なっている。

　③の持戻し免除の意思表示の推定は，居住保護の意味があると同時に，配偶者の具体的相続分を増やす意味がある点に着目したい。我が国では，一方配偶者の死亡時に夫婦財産制を清算せず，配偶者相続分に清算の意味を含めている。そのため，婚姻期間の長い高齢夫婦の場合には，配偶者相続分を現状よりも増やすべきではないかとの見解がある。2018年相続法改正に向けた審議過程でも検討され，中間試案が示されたが，婚姻期間や夫婦の状況に合わせて配偶者相続分を算定する方法はあまりに複雑との批判を受け，改正は断念された。そのような中，③の方策は，婚姻期間の長い配偶者の相続分を，一定の場合に限ってではあるが，増やす意味がある。

> **Case 10-24**　Xが死亡し，相続人はXの妻A，子B・Cである。A・B・Cは遺産分割協議をし，相続財産のうちの主な財産である甲不動産をBに取得させる代わりに，BがAの世話・介護をする旨の合意をした。しかし，その後，BはAの面倒を全くみていない。A・Cは遺産分割協議を解除することができるか。

(2)　**遺産分割協議の解除**　　遺産分割協議では，共同相続人全員の合意により，債務を負担させることもできる。**Case 10-24**のように，共同相続人の1人に一定の負担を課す代わりに多くの財産を取得させることは少なくない。

　債務を負担した相続人が，遺産分割後にこの債務を履行しない場合に，他の共同相続人は，債務の不履行を理由に，遺産分割協議を解除（法定解除）することができるか。民法に遺産分割解除の規定は存しないため，債務不履行解除に関する規定（▶541条・542条）を適用できるかが問われる。

　判例は，①遺産分割協議はその性質上協議の成立とともに終了し，その後は協議において債務を負担した相続人と他の共同相続人との債権債務関係が残るだけだと解すべきこと，②このように解さなければ，遺産分割は遡及効（▶909条本文。➡308頁）を有するのに，遺産の再分割を余儀なくされ，法的安定性が著しく害される結果になることを理由に，解除を認めていない（★最判平成元・2・9民集43巻2号1頁：百選Ⅲ-75）。

　上記①②の理由は，遺産分割の解除一般に当てはまるようにみえる。しかし，判例は，共同相続人全員が合意しているのであれば，遺産分割協議の全部または一部を解除（合意解除）し，改めて遺産分割協議をすることは，法律上，当然には妨げられないとする（★最判平成2・9・27民集44巻6号995頁）。

　学説には，①②を根拠とすることの妥当性を問い，一定の場合に法定解除を肯定する見解が有力である。とりわけ，**Case 10-24**のように，親の世話・介護といった情誼に関する債務の不履行の事例では，履行強制は困難である。損害賠償による解決が難しい場合には，解除によるしかないと指摘される。

> **Case 10-25**　Xが死亡し，Xの配偶者Aと，子B・Cが相続した。A・B・Cは相続財産1億円について遺産分割協議をし，A・Bがそれぞれ5000万円を取得し，Cには一切分配しない旨の合意をした。Cの債権者Dは，遺産分割協議を詐害行為

にあたるとして取り消すことができるか。

(3)　**遺産分割協議と詐害行為取消権**　遺産分割協議においては，共同相続人全員の合意により，具体的相続分に従わない分配をすることもできる。**Case 10-25**の問いは，そのような遺産分割協議について，相続人の債権者が詐害行為取消権を行使できるかであり，前提として，遺産分割協議が「財産権を目的としない行為」（▶424条2項）に該当しないかが問題になる。

判例は，遺産分割協議（▶907条）が，「相続の開始によって共同相続人の共有となった相続財産について，その全部又は一部を，各相続人の単独所有とし，又は新たな共有関係に移行させることによって，相続財産の帰属を確定させるものであり，その性質上，財産権を目的とする法律行為である」として，詐害行為取消権の対象となることを認めている（★最判平成11・6・11民集53巻5号898頁：百選Ⅲ-76。相続放棄についてと対比，➡245頁）。

その上で，取消しが認められるには，詐害行為取消権の要件を満たす必要がある。仮にCが多くの特別受益を得ており，もともと具体的相続分がゼロなのであれば（➡292頁），遺産分割協議は詐害行為にはあたらない。Cの取得額が具体的相続分を下回る場合でも，共同相続人らの諸事情を考慮した結果（▶906条）であれば，詐害の意思があるとはいえない。

遺産分割審判　(1)　**遺産分割の前提問題**　家庭裁判所において遺産分割の審判をするには，遺産分割の前提として，遺産の範囲およびその価額，遺産分割の当事者の範囲等が確定されていなければならない。

ある財産が遺産に属するか，ある者が相続人の資格を有するか等の前提問題は，本来は訴訟事項として民事訴訟手続において争われるべきものである。しかし，判例は，訴訟事項であっても審判の前提事項である限り，家庭裁判所が審判手続でその当否を審理判断した上で遺産分割の処理を行うことは差し支えないという（★最大決昭和41・3・2民集20巻3号360頁）。これにより，遺産分割をめぐる争いを家庭裁判所での遺産分割審判において一括して処理することが可能となっている。

ただし，家庭裁判所の審判には既判力がない（前掲★最大決昭和41・3・2）。

当事者が別途民事訴訟を提起し，前提問題である権利関係の確定を求めることは可能である。審判で前提とした事項が訴訟で覆されれば，遺産分割の審判もその限度で効力を失う。

(2) **分割の割合**　遺産分割審判は，906条の方針に基づき，具体的相続分に従ってなされる（▶903条・904条の2）。

ただし，相続開始の時から10年を経過した後に請求された遺産分割においては，もはや特別受益または寄与分を主張することができず（▶904条の3本文），遺産分割の審判は，法定相続分または指定相続分に従ってなされる。共同相続人らに早期に遺産分割をするよう促すとともに，遺産分割手続の申立て等がなされないまま長期間が経過した場合に，遺産を合理的に分割する意味がある。

なお，10年の経過後に，当事者間の合意によって具体的相続分に従って遺産分割をすることは許される。一方配偶者の死亡後，他方配偶者の存命中はあえて遺産分割をせず，他方配偶者も死亡した後に遺産分割をしようとする場合には，遺産分割協議で特別受益等を考慮することになる。

(3) **遺産分割の時期**　各共同相続人は，原則としていつでも遺産分割を請求することができる（▶907条1項）。遺産分割の請求権は消滅時効にかからない。2021年民法等改正に向けた議論では，一定の期間制限を設ける案もあったが，採用されなかった。

被相続人は，遺言によって，一定の期間を定めて，遺産分割を禁じることができる（▶908条1項）。共同相続人らは，遺産の全部または一部について，定められた期間内には分割をしない旨の契約，また，その期間を更新する旨の契約をすることができる（▶908条2項・3項）。家庭裁判所は，遺産分割の請求があった場合に，特別の事由があれば，期間を定めて遺産の全部または一部の分割を禁ずる審判，また，その期間を更新する審判をすることができる（▶908条4項・5項）。相続人の範囲や遺産の範囲等に争いがあり，他の訴訟での解決を待つのが望ましい場合に用いられる。

いずれの方法による場合も，分割禁止期間の上限は5年以内であり，かつ，その終期は，相続開始時から10年を超えることができない（▶908条2項〜5項）。従来からの解釈を踏まえた期間制限であり，また，具体的相続分主張の期間制限（▶904条の3）と平仄を合わせている。

4　遺産分割の効力

> **⚃ Case 10-26**　Ｘが死亡し，相続人はＸの子Ａ・Ｂである。相続財産には甲土地
> 2000万円と，Ｃ銀行の乙預金3000万円があった。Ａ・Ｂは遺産分割協議をし，甲土
> 地はＡが，乙預金はＢが取得することになった。

遺産分割の遡及効　相続財産（遺産）に属する各財産は，共同相続の場合，遺産共有の状態を経て，最終的には遺産分割によって，各共同相続人に分配され，その終局的帰属が確定する。

その遺産分割の効力については，宣言主義と移転主義という２つの考え方がある。宣言主義は，遺産分割とは，各共同相続人が財産を被相続人から直接承継したこと，ひいては遺産共有の状態はなかったことを宣言するものであるとする見方である。**Case 10-26**の甲土地は，遺産分割前にはＡ・Ｂの共有状態にあるが，宣言主義をとれば，遺産共有の状態はあたかもなかったかのように扱われる。

これに対して，移転主義は，遺産共有の状態にあったことを前提に，遺産分割とは，**Case 10-26**の甲土地についていえば，Ｂの共有持分をＡに移転させるもの，すなわち，各共同相続人が遺産分割前に有した共有持分を移転しあうものであるとする見方である。

民法は，遺産分割の効力が，相続開始時に遡って生じるとしており（▶909条本文），基本的に，宣言主義の立場をとる。ただし，次の項目以降でみるように，民法の一部の規定や判例においては，移転主義的な発想をみることもできる。

また，遺産分割の遡及効によって，第三者の権利を害することはできない旨の定めもある（▶909条ただし書）。**Case 10-26**の甲土地について，実はＢが遺産分割前に自己の共有持分を第三者Ｃに譲渡していたとする。この場合，仮に遺産分割の遡及効を貫き，甲土地はＸからＡに直接承継されたものと扱えば，Ｃは無権利者からの譲受人となってしまう。このような遺産分割前の第三者Ｃを，取引の安全に配慮して，保護しようとする趣旨である。

> ■ **Case 10-27**　**Case 10-26** において，
> (1)　Aが甲土地を取得した旨の登記を備えない間に，Bの債権者Dが，甲土地はA・Bが共同相続した旨の登記をBに代位して行い，さらにBの共有持分の差押登記をした。
> (2)　Bが乙債権を取得したことにつき対抗要件を備えない間に，Aの債権者Eが，乙預金債権のうち，Aが遺産分割前に有していた準共有持分を差し押さえた。

遺産分割と
対抗問題
　(1)　**遺産分割と登記**　　遺産分割後に，遺産分割前の権利関係を前提とした第三者が現れた場合，仮に遺産分割の宣言主義を貫くと，遺産分割前における権利関係を前提にすることが否定されるため，第三者の権利取得は認められないことになってしまう。遺産分割前の第三者であれば909条ただし書により保護されるのに対し，ここでは遺産分割後の第三者保護が問題となっている。

　判例は，**Case 10-27** (1)でいえば，第三者Dに対する関係においては，Bが相続開始時にいったん取得した権利が遺産分割時にBからAに移転したのと実質的に異ならないことを理由に，すなわち移転主義的な発想により，Aは登記を備えなければ遺産分割による甲土地所有権の取得を第三者Dに対抗することができないとする（★最判昭和46・1・26民集25巻1号90頁：百選Ⅲ-78）。

　このとき，対抗要件を備えなければ第三者Dに対抗することができないのは，Aの法定相続分を超える部分についてである（▶899条の2第1項）。相続分の指定がある場合，遺産分割前にAは甲土地について指定相続分に応じた共有持分を有するが，対抗できるか否かは，法定相続分を超える部分について問題となるので注意したい。

　(2)　**遺産分割と債権の対抗要件**　　債権についても同様である。**Case 10-26** で，Bは乙預金債権のうち法定相続分を超える部分については，対抗要件を備えなければ，債務者であるC銀行に対抗することができず，**Case 10-27** (2)では，Bは乙預金債権のうち法定相続分を超える部分については，対抗要件を備えなければ，第三者Eに対抗することができない（▶899条の2第1項）。

　対抗要件を備える方法としては，債権譲渡の場合と同様の，①譲渡人が債務者に対して通知をする方法，②債務者が承諾する方法（▶467条1項）がある。また，③法定相続分を超えた債権を取得した相続人が，遺産分割の内容を明ら

かにして，債務者にその承継の通知をする方法も認められている（▶899条の2第2項）。そして，**Case 10-27**(2)のように第三者に対抗するには，これらを確定日付のある証書によってする必要がある（▶467条2項）。

遺産分割と担保責任　遺産分割によってある財産を承継したものの，当該財産の価値が，遺産分割において前提とされていたのとは異なる場合がある。例えば**Case 10-26**で，甲土地が第三者の所有であることが遺産分割後判明した場合や，甲土地の土壌に重大な欠陥があった場合である。

このような場合，被相続人の遺言による意思表示（下記でいう担保責任を免除する，軽減または加重する，一部の者のみに責任を負わせる等）があればそれに従う（▶914条）。遺言による指示がなければ，各共同相続人は，他の共同相続人に対して，売主と同様の担保責任を負う（▶911条）。各共同相続人は互いに，遺産分割において前提とした価値を保証し合うことになる。

売主の担保責任の内容には，①債務不履行に基づく損害賠償請求（▶415条），②解除（▶541条・542条），③追完請求（▶562条），④代金減額請求（▶563条）があるところ，遺産分割の場面では，②の解除は，判例が遺産分割の法定解除を否定していることから（➡310頁）認められない。また，共同相続人らに③の追完責任まで負わせるのは不当とされる。

①の損害賠償請求は，問題のあった財産を承継した相続人から，他の共同相続人に対して，遺産分割で前提とした当該財産の価値と，実際の財産の価値との差額について認められる。また，④の減額請求は，遺産分割により，問題のあった財産を承継した相続人が他の共同相続人に対して代償債務を負っていた場合（代償分割。➡303頁）に認められ，代償金が減額される。

各共同相続人は相続分に応じて責任を負う。ここでの相続分について，学説では，なされた遺産分割によって承継していたであろう財産の価値の割合とする見解が有力である。**Case 10-26**で甲土地が無価値であった場合，BはAに対して1200万円（＝2000万×3/5）の損害賠償責任を負うことになる。
（甲土地の価格）

⚓Case 10-28　Xが死亡し，相続人はXの子A・B・Cである。相続財産には甲土地1000万円，乙土地2000万円，Dに対する貸金債権（丙債権）3000万円があった。遺産分割協議により，甲土地はAが，乙土地はBが，丙債権はCが承継した。

遺産分割後にＤが破産し，丙債権は回収不能となった。

　相続人が遺産分割によって債権を承継したが，債務者の資力の状況により，債権回収がかなわない場合には，被相続人の遺言による意思表示があればそれに従い（▶914条），遺言による指示がなければ，各共同相続人が相続分に応じて債務者の資力を担保する（▶912条）。共同相続人は（たとえ遺産分割においてその旨の合意をしていなくても）遺産分割において前提とした債権の価値を担保すべきとの趣旨であり，弁済期の到来した債権については遺産分割時の債務者の資力が担保される（▶同条１項）。

　各共同相続人が相続分に応じて責任を負う場合，ここでいう相続分は，上記と同様，なされた遺産分割によって承継していたであろう財産の価値の割合と解する見解が有力である。**Case 10-28**で，債権を承継したＣは，Ａに500万円（＝3000万×１/６），Ｂに1000万円（＝3000万×２/６）を請求することができる。1500万円分はＣ自身が負担する。

　担保責任を負う共同相続人の中に，償還する資力のない者がいる場合，被相続人の遺言による意思表示があればそれに従い（▶914条），遺言による指示がなければ，求償する相続人と他の資力のある相続人が，その相続分に応じて分担する（▶913条本文）。**Case 10-28**でＢが無資力であれば，Ｂが負担すべき1000万円をＡが250万円，Ｃが750万円負担する。ＣはＡに750万円（＝500万＋250万）を請求することができ，Ｃ自身は2250万円（＝1500万＋750万）を負担する。

☑ *Exam*

　Aは，Bと婚姻し子Cをもうけた後，Bとは離婚しDと再婚した。AとDとの間には子Eがいた。D・Eは，A所有の居住用不動産（甲土地・乙建物）において，Aと同居していた。
　Aが死亡し，Aの相続財産としては，甲土地3000万円，乙建物2000万円，F銀行に対する丙普通預金1000万円がある。遺産分割は未了である。Aは「乙建物の配偶者居住権をDに遺贈する」旨の遺言をしていた。

　問1　Dは，自身の生活費に充てるため，丙預金の払戻しをしたいと考えている。遺産分割をして丙預金を取得する以外に，どのような方法があるか。
　問2　配偶者居住権の価額が1000万円であるとした場合，各共同相続人の具体的相続分はいくらずつか。必要があれば場合分けをすること。
　問3　共同相続人らは遺産分割協議をし，乙建物の配偶者居住権を除いた全財産をEに取得させ，その代わりに，Eが高齢となったDの世話・介護をすることにした。しかし，EはDの面倒を一切みていない。Cはどのような主張をすることができるか。

解答への道すじ

［問1］　準共有となった預金債権は，遺産分割未了の間であっても，次の方法によれば払い戻すことができる（➡270〜271頁）。①共同相続人全員の同意によるのであれば，全額の払戻しができる。②遺産分割の調停または審判を申し立てた上で，一定の要件を満たせば，家庭裁判所の判断により，預金の全部または一部を仮に取得できる（▶家事200条3項）。③一定額を上限としてであれば，他の共同相続人の同意なく，家庭裁判所も介さずに，払戻しが認められる（▶909条の2）。
［問2］　配偶者居住権の遺贈が(a)持戻しの対象となるか，(b)持戻しが免除されるかで異なる。いずれにあたるかは，A・Bの婚姻期間が20年未満であれば，Aの持戻し免除の意思表示があるかで判断される（▶903条3項）。婚姻期間が20年以上であれば，持戻し免除の意思表示ありと推定される（▶903条4項）（➡293頁・294頁・305頁）。
　(a)の場合，みなし相続財産は6000万円（＝甲3000万＋乙2000万＋丙1000万）であり，これを法定相続分で分けると，D3000万円，C・E各1500万円であるから，具体的相続分はD2000万円，C・E各1500万円となる。(b)の場合，みなし相続財産は5000万円（＝甲3000万＋配偶者居住権の負担付きの乙の所有権1000万＋丙1000万）であるから，具体的相続分はD2500万円，C・E各1250万円である。なお，いずれの場合も，Dは別途，配偶者居住権を取得している。
［問3］　遺産分割協議において債務を負担した相続人が，当該債務を履行しない場合であっても，判例によれば，遺産分割協議の解除は認められず，債務を負担した相続人と，他の共同相続人との債権債務関係が残るだけである（★最判平成元・2・9民集43巻2号1頁：百選Ⅲ-75，➡310頁）。Cは，遺産分割協議を解除することはできず，Eに対して，債務不履行に基づく損害賠償を請求することができるにとどまる。

第11章　遺　　言

1　遺言制度の概要

1　遺言制度の意義

　人は，生きている間には，自身の財産を自由な意思に基づいて処分することができるし，自由な意思に基づいて家族関係を形成することもできる。このことは民法の基礎にある私的自治の原則から導かれる。このような私的自治の原則は本人の死後にも妥当するのであろうか。死者は権利主体とはなりえないので，死後に意思決定をすることができないのはもちろんである。しかし，本人が生きている間に自由な意思決定をし，その意思を死後に実現することは可能とされている。これを可能とするのが 遺言^{いごん（ゆいごん）} 制度である。遺言制度は，私的自治を死後に拡張する意義をもつ。

　ここで死後の財産承継について規律する民法882条以下の法定相続と民法960条以下の遺言との関係が問題になる。遺言によって，遺言者は財産を死後に誰に承継させるかを法定相続の規律によらずに自由に決定できるから，遺言が法定相続に優先し，法定相続の規定は，財産承継について遺言で定められていない場合にのみ適用される規定であるといえる。もっとも，遺言はどのような場合であっても法定相続に優先するというわけではない。遺言によっても，法定相続人ではない者を相続人に指定することはできず，また法定相続人を廃除することは，家庭裁判所の許可がなければできないこととなっている（▶892条・893条）。また，遺言によっても，一定割合の金銭による取り分である遺留分を法定相続人から奪うことはできない。

　なお，遺言を残して死亡する人の割合は日本では多くなく，2021年では死者145万2289人のところ，遺言の検認件数は1万9576件のみであり，同年の公正証書遺言の作成件数も10万6028件にすぎない。

2　遺言の特徴

死後行為　遺言は本人の死亡により効力を生じる法律行為である（▶985
条）。遺言者本人の生存中における遺言無効確認の訴えは，
まだ発生していない，将来問題となりうる法律関係の存否を確認の対象とする
ものであり不適法とされる（★最判昭和31・10・4民集10巻10号1229頁）。遺言が効
力を生じた後に遺言の真正や内容について当事者に争いが生じた場合には，遺
言者本人が既に死亡しているために，遺言者本人に遺言の真正や内容を確認す
ることができない。そこで遺言は真正を確保するために厳格な要式行為とさ
れ，遺言の内容を解釈する基準をどのように設定するかが重要となる（➡322
頁）。

単独行為　遺言は法律行為であるが，契約とは異なり，相手方のない単
独行為である。遺言が成立するためには，遺言によって利益
を受ける者の承諾は不要である。したがって，遺言の解釈や有効性の判断にお
いては，遺言者の真意を探究することのみが重要であり，契約におけるような
相手方の信頼保護や取引の安全は問題にならない。

要式行為　遺言は，法定された方式に従ってしなければならない要式行
為である（▶960条）。法定の方式に従わない遺言は無効であ
る。遺言の加筆修正や撤回についても同様に，法定の方式が要求される
（▶968条3項・1022条）。遺言に方式が要求されるのは，遺言の真正を確保する
ため，とりわけ遺言者以外の者により偽造・変造された遺言を除外するためで
ある。つまり，遺言が効力を生ずる時には遺言者本人は死亡しており，それが
本人の真意によってなされているか，他の者により偽造・変造されたものであ
るかを，本人に確かめることができない。そこで，本人の真意に基づいてなさ
れた遺言であることを確証できるように，遺言には方式が要求されているので
ある。

遺言事項の限定　遺言は本人の生前の意思を死後に実現する死後行為であ
るから，遺言が効力を生じるときには遺言者本人が死亡
しているという点で特殊である。そこで，このような特殊性をもつ遺言でなす
のに相応しいか否かという観点から，遺言によってすることのできる事項は選
び出され，法定された事項に限ることとされている（**図表11-1**）。

図表 11-1　遺 言 事 項

```
1.　親族法上の遺言事項
　①認知（781条2項）
　②未成年後見人・未成年後見監督人の指定（839条1項・848条）
2.　相続法上の遺言事項
　③相続人の廃除（893条）およびその取消し（894条2項）
　④祭祀主宰者の指定（897条1項）
　⑤相続分の指定と指定の委託（902条）
　⑥特別受益の持戻しの免除（903条3項）
　⑦遺産分割方法の指定と指定の委託（908条1項）
　⑧遺産分割の禁止（5年を超えない期間）（908条1項）
　⑨相続人相互の担保責任の指定（914条）
　⑩遺贈（964条）および遺贈に関する意思表示（992条・994条2項・995条・997条2項・998条・
　　1002条2項・1003条など）
　⑪遺言執行者の指定と指定の委託（1006条1項）および遺言執行に関する意思表示（1014条
　　4項・1016条1項・1017条1項・1018条1項）
　⑫遺言の撤回（1022条）
　⑬配偶者居住権の存続期間に関する意思表示（1030条）
3.　民法以外の特別法上の遺言事項
　⑭信託の設定（信託3条2号）
　⑮一般財団法人の設立（一般法人152条2項）
　⑯保険金受取人の変更（保険44条・73条）
```

3　遺 言 能 力

> ◆Case 11-1　16歳のAは祖父から贈与された500万円を，世話になった高校の教師Bに遺贈するという内容の遺言をして死亡した。Aの法定代理人である父母C・Dはこの遺言に同意していなかった。Aが死亡した後，C・Dは，この遺言を取り消すことができるか。

遺言は単独行為であり，法律行為の一種であるから，意思能力のない者のした遺言は無効となる（▶3条の2）。**Case 11-1**では遺言者Aは16歳であるから意思能力を備えているものとみられるが，未成年者であるから（▶4条）制限行為能力者である。したがって，法定代理人の同意のないAによる遺言は取り消しうるのではないかが問題となる（▶5条）。この点について遺言では特別の規定が設けられている。遺言には，行為能力についての規定（▶5条・9条・13

条・17条）が適用されないので（▶962条），未成年者は法定代理人の同意がなく
ても完全に有効な遺言をすることができる。もっとも，遺言をするには，遺言
者が15歳以上でなければならない（▶961条）。15歳以上であっても，例えば認
知症を患う高齢者など意思能力を欠く者による遺言は無効である。15歳以上で
意思能力の備わった者は遺言をする能力（**遺言能力**）をもつ。

　行為能力についての規定が遺言に適用されないということはさらに，遺言者
は制限行為能力者であっても保護者に代理されずに自ら遺言をすることができ
ることを意味する。むしろ，遺言をするには遺言者本人によらなければならな
いこととされ，保護者が本人を代理して遺言することはできない。したがっ
て，成年被後見人も，意思能力が備わっていれば自ら遺言をすることができ
る。ただし，成年被後見人が遺言をするには，事理を弁識する能力を一時回復
した時に，医師2人以上の立会いのもとでなされなくてはならない（▶973条1
項）。また，被保佐人，被補助人は，保佐人，補助人の同意がなくても単独で
遺言をすることができる。

　このように行為能力の規定が遺言について修正されている理由については，
遺言者の最終意思は尊重されるべきであること，制限行為能力制度は表意者本
人の保護を目的としているところ，遺言が効力を生じる時点では本人が死亡し
ているので同制度によって本人を保護する必要がないことなどがあげられてい
る。もっとも，このことは，遺言能力を法律行為一般に必要な能力より低くみ
ることを意味しない。特に，判断能力の低下した高齢者の遺言については，周
囲の者の圧力による遺言など本人の意思に基づかない遺言がなされる事例が少
なくないことから，本人の意思決定を真に尊重するために，安易に遺言能力を
認めるべきではなく，遺言者が当該遺言においてその意味を理解し，自らの意
思に基づいて遺言をしたかどうかを個別に判断した上で遺言能力の有無を慎重
に決するべきことが指摘されている。

　判断能力の低下した高齢者が，公証人の協力を得て公正証書遺言をすること
が多い。しかし，公正証書遺言は，法定の形式的要件の不備を補うことはあっ
ても，遺言能力を補うものではないから，本人に遺言能力が備わっていなけれ
ば，公正証書遺言であっても無効と判断される（★東京高判平成29・8・31家判19
号67頁等）。

　なお，遺言能力は，遺言をする時点で判断するものとされるから（▶963条），遺言書作成当時に遺言者に遺言能力が備わっていたものの，後に遺言能力を失ったという場合には，遺言は無効とならない。

4　遺言の解釈

> **⚒ Case 11-2**　Aは，他人夫婦の間に生まれた子Bを，妻Cとの間の嫡出子とする虚偽の出生届をし，Bを実の子のように育て，Aが死亡するまでの40年間をBと同居して暮らしていた。Cが死亡した後，Aが，「法律上の相続人に全財産を与える」という文言を含む自筆証書遺言をして死亡した。その後，親子関係の不存在を確認する訴訟により，A・B間の法律上の親子関係が存在しないことが確定した。Aの残された親族はAの兄Dのみであった。Aの財産を承継するのは誰か。

遺言の解釈の基準　　Case 11-2ではAがBとDのどちらに財産を与える意思をもっていたのかについて遺言からは明らかではない。このように内容が不明確な遺言をどのように解釈するべきかが問題となる。遺言が効力を生じる時点では（▶985条），遺言者本人が死亡しているから，本人に内容を確認することができない。そこで，遺言をどのように解釈するべきかについての基準が重要となる。判例は，遺言の解釈にあたっては，「遺言書の文言を形式的に判断するだけではなく，遺言者の真意を探究すべき」であるとの基準を示している（★最判昭和58・3・18家月36巻3号143頁：百選Ⅲ-88）。遺言は相手方のない単独行為であり，遺言の解釈において相手方の信頼の保護を考慮する必要はなく，遺言者の意思を尊重することのみが重要とされることから，遺言の文言の形式的判断にとどまらずに遺言者の真意を探究すべきとする判例の解釈基準は多数の学説によって支持されている。

　Case 11-2では，「法律上の相続人に全財産を与える」という文言を形式的に，客観的に解釈すれば，BはAと法律上親子関係にはなく，相続人ではないから，Bではなく，相続人であるDに全財産を与える遺言と解することになる。しかし，判例の基準によれば，文言を形式的に判断するだけではなく遺言者の真意を探究するべきであるから，Aの真意としては，実質上親子として生活してきたBに全財産を与えたいと考えていたのではないかというように，遺言の内容をAの真意を探究することにより解釈する必要がある。判例は，

Case 11-2と類似した事案につき，遺言者の真意を探究する解釈方法により，AはBに財産を取得させる意図をもっていたと解する余地があるとの判断を示した（★最判平成17・7・22家月58巻1号83頁）。

| 遺言者の真意を探究 するための資料 | それでは何をもとに遺言者の真意を探究するべきか。判例は，遺言書作成当時の諸事情をもとに遺言

者の真意を探究する立場を示す。例えば，前掲最判平成17・7・22は，Aが死亡するまでBと実の親子同様の生活を送っていたという状況，遺言書作成当時は虚偽とはいえ戸籍上BがAの相続人であり，法律の専門家ではないAは相続人がBであるとの意図で遺言書を作成していたとみられることから，Bに全財産を遺贈する遺言であると解釈する余地があるとしている。このように，判例は，遺言者の真意を探究するにあたり，遺言書中の文言だけではなく，遺言書外の諸事情を考慮することを認めている（前掲★最判昭和58・3・18）。

　もっとも，遺言書外の諸事情を考慮する場合には，考慮できる範囲を限定する必要がある。遺言の要式を備えない遺言者のメモや生前の発言などを無制限に考慮すれば，遺言の要式性を無視する結果を導き，かえって遺言者の真意から離れた解釈を導く可能性もある。遺言の解釈はあくまでも遺言書の文言を前提とした解釈であり，文言の意味を遺言者の真意に即して解釈するのに必要な範囲で遺言書外の諸事情を考慮することが認められるにすぎない。

5　共同遺言の禁止

> **■ Case 11-3**　A・B夫婦は，死後の財産のあり方についての協議の結果，同一の書面で，一方が死亡すれば，その財産を他方の生存配偶者がすべて承継し，その後生存配偶者も死亡すればその財産をすべてA・Bの子Cが承継するという内容の自筆証書による遺言書を作成した。同遺言書では，Aが，Bの同意を得て全文を自書し日付を加えてA・Bの署名押印をした。このような遺言は有効か。

| 共同遺言の 禁止の意義 | 共同遺言とは，同一の遺言証書で2人以上の者が遺言をすることである。共同遺言は禁止されているから（▶975

条），遺言は共同遺言にあたるとされれば無効となる。共同遺言が禁止される理由は，①複数の遺言者が同一の遺言証書で意思表示をする場合には，互いに

他の遺言者の意思に拘束され，各遺言者の真の自由意思が確保されず，撤回の自由も制限されうること，②遺言者の１人につき無効原因がある場合の遺言の効力につき複雑な問題が生じること等である。

**共同遺言への　　** 　共同遺言に該当すると判断するためには，形の上で単に複
該当性の判断 　数の遺言者が同一の遺言証書に遺言を記載しているだけではなく，内容の上でも各遺言者の意思が相互に関連していることを要するとされる。したがって，２人の者が同一の遺言証書に署名をしている場合でも，一方の遺言者が自らの財産の処分について全文自書して方式を備えた自筆証書遺言を作成し，他の者がこの内容を単に確認して署名を加えたにすぎないという場合には，２人の意思が相互に関連しているとはいえないので共同遺言とはみられず，一方の単独の遺言として有効となりうる（★東京高決昭和57・8・27家月35巻12号84頁は同趣旨の判断を示す）。**Case 11-3**の遺言では，遺言者A・Bの一方が死亡すれば他方がその財産を承継するという意思は，どちらか一方が単独で決定できるものではなく，A・Bの意思が相互に関連しているといえるから，共同遺言がなされたと評価しうる。ここで，同遺言はAが自書し，署名押印もAがしているから，Bの自筆証書遺言としては無効となり，結局Aの単独の遺言として有効になるのではないかが問題となる。判例は，**Case 11-3**に類似した事例について，Bの遺言としては方式違反のため無効であるとしても，共同遺言がなされたと評価し，同遺言を無効であるとしている（★最判昭和56・9・11民集35巻6号1013頁：百選Ⅲ-87）。

　なお，複数の遺言者による複数枚の遺言書が合綴された遺言は，各遺言書を単独遺言として容易に切り離すことができる場合には，共同遺言にあたらない（★最判平成5・10・19家月46巻4号27頁：百選Ⅲ-85）。この場合には，内容の上で遺言者の意思が相互に関連しているといえず，形の上でも，複数の者が同一の遺言証書に遺言を記載したとはいえないからである。

2　遺言の方式

　遺言の一般的な方式として，民法上，**自筆証書遺言**，**公正証書遺言**，**秘密証書遺言**の3つの方式がある。これらを普通方式の遺言という。特別の事情が

あって普通方式の遺言書を作成することが難しい場合には，後述する特別方式によって遺言をすることができる。

1 自筆証書遺言

> **Case 11-4** Aは退職後に手書きで遺言書を作成した。遺言書の本文には「私の全財産のうち，甲不動産を妻Bに与え，1000万円の預金を長男Cに与える。」と記されていた。遺言書の末尾には「令和5年9月7日」と日付が自書され，Aの署名と押印がされていた。有効な遺言がされているといえるか。

意 義 自筆証書遺言（▶968条）は，遺言者が，全文を自書し，日付と氏名を自書し押印して遺言書を作成する方式である。作成が簡単であり，特別の費用もかからず，他人に知られないという利点があるが，他方では，方式の不備により無効とされる可能性が高い。また，遺言者が保管制度（➡328頁）を利用せず遺言書を自ら保管する場合には，管理上の安全性を確保することができないため，遺言書が紛失したり，変造されたり，偽造されたりするおそれがあるし，遺言書が発見されない可能性もある。

方 式 自筆証書遺言の①全文自書，②日付の自書，③氏名の自書，④押印の方式要件は（▶968条），これらのすべてがそろって初めて遺言が有効となるという意味をもつ。いずれか1つでも欠けている場合には遺言は無効である。

(1) 全文自書 自書が要件とされているのは，筆跡から本人が書いたものであると判断することができ，本人が書いたものであれば遺言者の意思に基づく遺言と評価できるからである。したがって，他人の代筆による遺言は無効である。パソコンで作成した文書は，筆跡が表れないので自書とはいえず，遺言書としては無効である。また，録音・映像による遺言は，遺言者本人の意思を確実に表しているとみられる場合であっても，無効である。これは，録音，映像では編集が容易にできるためである。これに対して，カーボン紙を用いた記載は，筆跡が残るため自書にあたる（前掲★最判平成5・10・19）。問題になるのは，体が不自由なために筆記の際に他人の添え手による補助を受けて作成した遺言書は自書の遺言といえるかである。判例は，遺言者が自書能力を有し，添

図表 11 - 2　遺言の方式

普通方式
　　自筆証書遺言（968条），公正証書遺言（969条），秘密証書遺言（970条）

特別方式
　　危急者遺言—死亡危急者遺言（976条），船舶遭難者遺言（979条）
　　隔絶者遺言—伝染病隔離者遺言（977条），在船者遺言（978条）

え手をした他人から，単に筆記を容易にするための支えを借りただけであり，
かつ，添え手をした他人の意思が介入した形跡のないことが筆跡から判断でき
る場合には，他人が添え手をして作成した遺言であっても有効であるとの判断
を示している（★最判昭和62・10・8民集41巻7号1471頁，もっとも，結論において
遺言は無効と判断された）。

　自筆が真正であるか否かについて争いがある場合には，通常，筆跡鑑定が行
われる。しかし，筆跡鑑定は絶対的な基準となるものではない。（★東京高判平
成12・10・26判タ1094号242頁は，筆跡鑑定は証明力に限界があるとして事案の総合的
な分析に基づいた判断を示す）。

　なお，全文自書の例外として，遺言書に財産目録を添付する場合には，目録
についてはパソコンや代筆など自書以外の方法で作成することが認められてい
る（▶968条2項）。目録に記載する事項として例えば，不動産の地番や家屋番
号等，預貯金の金融機関名や口座番号等が想定されている。財産目録について
自書の例外が設けられているのは，遺言の対象となる財産の情報をすべて自書
しなくてはならないとする場合の遺言者の負担を軽減する趣旨である。不動産
の登記事項証明書や預貯金通帳のコピー自体を目録とすることも可能である。
目録が自書以外の方法で作成された場合には，その目録の毎葉に署名し押印し
なくてはならない。

　(2)　日付の自書　　日付は，遺言の成立時期を明らかにするために重要であ
る。特に複数の遺言書が作成された場合には，どちらが有効かを判断するため
に日付の記載が決め手となる。また日付は，遺言者が遺言をなした時点で遺言
能力を有していたか否かを判断する基準ともなる。年月日を客観的に特定する

必要があるので，年月のみの記載では要件を満たさない。○年○月吉日と記載された自筆証書遺言は，吉日ではいつを指すのか不明であるので，無効とされる（★最判昭和54・5・31民集33巻4号445頁）。これに対しては，複数の遺言の成立時期の先後，遺言者の遺言能力の存在を確認できるのであれば，年月日を特定する必要はなく，年月でも足りるのではないかとの批判的見解がある。遺言書に記載された日付が，遺言が成立した日と異なる場合について，判例は，遺言の方式を必要以上に厳格に解すると，遺言者の意思の実現を阻害するとし，直ちに遺言が無効になるものではないとの判断を示している（★最判令和3・1・18判時2498号50頁。遺言者が自筆証書遺言の全文および日付と氏名を自書した日の約1か月後に押印した事案である）。

　(3)　氏名の自書（署名）　　氏名の自書が要件となっているが，必ずしも遺言者の戸籍上の氏名を記載する必要はなく，通称・芸名・ペンネーム等でもよ

🖉 Topic 11-1
無効な遺言の死因贈与としての扱い

　遺言は要式行為であるため，方式の要件に反すれば遺言が無効となり，遺言者の意思を実現することができなくなる。そこで，無効となった遺言を死因贈与と評価することによって遺言者の意思を実現することができるかが問題となる（無効行為の転換の一場面である）。

　死因贈与は生存中に贈与者と受贈者の間で締結され，贈与者の死亡によって効力を生じる契約である。契約であるため，受贈者の承諾がなければ，死因贈与は成立しない。それに対して，遺言は相手方のない単独行為であるから，遺言者の一方的な意思表示により成立する。このように，死因贈与と遺言は，性質が異なるが，効力が生じるのは贈与者あるいは遺言者の死亡時であるという点では同じである。そこで，死因贈与にはその性質に反しない限り，遺贈の規定が準用されることとなっている（▶554条）。もっとも，遺言の方式に関する規定は準用されない（★最判昭和32・5・21民集11巻5号732頁）。したがって，例えば日付を欠く自筆証書遺言など方式に反する無効な遺言であっても，不要式の死因贈与として有効と評価することが可能な場合があるとみられる。

　もっとも，方式違反のため無効な遺言を，有効な死因贈与に安易に転換することは，遺言の要式性の趣旨に反することになりうる。そこで学説では，無効とされた遺言が死因贈与の要件（贈与者と受贈者との合意）を満たしているかどうかを慎重に判断すべきであると指摘されている。

いと解されている。遺言者と署名者との同一性を確認できればよいからである。古い判例では，署名として「をや治郎兵衛」と記載され，氏の記載を欠く遺言を有効としたものがある（★大判大正4・7・3民録21輯1176頁）。

　(4) **押 印**　署名の他に押印が要求されているのは，それが正式な文書を作成する遺言者の意思を示すと同時に遺言者が遺言を完結させたことを示すからである。署名に加えて押印が要求される背景には，日本の慣習上，重要な文書については押印によって文書の作成が完成するとの意識が浸透しているという事情がある。したがって，そのような意識をもたない日本に在住する帰化した欧米人の遺言については，欧文のサインのみで押印のない自筆証書遺言でも有効とされる（★最判昭和49・12・24民集28巻10号2152頁）。押印は実印である必要はなく，認め印や指印であってもよい（★最判平成元・2・16民集43巻2号45頁）。また押印の場所は遺言書本文中である必要はなく，遺言書が入っている封筒の封じ目にされている場合にも要件を満たす（★最判平成6・6・24家月47巻3号60頁：百選Ⅲ-84）。これに対して，花押（本人を表す図案化された記号）は，これによって文書を完結させるという意識が浸透しているとはいえないため，押印の要件を満たさない（★最判平成28・6・3民集70巻5号1263頁）。

> **加除その他の変更**

既に作成した遺言書に変更を加える場合にも，方式が要求される（▶968条3項）。すなわち，①変更の場所を指示すること，②変更した旨を記すこと，③これに署名すること，④変更の場所に押印することが要件となっている。変更に方式を要求する趣旨は，他人による変造を防ぎ遺言者本人による変更であることを確実にすることである。

> **自筆証書遺言の保管制度**

遺言者が作成した自筆証書遺言書を自ら保管しておく場合には，管理が万全ではなく，遺言書が紛失したり他人によって変造されたり破棄されたりするおそれがある。そこで，遺言書保管法（「法務局における遺言書の保管等に関する法律」）では，遺言者が申請して手数料を負担することにより，自筆証書遺言を法務局の遺言書保管所に預けることができることとされている。

　遺言書を法務局に預けるためには，遺言者本人が法務局の保管所に遺言書を持参して申請しなくてはならない（▶遺言書保管4条6項）。申請された遺言は，方式に違背がないかの審査に付されるが（▶同条2項），内容については審

査されない。遺言者が死亡した後には，相続人，遺言により受遺者とされている者および遺言執行者等は遺言書の内容を証明する証書の交付を請求することができる（▶遺言書保管9条1項）。

　保管制度を利用すれば，管理は万全であるとみてよいが，遺言者が死亡した後で相続人，受遺者，遺言執行者等が保管された遺言の存在を知ることができなければ，遺言は無意味となりかねない。そこで，遺言書保管所が遺言者の死亡を確認した時点で，指定された者に通知する仕組みが導入された。

検　認　　遺言者が死亡した後，遺言書の保管者あるいは遺言書を発見した相続人は，相続の開始を知った後，遅滞なくこれを家庭裁判所に提出し，**検認**を請求しなくてはならない（▶1004条1項，家事別表一-103）。検認とは，家庭裁判所が原則として利害関係人の立会いのもとで遺言書の現状を確定して偽造や変造を防ぐとともに，証拠を保全するための手続である。検認は，遺言の有効性を審査する手続ではないから，検認を経た遺言が有効であると推定されることはない（★東京高判昭和32・11・15下民集8巻11号2102頁）。自筆証書遺言の他，特別方式の遺言にも検認が要求されているが，公正証書遺言は，公証役場に保管され偽造や変造のおそれがなく，証拠が保全されるため検認不要とされている（▶1004条2項）。また自筆証書遺言でも，法務局に保管された遺言については，公正証書遺言と同じ理由から検認不要とされている（▶遺言書保管11条）。検認を受けなくても遺言が無効になるわけではなく，5万円以下の過料の制裁が科されうるにすぎない（▶1005条）。なお，遺言書が封印されている場合には，家庭裁判所は相続人またはその代理人の立会いのもとでのみ開封することができる（▶1004条3項）。

2　公正証書遺言

意　義　　公正証書遺言（▶969条）は，遺言者から遺言の内容を伝えられた公証人が遺言書を作成する方式の遺言であり，作成された遺言書は公証役場に保管される。公証人とは，遺言書のほか契約書，委任状，保証書等の法律文書の公正証書を作成したり，私文書の作成を認証したりする法律専門家である。前述の自筆証書遺言は，多くの場合に法律専門家ではない遺言者本人が作成するので，方式に違反した遺言書を作成する可能性が高く，ま

た保管制度（➡328頁）を利用せずに遺言者本人が保管する場合には，遺言書が紛失したり，変造されたり，偽造されたりするおそれもある。公正証書による場合にはこれらの問題が回避される。もっとも，公正証書は，遺言者の遺言能力を補うものではなく，遺言書作成当時に判断能力が衰えていた可能性のある者が公正証書遺言を利用した場合には，別に遺言能力の存否を判断する必要がある（➡320頁）。

方　式　2023年の法改正（令和5年法53号。同年6月14日に公布。公正証書の手続のデジタル化に関する規定は公布から2年半以内に施行）により，公正証書全般について手続のデジタル化が図られた。これに伴い，公正証書遺言の方式は，改正969条1項1号および2号を除き，公証人法に規定されることとなった。これにより，公正証書遺言の方式においても，デジタル化が図られている。

　公正証書遺言で要求される方式は，以下のとおりである。①証人2人以上の立会いのもとに（▶改正969条1項1号），②遺言者が遺言の内容を公証人に口授（く じゅ）し（▶同項2号），③公証人が遺言者による口述等を記載または記録し，これを遺言者と証人に読み聞かせ，または閲覧させ（▶改正969条2項，改正公証37条1項・2項，40条1項・3項。遺言者の申出があり相当と認めるときはウェブ会議の方式によることが認められる），④遺言者および証人が記載または記録が正確なことを承認した上で署名し（または法務省令で定める措置も可能とされる。▶改正969条2項，改正公証40条1項・5項），⑤公証人が承認を得た旨を公正証書に記載または記録して署名押印する（電磁的記録による公正証書遺言の場合には法務省令による方式によることとされ，電子署名が想定されている。▶改正969条2項，改正公証40条4項）。②の口授については，言語によらなければならず，弁護士が関与して作成された案文を公証人が読み聞かせて本人が手を握ることで意思を伝えるだけでは口授の要件を満たさない（★東京地判平成20・11・13判時2032号87頁）。遺言者が口のきけない者である場合には，通訳人による手話通訳や筆記により公証人に意思を伝えることで口授（▶改正969条1項2号）に代えることができる（▶改正969条の2）。

証　人　証人は，自筆証書遺言以外のすべての遺言書の作成に立ち会って，遺言書の内容が遺言者の真意によるものであることを保証

する役割を担う（なお，特別方式の遺言では，証人に加えて，職務の上で遺言書作成に立ち会う警察官等の「立会人」の立会いも求められる）。証人（および立会人）には欠格事由が定められている（▶974条）。欠格者と定められているのは，①未成年者，②遺言者の相続人・受遺者，③②にあげた者の配偶者および直系血族，④公証人の配偶者，4親等内の親族，書記および使用人である。民法上欠格者ではない証人が立ち会っている場合には，欠格者が同席していても，その者によって遺言の内容が左右されたりするなど特段の事由がなければ，遺言は有効である（★最判平成13・3・27家月53巻10号98頁）。署名できない者や口授を理解しない者は，形式的に欠格者に該当しないとしても，事実上の欠格者である（ただし，981条により，特別方式の遺言では証人が署名できなくてもよい場合がある）。もっとも，目が見えない者であっても，口授と筆記の読み聞かせの内容が同一であることを耳で聞いて確認することができる場合には，欠格者ではない（★最判昭和55・12・4民集34巻7号835頁：百選Ⅲ-86）。

3 秘密証書遺言

意 義 秘密証書遺言（▶970条）は，遺言者が遺言の内容を秘密にして遺言書を作成して封印し，封印された遺言書の存在を公証人の関与のもとで確認する方式の遺言である。

方 式 秘密証書遺言に要求される方式は以下のとおりである。①遺言者が証書に署名し，押印すること（▶970条1項1号），②遺言者本人が証書を封じ，証書に用いた印章により封印すること（▶同2号），③遺言者が公証人1人および証人2人以上の前に封書を提出して，自己の遺言書である旨および筆者の氏名と住所を申述すること（▶同3号），④公証人がその証書を提出した日付と遺言者の申述を封紙に記載し，公証人・遺言者・証人が署名押印すること（▶同4号）である。

遺言者本人が署名押印することを要するが（上記①），自筆証書遺言と異なり，遺言書の全文が自筆である必要はなく，また日付の自書も要求されていない。したがって，全文と日付を記述するのに，パソコンを使ってもよいし，他人による代筆でもよい。

遺言者とは異なる者が筆者である場合には，その者の氏名と住所を申述しな

332 第11章 遺 言

ければならず（上記③），遺言者を筆者として申述したときは，方式違反のために遺言は無効となる。判例は，遺言者と異なる者がワープロを操作し本文を入力して作成した秘密証書遺言について，筆者はワープロを操作した者であるとし，遺言者が筆者の氏名と住所を公証人に申述しなかったとして，民法970条1項3号の方式に違反し，遺言は無効であるとの判断を示している（★最判平成14・9・24判時1800号31頁）。なお，口がきけない者が秘密証書遺言をする場合には，通訳人の通訳により申述するか，または封紙に自書することで申述に代える（▶972条）。

秘密証書遺言としての方式を欠く遺言は，それが自筆証書遺言の方式を満たしている場合には，自筆証書遺言として有効となる（▶971条）。このような扱いは，秘密証書遺言としては無効と評価される遺言を，自筆証書遺言としては有効とみるものであり，無効行為の転換の一場面であるといえる。

なお，外国にいる日本人が秘密証書遺言をする場合においては，遺言者および証人の押印（▶970条1項4号）は要求されない（▶984条後段）。

4 特別方式

死が間近に迫っているとか，船舶遭難という緊急の事態にあるなど，普通方式の遺言をなすことが極めて困難な状況にある者のために，方式の要件を緩和した特別方式の遺言が用意されている。特別方式の遺言として，死亡危急者遺言，船舶遭難者遺言（以上を危急者遺言と呼ぶ），伝染病隔離者遺言，在船者遺言（以上を隔絶者遺言と呼ぶ）の4種がある。特別方式の遺言は，遺言者が普通方式によって遺言をすることができるようになってから6か月間生存するときは，その効力を失う（▶983条）。この場合には，遺言者は普通方式遺言をすることができるからである。

危急者遺言　危急者遺言の意義は，普通の方式を要求するのでは遺言をすることが極めて困難な状況にある者のために，遺言の方式を変更または緩和するなどして遺言書の作成を容易にすることにある。

(1) **死亡危急者遺言**（▶976条）　病気その他の事由で死を目前にした者が行う緊急時の遺言である。証人3人以上の立会いの下に，その1人に遺言の趣旨を口授し，口授を受けた者がそれを筆記して遺言者と他の証人に読み聞か

せ，または閲覧させ，各証人が筆記の正確なことを承認したのち署名押印して作成する（▶同条1項）。特別方式に共通することとして，日付は要件となっていない。これは，遺言がされた日を証人や立会人において証明できるからである。口がきけない者が遺言者である場合には，通訳人の通訳による申述を口授に代える（▶同条2項）。耳が聞こえない者が遺言者または他の証人である場合には，口授を受けた者が筆記した内容を通訳人の通訳により遺言者または他の証人に伝えて，読み聞かせに代える（▶976条3項）。

　死亡危急者遺言は，遺言の日から20日以内に，証人の1人または利害関係人から家庭裁判所に請求してその確認を得なければ効力を生じない（▶同条4項，家事別表一-102）。家庭裁判所は，遺言者の真意に基づく遺言であるとの心証を得なければこれを確認することができない（▶976条5項）。もっとも，確認手続において，同遺言が遺言者の真意によるものであるとの心証は，確信の程度に及ぶ必要はない（★東京高決平成20・12・26家月61巻6号106頁）。確認には既判力がないから，遺言の有効性を当事者が争う場合には，最終的には民事訴訟において判断されうる。

　(2)　**船舶遭難者遺言**（▶979条）　　遭難船舶に乗り合わせ，死亡の危急に迫った者がなしうる遺言である。遺言者は，2人以上の証人の立会いの下，口頭で遺言を行うことができる（▶同条1項。口がきけない者は通訳による。▶同条2項）。遺言をする時点では，遺言の内容を証人の1人が筆記したりそれを遺言者や他の証人に読み聞かせたりする必要はない。家庭裁判所に遺言の確認を請求するまでには，証人は遺言の内容を筆記して署名と押印をする必要がある。証人または利害関係人が遅滞なく家庭裁判所に請求して遺言の確認を得なければ，遺言はその効力を生じない（▶979条3項，家事別表一-102）。

隔絶者遺言　　遺言者が交通を遮断されたところにいる場合には，普通方式の中でとりわけ公証人の関与が必要とされる公正証書遺言や秘密証書遺言をなすことが難しいことがある。隔絶者遺言の意義は，普通方式の遺言の方式を修正することによりこのような不利益を補うことにある。

　隔絶者遺言では，証人以外に，職務の上で遺言書作成に立ち会って遺言者の真意による遺言であることを保証する立会人の関与が要求されている。立会人にも，証人と同様の欠格事由が妥当する（▶974条）。

（1）　**伝染病隔離者遺言**（▶977条）　　伝染病等のため行政処分によって交通を遮断された場所に住んでいる者は，警察官1人および証人1人以上の立会いにより，遺言書を作成することができる。この場合には，遺言者，筆者，立会人（ここでは警察官）および証人は，各自遺言書に署名押印しなくてはならない（▶980条，なお981条によると，署名押印できない場合にはその事由の付記が必要である）。この方式は，遺言者が伝染病以外のために外部との交通を遮断された場所に住んでいる場合にも利用されることがある。例えば，遺言者が刑務所に収監されている場合，災害などで交通を遮断されている場合などである。

（2）　**在船者遺言**（▶978条）　　船舶の中にいる者は，船長または事務員1人および証人2人以上の立会いにより遺言書を作成することができる。この場合にも，伝染病隔離者遺言の場合と同様，遺言者，筆者，立会人（ここでは船長または事務員）および証人は，各自遺言書に署名押印しなくてはならない（▶980条，なお981条参照）。

3　遺言の撤回と無効・取消し

1　遺言の撤回の自由

> **Case 11-5**　Aは，Bに全財産を与えるという内容の公正証書遺言を作成した。遺言を作成した当時，AはBと婚姻していた。ところが，その後AはBと離婚した。Aの相続人は子Cのみであった。Aは一度なした遺言を撤回することができるか。

　Aは遺言をした後にBと離婚した場合であっても，一度した遺言に拘束され，遺言を撤回できないかが問題となる。撤回については遺言には特別の規定が設けられている。遺言者は，一度なした遺言の一部または全部をいつでも任意に撤回することができる（▶1022条。撤回の自由）。これは，遺言が遺言者の最終意思を尊重する意義を有するところ，遺言者が一度遺言をなしたとしても，相続開始時までに意思が変われば以前なした遺言はもはや最終意思ではなく，したがってそれを尊重する意味はないからである。また，遺言は相手方のない単独行為であり，遺言者が一方的に遺言を撤回しても相手方の信頼を害することにはならないということも撤回が自由とされる理由である。遺言者は事

前に撤回する権利を放棄することができないとされているが（▶1026条），これは，遺言者の最終意思の尊重を徹底する意義を有する。撤回を遺言でする場合には，方式に従った遺言をする必要がある（▶1022条）。**Case 11-5**においてAが遺言の撤回を自筆証書遺言でしようとする場合には，Aは，遺言を撤回する旨の遺言を全文自書し，日付と氏名を自書して押印しなければならない（▶968条1項）。

2　遺言の撤回の擬制

　遺言の方式に従って遺言を撤回しなくても，遺言者による一定の行為が存在する場合には，当然に撤回の効果が生じることとされている。これを**撤回の擬制**という。撤回の擬制が認められるのは，一定の行為があれば，通常は遺言者に撤回の意思があるとみられるからである。遺言の撤回が擬制されるのは以下の4つの場合である。

　①前の遺言と後の遺言が両立しない場合は，その部分が後の遺言により撤回されたものとみなされる（▶1023条1項）。例えば，AがBに全財産を与えるという内容の遺言書を作成した後に，Cに全財産を与えるという内容の遺言書を作成した場合には，撤回擬制により後の遺言のみが存続する。なお，複数の遺言の前後は，遺言書中の日付によって判断する。

　②遺言をした後に，それと両立しない生前行為をすれば，遺言中の両立しない部分は撤回されたものとみなされる（▶同条2項）。例えば，Aが「甲不動産をBに与える」とする遺言書を作成した後に，甲をCに贈与した場合には，撤回擬制により遺言は撤回されたものとみなされる。

　Case 11-5では，遺言者AはBと離婚しているが，これによりBに全財産を与える遺言が撤回されたとみてよいか，すなわち，離婚のような身分行為を，遺言と両立しない生前行為に含めて撤回擬制を認めてよいかが問題となる。判例は，扶養を受けることを前提として縁組をした養子に遺贈する旨の遺言をした遺言者が，その後養子に対する不信感から協議離縁をし，実際に扶養を受けることがなくなったという事例について，離縁が遺言による遺贈と両立しない趣旨のもとでなされているとして撤回擬制を認めている（★最判昭和56・11・13民集35巻8号1251頁：百選Ⅲ-91）。

しかし，遺言は必ずしも夫婦や親子という身分関係を前提として行われるわけではない。**Case 11-5** では，Aが婚姻中の財産の清算の趣旨で遺言をしていることもありえることから，身分関係の解消は遺言の撤回擬制に必ずしも結びつかない。学説においては，明示に撤回されない限り，身分行為による撤回擬制は慎重に判断されるべきであるとする見解が主張されている。

③遺言者が遺言書を故意に破棄した場合には，破棄された部分の遺言は撤回されたものとみなされる（▶1024条前段）。例えば，遺言書を破り捨てるなど遺言者が故意に遺言書に物理的な損傷を加えた場合には，遺言は撤回されたものとみなされる。判例は，物理的な損傷はないものの，遺言書の文面全体に赤色ボールペンで斜線が引かれていた事例について，その行為の一般的な意味から遺言者の撤回の意思が表れているとして，遺言が故意に破棄されたものとして撤回擬制を認めている（★最判平成27・11・20民集69巻7号2021頁）。

④遺言者が遺贈の目的物を故意に破棄した場合は，その目的物に関しては，遺言は撤回されたものとみなされる（▶1024条後段）。

3 原遺言の非復活

撤回されて失効した遺言（原遺言）は，撤回行為が，撤回され，取り消され，または効力を生じなくなったとしても効力を回復することはない（▶1025条本文）。これは，撤回行為が効力を失ったとしても遺言者が原遺言を復活させる意思を常にもっているとはいえず，復活させる意思がある場合には同一内容の遺言書を作成させた方が，遺言者の真意を確保することができるからである。ただし，錯誤，詐欺，強迫を理由として撤回行為が取り消された場合には，先に撤回されて失効した原遺言の効力は復活する（▶同条ただし書）。この場合には，撤回行為をする意思を遺言者が有していたとはいえず，原遺言を復活させる遺言者の意思が明らかであるといえるからである。

学説においては同条を任意規定であるとし，遺言者が原遺言を復活させる意思を遺言において明示していたときには，遺言者の意思を尊重することになるため，1025条本文の文言にかかわらず，原遺言を復活させてよいとの見方が有力である。判例は，遺言者が遺言（第1遺言）を撤回する遺言（第2遺言）をさらに別の遺言（第3遺言）により撤回した事例について，遺言（第3遺言）の内

容から遺言者の意思が原遺言（第1遺言）の復活を希望する趣旨であることが明らかなときは，原遺言（第1遺言）の効力が復活するとしている（★最判平成9・11・13民集51巻10号4144頁）。

4 死因贈与の撤回

> **✂Case 11-6** Aは，死亡したら甲不動産をBに無償で与えるとする死因贈与契約をBとの間に締結し，契約書を作成した。契約においては，AがBに甲を贈与する代わりに，BはAの世話をすることとされた。これによりBは，病弱のAを病院に車で送迎し，日用品の買い物を代行するなどしてAの世話に尽くした。ところがAは死亡する直前に考え直し，甲をCに遺贈する旨の自筆証書遺言を作成して死亡した。この場合には，死因贈与契約は遺言により撤回されたとみてよいか。

　死因贈与は，贈与者の死亡時に効力が生じる贈与である。死因贈与を撤回（解除）することができるかが問題となる。遺言には，撤回自由の原則が妥当する（▶1022条）。それに対して死因贈与については，贈与契約であるという点を重視するならば，契約の拘束力により，贈与者による一方的な撤回（解除）は認められない（550条により書面によらない贈与契約は，未履行の場合には解除可能であるが，**Case 11-6**では契約書が作成されているから解除できない）。**Case 11-6**では，死因贈与は後の遺言と両立しない。この状況は遺言の撤回擬制（▶1023条1項）で想定されている状況に類似している。さらに，554条によると，死因贈与は，その性質に反しない限り，遺贈に関する規定に従うとされる。そこで，死因贈与に，遺言の撤回に関する1022条・1023条が準用されるかということが問題となる。

　準用を肯定する立場は，死因贈与と遺贈の類似性を重視して死因贈与の撤回を認める。これに対して準用を否定する立場は，死因贈与は契約であることから契約の拘束力を重視し撤回できないとする。折衷的な立場として，受贈者側の忘恩行為など撤回がやむを得ないような客観的事情がある場合にのみ死因贈与は撤回できるとの有力説がある。

　判例は，死因贈与は贈与者の死後の財産に関する処分であるから，遺贈と同様に贈与者の最終意思を尊重すべきであるということを根拠として，遺贈の撤回に関する規定を死因贈与に準用する立場を示している（★最判昭和47・5・25

民集26巻4号805頁)。もっとも，死因贈与契約が締結された動機等に鑑みて，贈与者の最終意思を尊重して撤回を認めるべきか，それとも贈与契約の拘束力を重視して撤回を認めるべきではないかを判断するべきとされる（★最判昭和58・1・24民集37巻1号21頁は，契約締結の経緯から本件死因贈与契約は撤回できないと判断）。とりわけ，負担付死因贈与契約については，負担が既に履行された場合には，特段の事情のない限り遺言の撤回に関する規定を準用することができないとされる（★最判昭57・4・30民集36巻4号763頁：百選Ⅲ-90）。これは負担付死因贈与の場合には，負担部分については，双務契約における反対給付に類似した面があり，贈与者の最終意思を尊重することで反対給付をした受贈者の利益を犠牲にするべきではないからである。

　Case 11-6 では，負担付死因贈与契約が締結されたとみられ，贈与者Aの世話に尽くして負担を履行した受贈者Bの利益を無視するべきではなく，契約の拘束力を重視するべきとみられるから，撤回は認められないこととなろう。

5　遺言の無効・取消し

　遺言は，遺言者の死亡により効力を生じる（▶985条）。しかし，遺言に無効となる原因があった場合，取消しの原因があって取り消された場合には，遺言は無効となる。遺言が無効となる原因および取り消される原因には，遺言特有の原因と，遺言を含めた意思表示一般の原因がある。

> **遺言特有の無効原因**

方式に違反した遺言は無効である（▶960条・975条）。また，遺言能力を欠く者による遺言は無効である（▶961条・963条）。その他，被後見人が，後見の計算の終了前に後見人またはその配偶者もしくは直系卑属の利益となる遺言をした場合，その遺言は無効である（▶966条1項。ただし2項により後見人が直系血族，配偶者，兄弟姉妹である場合を除く）。これは，後見人の影響のもと，被後見人がその真の意思によらずに，後見人およびその近親者に有利な遺言をさせられる不正を防止するためである。

　受遺欠格者に対して遺贈された場合にはその者は受遺者となることができず（▶965条・891条），遺言者の死亡以前に受遺者が死亡していた場合には遺贈は効力を生じない（▶994条）。また，遺言者の死亡時に相続財産に属さない権利を目的とした遺贈がされていた場合（▶996条）には，原則として遺贈は無効で

ある。例えば，遺言をした後に遺贈の目的物が，他人物となっていた場合，災害により滅失した場合がこれにあたる。死亡時に相続財産に属さない権利を遺贈するのは遺言者の一般的な意思とはみられないからである。ただし，遺言者が，死亡時に相続財産に属さない権利をあえて遺贈の目的とする意思を有していた場合には，遺贈は有効である。この場合には，遺贈義務者は，遺贈の目的とされた権利を取得して受遺者に移転する義務を負う（▶997条1項）。権利の取得が不可能であるとき，あるいは取得するのに過分の費用を要するときは，遺贈義務者は原則として価額を弁償する義務を負う（▶同条2項）。

意思表示一般の無効原因・取消原因 遺言は法律行為であるから，意思能力を有しない者によってなされた場合には無効となる（▶3条の2）。公序良俗に反する遺言も無効である（▶90条）。遺言者と不倫関係にある者に対する遺贈の公序良俗違反が問題となるが，判例は，そのような遺贈を一律に公序良俗に反するとして無効とするのではなく，個々の遺贈の目的等を考慮した判断を示している（★最判昭和61・11・20民集40巻7号1167頁：百選Ⅰ-11は，遺言者と不倫関係にある者に対する遺贈によって妻の法定相続分が侵害されず，娘も既に独立しているとして当該遺贈を有効とする判断を示した）。

　また，遺言は意思表示であるから，遺言の内容が認知などの身分に関する事項である場合を除き，民法総則の意思表示の無効や取消しに関する規定が適用される。したがって，錯誤・詐欺・強迫による遺言は取消権者において取り消すことができる（▶95条・96条）。もっとも遺言を取り消す際には，誰が取消権者かという点に注意が必要である。遺言が効力を生じた時には，意思表示をした遺言者本人は死亡している。そこで，遺言者本人に生じた取消権を，相続人が相続して行使することになる。これに対して，遺言者本人が生きている間には，本人は遺言を撤回すればよく（▶1022条～1024条），取消権を行使する必要はないといえるが，遺言者本人による取消しも否定されない。

　なお，遺言は相手方のない単独行為であるから相手方の信頼保護を目的とした規定は適用されず，遺言者の真意に基づかない遺言はすべて無効あるいは取り消しうるとみてよい。例えば，遺言者が真意でないことを知って遺言をしたときは，遺言は無効である（93条の心裡留保の規定は遺贈には適用されない）。

4　遺　　贈

1　遺贈の意義と当事者

　遺言によって財産の無償譲渡を行うことを遺贈という。財産の無償譲渡という点では贈与と似ているが，贈与は複数の当事者間で行う契約であるのに対し，遺贈は遺言によって行う相手方のない単独行為である。遺言によって相続人ではない者を相続人に指定することは認められないが，遺贈によって相続人ではない者に財産を承継させることができる。

　受　遺　者　遺贈を受ける者を受遺者という。受遺者は相続人でも相続人ではない者でもよい。法人を受遺者としてもよい。受遺者には相続欠格に関する規定が準用される（▶965条・891条）。したがって，例えば詐欺によって被相続人に遺言をさせた者が受遺者とされている場合には，その遺言が取り消されないときでも，その者は受遺欠格者とされ受遺者となることができない（▶965条・891条4号）。

　遺贈義務者　遺贈を履行する義務を負う者を遺贈義務者という。遺贈義務者は，遺贈をした者の権利義務を承継した相続人（または包括受遺者。▶990条）であり，相続人が不存在のときは相続財産清算人（▶952条）である。また，相続人がいる場合でも，遺言執行者がいるときには，遺贈を履行する義務を負うのは遺言執行者のみである（▶1012条2項）。

2　遺贈の一般原則

　同時存在の原則　遺贈が効力を生ずるのは遺言者の死亡時であるが（▶985条1項），遺言者の死亡以前に受遺者が死亡していた場合には，相続における代襲相続（▶887条2項）のように受遺者の子が遺産を承継するのではなく，遺贈は効力を生じないこととなっている（▶994条1項）。つまり受遺者は遺言者の死亡時に生存していなければならない。これを**同時存在の原則**という。遺言者の死亡以前に受遺者が死亡していた場合には，本来受遺者が受けるべきであった利益は，遺言者の相続人に帰属する（▶995条）。なお，胎児の権利能力についての相続における例外規定が受遺者に準用されてい

るので（▶965条・886条），遺言者が死亡する時点で受遺者は胎児であってもよい。

　遺産分割方法の指定として特定の財産を特定の相続人に承継させる旨の遺言（特定財産承継遺言。➡349頁）において，受益相続人が遺言者の死亡より前に死亡していた場合には，遺贈と同様に遺言は効力を生じないのか（▶994条1項類推適用），それとも相続と同様に受益相続人の子（代襲者）が財産を承継するのか（▶887条2項）が問題となる。判例は，このような場合には，遺言において受益相続人の代襲者等に財産を承継させる意思が認められる特段の事情がない限り，遺言は効力を生じないとしている（★最判平成23・2・22民集65巻2号699頁）。その理由は，遺言者は通常は特定の相続人に財産を承継させる意思を有するにとどまるということである。つまりこのような遺言における遺言者は通常，当該相続人が先に死亡した場合に，その子に承継させる意思をもたないということである。このように判例は，特定財産承継遺言における受益相続人先死の場合には，遺言者の意思をもとに，遺贈における受遺者先死の場合（▶994条1項）と同様に，遺言は効力を生じないとする。

登記申請　遺贈を原因とする所有権の移転登記は，贈与等と同様に意思を原因とする所有権の移転登記であり，登記の真正保持のため，遺贈義務者と受遺者との共同申請による（▶不登60条）。遺言執行者がいる場合には，遺言執行者と受遺者との共同申請となる（▶1012条2項）。これに対して，相続を原因とする所有権の移転登記の場合には，登記権利者である相続人の身分関係が戸籍上明らかであり通常は真正な登記が担保されるため，相続人が単独で申請できることとされている（▶不登63条2項）。

　なお，遺贈を原因とする所有権の移転登記であっても，受遺者が相続人の場合には，共同申請の例外として，登記権利者である相続人が単独で申請できる（▶不登63条3項）。

3　包括遺贈

　Case 11-7　Aは，全財産の2分の1を友人Bに遺贈する旨の遺言をして死亡した。Aの積極財産は，甲不動産（時価3000万円）および預金債権（1000万円）で

> あった。Ａは消極財産として2000万円の金銭債務を負っていた。Ａの相続人は子
> Ｃ・Ｄである。

　遺贈には，包括遺贈と特定遺贈がある（▶964条）。**包括遺贈**とは，遺産の全部
または一部を割合で指定する遺贈である。**Case 11-7**のように全財産の２分
の１を遺贈する場合がこれにあたる。「包括受遺者は相続人と同一の権利義務
を有する」とされている（▶990条）。つまり，包括受遺者Ｂは，以下に示すよ
うにＡの相続人と同一の権利義務をもつ。

遺産分割　　受遺者Ｂは，相続人と同一の立場で遺産分割の当事者とな
り，相続開始により他の相続人Ｃ・Ｄと共に遺産を共有し
（▶898条１項），遺産分割協議をする。Ｂを欠くＣ・Ｄのみによる遺産分割協議
は無効である。遺産分割協議が調わない場合には，Ｂは，家庭裁判所に遺産分
割の審判（▶907条２項）を申し立てることができる。

債務の承継　　また，受遺者Ｂは，相続人と同一の立場で，遺言者Ａの財産
に属した権利だけではなく義務をも承継する（包括承継の原
則。▶896条）。したがって**Case 11-7**では，受遺者Ｂは，遺言者Ａの積極財産
のほか，相続債務を包括遺贈の割合（1/2）に応じて承継することになる。し
かし，債権者の関与なく，遺言者の一方的な意思で債務者および承継する債務
の額を決めることはできないとみられる（免責的債務引受について，債権者と債務
引受人の契約によって，または債務者と引受人との契約を債権者が承諾することによっ
てすることができると定める472条を参照）。そこで，包括遺贈がされたとしても，
受遺者Ｂによる債務の承継（Ｂ1/2，Ｃ・Ｄ各1/4）はＢ・Ｃ・Ｄの間でのみ
互いに効力を主張できるのであり，債権者はＣ・Ｄに対して遺贈がない場合に
おける法定相続分（Ｃ・Ｄ各1/2）に応じた請求をすることができると解する
のが通説である。このような解決は，明文の規定を欠くものの，相続分指定が
ある場合の債権者の権利行使についての902条の２を類推適用することにより
導くことができる。もっとも，債権者が包括遺贈の割合に応じた債務の承継を
承認した場合には，債権者は法定相続分に応じた請求をすることができないと
解される（▶902条の２ただし書類推適用）。

| 遺贈の放棄 | 受遺者Bは，遺贈を受けることを強制されるというわけではない。相続と同様，遺贈でも，放棄が認められる。986条に |

によると遺贈の放棄は期間制限なくできるとされる。しかし，包括遺贈の場合には，受遺者が相続人と同一の権利義務を有するとされるために（▶990条），986条は適用されないと解されている。つまり，包括遺贈の承認および放棄には相続に関する規定が準用され，受遺者は熟慮期間内である3か月以内に（▶915条），遺贈の単純承認・放棄・限定承認をしなくてはならない。この期間内に行わない場合には，単純承認をしたものとみなされ，受遺者は遺言者の積極財産だけではなく債務をも承継する。

　以上の遺産分割，債務の承継，遺贈の放棄は，包括受遺者が相続人と同じ扱いを受ける場面であるが，包括受遺者が相続人とは異なる扱いを受ける場面もある。

Further Lesson 11-1
▶▶▶▶▶ 包括遺贈と相続分指定

　相続人に対して全財産または全財産の一定割合を与える遺言がされた場合には，包括遺贈と相続分指定のいずれがされたと解釈するべきかが問題となる。いずれと解するかで様々な結論の違いが生ずる。①包括遺贈とみれば，包括遺贈により不動産の所有権を取得した受遺者は，177条によって登記がなければ所有権の取得を第三者に対抗することができないと解するのが原則となる。これに対して，相続分指定とみれば，899条の2を適用して，不動産の所有権の取得については，法定相続分を超える部分についてのみ登記なくして第三者に対抗できないこととなる。②遺言により財産を与えるとされた者が相続放棄をした場合に，包括遺贈であれば，相続人は受遺者として遺贈の利益を受けることができるが，相続分指定であれば，その者は放棄により相続人ではなくなっているため，利益を受けることができなくなる。③包括遺贈であれば，遺言に示された割合の財産に加えて，相続分に応じた財産を取得することができると解する余地があるのに対し，相続分指定であれば，遺言に示された割合に応じた財産しか取得できないと解される。例えば，子A・BのうちAに全財産の1/3を与える遺言を包括遺贈と解すれば，Aは1/3のほか，残りの2/3を法定相続分（1/2）に従って取得し（2/3×1/2＝1/3），合計2/3を取得する。これに対し，相続分指定と解すればAは1/3のみを取得し，Bは2/3を取得する。

　学説は，原則として相続分指定と解するべきとする立場と，原則として包括遺贈と解するべきとする立場に分かれるが，最終的には個別の遺言の解釈によって決定される。

例えば，対抗問題が生じる場面では，包括受遺者は相続ではなく遺贈により権利を承継したものと捉えられる（★大阪高判平成18・8・29判時1963号77頁）。したがって，包括遺贈により不動産の所有権を取得した受遺者は，177条によって登記がなければ所有権の取得を第三者に対抗することができない。相続による不動産の所有権の取得のように（▶899条の2），受遺者は自己の受遺分については登記を備えなくても第三者に対抗できるということにはならない。

また，包括受遺者は，所有権移転の登記については，受遺者として，遺贈義務者と共同申請しなければならない（▶不登60条）。

4　特定遺贈

> **Case 11-8**　Aは，甲不動産（時価3000万円）を，友人Bに遺贈する旨の遺言をして死亡した。Aの積極財産は，甲および預金債権（1000万円）であった。Aは消極財産として2000万円の金銭債務を負っていた。Aの相続人は子C・Dである。

特定遺贈とは，遺産中の特定の財産を目的とした遺贈である。**Case 11-8**の甲不動産のような特定物を目的とした遺贈のほか，不特定物や債権を目的としてした遺贈も特定遺贈となりうる。配偶者居住権（➡304頁を参照）を目的とする遺贈も（▶1028条1項2号），特定遺贈である。

特定遺贈の受遺者は，相続人でもよいし相続人でなくてもよい。ただし，特定の相続人に対して特定の財産を相続させる旨の遺言は，特段の事情がなければ特定遺贈ではなく，特定財産承継遺言として遺産分割方法を指定したものと解される（後述➡349頁を参照）。

特定遺贈の効果　特定遺贈における受遺者は，相続人と同一の権利義務を有するわけではない（▶990条の反対解釈）。Bは，相続人と同じ扱いを受けるというわけではないから，相続人のように包括承継するということはなく，Aの債務を承継せず遺贈の目的とされた甲のみを承継する。特定遺贈の受遺者は，遺言者が死亡して遺贈が効力を生ずると同時に，目的物の所有権を取得する（★大判大正5・11・8民録22輯2078頁。物権的効力説）。

特定遺贈と登記　もっとも，不動産を目的とする特定遺贈の受遺者が所有権の取得を第三者に対抗するためには，他の意思表示に

基づく物権変動の場合と同様，対抗要件を備える必要がある（★最判昭和39・3・6民集18巻3号437頁：百選Ⅲ-80）。したがって**Case 11-8**で，Aの死後にC・Dが甲をEに売却した場合には，Bは登記なくしてEに甲の所有権の取得を対抗できない。

遺贈の放棄　特定遺贈の受遺者は，遺言者が死亡した後いつでも遺贈を放棄することができ，放棄の効果は遺言者の死亡の時に遡って生じる（▶986条。なお988条・989条参照）。包括遺贈とは異なり，特定遺贈の受遺者は相続人と同様の扱いを受けるというわけではないから，相続における熟慮期間の規定（▶915条）は適用されず，特定遺贈を放棄するのに期間の制限はない。ただし，遺贈義務者その他の利害関係人は，相当の期間を定めて，受遺者に承認するか放棄するかを催告することができ，回答がなければ承認したものとみなされる（▶987条）。

遺贈の目的物が不完全な場合の追完　特定遺贈の目的物が不適合である場合，例えば，目的物の品質に欠陥があったり，数量が不足していたり，目的物に他人の権利の負担があったという場合にも，遺贈義務者はこれを追完したり，目的物の不適合によって受遺者に生じた損害を賠償したりする義務（▶562条・564条）を負わない。遺贈義務者は，遺言に別段の意思表示がない限り，相続開始の時の状態で目的物を引き渡せばよい（▶998条）。これは，遺贈の無償性に着目して遺贈義務者の負担を軽減する趣旨であり，贈与と同様の扱いである（▶551条）。

遺贈の目的物が滅失した場合等の物上代位　特定遺贈の目的物が，遺言者が死亡する前に滅失した場合（変造・占有喪失の場合も同様）には，遺贈は原則として効力を失うが（▶996条），遺言者が目的物の滅失により償金を請求する権利を有する場合には，償金請求権を遺贈の目的とする遺言者の意思が推定され，遺贈は効力を失わない（▶999条1項）。償金請求権とは，例えば，目的物が滅失したことによる損害保険金請求権や，不法行為に基づく損害賠償請求権等である。

債権が遺贈の目的とされた場合の物上代位　特定遺贈の目的が債権の場合には，遺言者が弁済により受け取った物が相続財産に属しているときは，その物を遺贈の目的とする遺言者の意思が推定される（▶1001条1項）。特

定遺贈の目的が金銭債権（例えば100万円の貸金債権）の場合には，遺言者が弁済を受けた後に相続財産中の金銭が債権額に満たないときでもその金額（上の例では100万円）を遺贈の目的とする遺言者の意思が推定される（▶同条2項）。金銭債権の遺贈では価額を受遺者に与えるのが遺言者の一般的な意思とみられるからである。

受遺者の担保請求 遺贈に，遺言者死亡の3年後を弁済期とするなどのように期限が付けられている場合に，受遺者は，遺贈の弁済期前には，遺贈義務者に対して相当の担保を請求することができる（▶991条）。これは，遺贈の履行を請求できるようになるまでに遺贈の目的物が滅失したり遺贈義務者が無資力になったりする危険に備えるために，受遺者を保護する趣旨で設けられた規定である。相当の担保としては，抵当権の設定といった物的担保のほか，保証人を立てるといった人的担保が想定されている。

5 負担付遺贈

> ■ **Case 11-9** Aは，200万円をBに与えるが，その代わりBには，Cが在学している間，Cに月5万円を給付しなければならないという内容の遺言書を作成した。これによりBはCに給付する義務を負うのか。

意 義 遺言者は，受遺者に利益を与えると同時に義務を負担させる遺贈をすることができる。このような遺贈を**負担付遺贈**という（▶1002条）。負担の履行によって利益を受ける者（受益者）は，相続人でもよいし，第三者でもよい。これにより遺言者Aは，受遺者Bだけではなく，Bを介してさらに別の者Cにも利益を与えることができる。

負担の限度 負担付遺贈を受けた者は，遺贈の目的の価額を超えない限度においてのみ，負担した義務を履行する責任を負う（▶1002条1項）。したがって**Case 11-9**では，Bには遺贈の価額である200万円を超える部分については履行する義務がない。

負担付遺贈の放棄 受遺者が負担付遺贈を放棄したときは，遺言に別段の定めがなければ，受益者は自ら受遺者となることができる（▶1002条2項）。したがって**Case 11-9**でBが負担付遺贈を放棄した場合

には，受遺者は，受益者であるＣとなる。このような結果はＣにも利益を与えることを目的とする負担付遺贈では，通常のＡの意思に合致するといえる。

負担不履行の場合 遺言者は，受遺者の負担した義務の履行を前提に遺贈を行っている。したがって，受遺者Ｂが負担した義務を履行しない場合には，相続人は，遺贈を取り消すことができる。その際，不履行であるからといって遺贈を即座に取り消すことはできず，相続人はまず相当の期間を定めて催告をし，期間内に履行がない場合に初めて家庭裁判所に取消しを請求することができる（▶1027条，家事別表一-108）。家庭裁判所の審判によって取消しの効果が生じる。なお，特定財産承継遺言（➡349頁）が負担付の場合には，1027条が類推適用される（★仙台高決令和２・６・11判時2503号13頁）。

6 その他の遺贈

裾分け遺贈 負担付遺贈の一種であるが，受遺者に遺贈により受けた利益の一部を第三者に与える義務を負わせる遺贈を裾分け遺贈という。例えば，遺言者が受遺者に200万円を遺贈するが，受遺者は200万円の中から50万円を第三者に与えることとする遺贈である。

補充遺贈 受遺者が遺贈を放棄した場合（▶986条），受遺者が遺言者より前に死亡した場合（▶994条）など，遺贈が効力を生じない場合には別の者に財産を与えることとする遺贈を補充遺贈という。補充遺贈において，遺贈が効力を生じない場合について定めた部分は，停止条件付遺贈である。

後継ぎ遺贈 財産を，遺言者の死亡時には第１段階として受遺者に取得させ，受遺者が死亡した後には第２段階としてさらに別の者に承継させるというように，遺言者において，受遺者の受ける利益を，ある条件の成就または期限の到来によって別の者に移転させるよう予め定めておく遺贈を後継ぎ遺贈という。例えば遺言者が，居住用の建物の所有権を，死後にはまず高齢の配偶者に承継させて居住のために終身利用させ，配偶者が死亡した後には子に承継させたいと考える場合などに，後継ぎ遺贈がされることがある。

後継ぎ遺贈については民法に明文の規定がないので，その有効性が問題に

なっている。有効性を否定する立場からは，後継ぎ遺贈は①世襲財産制を現出
させる手段となること，②第1段階の受遺者の所有権を制限するものである
が，制限付きの所有権を明文の規定なく認めるべきではないこと，③第1段階
の受遺者の財産が処分された場合または差し押さえられた場合の法律関係が複
雑になることが指摘されている。判例は，遺産中の不動産を妻に遺贈し，妻の
死亡後は被相続人の弟らがこれを所有する旨の遺言について，後継ぎ遺贈であ
るとの判断を示した原判決を破棄し，解釈によって妻への負担付遺贈，弟らへ
の不確定期限付遺贈などとみて有効とする可能性を提示して原審に差し戻した
（★最判昭和58・3・18家月36巻3号143頁：百選Ⅲ-88）。学説でも，後継ぎ遺贈とみ
られる遺贈を，負担付遺贈，期限付遺贈または条件付遺贈などと解釈すること
によりできるだけ有効と扱うべきとの見解が有力である。

Further Lesson 11-2
▶▶▶▶▶ 後継ぎ遺贈に類似した制度

　信託を設定することで，後継ぎ遺贈と同様の結果をもたらすことが可能とされて
いる。信託とは，委託者が，財産の管理または処分の権限を受託者に与え，受託者
には，委託者死亡後は第三者（受益者）の利益のために信託財産を管理し処分する
義務を負わせる制度である。受益者の死亡により別の者が受益権を取得する定めを
しておけば（受益者連続型の信託。▶信託91条），後継ぎ遺贈と同様の結果をもた
らすことができる。後継ぎ遺贈との関係が問題になるが，信託では，所有権は受託
者に移転しているので，第1受益者の所有権の制限という事態は生じないこと，受
益者連続型の信託は無制限に継続するというわけではないこと（▶信託91条）など
から，このような信託では後継ぎ遺贈について指摘されている問題（➡本文を参
照）は生じないとされる。

　また，配偶者居住権の制度（▶1028条～）により，遺言者が，居住用建物の居住
権を配偶者に与える遺贈をし，他の相続人は，遺言者の死後，まず配偶者居住権の
負担付きの所有権を取得し，次に生存配偶者が死亡した後には建物の完全な所有権
を取得することができる。これにより，居住用建物については，生存配偶者は死亡
時まで遺言者の財産から居住の利益を受けることができるため，後継ぎ遺贈と同様
の結果をもたらすことができる。

5　特定財産承継遺言

> **❖Case 11-10**　被相続人Aは，子B・Cを残して死亡した。Aの財産は，預金債権2000万円と甲不動産（時価4000万円）であった。Aは，甲不動産をBに相続させるという内容の自筆証書遺言をしていた。
> (1)　Bが甲不動産を取得するためには，Cとの間の遺産分割を経る必要があるか。
> (2)　Cが書類を偽造し，甲不動産を単独で相続したように登記手続をし，第三者Dに売却した。Bは甲不動産の所有権の取得をDに対抗することができるか。

> **「相続させる」旨の遺言（≒特定財産承継遺言）の意義**

甲不動産をBに相続させるというように，特定の財産を特定の相続人に承継させるとする内容の遺言（「相続させる」旨の遺言）の法的性質については，特定遺贈とみるべきか，遺産分割方法の指定とみるべきかが問題になる（BがAより先に死亡した場合の問題。➡341頁）。特定遺贈とみる場合には，Aの死亡によってその効力を生じ（▶985条1項），Bに甲不動産の所有権が移転する（★大判大正5・11・8民録22輯2078頁）。しかし，判例は，このような「相続させる」旨の遺言は，遺贈と解すべき特段の事情のない限り，遺贈ではなく遺産分割方法の指定とみるべきであるとの判断を示している（★最判平成3・4・19民集45巻4号477頁：百選Ⅲ-92）。遺産分割方法の指定としての「相続させる」旨の遺言は，民法上，**特定財産承継遺言**とされている（▶1014条2項・1046条1項・1047条1項）。遺産分割方法が指定されているということであれば，Bは甲の所有権を取得するために，Cとの間に遺産分割を成立させなくてはならないはずである。しかし，前掲最判平成3・4・19によると，特定財産承継遺言は，遺産分割がなされたのと同様の効果を発生させ，相続開始と同時に，遺産分割を経ることなく当然に特定の財産が特定の相続人に承継される。つまり，判例によると，**Case 11-10**(1)の遺言は，遺贈と解される特段の事情のない限り特定財産承継遺言であり，これによるとAが死亡すると同時に，Bは，Cとの間の遺産分割を経ることなく甲の所有権を取得する。なお，Bが甲を承継すれば，Bは法定相続分を超える額の財産を取得することになる。したがって，

Case 11-10での特定財産承継遺言は，遺産分割方法の指定であるのに加え
て，法定相続分を修正する相続分の指定（▶902条）の意味を併せもっている。

| 特定財産承継 |
| 遺言と登記 |

特定財産承継遺言により特定の不動産の所有権を取得する
場合に，所有権の取得を第三者に対抗するには登記を要す
るかが問題になる。特定財産承継遺言の性質は遺贈ではなく遺産分割方法の指
定であることから，特定財産承継遺言による所有権の取得は，相続による権利
承継であるといえる。そして，相続による権利の承継は，899条の2による
と，法定相続分を超える部分については，対抗要件を備えなければ第三者に対
抗できないとされている。したがって，**Case 11-10**(2)では，Bは，法定相続
分である2分の1を超える部分の所有権の取得については，対抗要件としての
登記がなければDに対抗できない。法定相続分を超える部分についてのみ対抗
要件が要求されている理由の1つは，遺言によって法定相続分を超える財産処
分がされている場合において，遺言の存在は第三者からわかりにくいのに対
し，法定相続分の基準は第三者にとっても客観的な基準であることである。

なお，同条により，遺言者が相続分指定をした場合についても同様に，相続
分指定による不動産の所有権の取得は，法定相続分を超える部分については登
記がなければ第三者に対抗できない（➡283頁）。

6　遺言の執行

1　遺言執行の意義

遺言が効力を生じた後，多くの場合には，遺言の内容を実現するために特別
の行為が必要である。例えば，遺言によって認知をする場合には，遺言者の死
後に認知の届出をしなければ認知の効力は生じないし（▶戸64条），遺言によっ
て相続人を廃除する場合には，遺言者の死後に家庭裁判所に審判を申し立てる
必要がある（▶893条）。また，遺贈でも目的物を引き渡したり登記を移転した
りする必要が生じることがある。しかし，遺言が効力を生じる時点では遺言者
本人は死亡しているため（▶985条），自ら遺言の内容を実現することができな
い。そこで，遺言者の死後に遺言の内容を実現する者として遺言執行者が必要
となる。遺言執行者として相応しい者が適正に遺言を執行できるようにするた

めの仕組みが設けられている。

2 遺言執行者の指定・選任と復任

指定・選任 遺言者は，遺言で遺言執行者を指定することができ，また指定を第三者に委託することができる（▶1006条1項）。複数の遺言執行者を指定することも可能である。

指定された者は，遺言執行者の就任を拒否することもできるが，就任を承諾すると直ちに任務を行わなければならない（▶1007条1項）。また，就任の承諾は相続人にとって利害を有する重要な情報であるため，相続人が情報を得ることができるように，遺言執行者に相続人への通知義務を課している（▶同条2項）。また，相続人その他の利害関係人は，相当の期間を定めて，指定された者にその就任を承諾するか否かの確答を催告することができ，期間内に確答がなければ承諾したものとみなされる（▶1008条）。指定された者が積極的に承諾の意思を表明していない場合に承諾したものとみなす規定には批判もあるが，承諾したとみなされた者が任務を拒絶する場合には，辞任の問題として処理しうる（▶1019条2項）。

遺言執行者の指定や指定の委託がない場合には，相続人その他の利害関係人は，家庭裁判所に遺言執行者の選任を請求することができる（▶1010条，家事別表一-104）。ただし，未成年者および破産者は，遺言執行者の任務を果たすのに相応しくないため遺言執行者になることができない（▶1009条。遺言執行者の欠格事由）。これに対して，成年被後見人・被保佐人・被補助人は欠格とされていないが，適正な執行ができない場合は解任されうる（▶1019条1項）。

相続人を遺言執行者に指定・選任することは，遺言の執行が相続人の利益に反することがありうるので問題となるが（例えば廃除や認知を内容とする遺言），学説の多数は，適正な遺言執行を期待することができない特段の事情がない限り，相続人を遺言執行者に指定・選任することができると解する。また，受遺者が遺言執行者を兼ねると，執行行為が自己契約（▶108条1項）となりうるのではないかが問題となるが，一般的に執行行為は債務の履行にすぎないので自己契約とはいえず（例えば遺贈登記の申請），受遺者が遺言執行者となることも認められている。遺言執行者となった相続人・受遺者が適正な執行をしていな

い場合には，解任が認められうる（▶1019条1項）。

| 復 任 | 委任の場合とは異なり（▶644条の2），遺言執行では，遺言執行者は自己の責任で第三者にその任務を負わせることができると |

され，復任が広く認められている（▶1016条1項）。これは，遺言執行者には重大で広範な任務が課されることが多く，単独で行うことが困難となりやすい等の理由に基づく。遺言執行者は，復任権に基づいて選任した第三者の行為について責任を負う。ただし，やむを得ない事由により復任権を行使したときは，遺言執行者はその選任および監督についてのみ責任を負う（▶1016条2項。法定代理人による復代理人の選任と同様。▶105条）。

3　解任・辞任

　遺言執行者が任務を怠るなど，解任を正当とする事由が存在するときは，利害関係人は家庭裁判所に遺言執行者の解任を請求することができる（▶1019条1項）。また，遺言執行者は，任務を果たすことのできない正当な事由があれば，辞任をすることができる。例えば病気や引っ越しなどが正当な事由にあたる。もっとも，遺言執行者の任務は相続人や受遺者等の利害にかかわることであるから，辞任するためには家庭裁判所の許可が必要である（▶同条2項，家事別表一-107）。

　なお，遺言執行者が解任・辞任等によって任務を終了した場合には，これにより相続人・受遺者に不測の不利益が生じるのを避けるために委任の規定が準用されている。例えば，遺言執行者（その相続人・法定代理人を含む）は，遺言者の相続人・受遺者（またはその法定代理人）が事務処理をしうるようになるまで，必要な処分をする義務を負う（▶1020条・654条）。また，遺言執行者の任務が終了した事実を相続人・受遺者に対抗するためには，相続人および受遺者に終了の通知があったこと，またはこれらの者が任務の終了を知っていたことを要する（▶1020条・655条）。

4　遺言執行者の任務

| 一般的任務 | 遺言執行者は，遺言の内容を実現するため，相続財産の管理その他遺言の執行に必要な一切の行為をする権利義務を有す |

る（▶1012条1項）。遺言執行者は代理人として行為するかについて，1015条は，代理関係を規定せず，遺言執行者がその権限内で遺言執行者であることを示してした行為の効果は，相続人に及ぶと規定する。したがって遺言執行者は民法上代理人とされていない。もっとも，遺言執行者の行為に，自己契約・双方代理・利益相反行為（▶108条），代理権濫用（▶107条）等の代理に関する規定が類推適用されうると解されている。また，遺贈における相続人と遺言執行者の権限の関係について，遺言執行者があるときは遺言執行者のみが遺贈を履行する権限を有するとされる（▶1012条2項）。

遺言執行者の最初の任務は，遅滞なく相続財産の目録を作成してこれを相続人に交付することである（▶1011条）。遺産分割がされる場合には，遺言執行者は，「相続財産の処分」として（▶1013条1項），遺産分割の手続に当事者または利害関係人の立場で（▶家事42条）参加しうると解されている。

遺言執行者には，委任の規定が多く準用されている（▶1012条3項）。例えば，遺言執行者が遺贈の目的物を不適切な管理のために損傷させた場合には，善管注意義務違反を理由に相続人に損害賠償をする義務を負う（▶1012条3項・644条）。

なお，遺言執行者が複数である場合には，執行行為は遺言に特別の定めがないときは，任務の執行を過半数で決する（▶1017条1項）。ただし遺産中の債権の取立て，家屋の修復などの保存行為については，執行者がそれぞれ単独ですることができる（▶同条2項）。

Case 11-11 Aは，甲不動産を友人Bに遺贈し，遺言執行者をCとする旨の自筆証書遺言をした。Aが死亡すると，相続人であるAの子D・Eが，甲について相続を原因とする移転登記をし，甲をFに売却してしまった。

遺言執行者の任務を妨げる相続人の行為 相続人は，遺言執行者による遺言の執行を妨げる行為をすることができず，そのような行為は無効とされる（▶1013条1項・2項本文）。これは，遺言執行者の任務の遂行を円滑にすることを目的として，遺言執行者がいる場合に相続人の相続財産の処分権限を奪う意義をもつ。したがって，甲についてのD・EとFとの売買契約は無効である。ただし，Fが善意であれば，B・Cは売買契約の無効をFには対抗するこ

とができない（▶1013条2項ただし書）。取引の安全を保護する趣旨である。遺言執行者の存在についてFに調査する義務を負わせるべきではないことから，Fは善意であればよく無過失までは要求されていない。Fが善意の場合には，受遺者BとFは対抗関係に立ち（▶177条），登記の具備によりどちらが優先するかが決まる。

　これに対して，相続人の債権者および相続債権者は，遺言執行者がある場合でも，それについての善意・悪意にかかわらず，相続財産の差押えや代位による相続登記など，相続財産について権利を行使することができる（▶1013条3項）。これは，相続債権者・相続人の債権者の法的地位が，相続開始の前後および遺言執行者の存否によって大きく変化するのは妥当ではないとの観点から，執行手続の安定性を図る趣旨である。

登記手続　遺言の内容に不動産の所有権の移転が含まれる場合には，遺言執行者は，登記手続をする任務を負う。遺贈による所有権移転登記の申請は，遺言執行者と受遺者が共同で行う（▶不登60条。もっとも，不登63条3項によると，受遺者が相続人の場合には単独申請できる）。特定財産承継遺言においては，遺言執行者が登記を備えるために必要な行為をする権限を有することが明示されている（▶1014条2項）。

訴訟の追行　遺言執行者の任務には，遺言の執行に関する訴訟において，原告・被告として訴訟を追行する任務が含まれている。例え

✐ Topic 11-2
受遺者の選定を遺言執行者に委ねる遺言

　受遺者の選定を遺言執行者に委託する遺言の有効性が問題になる。遺言執行者の任務は，遺言者の意思の実現であり，意思決定をすることではない。特に受遺者が誰であるかは，遺言の要素ともいえる重要な事項であるから，遺言執行者に決定を委ねることはできず，遺言者本人が決める必要がある。したがって遺言執行者が遺言者に代わって受遺者を決める遺言は原則として無効である。もっとも，判例は，遺言において遺言執行者を指定し，「全部を公共に寄与する」として受遺者が明示されていなかった事例について，受遺者の範囲が国・地方公共団体に限定されているため遺言者の意思に則して遺言執行者が受遺者を選定できるとし，遺言を有効とする判断を示している（★最判平成5・1・19民集47巻1号1頁：百選Ⅲ-89）。

ば，Aは相続人Bを残して死亡したが，甲不動産をCに遺贈し，遺言執行者を
Dと指定する遺言をしていたとする。この場合において受遺者Cが遺贈の履行
を求めて訴えを提起するときは，相続人Bではなく，遺言執行者Dが被告とな
る（▶1012条2項）。これに対して，甲について既に受遺者Cへの所有権移転登
記がされている場合において，Bが遺言の無効を主張して登記抹消手続を求め
て訴えを提起するときは，遺言執行者Dではなく，受遺者Cが被告となる（★
最判昭和51・7・19民集30巻7号706頁）。これは，受遺者Cへの所有権移転登記が
された後は，登記についての権利義務をもつのは遺言執行者Dではなく受遺者
Cとなるからである。

**特定財産承継
遺言と遺言執行**　　特定財産承継遺言（▶1014条2項。例えば甲不動産・乙預金
債権を相続人Aに相続させるとする遺言。➡349頁）において
遺言執行者が指定されている場合には，相続人は相続が開始すると同時に，遺
産分割を経ずに特定財産を取得する。したがって遺言執行者は財産を取得させ
る義務を負わない。また，不動産の登記については，相続人は単独で所有権移
転登記の申請をすることができる（▶不登63条2項）。

　しかしこの場合でも，遺言執行者がいるときは，遺言執行者も，所有権移転
登記手続をすることができる（▶1014条2項）。この場合においては，遺言執行
者がいるにもかかわらず相続人が所有権移転登記の申請をしても，遺言執行者
の「執行を妨げるべき行為」（▶1013条1項）には該当しない。特定財産が動
産，債権の場合にも同様に，遺言執行者は対抗要件を具備する権限が認められ
る。預貯金債権については，遺言執行者は払戻しの請求権限がある（▶1014条
3項）。さらに，預貯金債権の全部が特定承継される場合には，遺言執行者は
解約の申入れをすることができる（▶1014条3項ただし書）。

5　報酬と費用

報　　酬　　委任は無償が原則であるが（▶648条1項），遺言執行は有償が原
則とされている。もっとも，委任の規定が準用され（▶1018条
2項），原則として後払であり（▶648条2項），成果等に対する報酬は，引渡し
を要する場合には引渡しと同時に支払われなければならない（▶648条の2第1
項）。報酬の額は，遺言者による遺言の定めに従う。遺言の定めがない場合に

は，遺言執行者は，家庭裁判所に報酬を定める審判の申立てをすることができる（▶1018条1項）。

執行費用　遺言書の検認（▶1004条），相続財産目録の作成にかかる費用（▶1011条），相続財産の管理費用（▶1012条），執行者の報酬（▶1018条），執行に関する訴訟費用などは，相続財産の負担となる（▶1021条）。つまり，相続人が固有財産によって執行費用を負担する必要はない。ただし，執行費用を相続財産の負担とすることにより遺留分を侵害することは認められない（▶1021条ただし書）。したがって，遺留分侵害額を算定する際には（➡364頁を参照），執行費用を遺留分算定の基礎財産から控除せずに個別的遺留分を算定し，遺留分権利者が負担する執行費用を加算して遺留分侵害額を算定する。

第12章 遺 留 分

1 遺留分制度の概要

遺留分制度の意義　遺留分とは，遺贈や贈与等によっても奪うことのできない，被相続人の一定の近親者が確保することのできる，一定割合の金銭による取り分である。例えば被相続人が唯一の財産である甲不動産（時価3000万円とする）を友人Aに遺贈した場合には，被相続人が残した唯一の家族である子Bは，遺留分として甲不動産の2分の1の価額である1500万円の支払をAに請求することができる（▶1042条1項2号）。

このようにみると，遺留分は被相続人の財産処分の自由を制限する意味をもつといえる。これは一見すると，私的自治の原則に反しているようでもある。しかし，遺留分は，被相続人の残された家族のために一定の機能を果たすことが期待され，そのために被相続人の財産処分の自由を遺留分によって制限することが正当化されている。

遺留分の機能　それでは被相続人の処分の自由の制限を正当化する遺留分の機能とは何かであるが，主に3つの機能があるとされる。

第1に，被相続人が死亡した後に残された家族の生活を保障する機能である。これは，例えば被相続人が扶養の必要な幼い子または高齢で稼働能力のない配偶者を残して死亡した場合に特に妥当する。被相続人が遺贈等により全財産を家族以外の者に処分した場合でも，子や配偶者は遺留分を確保することで生活の困窮を防ぐことができる。

第2に，被相続人の財産に対して残された家族が有する潜在的な持分を清算する機能である。これは，例えば被相続人が家族と共同で事業を経営して財産を築いた場合や，配偶者が家事労働により被相続人の財産の維持や増加に寄与

してきた場合に特に妥当する。

　第3に，被相続人による自由な財産処分によって生じた相続人間の不公平を一定程度是正する機能である。これは，例えば被相続人が，2人の子のうち長女に全く財産を与えずに長男に全財産を遺贈するといった不公平な遺言がされた場合に特に妥当する。

　もっとも，遺留分の機能は時代とともに変化している。高齢社会において親が幼い子を残して死亡する例は少なくなり，遺留分により残された子の生活を保障する場面は多くない。また，子が親の事業を共同して経営する例も少なくなり，被相続人の財産に対して子が潜在的に有する持分を遺留分により清算するべき事例は今ではもはや典型的ではない。さらに，被相続人に子が複数ある場合において遺贈等により子らに生じる財産承継の不均衡は，被相続人が子それぞれの生活状況や被相続人の財産の維持増加への貢献を考慮して判断した結

✏ Topic 12-1
2018年相続法改正前後の遺留分制度

　遺留分制度は，2018年相続法改正により大きな変化を遂げた。改正前の旧遺留分制度では，遺留分権利者は，遺留分として物権的な権利を取得することができた。すなわち，遺留分を侵害する遺贈や贈与等は当然に無効になるものではないが（★最判昭29・12・24民集8巻12号2271頁），遺留分権利者が遺留分減殺請求権を行使することにより，遺贈や贈与等は，遺留分を侵害する限度で効力を失うこととされていた（★最判昭41・7・14民集20巻6号1183頁）。その結果，遺留分権利者は遺贈や贈与が効力を失った限度で，対象とされた財産につき共有持分権を取得しこれを受遺者・受贈者等と共有することとなった。これによると，遺留分権利者は，共有関係を解消するための紛争に巻き込まれることとなり，遺贈や贈与が事業承継を目的としてされた場合には遺留分により事業承継が妨げられるという問題が指摘された。さらに，遺産中の農地や空き家の所有権を遺留分権利者が望むことは少なく，むしろ金銭による遺留分の確保が遺留分権利者の希望に合致するという実態が明らかにされた。

　そこで，2018年の相続法改正により，遺留分権利者は，物権的な権利を発生させる遺留分減殺請求権ではなく，金銭債権を発生させる遺留分侵害額請求権を取得することとされた。改正後の遺留分制度は，被相続人によってなされた遺贈や贈与等の効力を失わせることができないという点で，旧遺留分制度に比べて被相続人の処分の自由をより尊重した制度となっているとみることができる。

果であり，実質的に平等とみられる場合が少なくない。このことから，遺留分により複数の子の公平性を維持する場面は多くないのではないかと指摘されている。このようなことから，現代において遺留分が果たす機能の中心は，高齢の生存配偶者の生活保障や潜在的持分の清算にあるとされている。

遺留分権利者 遺留分を請求することができるのは，被相続人の兄弟姉妹を除く相続人である（▶1042条1項）。つまり，被相続人の配偶者，子，直系尊属である。被相続人の兄弟姉妹は，法定相続人ではあるが，遺留分権利者ではない。代襲相続人も遺留分権利者である（▶1042条2項・901条）。胎児は相続については既に生まれたものとみなされるため（▶886条），遺留分権利者となる。遺留分権利者は相続人であることを前提としているので，欠格，廃除，相続放棄により相続人の資格を失った者は，同時に遺留分権利者の資格も失う。

遺留分侵害額請求権の効果 被相続人が遺留分を侵害する遺贈や贈与をした場合であっても，そのような遺贈や贈与は有効である。遺留分権利者は，遺留分を侵害する遺贈や贈与の効力を失わせるのではなく，遺留分のうち侵害された部分に相当する額（遺留分侵害額）を金銭で確保することができるのみである（▶1046条1項）。つまり，遺留分権利者は，遺留分侵害額を請求することによって遺産中の個々の財産について物権的な権利を得るということはなく，金銭債権を取得する。

2 遺留分の割合と遺留分を算定するための財産

遺留分侵害額請求権の行使において請求することのできる額（遺留分侵害額）を算定するには，遺留分を算定するための財産（遺留分算定の基礎財産）の額に（▶1043条1項），遺留分の割合を乗じ（▶1042条），そこから，遺留分権利者が遺贈等によって取得する財産の額を控除し（▶1046条2項1号・2号），最後に遺留分権利者が負担する債務の額を加算する（▶同項3号）。

以下では，遺留分の割合，遺留分を算定するための財産の額についての民法の原則を確認する。その上で，遺留分権利者が最終的に請求することのできる遺留分侵害額の算定の仕方を説明する（➡後述**3**）。

1　遺留分の割合と額

> **💠 Case 12-1**　被相続人Ａは，甲不動産（時価
> 6000万円）をＢ法人に遺贈するという内容の遺言
> をし，死亡する５年前には500万円の預金債権を息
> 子Ｃに贈与した。Ａは，甲不動産の他，乙不動産
> （時価1500万円）を所有していたが，800万円の債務
> を負っていた。Ａの相続人は息子Ｃおよび娘Ｄで
> あった。ＣおよびＤの個別的遺留分額はいくらか。

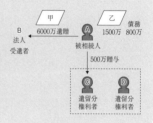

遺留分を算定するための財産の額に，遺留分の割合を乗じることで，遺留分
権利者が遺留分として確保できる財産の額が算定される。遺留分権利者全員分
の遺留分の割合（総体的遺留分率）は，２分の１である（▶1042条１項２号）。た
だし，直系尊属のみが相続人の場合，例えば被相続人の両親のみが相続人であ
る場合には，総体的遺留分率は３分の１である（▶同項１号）。総体的遺留分率
を法定相続分に応じて分けた割合が，各遺留分権利者の遺留分の割合（個別的
遺留分率）である。**Case 12-1**のように相続人が子２人である場合には，総体
的遺留分率は２分の１であり，各遺留分権利者の個別的遺留分率は，これに法
定相続分である２分の１（▶900条４号）を乗じた４分の１である。

　個々の遺留分権利者の遺留分の額（個別的遺留分額）は，次の**2**で説明する遺
留分を算定するための財産に個別的遺留分率を乗じることで算出される。

個別的遺留分額の算定方法

個別的遺留分率

個別的遺留分額 ＝ 遺留分を算定するための財産 × 総体的遺留分率(1/2 または 1/3) × 法定相続分

　　　　　　　　　　（1043条１項）　　　　　　　　（1042条１項）　　　　　　　　（900条）

遺留分を算定するための財産

Ｃ・Ｄの個別的遺留分額 ＝ | 6000万 ＋ 500万 ＋ 1500万 － 800万 | × 1/2 × 1/2 ＝ 1800万円

　　　　　　　　　　　　　（遺贈された　（贈与された　（乙不動産）　（相続債務）　（総体的　（法定相続分）
　　　　　　　　　　　　　　甲不動産）　預金債権）　　　　　　　　　　　　　　遺留分率）

2　遺留分を算定するための財産

　遺留分の割合（遺留分率）を，遺留分を算定するための財産（遺留分算定の基

礎財産）の額に乗じることで遺留分の額が算定される。遺留分を算定するための財産の額は，被相続人が相続開始の時において有した財産の価額に，贈与した財産の価額を加えた額から，債務の額を控除して算定される（▶1043条1項）。

$$
遺留分を算定する\atop ための財産 \; = \; {被相続人が相続開始の時に\atop おいて有した積極財産\atop (遺贈された財産を含む)の価額} \; + \; {贈与の目的の\atop 価額} \; - \; 相続債務の額
$$

被相続人が相続開始の時において有した財産の価額 遺贈については，**Case 12-1**では，遺言者Aが死亡して遺贈が効力を生ずると同時に，甲不動産の所有権が受遺者Bに移転すると解されているが（★大判大正5・11・8民録22輯2078頁），その目的の価額は，遺留分の価額の算定においては被相続人が相続開始の時において有した財産と扱われ，遺留分を算定するための財産に含まれる。

死因贈与は，遺贈に関する規定が準用されることから（▶554条），贈与としてではなく，遺贈として遺留分を算定するための財産に含まれると解されている。

なお，遺留分を算定するための財産に，条件付権利および存続期間が不確定な権利が含まれる場合には，家庭裁判所が選任した鑑定人がその価額を評価する（▶1043条2項）。

生前贈与 被相続人による生前の贈与をすべて遺留分による制限の対象とする場合には，被相続人の処分の自由を過度に制限することになる。しかし，逆に贈与はすべて遺留分の制限の対象外とすれば，被相続人が死亡する直前に全財産を贈与した場合には遺留分権利者は全く遺留分を確保することができないこととなり，遺留分制度の趣旨に反する結果が生じる。そこで，被相続人の処分の自由と遺留分制度の趣旨を調和させるべく，一定の贈与のみを遺留分を算定するための財産に算入することとされている。

算入される贈与の範囲については，受贈者が相続人かそれ以外の者かにより異なる基準が設けられている。①受贈者が相続人以外の者の場合には，贈与は相続開始前の1年間にしたものに限り遺留分を算定するための財産に算入される（▶1044条1項前段）。②受贈者が相続人の場合には，相続開始前の10年間にした特別受益にあたる贈与（▶903条）が算入される（▶1044条3項）。③贈与者と受贈者の双方が遺留分権利者に損害を加えることを知ってなした贈与は，

①，②の期間制限にかかわらず算入される（▶1044条1項後段）。

　受贈者が相続人の場合において算入される特別受益にあたる贈与の期間制限は，相続開始前の1年間（上記①）ではなく10年間と長く設定されている（上記②）。これは，相続人に対する特別受益となる贈与は相続財産の前渡しの意味をもっていることが多いため，相続人間の公平性を図るために遺留分によって制限される範囲をより広くするべきとみられるためである。**Case 12-1**では，500万円の預金債権の贈与は，相続開始の5年前にされているが，受贈者Cは相続人であるから，同贈与が特別受益にあたれば遺留分を算定するための財産に算入される。

　受贈者が相続放棄，欠格，廃除により相続人の地位を失った場合には，1044条3項は適用されず，相続人ではない者への贈与として相続開始前の1年間にした贈与に限り算入される。

　当事者双方が遺留分権利者に損害を加えることを知ってなした贈与が期間制限なく遺留分を算定するための財産に算入される趣旨（上記③）は，意図的に遺留分を回避しようとしてなされた贈与から遺留分を守ることにある。もっとも，判例は，損害を加えることを知って贈与をしたと評価するには，客観的に加害の認識があったというだけでは足りず，将来にわたって財産が増加しないことの予見が必要であるという制限的な判断を示している（★大判昭和11・6・17民集15巻1246頁）。この基準によれば，相続開始前の10年より前になされた贈与が算入されるのは例外的事例に限られる。

生前贈与に類似した行為　生前贈与として遺留分を算定するための財産に算入されるのは，549条以下の贈与契約がなされた場合に限らない。生前贈与が算入される趣旨は，被相続人の財産が減少することにより遺留分が減少するのを回避することである。したがって，厳密に贈与といえなくても，被相続人の財産を減少させる無償処分がなされれば，遺留分を算定するための財産に算入することが遺留分制度の趣旨に合致する。そこで，贈与以外にも，無償の債務免除，財団法人の設立のための財産の拠出，信託の設定なども遺留分を算定するための財産に算入されると解されている（▶1044条類推適用）。同様に，共同相続人間での相続分の無償譲渡は，原則として贈与として遺留分を算定するための財産に算入される。例えば，被相続人Aが生前に夫Bが死亡し

たことによってBについて開始した相続において，A自らが共同相続人の1人と
して有する相続分を，他の共同相続人であるA・B間の2人の子C・DのうちC
に無償で譲渡した場合には，この相続分譲渡は，財産的価値がない場合を除き，A
について開始した相続においてAのCに対する贈与として，Dの遺留分を算定す
るための財産に算入される（★最判平成30・10・19民集72巻5号900頁：百選Ⅲ-64）。

　なお，被相続人が自己を被保険者としてした生命保険契約において保険金の
受取人を変更する行為は贈与ではないとされ（★最判平成14・11・5民集56巻8号
2069頁），遺留分を算定するための財産に算入されない。

**負担付贈与および
不相当な対価
による有償行為**　200万円を贈与すると同時に，受贈者には20万円の債
務を負担させるといった負担付贈与の場合，遺留分を
算定するための財産に算入されるのは，贈与の価額か

Further Lesson 12-1
▶▶▶▶▶　遺留分と信託の設定

　近年注目されているのが信託の設定と遺留分との関係である。例えば，被相続人
が所有する甲不動産（時価1000万円）について受託者Aとの間で信託を設定する契
約をし，甲の所有権がAに移転し，Aは被相続人の息子B（受益者）に月額5万円
を10年間給付することとされたとする。このように被相続人が生前に信託を設定し
た場合には，1044条の類推適用により，贈与と同様に，その対象財産の価額は遺留
分を算定するための財産に算入され，遺留分権利者は信託の設定された財産を含め
た財産を基礎にして遺留分を確保することができ，これにより信託による遺留分の回
避を防ぐことができるというのが実務および学説においてほぼ一致した立場である。
　もっとも，信託が設定された場合，遺留分を算定するための財産に算入される財
産は何かについては争いがある。算入される財産については，信託財産とする立場
（上の例では甲の時価1000万円が基本となる）と，受益権（上の例では月額5万円
をもとに算定）であるとする立場に分かれる。遺留分権利者の確保する遺留分の額
を安定的なものとするには信託財産を基本にするのが妥当である。しかし，遺留分
制度においては，遺留分権利者の利益のみではなく被相続人の財産処分の自由やそ
れにより実現される利益を尊重する観点も重要とみられている。このような観点か
らは，信託財産を算入するべきとする立場は説得力を欠くということになる。2018
年相続法改正前の遺留分制度についての下級審裁判例では，信託財産（上の例では
1000万円が基本）ではなく受益権（上の例では月額5万円が基本）を遺留分減殺請
求（2018年相続法改正前）の対象とするべきであるとの判断を示したものがある
（★東京地判平成30・9・12金法2104号78頁）。

ら負担の価額を控除した180万円である（▶1045条１項）。算入されるのは，被相続人の財産を減少させる無償処分であり，売買などのように対価のある有償行為は，被相続人の財産を減少させないから算入されない。もっとも，対価が不相当に少ない場合には，被相続人の財産を減少させることになる。そこで，不相当な対価による有償行為は，負担付贈与と同じように扱われる（▶同条２項）。例えば，被相続人が1000万円相当の不動産を100万円で売却した場合には，不相当な対価である100万円を売買の価額の1000万円から控除した900万円が遺留分を算定するための財産に算入される。

算定の基準時　遺留分を算定するための財産に算入される財産の評価の基準時は相続開始時と解されている。この立場は相続開始時に遺留分侵害額請求権が発生すること，相続開始時を基準時とすることで侵害額が早期に確定することから学説において多数説となっている。贈与が算入される場合については，1044条２項が904条を準用していることから，贈与の目的物が受贈者の行為によって減失した場合，価額の変動があった場合などにも，相続開始時に原状のままであるものとみなして価額が算定される。なお，遺留分を算定するための財産に算入されるのが贈与された金銭の場合には，贈与の時点での金額を相続開始時の貨幣価値に換算した価額で評価する（★最判昭和51・３・18民集30巻２号111頁）。

債務の控除　遺留分を算定するための財産の額は，相続開始時に被相続人が有した財産の価額に一定の贈与の価額を算入し，そこから相続債務の額を控除して算定する。つまり，相続債務の額を控除した純資産の一定割合の金銭による取り分が遺留分である。

3　遺留分侵害額の算定

　遺留分を算定するための財産に個別的遺留分率を乗じることで，個々の遺留分権利者の遺留分の額（個別的遺留分額）が算出される（➡360頁）。各遺留分権利者は，個別的遺留分額を確保することができるが，実際に請求することのできる額（遺留分侵害額）は，個別的遺留分額が遺贈や贈与等により侵害された限度である。個別的遺留分額から遺贈や贈与等の額を控除することにより，遺

留分侵害額が算出される。

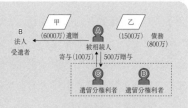

Case 12-2 被相続人Aは，甲不動産（時価6000万円）をB法人に遺贈するという内容の遺言をし，死亡する5年前には500万円の預金債権を息子Cに贈与した。Aは，甲不動産の他，乙不動産（時価1500万円）を所有していたが，800万円の債務を負っていた。Aの相続人は息子C・娘Dであったが，CはAの事業を手伝い，Aの財産を100万円増加させることに寄与していた。CおよびDの遺留分侵害額はいくらか。

遺留分侵害額は以下のようにして算定される。

① **控除される財産の額：遺留分権利者が遺贈・贈与および相続により取得する財産の額**　遺留分侵害額を算定するには，個別的遺留分額から，遺留分権利者自身が受けた遺贈・特別受益となる贈与の額（▶1046条2項1号）や相続により取得する財産の額（▶同項2号）を控除する。遺贈・特別受益となる贈与や相続により個別的遺留分額が満たされている部分については，遺留分が侵害されているとはいえないからである。**Case 12-2**では遺留分権利者Cが被相続人Aから500万円の特別受益にあたる贈与を受けているから，Cの個別的遺留分額から500万円を控除する（▶同項1号）。さらに相続により取得する財産の額も控除されるが，これは特別受益を考慮した具体的相続分をもとに算定した額である（▶同項2号。下記の式参照）。**Case 12-2**では，特別受益であるCへの贈与を考慮した具体的相続分をもとにして算定すると，Cの取得する遺産の額は500万円，Dについては1000万円である。CおよびDの個別的遺留分額から，これらの額を控除する。

特別受益を考慮した具体的相続分に応じて取得する遺産の額
（1046条2項2号の計算―903条・904条による）

C：（500万＋1500万）×1/2－500＝500万円
D：（500万＋1500万）×1/2＝1000万円

なお，CがAの事業を手伝うことによりAの財産の増加に寄与していたという事情は，遺留分侵害額の算定に影響を与えない。特別受益とは異なり，寄与分については，その額は相続開始時に決まっておらず，904条の2の手続に

よって定められること，遺留分侵害額請求事件は訴訟事件であるところ，寄与分についての事件は審判事件であり（▶家事別表二-14），争いがある場合には寄与分の額は家庭裁判所の審判において定めるべきであり，遺留分侵害額請求の訴訟においてその額を定めることができないことが理由である。遺留分侵害額の算定では寄与分を考慮せずに特別受益のみを考慮した具体的相続分をもとにして遺留分権利者が取得する額を控除することについては条文上明らかにされている（▶1046条2項2号）。

　② **債務の額の加算**　　次に，①によって算定された額に，各遺留分権利者が負担する相続債務の額を加算する（▶同項3号）。個別的遺留分額は，相続債務を控除した純資産の一定額であるところ，遺留分権利者が相続債務を負担する場合には，その額を加算した額を遺留分侵害額として請求しなければ，個別的遺留分額の全額を確保することができないからである。各遺留分権利者が負担する相続債務の額は，相続分の指定がない場合には法定相続分による。相続分の指定がある場合には，相続人間では指定相続分に応じて債務を負担することになる。もっとも，相続分の指定があっても，債権者は，指定相続分に応じた債務の承継を承認していない限り，法定相続分に応じた履行を請求することができる（▶902条の2）。この場合には，自己の指定相続分に応じた額を超えて弁済した相続人は，他の共同相続人に求償することができる。先例によると，遺留分侵害額の算定は，指定相続分に応じた債務の承継額を基準とする（★最判平成21・3・24民集63巻3号427頁：百選Ⅲ-93）。つまり，遺留分侵害額の算定においては，共同相続人の内部における債務の負担額を基準とするのである。**Case 12-2**では，相続分の指定がないから，C・Dが法定相続分に従って，相続債務800万円を1/2に応じて承継した額である400万円を加算する。これに対して相続分の指定がある場合には，指定相続分に応じて各遺留分権利者が承継する債務の額を加算する。

Cの遺留分侵害額：（遺留分を算定するための財産 $\underbrace{6000万＋500万＋1500万－800万}$）$×1/2×1/2\underset{\text{個別的遺留分額}}{\underbrace{}}\underset{\text{1号}}{－500万}\underset{\text{2号}}{－500万}\underset{\text{3号}}{＋400万}＝1200万円$

Dの遺留分侵害額：（遺留分を算定するための財産 $\underbrace{6000万＋500万＋1500万－800万}$）$×1/2×1/2－1000万＋400万＝1200万円$

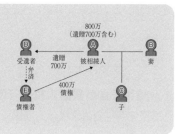

⬛ Case 12-3 被相続人Aには相続人として妻B, 子Cがいた。Aは700万円をDに遺贈するという内容の遺言をして死亡した。Aの財産はDに遺贈した700万円を含めた800万円であり, その他AにはEに対する400万円の債務があった。Dは同債務をEに弁済した場合にB・Cから請求される遺留分侵害額の減額を主張できるか。

③ **受遺者・受贈者が債務を消滅させた場合の扱い** 400万円の相続債務は, 相続分の指定がなければ, 相続開始時にB・Cに法定相続分に応じて200万円ずつ帰属する。しかし **Case 12-3** では, 債務を負わない受遺者Dが弁済しようとしている。DがB・Cの承継した相続債務を弁済する実益があるのは, 例えばDがAから事業を承継し, 相続債務がAの事業から生じていた場合である。事業承継者であるDにとっては, 債務を承継したB・Cの弁済を待たずに自ら弁済した方が事業を円滑に遂行することができる場合がある。相続債務を受遺者DがEに第三者として弁済した場合には (▶474条), DはB・Cに対して弁済した400万円について求償権を有する (▶702条〜704条)。この場合には, 相続債務を終局的にはB・Cが負担することになるから, 遺留分侵害額の算定において, 各自が負担する債務を加算することとなる (▶1046条2項3号)。

B・Cの遺留分侵害額は, 各250万円である。計算式は次のようになる。

$$\text{B・Cの遺留分侵害額}: \underbrace{\overbrace{(800万-400万)}^{\text{遺留分を算定するための財産}} \times 1/2 \times 1/2}_{\text{B・Cの個別的遺留分額}} - \underbrace{(800万-700万) \times 1/2}_{\substack{\text{B・Cが相続により}\\ \text{取得する額}\\ (2号)}} + \underbrace{(400万 \times 1/2)}_{\substack{\text{B・Cが負担}\\ \text{する債務の額}\\ (3号)}} = 250万円$$

もっとも, 相続債務を消滅させたDがB・Cに意思表示をすることで, 遺留分侵害額の算定においてB・Cが負担する債務を消滅させ, 同時にDのB・Cに対する求償権を消滅させることができる (▶1047条3項)。この場合には, 遺留分侵害額の算定において債務の額を加算する必要はなく, B・C各自の遺留分侵害額は50万円 ｛100万円 (個別的遺留分額) −50万円 (相続により取得する額)｝である。これにより, DがB・Cに対して求償する手間を省くことができる。これは, Dの求償権を自働債権とし, 遺留分侵害額請求権を受働債権として対

当額で相殺した場合と同様の結果をもたらす。

4 遺留分侵害額請求権の行使

1 遺留分侵害額請求権の行使方法

遺留分侵害額請求権は形成権であり，遺留分権利者が受遺者・受贈者等に対して遺留分侵害額請求権の行使の意思表示をすれば，受遺者・受贈者等に対する遺留分侵害額に相当する額の金銭債権が発生する。

2 請求権者と相手方

遺留分侵害額の請求権者は，遺留分を侵害された遺留分権利者とその承継人である（▶1046条 1 項）。承継人は遺留分権利者の包括承継人（相続人・包括受遺者）および特定承継人である。遺留分侵害額請求の相手方は，遺留分を侵害する遺贈や贈与を受けた者（受遺者・受贈者）である。相手方となる受遺者には，遺留分を侵害する特定財産承継遺言により財産を承継した相続人，遺留分を侵害する相続分指定を受けた相続人が含まれる（▶1046条 1 項）。

3 請求の順序

> 🔲 **Case 12-4** 被相続人Ａが死亡し，相続人は息子Ｂのみであった。ＡはＣに全財産である200万円を遺贈するという内容の自筆証書遺言をしていた。またＡは死亡する 2 か月前に，Ｄに400万円の贈与，Ｅには100万円の贈与をし，死亡する10か月前にはＦに500万円の贈与をしていた。Ｂは誰に対してどれだけの遺留分侵害額請求権を行使することができるか。

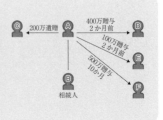

遺留分を侵害する遺贈（相続分指定・特定財産承継遺言による財産の承継を含む）や贈与が複数なされた場合には，遺留分侵害額の請求の順序は次のようになっている（▶1047条 1 項）。

① **受遺者が受贈者より先に負担** 遺贈と贈与がなされた場合には受遺者が受贈者より先に遺留分侵害額を負担する（▶同項 1 号）。つまり，遺留分権利

者は，まず受遺者に対して請求し，これによっても遺留分侵害額を満たすことができない場合にのみ受贈者に請求することができる。**Case 12-4**では，Bは，遺留分侵害額である600万円│(200万＋400万＋100万＋500万)×1／2│の支払を受遺者Cに請求することができる。Cへの遺贈の額は200万円であり遺留分侵害額に満たないから，Bはさらに受贈者Dらにも請求をすることができる。受遺者が受贈者に優先するとされているのは，受遺者は相続開始により初めて財産を取得するのに対して，受贈者は，死因贈与の場合を除くと，相続開始より前に財産を取得し，長期間経過後の遺留分侵害額の請求が取引の安全をより大きく害するとみられるからである。

　② **後になされた贈与の受贈者が先に負担**　同様の理由で，贈与が複数なされた場合には，後になされた贈与，つまり相続開始により近い時期になされた贈与の受贈者が他の受贈者より先に遺留分侵害額を負担する（▶同項3号）。遺留分権利者は，相続開始時に最も近い時期になされた贈与の受贈者に対して請求し，これによっても遺留分侵害額を満たすことができない場合には，順次それより以前の受贈者に対して請求することができる。**Case 12-4**では，Bは，相続開始の10か月前になされた贈与の受贈者Fよりも相続開始の2か月前になされた贈与の受贈者D・Eに先に請求しなくてはならない。

　③ **死因贈与**　死因贈与は，相続開始により受贈者が財産を取得するという点では遺贈に性質が近いが，贈与契約の締結時に権利義務が発生しているという点で遺贈とは異なる。そこで，請求の順序については明文の規定を欠くが，死因贈与を遺贈と贈与の間に位置づけるのが実務の扱いである。

　④ **複数の遺贈・贈与**　複数の遺贈があるとき，または複数の贈与が同時になされたときには，遺留分権利者は，複数の受遺者または受贈者に対して，その遺贈または贈与の目的の価額の割合に応じた額の遺留分侵害額請求権を行使することができる（▶同項2号）。Bは，600万円の遺留分侵害額のうち，受遺者Cに支払を請求するべき200万円を除いた400万円について，D・Eの贈与の価額（400万円・100万円）の割合に応じて，Dに320万円，Eに80万円の遺留分侵害額を請求することができる。

　なお，Cが無資力であるために200万円の弁済を受けることができなかった場合の損失はBが負担するので（▶1047条4項），BがD・Eに対して請求しう

る支払の額は変わらない。

4　遺留分侵害額請求の負担の限度

　受遺者または受贈者等は，遺贈，贈与等の目的の価額を限度として遺留分侵害額を負担する。ただし，遺留分を侵害する遺贈，贈与等を受けた者が遺留分権利者である場合には，遺留分権利者自身の個別的遺留分を確保する必要があるので，負担の限度は，遺贈または贈与等の価額からその者の個別的遺留分額を控除した価額である（▶1047条1項）。

5　請求権の行使の方法

　遺留分侵害額請求の事件は遺産分割とは異なり審判事件ではないから，遺留分権利者は家庭裁判所の審判による解決を求めることができず，地方裁判所に訴えを提起することができる。もっとも遺留分侵害額請求権は必ずしも訴えによらなければならないのではなく，裁判外での相手方に対する意思表示によって行使することもできる。

　訴えを提起する場合について，遺留分侵害額請求の事件は「その他家庭に関する事件」（▶家事244条）であるから，調停前置主義が妥当し，遺留分権利者は訴えの提起の前にまず家庭裁判所に調停を申し立てなくてはならず，調停委員の関与の下での話合いによる解決が目指される（▶家事257条）。

6　遺産分割協議の申入れと期間制限

　遺留分権利者が受遺者または受贈者である共同相続人に対して遺産分割協議を申し入れたときには，遺留分侵害額請求権が行使されたとみてよいか。遺留分権利者が遺産分割協議を申し入れたとしても，これとは別に遺留分侵害額請求権を行使する意思表示をしなければ，遺留分侵害額請求権が短期の消滅時効により消滅することになるかという点で問題となる（▶1048条）。遺産分割協議の申入れは，遺産分割の対象となる財産の最終的な帰属先を共同相続人間で決めることを目的とするのに対して，遺留分侵害額請求権の行使は，受遺者または受贈者に対する金銭債権を発生させることを目的としている。このように遺産分割協議の申入れと遺留分侵害額請求権の行使とは目的を異にしているか

ら，遺産分割協議の申入れがなされただけでは，遺留分侵害額請求権を行使する意思表示がなされたとみるべきではなく，遺留分侵害額請求権が時効消滅しうるとみるのが原則である。

　もっとも，被相続人が全財産の遺贈をして死亡した後に，遺留分権利者が遺贈の効果を争わずに共同相続人である受遺者に遺産分割協議の申入れをしたという場合が問題となる。この場合には，相続に際して遺留分権利者が受遺者に主張できるのは遺留分侵害額請求のみであり，遺産分割協議の申入れをしたとしても，その内容は，実質的には遺留分侵害額請求である場合があるとみられる。したがって，このような場合には，例外として遺産分割協議の申入れを遺留分侵害額請求権の行使の意思表示と解することが可能であるとみられる（★最判平成10・6・11民集52巻4号1034頁：百選Ⅰ-24。ただし，2018年相続法改正前の遺留分減殺請求権の事案である）。

7　遺留分侵害額請求権と代位行使

> **Case 12-5**　被相続人Aは子B・Cを残して死亡した。Aは，同居してAの介護に尽くしたBに全財産にあたる1000万円を死亡する半年前に贈与していた。Aと長年疎遠であったCは借金を負い，債務超過の状態ではあったが，Bに対して遺留分侵害額請求権を行使しなかった。Cの債権者Dは，Cの遺留分侵害額請求権を代位して行使できるか。

　遺留分侵害額請求権が債権者代位の目的となるか否かが問題となる。ここで問題となるのは，遺留分侵害額請求権は，婚姻・離婚・養子縁組等と同様に遺留分権利者の一身に専属する権利として債権者による代位行使が認められないかということである（▶423条1項ただし書）。

　判例は，2018年相続法改正前の遺留分減殺請求権について，遺留分権利者がこれを第三者に譲渡するなどして権利行使の確定的意思を表明したとみられる特段の事情のない限り，原則として債権者代位の目的とならないとの判断を示している（★最判平成13・11・22民集55巻6号1033頁：百選Ⅲ-96）。その理由としてあげられているのは，①遺留分制度では被相続人による遺留分を侵害する処分を有効としつつ，遺留分を確保するかどうかを専ら遺留分権利者の意思決定に委ねていることから，遺留分減殺請求権は423条1項ただし書における一身

専属権にあたるということ，②債務者が相続により財産を取得するか否かは，遺産の有無や相続放棄をするかどうかに左右され不確定であり，相続人の債権者がこれを共同担保として期待するべきではないことであった。

　しかし，②の理由づけは，被保全債権の発生後に債務者が取得した権利も代位の目的になりうると一般的に解されていることから，説得的ではないとの批判がある。他方で①については，遺留分侵害額請求権（改正前は遺留分減殺請求権）の行使の決定においては，遺留分権利者が自らの家族関係や財産状況を考慮した自由な意思決定をすることは尊重されるべきとの観点から，他人である債権者が決定に介入するのは妥当ではないとして，学説において支持する立場がある。この立場からは，**Case 12-5**では，遺留分侵害額請求権の行使についてのCの決定は，たとえ債務超過の状況にあったとしても尊重されるべきであり，債権者DがCの意思に反して遺留分侵害額請求権を代位行使することはできないということになる。さらに，遺留分侵害額請求権は，遺留分権利者の意思表示によって金銭債権を発生させる形成権であることも，その行使を遺留分権利者の自由な意思決定を尊重するべきことの根拠の1つとみられている。このようなことから，遺留分侵害額請求権は，遺留分権利者の一身に専属する権利として債権者代位の目的にはならないとみるのが判例を支持する見解である。これに対して債務超過にある遺留分権利者の意思決定の自由を特別に尊重するべきではなく，また形成権であることは代位行使を否定する根拠にはならないとして遺留分侵害額請求権の代位行使を肯定する立場も主張されている。

8　支払期限の許与

　遺留分侵害額を請求された受遺者や受贈者に，即時に弁済するための十分な資力がない場合の不利益を回避するために，受遺者や受贈者の請求により，裁判所が支払について期限の許与を命じることができることとされている（▶1047条5項）。期限の許与を命じる基準については明文化されていないが，遺留分侵害額の即時の支払が受遺者や受贈者にとって相当に酷であるとみられる場合には期限の許与を認めてよいと考えられる。例えば，支払のために居住している不動産や事業用の資産を売却しなければならないといった事情は許与を認める判断につながるであろう。他方で，受遺者や受贈者の事情だけではな

く，遺留分権利者にとって生活のために遺留分の確保が必要であるといった事情も考慮するべきである。

5　遺留分侵害額請求権の消滅と制限

1　時効・除斥期間

期間制限の趣旨　遺留分侵害額請求権は，遺留分権利者が相続の開始および遺留分を侵害する贈与または遺贈があったことを知った時から1年間行使しないときは消滅する（▶1048条1文）。相続開始から10年が経過したときも，遺留分侵害額請求権は消滅する（▶同条2文）。1年の期間は消滅時効，10年の期間は除斥期間であると解されている。遺留分侵害額請求権について特別に短期の期間制限が設けられている趣旨は，相続紛争を早期に解決し，法律関係を安定させることである。

　時効に服するのは，形成権としての遺留分侵害額請求権のみである。つまり，遺留分侵害額請求権を行使することによって生じる金銭債権は，1048条ではなく民法総則の消滅時効の規定により，遺留分権利者が権利を行使できることを知った時から5年または権利を行使できる時から10年で消滅する（▶166条1項）。

時効の起算点　時効の起算点となる「知った時」とは，遺留分権利者が相続の開始および贈与または遺贈の存在を認識しただけではなく，その贈与または遺贈によって遺留分が侵害されたことを認識した時点である。したがって，遺留分権利者が贈与または遺贈の存在を知っていたとしても，それが遺留分を侵害するほどの財産を目的としていたことを知らなかったという場合には，時効は進行しない。

2　遺留分侵害額請求権の事前放棄

　相続開始後に遺留分権利者が遺留分侵害額請求権を放棄するのは自由である。これに対して相続開始前における遺留分の放棄については，被相続人が遺留分権利者に圧力を加えて遺留分を放棄させるなどして遺留分制度が無意味なものとならないよう，制限が設けられている。遺留分を事前に放棄するために

は，家庭裁判所の許可が必要とされている（▶1049条１項，家事別表一－110）。

　遺留分権利者は，遺留分の事前放棄をしてもこれにより相続を放棄したことにはならないから，相続人としての資格を失わない。

　遺留分の事前放棄がされても，他の遺留分権利者の遺留分が増加するというわけではない（▶1049条２項）。したがって，遺留分権利者が未成年者である場合に，自らも遺留分権利者である親権者が未成年者の代理をして遺留分の事前放棄の許可審判の申立てをしたとしても，これにより親権者の遺留分が増加するのではないから，これが利益相反行為にあたるとはいえない。もっとも，親権者が遺留分を侵害する贈与や遺贈を受けていたという場合には，利益相反行

✒ Topic 12-2
遺留分制度と家族の多様性

　法律上遺留分権利者であるといっても，被相続人との家族関係は多様である。被相続人と同居して共同で事業を行い介護にも尽くした相続人が遺留分を確保する場合には，遺留分がまさに期待された機能を果たしているといえる。これに対して，被相続人とは長年別居し，独立した生活を築いており被相続人の財産の維持増加に貢献していない相続人が遺留分を確保する場合には，遺留分が期待された機能を果たしているとはいえない。むしろ遺留分により被相続人の財産処分の自由を制限することが妥当かどうか疑われることにもなりうる。とりわけ，被相続人が介護や事業の手伝い等により寄与した相続人に対して寄与に報いる目的で遺贈をしたところが，この相続人が他の相続人に遺留分侵害額を請求されるというような場合に，遺留分によって被相続人の財産処分の自由を制限することへの疑問が生じることとなる。そこで，遺留分制度を縮小したり柔軟化したりすることにより，被相続人の処分の自由を拡張し，家族の多様性に応じた遺留分制度を築こうとする動きがヨーロッパの相続法でみられる。例えば，スイスでは遺留分割合を引き下げたり，尊属の遺留分を廃止したりすることで，被相続人が内縁配偶者や配偶者の連れ子などの遺留分権利者ではない者に遺留分の制限なく遺贈できる範囲を拡張する相続法改正が進められている。また，オーストリアでは，被相続人と疎遠な関係にある遺留分権利者の遺留分の額を減額したり，逆に被相続人に介護などで寄与した者の遺留分を増額したりする制度が設けられている。家族の多様性に対応した具体的な妥当性を求める遺留分制度と，相続紛争において明確な基準を設ける画一的な遺留分制度のどちらに進むべきか，あるいは両方をどのように調和させるかが今後の相続法の課題であるといってよい。

為が問題となり，未成年者の遺留分の事前放棄について代理をするには特別代理人の選任が必要である（▶826条1項）。

3　遺留分侵害額請求権の行使の濫用

遺留分侵害額請求権も権利一般についてと同様に，権利の濫用と判断されればその行使が認められない。遺留分侵害額請求権については，特に遺留分権利者と被相続人との家族関係に基づいて濫用性が評価される傾向がある。

2018年相続法改正前の遺留分減殺請求権についての裁判例において，その行使が権利の濫用と判断されたものとして，例えば，被相続人が，高齢で病身の被相続人と同居して介護に尽くした一方の養子に全財産を遺贈したのに対して，25年間音信不通の状態であった他方の養子が遺留分減殺請求権を行使した事例について，遺留分制度の趣旨に反し権利の濫用として許されないと判断されている（★名古屋地判昭和51・11・30判時859号80頁）。また，被相続人の甥が被相続人のために農業に従事して扶養にも尽くしていたのに対して，被相続人と長年接触なく被相続人の死亡時に葬儀にも参加しなかった養子が，被相続人に

Further Lesson 12-2
▶▶▶▶▶ 事業承継を保護するための遺留分の制限

2008年に成立した「中小企業における経営の承継の円滑化に関する法律」によると，遺留分侵害額を算定するにあたって，中小企業の代表者の死亡に伴う遺留分のうち，後継者が取得した事業用資産や株式等の価額を，遺留分を算定するための財産に算入しないとする特例が，相続人および後継者全員の合意により認められる（▶同法4条1項1号）。また，後継者の取得した株式等を遺留分を算定するための財産に算入するときは，上記と同様の合意により，算入する価額を相続開始時ではなく合意時とすることができることとされている（▶同項2号）。これにより，後継者が遺留分の負担額を早期に予測して対応でき，事業価値が上昇することでかえって後継者が多くの遺留分を負担する事態を回避できるようになっている。この合意は家庭裁判所の許可により効力を生じる（▶同法8条1項）。

このようにして，遺留分制度は，遺留分と対立する事業承継などの利益を保護するために，遺留分侵害額の算定の面で一定の制限が設けられている。遺留分制度においては，遺留分権利者の利益のみではなく，遺留分と対立する利益への配慮が求められている。

よる甥への贈与を知って遺留分減殺請求権を行使した事例について，遺留分制度の趣旨に悖るとし権利の濫用であるとの判断が示されている（★仙台高秋田支判昭和36・9・25下民集12巻9号2373頁）。

　被相続人と遺留分権利者の関係が疎遠である状況で，被相続人に介護や共同事業等で寄与した者に対して遺贈や贈与がなされた場合に遺留分侵害額請求権を行使することは遺留分制度の趣旨に反するとして濫用とみられる傾向がみられる。

第13章　特別の寄与

1　制度趣旨

> ⚡**Case 13-1**　被相続人Aは2000万円を残して無遺言で死亡した。相続人は子B・
> Cであった。Bの妻Dは，Aが死亡するまでの5年間，Aの介護に尽くしていた。
> Dが，Aの残した2000万円から一定額の支払を請求しようとする場合に，どのよう
> な法的根拠が考えられるか。

　Bは被相続人Aの子であり第1順位の相続人であるから（▶887条1項），A
の財産を相続できる。しかし，Bの妻Dは，Aの相続人ではないから，AがD
に財産を与える旨の遺言でもしていない限り，Aの財産を取得することはでき
ない。このような結果は，たとえ相続人ではない者によるとしても，被相続人
のためにした貢献を被相続人の財産によって報いることが当事者の意思に合致
し公平であるとして，妥当ではないとみられている。特に高齢社会において介
護労働は重要と評価されるようになり，介護者の働きを相続法において評価す
るべきとの声が強くなった。このような考え方を背景に，2018年の相続法改正
により，特別の寄与の制度が設けられた（▶1050条）。これによると，相続人で
はない者（被相続人の親族）で，被相続人を介護したり，被相続人の経営する事
業を手伝ったりするなどして，被相続人の財産の維持または増加に特別の寄与
をした者は，寄与に応じた金銭（特別寄与料）の支払を，相続人に対して請求
することができる。

　Case 13-1において，相続人ではないDは，相続人であるB・Cに対して特
別寄与料を請求することができる。ただし，特別寄与料を請求することができ
る者の範囲には制限がある（➡次頁を参照）。

2　特別寄与料請求の要件

1　特別寄与者

　特別の寄与の制度は，相続開始後に利益を得る者の範囲を相続人ではない者に拡張する意義をもつ。しかし，この制度によって利益を受ける，相続人ではない者の範囲は無制限ではない。

　親　　族　特別寄与料を請求できる者の範囲は，被相続人の「親族」に限定され（▶1050条1項），6親等内の血族，配偶者，3親等内の姻族である（▶725条）。例えば，従兄弟の孫は6親等の血族であり，妻の叔父は3親等の姻族であるから特別寄与者となりうる。**Case 13-1**のDのように，被相続人Aの子Bの妻（被相続人からみて嫁）は，1親等の姻族であり特別寄与者となりうる。また，被相続人の配偶者の連れ子も，被相続人の1親等の姻族であり，特別寄与者となりうる。これに対して，被相続人の内縁の配偶者や事実上の養子は，民法上親族ではないから，特別寄与者ではない。

　特別寄与者の範囲を親族に限定したのは，相続開始後の紛争の増加や複雑化

📖 **Topic 13-1**
寄与分制度における相続人の履行補助者の構成

　1050条が設けられる前には，相続人ではない者が被相続人のためにした貢献を，その者と近しい関係にある相続人の寄与と評価して，寄与分制度において相続人の取得する財産に上乗せする構成が，裁判例において広く認められてきた（★東京家審平成12・3・8家月52巻8号35頁。履行補助者構成）。そして，学説によると，1050条は履行補助者の構成に基づく主張を妨げないとされる。その理由については，特別寄与者による特別寄与料の請求には期間制限があるなど（▶1050条2項ただし書），特別寄与料を請求できない場合でも寄与分制度において寄与を考慮する意義があり，また，遺産分割において相続人ではない者の特別の寄与を考慮した一回的解決は，特別寄与者自身が望むのであれば否定する必要はないからである，と説明されている。これによると**Case 13-1**では，Dは，1050条により自らB・Cに対して特別寄与料を請求するか，または，904条の2により履行補助者としてのDの貢献に基づく寄与分を，Cとの遺産分割においてBに主張してもらうかの，いずれかを選択することができる。

を回避するためである。確かに，特別寄与者となりうる者の範囲が無制限であれば，相続人と特別寄与者の紛争が多くなる。しかし，特別寄与者を親族に限定するのは，相続人ではない者であっても被相続人のためにした貢献が報いられるようにするという制度趣旨に合致しないとの批判も提起されている（**➡ Further Lesson 13-1** を参照）。

相続人ではない者　被相続人の親族で，かつ相続人である者は，相続人として被相続人の財産を承継することができ，特別の寄与がある場合には，遺産分割において寄与分の主張をすることができるから（▶904条の2），特別寄与料を請求する必要がない。したがって，相続人は特別寄与者の範囲から除かれている（▶1050条1項）。もっとも，法定相続人ではあるが，自身より順位の高い法定相続人がいるために，相続人とはならない者も，特別寄与者に含まれる。例えば，被相続人が子と妹を残して死亡した場合には，第1順位の子のみが相続人であり，第3順位の相続人である妹は，相続人ではないから被相続人の財産を相続することはできないが，特別寄与者として特別寄与料を請求しうる。

　法定相続人が相続欠格または廃除によって相続権を失った場合にも，特別寄与者とはなり得ない。被相続人の財産を相続するのにふさわしくないと判断された者は，同時に特別寄与料を取得するのにもふさわしくないと判断されるからである。相続放棄をした者も，放棄は相続財産の取得を拒否する意思でなされるから，特別寄与者とはならない。

2　特別の寄与

　特別寄与者は，被相続人の財産の維持または増加について「特別の寄与」をした者でなくてはならない。特別の寄与の方法として，「療養看護その他の労務の提供」があげられているが，具体的には，被相続人の介護をしたり，被相続人の経営する事業を手伝ったりしたことが典型例としてあげられる。また，特別の寄与は無償でなされたものでなければならない。寄与に対して被相続人から対価を得ている者は，これによって寄与が報いられるため，これに加えて特別寄与料を請求する必要はないからである。もっとも，なされた寄与に比して対価が少ない場合には，寄与が完全には報いられていないから，不足部分に

図表13-1 特別の寄与の制度，寄与分制度，特別縁故者制度

	請求権者	請求の要件	請求の相手方
特別の寄与 （1050条）	親族（相続人ではない者）に限定される	親族（相続人ではない者）が特別の寄与をしたこと	相続人
寄与分 （904条の2）	相続人	共同相続人の中の一部が特別の寄与をしたこと	共同相続人
特別縁故者 （958条の2）	被相続人と特別の縁故があった者。親族ではない者も含む	相続人がいることが明らかではないこと。請求権者が被相続人の特別縁故者であったこと	家庭裁判所

ついて特別寄与料を請求することができる。

3 寄与分制度・特別縁故者制度との比較

Case 13-2 (1) 被相続人Aは，2000万円を残して無遺言で死亡した。相続人は子B・Cであった。Bは，Aが死亡するまでの5年間，Aの介護に尽くしていた。これに対してCは，Aのために介護その他で貢献したことは一度もなかった。
(2) Dは，2000万円を残して無遺言で死亡した。Dには親族がいなかったが，死亡するまでの20年間を内縁配偶者Eと暮らしていた。

寄与分制度との比較 特別の寄与の制度と似た制度として寄与分制度（▶904条の2）がある（➡294頁）。寄与分制度は，共同相続人中に特別の寄与をした者が，寄与に基づいて法定相続分を修正し，寄与した分だけ多くの財産を取得できるようにする制度である。**Case 13-2**(1)では，Bは介護による寄与に基づいてCとの遺産分割において，寄与分に基づいた相続分を主張することができる。寄与分制度は，共同相続人間で，実質的に平等になるよう寄与に応じて法定相続分を修正することを認める制度であるから，寄与分を主張できるのは共同相続人のみである。これに対して，特別の寄与の制度（▶1050条）は，相続人ではない親族が請求権者であるという点で，寄与分制度とは前提が異なる。

特別縁故者制度との比較 特別縁故者制度は，死者に相続人がいることが明らかではない場合に，死者と生前に近い関係にあった者が，残余財産の全部または一部の分与を家庭裁判所に請求できるとする制度である

（▶958条の2。➡257頁）。被相続人と「特別の縁故があった者」（特別縁故者）であれば分与を請求することができ，親族に限らず，内縁配偶者や事実上の養子，法人も請求しうる。**Case 13-2**(2)の内縁配偶者も，特別縁故者として財産の分与を請求することができる。これに対して，特別の寄与の制度（▶1050条）では，死者に相続人がいることを前提として，相続人に対して特別寄与料を請求することが認められ，請求権者は被相続人の親族に限定される。

　また，特別縁故者制度では，財産の分与を請求できる者は，被相続人と特別の縁故関係にあることを前提としているが，特別の寄与の制度とは異なり，特別縁故者が特別の寄与をしたことは請求の要件とはなっていない。

3　手　　続

> **⬛Case 13-3** **Case 13-1**の事例でDが，Aの残した2000万円のうち，200万円を特別寄与料として請求しようとする場合，どのような手続によるべきか。

遺産分割と別の手続　特別寄与料を請求する手続は，遺産分割手続（▶907条）とは別である。特別寄与料を請求しうる要件が整っている場合であっても，特別寄与者は遺産分割手続に介入することはできない。特別寄与料の請求の手続と遺産分割手続を分けたのは，遺産分割手続の長期化や複雑化を避けるためである。

　それでは，特別寄与者はどのように特別寄与料を請求するかであるが，特別寄与者は，特別寄与料を遺産分割外で相続人に対して請求することができる（▶1050条1項）。特別寄与料についての決定は，第1に当事者の協議により，第2に当事者の協議が調わない場合には家庭裁判所の審判による（▶同条2項。家事別表二-15）。**Case 13-3**では，相続人B・Cは遺産分割により遺産の2000万円を分割する。そしてこの遺産分割とは別に，特別寄与者Dは，相続人B・Cに対して特別寄与料を請求することができる。

寄与料の算定　特別寄与料の額は，当事者が協議で定めるが，当事者の協議が調わない場合には，家庭裁判所が特別寄与料の額を定めて支払を命じる（▶1050条2項）。その場合には，家庭裁判所は，1050条3項

の基準に従って裁量により，特別寄与料の額を定める。もっとも，特別寄与料の額は，被相続人が相続開始の時に有した財産の価額から，遺贈の価額を控除した残額を超えることができない（▶同条4項）。つまり，遺贈の支払が，特別寄与料の支払に優先する。

Case 13-3ではDは特別寄与料として200万円を請求しているが，協議または審判で特別寄与料が200万円と定められた場合には，B・Cは法定相続分に応じた各100万円を負担する（▶同条5項）。

Further Lesson 13-1
▶▶▶▶▶ **特別の寄与の制度における親族ではない者による寄与の評価**

　特別寄与料を請求できる特別寄与者は被相続人の親族であることが要件となっているため，被相続人と親族関係のない友人や隣人，被相続人の内縁配偶者（同性パートナーを含む）や事実上の養子，被相続人の親族の内縁配偶者等は，介護などによって被相続人の財産の維持・増加に寄与したとしても，特別寄与料を請求することはできない。しかし，親族ではない者でも，介護などによる寄与への対価として，被相続人の財産から利益を得る方法がいくつか考えられる。

　第1に，親族ではない者の寄与を，相続人の履行補助者による寄与と評価し，相続人が遺産分割において寄与分として請求する方法である（▶904条の2。前掲★東京家審平成12・3・8）。例えば，被相続人の息子Aの内縁配偶者Bが，被相続人を生前に介護していた場合には，Bの寄与をAの寄与分と評価することで，Aはより多くの財産を相続することができる。Aが多くの財産を相続することができれば，その内縁配偶者であるBは間接的に利益を得ることができ，自らの介護による寄与の対価を得る可能性がある（➡ **Topic 13-1**を参照）。

　第2に，親族ではない者も，寄与を理由として財産法上の請求権を行使できるとする構成である。例えば，被相続人との雇用契約に基づく請求権，事務管理に基づく請求権（▶702条1項）や不当利得返還請求権（▶703条）などである。

　第3に，親族ではない者に1050条を類推適用できるかが問題となる。もっとも，1050条は請求権者を明確に親族に限定していること，親族に限定した趣旨が無制限に請求権者を拡げることによる紛争の増加や複雑化を防ぐことであること，相続法においては明確な基準による画一的な解決が求められていることに鑑みると，類推適用は原則として認められないと考えられる。しかし，1050条は相続を直接に対象とした規定ではないから（相続人ではない者による特別寄与料の請求についての規定である），画一的な解決はそれほど強く要求されないとして，親族ではない者への類推適用は検討の余地があるのではないかということが学説において指摘されている。今後の裁判例や学説の展開が注目される。

期間制限　紛争の長期化を回避するため，家庭裁判所に対する特別寄与料の審判の申立ては，特別寄与者が相続の開始および相続人を知った時から6か月を経過したとき，または相続開始時から1年を経過したときは，することができないこととされている（▶同条2項ただし書）。

☑ *Exam*

　Aは，唯一の財産である甲不動産（時価6000万円）を，子Bに相続させるとする内容の特定財産承継遺言をして死亡した。Aの相続人は子B・C・Dであった。Aは，Eに対して3000万円の乙債務を負っていた。以下の各問は独立している。

問1　遺言が効力を生じた後，Bは，いつの時点で甲の所有権を取得するか。また，C・Dが書類を偽造してC・Dの共同相続であるように登記を備えた上で甲をFに売却し，移転登記がされた場合には，BはFに甲の取得を対抗することができるか。

問2　乙債務について，Eは，B・C・Dそれぞれに対していくらの額を請求しうるか。

問3　C・Dは遺産を相続できなかったことに基づいてBに対してどのような請求をすることができるか。

▶解答への道すじ◀

[問1]　特定財産承継遺言（➡349頁）は，遺産分割方法の指定の性質をもっている。受益相続人であるBが遺言者の死後に甲を取得する時期および他の共同相続人C・Dとの遺産分割が必要かどうかについては，判例が立場を明示している（➡349頁）。また，特定財産承継遺言による財産承継を第三者に対抗するための要件については，899条の2による。

[問2]　唯一の積極財産である甲をBに相続させるとする特定財産承継遺言は，相続分をB：C：D＝1：0：0と指定する相続分の指定がされたものとみることができる（➡349頁）。したがって，債務についても，Bが3000万円の債務をすべて承継するとみられる。しかし，このことをC・Dは債権者Eには対抗することができず，Eは法定相続分に応じた債務の履行を請求することができる（▶902条の2）。したがって，Eは，B・C・Dに対して1000万円ずつの債務の履行を請求することができる。もっともEが指定相続分による債務の承継を承認したときはこの限りではない。

[問3]　遺留分侵害額請求の問題である（➡357頁）。C・Dは，遺留分を侵害する特定財産承継遺言により財産を承継したBに対して，遺留分侵害額請求権を行使することができる（▶1046条1項）。遺留分を算定するための財産（遺留分算定の基礎財産）は6000万円－3000万円＝3000万円，個別的遺留分額は3000万円×1/2×1/3＝500万円である（➡360頁）。C・Dが相続等によって取得する額はゼロであり，遺留分侵害額を算定するために個別的遺留分額から控除する必要はない。また，遺留分侵害額の算定において加算する債務の額は共同相続人の内部における負担額（指定相続分に応じた額）によるため（➡366頁），C・Dの負担する債務の額はゼロとされ加算する必要がない。C・DはBに対して遺留分侵害額請求権を行使すると，それぞれ500万円の金銭債権を取得することとなる。

☑ *Hybrid Exam* --

　XとYの夫婦は，1990年に結婚し，1992年に子Aが，1994年に子Bが生まれている。Yは専業主婦である。

　1991年にXは住宅ローンを借りて自宅の土地・建物を購入し，Xの収入から住宅ローンを弁済し，2021年1月にはローンが完済している。この土地・建物ともに登記名義人はXである。2021年8月20日の時点で，自宅の土地・建物（以下，合わせて本件不動産とする）の時価は合わせて1800万円とする。Xには，その他に婚姻中に貯蓄した200万円の預貯金がある。

　Xは，自ら経営する事業のためにCから1200万円を借り入れていた。

　次の各問に答えなさい（それぞれ独立した問題である）。

問1　Xの債権者Cへの債務の弁済が滞っていた。そのため，Cは，不動産執行を申し立て，Xの所有する本件不動産を差し押さえた。

　　　Yは，専業主婦として家事労働によって配偶者Xの住宅ローン返済に貢献しており，本件不動産につき2分の1の共有持分を有しているとして，執行異議を申し立てることはできるか。

問2　2021年8月20日にXとYは離婚した。Yは，Xに財産分与としてどのような請求をすることができるのか。

問3　2021年8月20日に，Xが死亡した。Xは遺言を作成していなかった。Y・A・Bは，それぞれ何をどれだけ相続することになるのか。特別受益も寄与分もないものとする。

問4　Xは，2020年に遺言を作成し，本件不動産の土地・建物をYに遺贈していた。Y・A・Bは，それぞれ何を請求することができるのか。Y・A・Bは，相続放棄をしていないとする。

【解答への道すじ】

　本問は，個別の問題に答えるだけではなく，それぞれの結果を比較し，婚姻中に夫婦で形成した財産の帰属と清算について考えることを目的としている。

［問1］　法定夫婦財産制は，夫婦別産制である（➡57頁）。本件不動産について，判例によるとXの所得から住宅ローンを返済している，つまり対価を支出していることから，Xの特有財産であると考えられる（➡59頁）。そのため，Yは，本件不動産に共有持分を有することを理由に，執行異議を申し立てることはできない。判例・通説によると，主婦婚において夫婦別産制により妻に生じる不利益は離婚の際の財産分与，配偶者相続権によって調整されるとするが，問1ではXとYは離婚していないため，調整は機能しない。結果として，XのCに対する債務が消滅する代わりに，Yは，家事により取得に貢献した財産である本件不動産について何も得ることはできなくなる。

　　これに対して，共有制説および共有財産拡大説（➡58頁）をとるならば，Yは共有持分を有し，執行異議を申し立てることができると考えられる。

［問2］ 財産分与（▶768条）により，Yは，本件不動産について，潜在的持分の清算として（➡82頁），2分の1の共有持分（またはそれに相応する財産）を得ることができる。Xの預貯金200万円も，夫婦双方がその協力によって得た財産として，原則として2分の1の割合で清算され（➡86頁），Yは，100万円を取得する。また，財産分与では，夫婦の婚姻生活に関連する債務についてのみ，分与額の算定にあたり考慮される。そのため，債権者Cに対する1200万円の債務については，X自らの事業のために生じた債務のため，財産分与の算定において考慮されず，債務者はXのままである。

［問3］ 法定相続分は，配偶者Yが2分の1，子AとBがそれぞれ4分の1である（➡278頁）。遺産分割では，積極財産である本件不動産1800万円と預貯金200万円について，Yが1000万円，AとBが500万円ずつの割合で分割する。もっとも，Y・A・Bが遺産分割でこれとは異なる割合で分割する合意をすることもできる。これに対して，XがCに対して負っている1200万円の債務については，相続開始時に当然に分割され，各共同相続人がその相続分に応じてこれを承継する（➡286頁）。つまり，Yが600万円，AとBがそれぞれ300万円ずつの債務者となる。

　Yとすれば，相続によって本件不動産と預貯金の2分の1に相当する財産を得ることとなるが，問1の解説で述べた，主婦婚において夫婦別産制により妻に生じる不利益が調整されるだけである。問2と比較すると，Yは，夫婦双方が協力して取得した財産の清算と同じ価値しか取得しておらず，これ加えて相続によって何かを得たとはいえない。むしろ，財産分与では負わない債務をYは承継することになる。

［問4］ Yに1800万円相当の本件不動産が遺贈されている。共同相続人への遺贈は原則として特別受益として具体的相続分の算定において考慮される。しかし，XとYの婚姻期間が20年以上であるため，居住用不動産の遺贈について，持戻し免除の意思表示がなされたものと推定される（▶903条4項。➡294頁）。そのため，Xの別段の意思表示がなければ，Y・A・Bは，Y：A：B＝2：1：1の割合で，遺産分割の対象となる預貯金200万円を分割する（Yが100万円，AとBが50万円）。Xの債務については，Y・A・Bが問3と同様に相続する。

　さらに，AとBは，遺留分侵害額請求権を有する。遺留分侵害額の算定においては，持戻し免除の意思表示およびその推定は考慮されない。AとBの遺留分侵害額（➡365頁）の計算は次のとおりになる。2000万円－1200万円＝800万円（遺留分を算定するための財産。➡360頁）。800万円×1/2×1/4（個別的遺留分額）－50万円（相続により取得する財産の額）＋300万円（相続債務）＝350万円（遺留分侵害額）となる（➡365頁）。

　Yは，本件不動産の所有権は取得するが，相続債務600万円に加えて，AとBが遺留分侵害額請求をした場合にはさらに700万円を支払わなければならない可能性がある。

参考文献案内

1 教科書

中川善之助『親族法』（青林書院，1960年）

我妻栄『親族法』（有斐閣，1961年）

泉久雄『親族法』（有斐閣，1997年）

中川善之助・泉久雄『相続法〔第4版〕』（有斐閣，2000年）

伊藤昌司『相続法』（有斐閣，2002年）

内田貴『民法Ⅳ（親族・相続）〔補訂版〕』（東京大学出版会，2004年）

有地亨『新版家族法概論〔補訂版〕』（法律文化社，2005年）

床谷文雄・犬伏由子編『現代相続法』（有斐閣，2010年）

大村敦志『家族法〔第3版〕』（有斐閣，2010年）

二宮周平『家族法〔第5版〕』（新世社，2019年）

窪田充見『家族法〔第4版〕』（有斐閣，2019年）

高橋朋子・床谷文雄・棚村政行『民法7〔第6版〕親族・相続』（有斐閣，2020年）

我妻栄・有泉亨・遠藤浩・川井健・野村豊弘『民法3親族法・相続法〔第4版〕』（勁草書房，2020年）

常岡史子『家族法』（新世社，2020年）

犬伏由子・石井美智子・常岡史子・松尾知子『親族・相続法〔第3版〕』（弘文堂，2020年）

潮見佳男『詳解相続法〔第2版〕』（弘文堂，2022年）

松川正毅『民法 親族・相続〔第7版〕』（有斐閣，2022年）

前田陽一・本山敦・浦野由紀子『民法Ⅵ 親族・相続〔第6版〕』（有斐閣，2022年）

吉田恒雄・岩志和一郎『親族法・相続法〔第6版〕』（尚学社，2022年）

床谷文雄・神谷遊・稲垣朋子・小川惠・幡野弘樹『新プリメール民法5〔第3版〕』（法律文化社，2023年）

青竹美佳・羽生香織・水野貴浩『家族法〔第4版〕』（日本評論社，2023年）

2 演習

窪田充見・佐久間毅・沖野眞已『民法演習ノートⅢ 家族法21問』（弘文堂，2013年）

棚村政行・水野紀子・潮見佳男編『Law Practice 民法Ⅲ 親族・相続編〔第2版〕』（商事法務，2022年）

二宮周平『事例演習家族法』（新世社，2013年）

3　注釈書・全集

青山道夫・中川善之助ほか編『新版注釈民法 (21)〜(28)』（有斐閣，1989〜2013年），二宮周平編『新注釈民法 (17)』（有斐閣，2017年），潮見佳男編『新注釈民法 (19)〔第2版〕』（有斐閣，2023年）

大塚正之『臨床実務家のための家族法コンメンタール　民法親族編』『臨床実務家のための家族法コンメンタール　民法相続編』（勁草書房，2016・2017年）

松川正毅・窪田充見編『新基本法コンメンタール　親族〔第2版〕』『新基本法コンメンタール　相続』（日本評論社，2019・2016年）

能見善久・加藤新太郎編『論点体系判例民法9（親族）〔第3版〕』『論点体系判例民法10（相続）〔第3版〕』（第一法規，2019年）

本山敦編『逐条ガイド親族法』（日本加除出版，2020年）

松岡久和・中田邦博編『新・コンメンタール民法（家族法）』（日本評論社，2021年）

中川善之助教授還暦記念『家族法大系Ⅰ〜Ⅶ』（有斐閣，1959〜1960年）

谷口知平ほか編集代表『現代家族法大系Ⅰ〜Ⅴ』（有斐閣，1979〜1980年）

青山道夫ほか編『講座家族　第1巻〜第8巻』（弘文堂，1973〜1974年）

福島正夫編『家族　政策と法1〜7』（東京大学出版会，1975〜1984年）

星野英一編『民法講座7（親族・相続）』（有斐閣，1984年）

川井健ほか編『講座・現代家族法　第1巻〜第6巻』（日本評論社，1991〜1992年）

唄孝一『家族法著作選集　第1巻〜第4巻』（日本評論社，1992〜1993年）

岡垣学・野田愛子編『講座・実務家事審判法1〜5』（日本評論社，1988〜1990年）

野田愛子・梶村太市編『新家族法実務大系1〜5』（新日本法規，2008年）

二宮周平編『現代家族法講座　第1巻〜第5巻』（日本評論社，2020〜2021年）

4　専門書

中川善之助『身分法の総則的課題』（岩波書店，1941年）

川島武宜『イデオロギーとしての家族制度』（岩波書店，1957年）

野田愛子『家族法実務研究』（判例タイムズ社，1988年）

泉久雄『家族法論集』（有斐閣，1989年）

鈴木禄弥『親族法・相続法の研究』（創文社，1989年）

谷口知平『家族法の研究　上（親族法）・下（相続法）』（信山社，1991年）

大村敦志『民法読解　親族編』（有斐閣，2015年）

島津一郎『転換期の家族法』（日本評論社，1991年）

石川稔・中川淳・米倉明編『家族法改正への課題』（日本加除出版，1993年）

太田武男『家族法の判例と法理』（一粒社，1993年）

中田裕康編『家族法改正』(有斐閣，2010年)

梶村太市・徳田和幸編『家事事件手続法〔第3版〕』(有斐閣，2016年)

松本博之『人事訴訟法〔第4版〕』(弘文堂，2021年)

大村敦志ほか編『比較家族法研究』(商事法務，2012年)

村上一博『日本近代婚姻法史論』(法律文化社，2003年)

太田武男『離婚原因の研究』(有斐閣，1987年)

二宮周平『事実婚の現代的課題』(日本評論社，1990年)

本沢巳代子『離婚給付の研究』(一粒社，1998年)

利谷信義編『現代家族法学』(法律文化社，1999年)

下夷美幸『養育費政策の源流』(法律文化社，2015年)

石川稔『子ども法の課題と展開』(有斐閣，2000年)

半田吉信『ハーグ条約と子の連れ去り』(法律文化社，2013年)

梶村太市『裁判例からみた「子の奪い合い」紛争の調停・裁判の実務』(日本加除出版，
　2015年)

二宮周平・渡辺惺之編『子どもと離婚』(信山社，2016年)

大谷美紀子・西谷裕子編『ハーグ条約の理論と実務』(法律文化社，2021年)

床谷文雄・本山敦編『親権法の比較研究』(日本評論社，2014年)

山口亮子『日米親権法の比較研究』(日本加除出版，2020年)

松川正毅『医学の発展と親子法』(有斐閣，2008年)

滝沢聿代『選択的夫婦別氏制』(三省堂，2016年)

中川淳『夫婦・親子関係の法理』(世界思想社，2004年)

松倉耕作『血統訴訟と真実志向』(成文堂，1997年)

大村敦志監修『相続法制の比較研究』(商事法務，2020年)

太田武男・野田愛子・泉久雄編『寄与分』(一粒社，1998年)

加藤永一『遺言の判例と法理』(一粒社，1990年)

高木多喜男『遺留分制度の研究』(成文堂，1981年)

久貴忠彦編集代表『遺言と遺留分　第1巻〔第3版〕，第2巻〔第3版〕』(日本評論社，
　2020年，2022年)

青竹美佳『遺留分制度の機能と基礎原理』(法律文化社，2021年)

野村豊弘・床谷文雄編著『遺言自由の原則と遺言の解釈』(商事法務，2008年)

水野紀子編著『相続法の立法的課題』(有斐閣，2016年)

判 例 索 引

大 審 院

最高裁判所

高等裁判所

事 項 索 引

Horitsu Bunka Sha

新ハイブリッド民法5
家族法〔第2版〕

2006年11月10日	初　版第1刷発行
2012年4月20日	第2版第1刷発行
2017年4月15日	第2版補訂第1刷発行
2021年11月20日	新版第1刷発行
2024年4月15日	新版第2版第1刷発行

著　者	青竹美佳・渡邉泰彦・鹿野菜穂子 西 希代子・冷水登紀代・宮本誠子
発行者	畑　　光
発行所	株式会社 法律文化社

〒603-8053
京都市北区上賀茂岩ヶ垣内町71
電話 075(791)7131 FAX 075(721)8400
https://www.hou-bun.com/

印刷：中村印刷㈱／製本：㈱吉田三誠堂製本所
装幀：白沢　正

ISBN978-4-589-04335-1

©2024 M. Aotake, Y. Watanabe, N. Kano, K. Nishi,
T. Shimizu, S. Miyamoto Printed in Japan

学部とロースクールを架橋する
ハイブリッドシリーズ
基礎から応用まで，多面的かつアクセントをつけて解説・展開

新ハイブリッド民法

1 民法総則〔第2版〕　　3,410円

小野秀誠・良永和隆・山田創一・中川敏宏・中村 肇【著】

2 物権・担保物権法〔第2版〕 3,300円

小山泰史・堀田親臣・工藤祐巌・澤野和博
藤井徳展・野田和裕【著】

3 債権総論　　3,300円

松尾 弘・松井和彦・古積健三郎・原田昌和【著】

4 債権各論　　3,300円

滝沢昌彦・武川幸嗣・花本広志・執行秀幸・岡林伸幸【著】

5 家 族 法〔第2版〕　　3,740円

青竹美佳・渡邉泰彦・鹿野菜穂子・西 希代子
冷水登紀代・宮本誠子【著】

A5判，横組，カバー巻，表示価格は消費税10%を含んだ価格です

法律文化社